D1587118

La cuisine végétarienne

La cuisine végétarienne

© Copyright Parragon 1999 pour l'édition originale

PARRAGON
Queen Street House
4-5 Queen Street
Bath BA1 1HE Royaume-Uni

Tous droits réservés. Aucune partie de ce livre ne peut être reproduite, stockée ou transmise par quelque moyen électronique, mécanique, de reprographie, d'enregistrement ou autres que ce soit sans l'accord préalable des ayants droit.

© Copyright 2003 pour l'édition française
PARRAGON

Réalisation : InTexte Édition, Toulouse
Traduction de l'anglais : Anaïs Duchet

ISBN 1-40540-334-9

Imprimé en Chine

Note
Une cuillère à soupe correspond à 15 à 20 g d'ingrédients secs et à 15 ml d'ingrédients liquides. Une cuillère à café correspond à 3 à 5 g d'ingrédients secs et à 5 ml d'ingrédients liquides. Sans autre précision, le lait est entier, le beurre est doux, les œufs sont de taille moyenne et le poivre est du poivre noir fraîchement moulu.

Note
Les valeurs nutritionnelles données pour chaque recette s'entendent pour une personne. Les ingrédients facultatifs, les variantes ou les suggestions de garniture ne sont pas compris dans ces valeurs. Les temps de préparation et de cuisson des recettes pouvant varier en fonction, notamment, du four utilisé, ils sont donnés à titre indicatif.

Sommaire

Soupes

Entrées

En-cas & repas légers

Pâtes & nouilles

Céréales & légumineuses

Poêlées & sautés

Ragoûts & plats au four

Barbecue

Salades

Garnitures

Desserts

Introduction

Ce livre, plein d'idées et de délicieuses recettes à la fois nutritives et copieuses pour satisfaire même les palais les plus difficiles, démontre bien que la cuisine végétarienne n'est pas une cuisine terne.

Bien se nourrir

La variété est la clé d'une alimentation saine, quel que soit le régime que l'on suit. Si votre alimentation comporte les différents nutriments essentiels (glucides, protides et lipides), vous êtes à peu près assuré de manger équilibré. Les plats traditionnels à base de légumes frais, de légumineuses, de pâtes ou de riz, par exemple, présentent le grand avantage d'être pauvres en matières grasses, en particulier en acides gras saturés, et riches en glucides complexes et en fibres, ce qui semble être en phase avec les tendances actuelles en matière de diététique.

Les légumes sont une source essentielle de vitamines, surtout de vitamine C. Les légumes verts et les légumineuses sont riches en vitamines de type B. Les carottes et les légumes verts ont une forte teneur en carotène, que le corps utilise pour produire la vitamine A. Les carottes contiennent aussi des quantités importantes de vitamines B3, C et E. Les huiles renferment de la vitamine E, et sont souvent riches en matières grasses poly-insaturées. Les légumes sont aussi une excellente source de minéraux essentiels comme le fer, le calcium, le magnésium et le potassium.

L'analyse des propriétés nutritives des aliments remonte au moins au Moyen Âge et, après avoir longtemps été considérées comme des histoires de bonne femme, elles sont à nouveau reconnues et prises en compte : les oignons et l'ail, par exemple, contiennent un principe

anticoagulant qui protège des maladies cardiovasculaires. L'ail renferme également un puissant antibiotique, l'alicyne, qui est réputé protéger le corps contre certaines maladies graves et pour favoriser l'assimilation de nombreuses vitamines.

Il va sans dire qu'un régime végétarien intelligent est au moins aussi sain qu'un régime carné, et certains nutritionnistes maintiennent que c'est même beaucoup plus sain. Cependant, il est à noter que les

Bien se nourrir

protéines sont faites de « blocs » appelés acides aminés, éléments essentiels au bon fonctionnement du corps humain. S'ils sont faciles à trouver dans la plupart des viandes et produits laitiers, ces éléments sont en revanche moins présents dans les aliments végétaux. Un régime équilibré prévient toutefois cet inconvénient. Les légumineuses sont, par exemple, une bonne source de protéines, mais il leur manque un acide aminé : la méthionine. Les céréales, au contraire, contiennent cet acide aminé, mais il leur en manque deux autres, le tryptophane et la lysine. Un plat contenant à la fois du riz et des haricots, une assiette de houmous accompagnée de pain pita ou un bol de soupe accompagné d'une tranche de pain complet, par exemple, sont assurés de fournir tous les constituants protéiques dont le corps a besoin.

Les produits laitiers et les œufs sont aussi une source de protéines, mais ils sont riches en lipides et, dans la vie que nous menons, on tombe vite dans l'habitude des repas-fromage. Cela a pour conséquence néfaste d'augmenter le taux de cholestérol. Cependant, consommé avec modération, le fromage est un ingrédient très utile dans un régime végétarien car il permet de varier les recettes. Pensez à consommer des produits allégés en matières grasses comme le lait écrémé.

Il est important de savoir que le corps ne peut absorber le fer contenu dans les ingrédients végétaux qu'à condition d'ingérer de la vitamine C au cours du même repas. Bien que de nombreux légumes renferment aussi de la vitamine C, celle-ci est facilement détruite lors de la cuisson. Il suffit alors de penser aux fruits crus ou à une salade pour rétablir l'équilibre.

Les végétaliens, qui ne consomment ni produits laitiers ni œufs, doivent prêter encore plus d'attention à leur alimentation. Un manque de calcium, en particulier, peut poser problème, mais on peut éviter ce risque grâce à un apport minéral supplémentaire, par le biais de lait de soja enrichi en calcium. Ce régime peut ainsi être aussi sain qu'un régime végétarien ou complet.

Il serait faux de dire que certains ingrédients sont mauvais pour la santé. Quelques-uns sont pourtant à consommer avec modération : beurre, crème, fromages gras, fruits secs et à coques et huile. D'autres aliments très appréciés, comme les céréales, les légumes, les légumineuses, les fruits, le pain, les pâtes peuvent être consommés plus librement. Tout régime alimentaire doit comprendre des légumes et des fruits crus, et ce à hauteur de plus de 40 % pour un régime végétarien.

Enfin, l'un des avantages supplémentaires du passage à une alimentation végétarienne est que l'on considère son alimentation de façon plus réfléchie et détaillée. Cela s'étend même à tout ce qui touche à la nutrition, concernant la quantité de sel, de sucre ou d'ingrédients raffinés que l'on consomme. C'est pourquoi la plupart des végétariens de longue date se sont créé une alimentation type extrêmement saine.

Les légumes

Les légumes sont le cœur même d'un régime végétarien. Ils offrent une variété infinie de saveurs et de consistances. Une bonne préparation et une cuisson adéquate leur permettent d'être aussi bons que possible et de garder toutes leurs qualités nutritives.

L'achat

Plus les légumes sont frais, meilleurs ils seront. Cependant, certains légumes tels que les racines se conservent assez longtemps s'ils sont au frais et au sec, ou bien deux ou trois jours au frais. Même si les supermarchés sont très pratiques et offrent un grand choix de légumes de qualité, vos efforts pour trouver un commerçant offrant des produits frais de qualité supérieure (de préférence biologique) seront récompensés par une saveur et une qualité nutritionnelle incomparables.

Achetez toujours des légumes qui ne présentent pas de taches et ne sont ni abîmés ni oxydés. Les légumes verts doivent être de couleur vive et leurs feuilles ne doivent pas être flétries ; les racines, les tubercules et les légumes-fruits doivent être fermes. Ne jamais acheter des légumes qui n'ont pas l'air frais ou dont l'odeur est peu engageante.

La préparation

Consommez les légumes le plus tôt possible mais essayez de ne pas les préparer trop à l'avance. S'ils sont trop exposés à l'air ou immergés dans l'eau, ils perdront la plupart de leurs vitamines et de leurs éléments nutritifs. La majorité des vitamines se situe au niveau de la couche située juste en dessous de la peau. Évitez donc d'éplucher les légumes dans la mesure du possible, ou épluchez-les sans enlever trop de chair. Un épluche-légumes à tête pivotante est un investissement conseillé. Faites cuire les pommes de terre avec la peau (en les ayant brossées avant), et épluchez-les après, car la peau se détache en une plus fine couche que si on les épluche crues.

L'épaisseur des rondelles ou des tranches, la grosseur des morceaux de légumes que l'on coupe dépend dans une certaine mesure du mode de cuisson et des instructions de chaque recette. Cependant, gardez à l'esprit que plus les légumes sont coupés fin, plus les éléments nutritifs ont de surface par laquelle s'échapper.

Légumes verts à feuilles

Brocoli

Couper la queue et laisser le brocoli entier, ou bien le séparer en fleurettes, selon la recette. Bien laver.

Chou

Retirer les feuilles extérieures si nécessaire, le couper en quatre et retirer le trognon, puis le couper en tranches ou le râper selon la recette.

Chou chinois

Retirer les feuilles extérieures et en couper la quantité nécessaire.

Chou-fleur

Couper la tige au ras de la tête et enlever le trognon. Retirer les grosses côtes. On peut laisser les plus petites. Laisser la tête entière ou la débiter en fleurettes.

Chou frisé

Séparer les feuilles de la queue, enlever les tiges trop dures et utiliser le chou entier ou râpé.

Choux de Bruxelles

Couper le bout de la queue et retirer les feuilles extérieures. Les laisser entiers.

Épinards

Les rincer délicatement dans deux eaux différentes. Arracher ou couper les tiges dures.

Fèves

Équeuter et couper grossièrement les cosses de moins de 7,5 cm. Pour les cosses plus vieilles, les écosser et retirer la peau après des fèves après cuisson.

Haricots à rames

Les équeuter et les effiler, puis les couper dans la longueur, mais pas en diagonale.

Haricots mange-tout et pois sucrés

Les équeuter et les laisser entiers pour plus de saveur.

Haricots verts

Équeuter les jeunes haricots avec des ciseaux ou un couteau et les laisser entiers. Pincer le bout des haricots plus vieux et le retirer, en retirant les fils, puis couper en diagonale ou hacher.

Petits pois

Pincer le bout de la cosse pour le retirer, ouvrir la cosse en deux et faire sortir les pois.

Pousses et tiges

Artichauts

Retirer la queue et les petites feuilles du fond. Couper 1 cm en haut ainsi que les pointes des feuilles restantes.

Les légumes

Asperges

Retirer le bout filandreux de la tige. Les asperges blanches doivent le plus souvent être épluchées.

Céleri-branche

Enlever la base et séparer les branches. Laver et couper en morceaux. Bien enlever les fils durs du céleri utilisé cru, en salade.

Fenouil

Enlever la couche de peau externe, sauf celle des très jeunes bulbes, et couper de haut en bas ou horizontalement, selon la recette. Utiliser les frondes en décoration.

Racines et autres

Carottes

Pour les jeunes carottes, enlever les extrémités et les brosser. On peut les laisser entières ou les couper en dés ou en rondelles. Éplucher les carottes plus vieilles et retirer le cœur dur.

Céleri-rave

Retirer la peau épaisse avant de faire cuire, car la chair s'oxyde rapidement, puis couper le céleri-rave en tranches ou en morceaux, selon la recette. Mettre, si nécessaire, les morceaux dans une jatte remplie d'eau additionnée d'un peu de jus de citron.

Navets

Enlever les extrémités et éplucher.

Oignons et échalotes

Enlever les couches de peau sèches, couper les extrémités.

Oignons verts

Enlever la racine et les feuilles vertes fanées. Les couper en rondelles ou les émincer selon la recette.

Panais

Couper les extrémités et éplucher finement. Les plus petits peuvent être utilisés entiers, couper les plus vieux en deux, en rondelles ou en dés.

Patates douces

Brosser et cuire avant de les éplucher, ou éplucher finement et plonger dans de l'eau additionnée de jus de citron.

Poireaux

Enlever la racine et les feuilles les plus foncées, les couper en deux dans la longueur, ou les préparer selon la recette. Laver plusieurs fois et bien égoutter.

Les légumes

Pommes de terre

Laver les pommes de terre nouvelles à l'eau froide et les cuire avec la peau. Brosser les vieilles pommes de terre et les éplucher avant ou après la cuisson, selon la recette.

Topinambours

Les brosser sous l'eau froide et les faire cuire avec la peau avant de les éplucher. On peut également les éplucher au préalable, puis les plonger dans de l'eau additionnée de jus de citron pour qu'ils ne s'oxydent pas.

Salades

Chicorée rouge

Séparer les feuilles en jetant les feuilles fanées, puis bien la laver et essorer.

Concombre

Laver. Éplucher les concombres lisses et brillants. Couper en rondelles ou en dés pour les salades. Pour le cuire, le couper au préalable en quatre dans la longueur et l'épépiner.

Cresson

Jeter les feuilles fanées et retirer les tiges un peu épaisses. Bien laver.

Endives

Enlever le cœur depuis la base, puis ôter les feuilles fanées. Bien laver les endives et les essorer énergiquement.

Laitue

Séparer les feuilles et les laver dans plusieurs eaux. Une goutte de vinaigre dans la première eau permet d'éliminer les insectes. Essorer ou envelopper dans un torchon et secouer pour faire sécher les feuilles. Pour les batavias, couper les feuilles en morceaux et, pour les laitues fermes, couper en lanières ou râper.

Mooli

Enlever les extrémités et bien laver le mooli. Couper en rondelles, en dés ou râper.

Radis

Laver et utiliser entiers ou en rondelles, selon la recette.

Roquette

Jeter les feuilles fanées et laver le reste.

Scarole

Séparer les feuilles et jeter les feuilles tachées. Bien laver et essorer.

Courges

Courges

Les laver puis les éplucher si la peau est dure ou si vous voulez les faire sauter ou les braiser.

Courgettes

Laisser les courgettes jeunes entières avec les fleurs. Équeuter les autres et les couper en dés, en rondelles, ou encore les farcir.

Potiron

Éplucher et couper en morceaux.

Légumes-fruits

Aubergines

Les variétés actuelles ne nécessitent plus de salage pour éliminer leur jus amer. Toutefois le salage aide à débarrasser l'aubergine de son trop-plein d'eau. Laver l'aubergine, couper en rondelles ou en morceaux et mettre dans une passoire. Saupoudrer généreusement de sel. Laisser reposer 30 minutes, puis bien rincer et sécher les morceaux en les tapotant avec du papier absorbant.

Avocats

Couper en deux et retirer le noyau, puis saupoudrer la chair de jus de citron pour qu'elle ne s'oxyde pas. Laisser tel quel et servir en entrée avec une vinaigrette ou couper en rondelles et peler, ou couper la chair en dés à retirer à l'aide d'une petite cuillère. (Pelés, ils sont difficiles à manipuler.)

Poivrons

Pour les farcir, découper le chapeau, retirer le cœur et secouer pour faire sortir les graines restantes. Pour les autres plats, couper en deux, retirer cœur et graines et couper en quatre, en rondelles ou en dés. Pour les peler, les couper en deux ou en quatre et les mettre sous le gril, côté peau vers le haut, jusqu'à ce qu'ils noircissent et cloquent. Mettre ensuite dans un sac plastique fermé et laisser de côté 5 à 10 minutes. La peau s'enlèvera toute seule.

Tomates

Bien laver. Pour les peler, faire une croix à la base, et mettre à blanchir à l'eau bouillante quelques secondes, puis rincer à l'eau froide. Pour les salades et les garnitures de pizzas, découper en rondelles horizontales.

Modes de cuisson

Il existe une multitude de façons de cuire les légumes, chaque type de légume ayant une cuisson plus appropriée qu'une autre. Lisez ci-dessous les meilleures méthodes de cuisson pour les légumes que vous utiliserez pour réaliser les recettes de ce livre.

Chaque type de légume a un mode de cuisson particulier qui lui permet d'être le meilleur possible. Les racines et les tubercules durs n'auront pas le même traitement que les tiges, plus délicates. Mais les légumes ne seront que meilleurs après une cuisson minimale qui les aura juste attendris ; les vitamines et autres éléments nutritifs précieux sont souvent détruits au contact de la chaleur ou partent dans l'eau de cuisson. Une cuisson minimale permet également aux légumes de conserver leur consistance et leur saveur.

Cuisson à l'eau

C'est le mode traditionnel de cuisson pour de nombreux légumes. C'est aussi l'une des meilleures méthodes pour les légumes qui doivent cuire longtemps. Mettre un minimum d'eau dans la casserole et faire cuire les légumes jusqu'à ce qu'ils soient juste tendres et les égoutter immédiatement. Prendre une casserole assez grande de façon à ce que l'eau circule bien et couper les légumes, comme les pommes de terre, en morceaux de taille égale pour qu'ils soient cuits en même temps. On peut utiliser l'eau de cuisson pour faire une sauce.

Cuisson à la vapeur

Un mode de cuisson de plus en plus apprécié qui remplace souvent la cuisson à l'eau. Les légumes sont en contact avec moins d'eau, ils gardent ainsi mieux leur croquant. Cette méthode est particulièrement adaptée aux légumes qui deviennent très mous quand ils sont trop cuits. On peut aussi utiliser l'eau de cuisson pour faire une sauce ou un bouillon. Attention : ne pas faire cuire le brocoli calabrais (brocoli vert) à la vapeur, car ce procédé le fait virer au gris, ce qui lui donne un aspect peu appétissant.

Poêlage

Cette technique rapide consistant à faire revenir les ingrédients à feu très vif pendant un temps très court est une méthode ancestrale en Chine et en Asie du Sud-Est. C'est une pratique saine, car elle nécessite moins d'huile que la friture. Les légumes occidentaux, eux aussi, gagnent en saveur, en consistance et en richesse nutritive. Tentez l'expérience avec de petits morceaux de chou-fleur, de choux de Bruxelles, de concombre, de carotte ou de chou.

Modes de cuisson

Sauté et cuisson à l'étouffée

Bien que plus longues, ce sont deux façons idéales de cuisiner certains légumes tels que les courgettes et les oignons.

Ragoût et braisage

Ces méthodes nécessitent un temps de cuisson beaucoup plus long et sont adaptées aux légumes d'hiver. Étant donné que le jus de cuisson fait partie intégrante du plat terminé, on perd moins d'éléments nutritifs. Les légumes braisés, par exemple le fenouil ou les carottes, constituent d'excellents accompagnements.

Rôtissage

Le rôtissage exige une cuisson à température plutôt élevée pour former une couche supérieure qui enveloppe les légumes. Les pommes de terre rôties sont un plat traditionnel chez les Anglo-Saxons qui apprécient aussi les patates douces. L'accompagnement de plats avec d'autres légumes braisés est à la mode. Essayez de faire rôtir des asperges quelques instants dans un peu d'huile d'olive.

Friture

Une technique qui donne de très bons résultats pour certains légumes, par exemple les aubergines en rondelles. Les légumes absorbent moins d'huile frits dans un bain d'huile que lors d'une friture à la poêle. C'est le mode traditionnel de cuisson des pommes de terre : les frites sont réputées faire la joie de tous. Enrober les aliments d'une pâte à crêpes avant de les faire frire les rend délicieux et les protège. Essayez cette méthode sur du chou-fleur, des courgettes, des aubergines et du fenouil. Vérifiez toujours que l'huile est bien chaude avant d'y plonger les aliments, sinon ils absorberont trop d'huile et en seront gorgés. Faire chauffer l'huile à 180-190 °C (un morceau de pain frais plongé dedans doit brunir en 30 secondes).

Gril et barbecue

Inadaptées aux légumes délicats ou trop denses, ces deux techniques sont excellentes pour les poivrons, les épis de maïs, les oignons, les aubergines et les tomates.

La cuisson au four est la méthode choisie pour cuire les légumes farcis et les légumes en papillote qui sont rapides à faire, savoureux et riches en éléments nutritifs. Les pommes de terre au four, quant à elles, se prêtent très bien à une multitude de garnitures, du fromage râpé au chili con carne, pour faire de bons repas complets.

Enfin, gardez à l'esprit que les légumes cuits au micro-ondes ont besoin de moins d'eau ou d'huile et ont un temps de cuisson plus court que dans les autres modes de cuisson.

Ingrédients divers

Bien qu'il existe une multitude de façons de préparer, de cuire et de cuisiner les légumes, ceux-ci ne constituent qu'une partie de la recette ; il faut de nombreux autres ingrédients pour équilibrer un régime végétarien et le rendre original et appétissant.

Légumes secs

Cette catégorie comprend une incroyable variété de pois, de haricots et de lentilles : haricots d'adzuki, haricots noirs, haricots à œil noir, lentilles brunes, haricots beurre, haricots cannellini, pois chiches, flageolets, lentilles vertes, pois cassés verts, haricots gunga, haricots mungo, haricots blancs, haricots pinto, lentilles du Puy, haricots rouges, haricots de soja, lentilles rouges cassées et pois cassés jaunes. Ils sont riches en protéines, en glucides complexes, en vitamines (principalement en vitamines B) et en minéraux, en particulier en fer. Ils sont très riches en fibres, peu chers et peuvent s'accommoder à l'infini. Aussi est-il peu surprenant de les retrouver souvent dans des plats du monde entier : currys de dhaal en Inde, soupes de haricots autour de la Méditerranée, poêlées de haricots au Mexique et « baked beans » aux États-Unis. Les légumes secs n'ont pas un goût très prononcé et se marient donc bien avec d'autres ingrédients, y compris les fines herbes et les épices. Ils sont très nourissants. Il faut faire tremper la plupart d'entre eux avant cuisson pour les réhydrater et les faire gonfler. Plus ils ont été conservés longtemps, plus il faudra les laisser tremper. Laver à l'eau froide, mettre dans une jatte, immerger dans l'eau froide et laisser reposer jusqu'à 8 heures selon les légumes. Suivre les instructions de trempage indiquées sur le paquet. Sinon, immerger dans l'eau bouillante et laisser reposer 2 fois moins longtemps. Seules les lentilles n'ont pas besoin de trempage. Certains haricots, comme les haricots rouges et les germes de soja, renferment une substance toxique qui est détruite en les mettant, après le trempage, dans une casserole d'eau froide que l'on fait bouillir à feu très vif 15 minutes avant de les laisser mijoter normalement. Pour les germes de soja, il suffit de les mettre à bouillir à feu vif 1 heure avant de les laisser mijoter normalement.

Soja

De très nombreux produits de substitution aux produits laitiers sont à base de soja : lait, crème, pâtes à tartiner, glace, farine, huile et sauce de soja. Le tofu est l'un des produits les plus polyvalents : il est répandu et existe sous de nombreuses formes. En raison de son goût neutre, il se mélange très bien à d'autres ingrédients au goût plus prononcé. Riche en protéines, en vitamines du groupe B et en fer, il contient également beaucoup d'acides gras essentiels à une bonne nutrition, mais ne contient pas de cholestérol.

Tofu ferme

Il est vendu sous forme de bloc et son mode de cuisson optimal est le poêlage. Il se découpe facilement en dés (utiliser un couteau tranchant afin qu'il ne risque pas de s'émietter). On trouve aussi du tofu fumé et du tofu mariné. Le tofu ferme peut se consommer rôti, cuit au gril, poêlé ou braisé. Il se conserve une semaine, immergé dans l'eau dans un récipient hermétique, en changeant l'eau tous les jours. On peut remplacer la crème ou le lait par du tofu mou dans de nombreuses recettes.

Fruits à écale et graines

Garniture croustillante et savoureuse, ce sont de vraies petites bombes nutritionnelles : riches en protéines, en glucides et en lipides, ils doivent être consommés avec modération.
La plupart sont meilleurs lorsqu'on les fait griller à sec afin de libérer leur arôme. Amandes, noix de cajou, noix, noisettes, cacahuètes, pignons et pistaches, seuls ou en assortiment, sont parmi les plus employés. Concassés, ils permettent de faire des garnitures de gâteau ou des enrobages délicieusement croquants. Parmi les graines usuelles figurent les graines de fenugrec, de melon, de pavot, de potiron, de sésame et de tournesol.
Après six mois, ces fruits deviennent rances, il vaut donc mieux les acheter en petite quantité, à conserver dans un récipient hermétique.

Germes, pois et graines

Germes de soja

Bien connus grâce aux plats chinois, ils sont généralement cultivés à partir de haricots mungo, mais il existe d'autres germes qui ajoutent consistance, goût et couleur aux salades et aux poêlées. Riches en protéines, en vitamines, en minéraux, en glucides complexes et en fibres, ils sont très bon marché et faciles à cultiver. On trouve des germes prêts à cultiver mais la plupart pousseront très bien dans un pot recouvert d'une étamine maintenue en place par un élastique. Mettre les graines à germer dans le pot, les immerger dans l'eau et

Ingrédients divers

laisser reposer 15 minutes. Égoutter et laisser reposer 24 heures dans un endroit tempéré (entre 13 et 21 °C). Enlever l'eau si besoin est, et répéter l'opération de rinçage. Des germes apparaissent en quelques jours : ils sont utilisables quand ils atteignent 2,5 cm. Cultiver plutôt des pousses de haricots comestibles plutôt que des variétés horticoles qui peuvent avoir été traitées avec des produits chimiques. Les haricots propices à la germination sont : haricots adzuki, luzerne, pois chiches, graines de fenugrec, lentilles, haricots mungo, graines de pavot, graines de potiron, graines de sésame, haricots de soja et graines de tournesol. On peut aussi faire germer des grains de blé.

Champignons

Aliments au goût très prononcé, les champignons sont un composant important et polyvalent d'un régime végétarien. Ils contiennent des protéines, des vitamines B et du potassium, mais ne renferment ni cholestérol ni graisses. Il existe une grande quantité de champignons, cultivés ou sauvages, qui ont chacun leurs qualités. Les champignons cultivés aient un goût plus léger, quoique les shiitake ont un goût très relevé. Les champignons cultivés comprennent les champignons de couche, les champignons fermés, ouverts ou plats. Parmi les champignons sauvages les plus appréciés, dont certains sont aujourd'hui cultivés, on trouve : cèpes, chanterelles, champignons de Paris, mousserons, morilles et pleurotes. Les champignons noirs chinois, plus appréciés pour leur consistance que pour leur goût, ne sont disponibles en Occident qu'en conserve. Les champignons séchés sont très utiles, car ils se conservent presque indéfiniment dans un récipient hermétique. Ils sont chers mais il suffit d'une très petite quantité, car leur saveur s'intensifie à la dessication. Laisser tremper dans de l'eau chaude avant utilisation.

Les champignons frais ne se conservent pas plus de trois jours et les champignons sauvages sont à consommer le jour même de leur achat ou de leur cueillette. La cueillette des champignons sauvages est un passe-temps prisé et pratiqué dans de nombreux pays européens, où les pharmaciens sont habilités à identifier les espèces comestibles. Ne jamais cueillir ou manger un champignon que l'on n'a pas identifié formellement comme étant comestible.

Ingrédients divers

Céréales

Autrefois considérés comme ennemis du régime, les féculents sont maintenant reconnus comme étant bénéfiques pour la santé et le système immunitaire. Ils libèrent de l'énergie dans le corps à un taux régulier pendant plusieurs heures, ce qui est plus sain que le sursaut d'énergie, de courte durée, qu'apporte le sucre. Les féculents sont riches en fibres et contiennent aussi : protéines, vitamines (surtout du groupe B), fer, phosphore, potassium et zinc. Le pain et les céréales servies au petit déjeuner sont enrichis en vitamines et en minéraux, par exemple en calcium.

Riz

Un incontournable dans le monde entier, que l'on trouve dans tous les placards de végétariens. Riche en fibre, il est très nourrissant et se marie bien avec les ingrédients sucrés et salés. Il contient protéines, vitamines (surtout du groupe B) et minéraux. Le riz basmati, le « prince des riz », est une variété indienne de riz parfumé qui s'accorde très bien avec les plats salés et fait de délicieuses salades. Utilisez-le pour des recettes exigeant des grains légers et bien gonflés. Le riz long grain, tout aussi excellent dans les plats salés, coûte moins cher et se cuit facilement. Le riz pour risotto, plus rond que le riz long grain, est une variété qui absorbe beaucoup de liquide, ce qui donne à ce plat italien sa consistance crémeuse. Le riz rond et le riz gluant s'utilisent généralement dans les plats orientaux et les desserts. Le riz blanc, lui, a été poli et a perdu ses enveloppes de son. Le riz complet est le grain entier auquel on n'a enlevé que l'enveloppe extérieure. De consistance caoutchouteuse, il a un petit goût de noisette et existe en long grain et en variété ronde. Sa teneur en protéines, vitamines et minéraux est plus importante que celle du riz blanc et c'est une excellente source de vitamine B1, iboflavine (B2), niacine (B3), calcium et fer. Son temps de cuisson est plus long que celui du riz blanc, mais on peut le réduire en le mettant à tremper. Le riz sauvage n'est pas un vrai riz mais une plante aquatique. Il contient beaucoup de protéines et a une saveur merveilleuse. On le mélange souvent à du riz long grain, au temps de cuisson est plus long.

La farine est un pilier de l'alimentation. Rien n'a été enlevé ni ajouté à la farine complète. Elle conserve donc toutes ses propriétés nutritives. Elle s'utilise seule ou mélangée à d'autres farines (farine blanche ou de sarrasin).

Blé, boulgour, couscous, fait à partir de semoule de blé dur, et avoine font partie des autres céréales à avoir sous la main.

Pâtes

Encore un incontournable. De tous les aliments, probablement celui qui offre le plus de variétés : les pâtes se marient avec les légumes, les fromages, les crèmes, les herbes et les épices. Faciles et rapides à cuire, les pâtes présentent des centaines de formes et de couleurs différentes . Alors, pourquoi ne pas les essayer ?

Huiles et graisses

Source non négligeable de vitamines A, D et E, elles sont essentielles à un régime équilibré , à condition de les consommer en quantité modérée. Pour la cuisine de tous les jours, préférez des huiles peu parfumées comme le tournesol, riche en acides gras poly-insaturés. L'huile d'olive vierge extra convient mieux aux salades, et l'huile d'olive fait le petit plus d'un plat méditerranéen. Riche en acides gras mono-insaturés soupçonnés de faire baisser le taux de cholestérol, elle a un goût exceptionnel. Elle peut aussi remplacer le beurre et la margarine.

Recettes de base

Les recettes suivantes constituent la base de certains des plats présentés tout au long de ce livre. La plupart de ces sauces et assaisonnements de base peuvent être réalisés à l'avance et conservés au réfrigérateur jusqu'à leur utilisation.

Bouillon de légumes frais

225 g d'échalotes
1 grosse carotte, coupée en dés
1 branche de céleri, coupée en morceaux
½ bulbe de fenouil
1 gousse d'ail
1 feuille de laurier
brins de persil et d'estragon frais
2 litres d'eau
poivre

1 Mettre tous les ingrédients dans une grande casserole et porter à ébullition. Écumer la surface à l'aide d'une cuillère puis baisser le feu et laisser mijoter pendant 45 minutes, en couvrant partiellement la casserole. Laisser refroidir.

2 Chemiser le fond d'une passoire avec une étamine et disposer la passoire au-dessus d'une grande jatte. Verser le contenu de la casserole dans la passoire, puis jeter les légumes et les herbes. Couvrir et conserver dans de petits récipients jusqu'à 3 jours.

Crème au tahini

3 cuil. à soupe de tahini
6 cuil. à soupe d'eau
2 cuil. à café de jus de citron
1 gousse d'ail, hachée
sel et poivre

1 Mélanger le tahini, pâte préparée à partir de graines de sésame, avec l'eau.

2 Incorporer le jus de citron et l'ail, saler et poivrer. La sauce au tahini est prête à l'emploi.

Sauce au sésame

2 cuil. à soupe de tahini
2 cuil. à soupe de vinaigre de cidre
2 cuil. à soupe de xérès
2 cuil. à soupe d'huile de sésame
1 cuil. à soupe de sauce de soja
1 gousse d'ail, hachée

1 Mettre le tahini dans une jatte et incorporer vinaigre et xérès pour obtenir une consistance homogène. Ajouter huile de sésame, sauce de soja et ail. Bien mélanger le tout.

Béchamel

600 ml de lait
4 clous de girofle
1 feuille de laurier
1 pincée de muscade fraîchement râpée
25 g de beurre ou de margarine
25 g de farine
sel et poivre

1 Mettre le lait dans une casserole avec les clous de girofle, la feuille de laurier et la muscade et porter lentement à ébullition. Retirer du feu et laisser refroidir pendant 15 minutes.

2 Faire fondre le beurre ou la margarine dans une autre casserole et incorporer la farine de façon à obtenir un roux. Faire cuire en remuant pendant 1 minute avant de retirer la casserole du feu.

3 Passer le lait avant de l'incorporer au roux, puis remettre la casserole sur feu et porter à ébullition sans cesser de remuer pour faire épaissir. Saler et poivrer.

Recettes de base

Sauce aux fines herbes et au yaourt

- 15 g de persil
- 15 g de menthe
- 15 g de ciboulette
- 1 gousse d'ail, hachée
- 150 ml de yaourt nature
- sel et poivre

1 Enlever les branches du persil et de la menthe, et mettre les feuilles dans un mixeur ou un robot de cuisine.

2 Ajouter ciboulette, ail et yaourt, puis saler et poivrer. Mixer le tout pour obtenir une consistance homogène, puis conserver au réfrigérateur.

Sauce aigre-douce

- 150 ml de jus d'ananas
- 150 ml de bouillon de légumes
- 2 cuil. à soupe de vinaigre de vin
- 2 cuil. à soupe de sucre de canne
- 2 cuil. à soupe de maïzena
- 2 oignons verts, hachées

1 Mettre les ingrédients de la sauce dans une casserole et porter à ébullition sans cesser de remuer jusqu'à ce que le liquide épaississe et se clarifie.

Sauce au concombre

- 200 g de yaourt nature
- 1 morceau de concombre de 5 cm, épluché
- 1 cuil. à soupe de menthe fraîche hachée
- ½ cuil. à café d'écorce de citron râpé
- 1 pincée de sucre en poudre
- sel et poivre

1 Mettre les ingrédients dans un mixeur, saler et poivrer à son goût et mixer pour obtenir une consistance homogène. On peut aussi hacher menu le concombre et le mélanger avec les autres ingrédients. Servir très frais.

Vinaigrette aux pommes

- 2 cuil. à soupe d'huile de tournesol
- 2 cuil. à soupe de jus de pomme concentré
- 2 cuil. à soupe de vinaigre de cidre
- 1 cuil. à soupe de moutarde de Meaux
- 1 gousse d'ail, écrasée
- sel et poivre

1 Mettre l'huile, le jus de pomme, le vinaigre de cidre, la moutarde et l'ail dans un shaker à sauce, saler et poivrer à son goût. Secouer énergiquement pour bien mélanger le tout.

Vinaigrette chaude à l'huile de noix

- 6 cuil. à soupe d'huile de noix
- 3 cuil. à soupe de vinaigre de vin blanc
- 1 cuil. à soupe de miel liquide
- 1 cuil. à café de moutarde à l'ancienne
- 1 gousse d'ail, coupée en rondelles
- sel et poivre

1 Mettre l'huile, le vinaigre, le miel et la moutarde dans une casserole, saler et poivrer à son goût et battre le tout.

2 Ajouter l'ail et faire chauffer à feu très doux pendant 3 minutes, puis retirer les rondelles d'ail à l'aide d'une écumoire et les jeter. Verser la vinaigrette sur la salade et servir immédiatement.

Sauce à la tomate

- 125 ml de jus de tomate
- 1 gousse d'ail, écrasée
- 2 cuil. à soupe de jus de citron
- 1 cuil. à soupe de sauce de soja
- 1 cuil. à café de miel liquide
- 2 cuil. à soupe de ciboulette émincée
- sel et poivre

1 Mettre les ingrédients dans un shaker à sauce, saler et poivrer à son goût et secouer énergiquement pour bien mélanger le tout.

Mode d'emploi

Chaque recette vous donne de nombreuses informations utiles, parmi lesquelles l'analyse des valeurs nutritionnelles, les temps de préparation et de cuisson et le niveau de difficulté. Toutes ces informations vous sont expliquées en détail ci-dessous.

La durée indiquée ici est le temps de cuisson.

Les valeurs nutritionnelles fournies pour chaque recette sont calculées pour 1 personne. Les ingrédients facultatifs, les variantes ou les suggestions de présentation n'ont pas été comptabilisés.

Le nombre de toques représente le niveau de difficulté de chaque recette, qui va du plus facile (1 toque) au plus difficile (5 toques).

La durée indiquée ici est le temps de préparation des ingrédients, y compris les temps de refroidissement, de mise au frais et de trempage.

Les ingrédients de chaque recette sont donnés dans leur ordre d'utilisation.

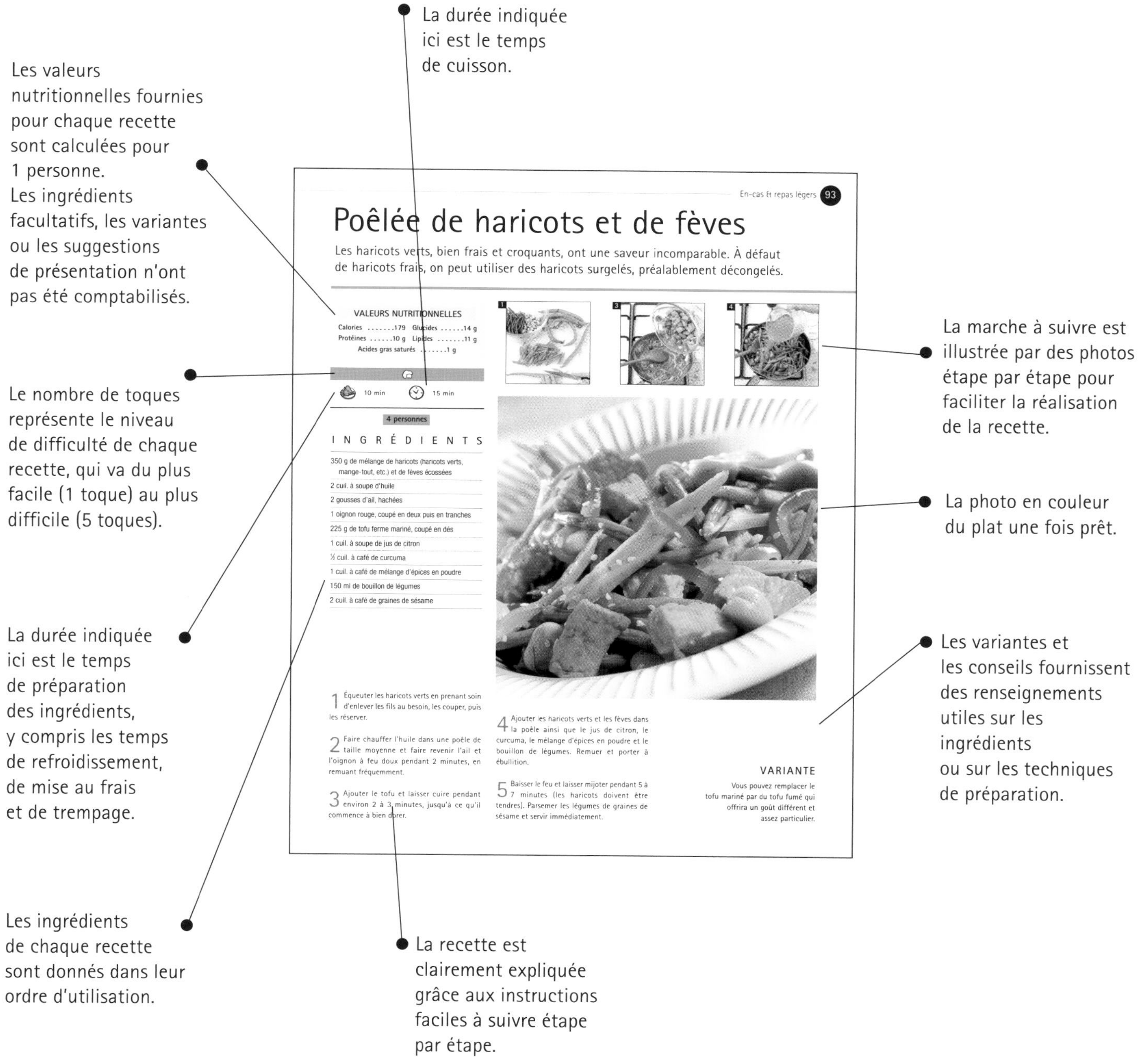

En-cas & repas légers 93

Poêlée de haricots et de fèves

Les haricots verts, bien frais et croquants, ont une saveur incomparable. À défaut de haricots frais, on peut utiliser des haricots surgelés, préalablement décongelés.

VALEURS NUTRITIONNELLES

Calories ....179 Glucides ......14 g
Protéines ......10 g Lipides ....11 g
Acides gras saturés ....1 g

10 min 15 min

4 personnes

INGRÉDIENTS

- 350 g de mélange de haricots (haricots verts, mange-tout, etc.) et de fèves écossées
- 2 cuil. à soupe d'huile
- 2 gousses d'ail, hachées
- 1 oignon rouge, coupé en deux puis en tranches
- 225 g de tofu ferme mariné, coupé en dés
- 1 cuil. à soupe de jus de citron
- ½ cuil. à café de curcuma
- 1 cuil. à café de mélange d'épices en poudre
- 150 ml de bouillon de légumes
- 2 cuil. à café de graines de sésame

1 Équeuter les haricots verts en prenant soin d'enlever les fils au besoin, les couper, puis les réserver.

2 Faire chauffer l'huile dans une poêle de taille moyenne et faire revenir l'ail et l'oignon à feu doux pendant 2 minutes, en remuant fréquemment.

3 Ajouter le tofu et laisser cuire pendant environ 2 à 3 minutes, jusqu'à ce qu'il commence à bien dorer.

4 Ajouter les haricots verts et les fèves dans la poêle ainsi que le jus de citron, le curcuma, le mélange d'épices en poudre et le bouillon de légumes. Remuer et porter à ébullition.

5 Baisser le feu et laisser mijoter pendant 5 à 7 minutes (les haricots doivent être tendres). Parsemer les légumes de graines de sésame et servir immédiatement.

VARIANTE

Vous pouvez remplacer le tofu mariné par du tofu fumé qui offrira un goût différent et assez particulier.

La marche à suivre est illustrée par des photos étape par étape pour faciliter la réalisation de la recette.

La photo en couleur du plat une fois prêt.

Les variantes et les conseils fournissent des renseignements utiles sur les ingrédients ou sur les techniques de préparation.

La recette est clairement expliquée grâce aux instructions faciles à suivre étape par étape.

Soupes

Les soupes sont faciles à réaliser et toujours réussies. Il existe une formidable variété de soupes : onctueuses et crémeuses, consistantes et épaisses, ou encore légères et délicates, servies chaudes ou froides. Les légumes sont généralement moulinés pour donner une consistance homogène et épaisse, mais on peut aussi n'en mixer qu'une partie, pour obtenir une consistance plus originale. Un grand nombre d'ingrédients peut être ajouté aux légumes : céréales, légumineuses, nouilles, fromage et yaourt, notamment, s'y associent très bien. Il est possible d'adapter les recettes avec d'autres ingrédients si l'on ne dispose pas de ceux qui sont proposés. Quelles que soient vos préférences, vous apprécierez la variété des soupes savoureuses proposées dans ce chapitre. Servies avec du pain frais, elles constitueront d'excellents repas.

Soupe de poivron pimentée

Une soupe très méditerranéenne qui se compose de poivron rouge doux, de tomate, de piment et de basilic, à déguster avec du pain aux olives.

VALEURS NUTRITIONNELLES

Calories ....55 Glucides ......21 g
Protéines ....2 g Lipides ....0,5 g
Acides gras saturés ......0,1 g

 10 min  25 min

4 personnes

INGRÉDIENTS

- 225 g de poivrons rouges, épépinés et coupés en lamelles
- 1 oignon, coupé en rondelles
- 2 gousses d'ail, hachées
- 1 piment vert, haché
- 300 ml de coulis de tomates
- 600 ml de bouillon de légumes
- 2 cuil. à soupe de basilic haché
- brins de basilic, en garniture

1 Mettre les poivrons dans une grande casserole avec l'oignon, l'ail et le piment. Ajouter le coulis de tomates et le bouillon de légumes. Porter à ébullition sans cesser de remuer.

2 Baisser le feu et laisser mijoter pendant 20 minutes pour ramollir les poivrons. Égoutter puis réserver le jus et les légumes séparément.

3 Passer les légumes à travers une passoire en les écrasant avec le dos d'une cuillère ou les passer au mixeur jusqu'à obtention d'une consistance bien homogène.

4 Mettre la purée de légumes dans une casserole avec le jus réservé puis ajouter le basilic et faire réchauffer. Garnir la soupe avec des brins de basilic frais et servir immédiatement.

VARIANTE

Cette soupe sera également délicieuse servie froide, si vous y ajoutez 150 ml de yaourt nature.

Velouté d'avocat à la menthe

Un velouté crémeux vert tendre à base d'avocats et relevée d'une touche de menthe hachée. À servir frais l'été ou chaud l'hiver.

VALEURS NUTRITIONNELLES

Calories ....199 Glucides ......10 g
Protéines ....3 g Lipides ....18 g
Acides gras saturés ....6 g

15 min 35 min

6 personnes

INGRÉDIENTS

- 40 g de beurre ou de margarine
- 6 oignons verts, coupés en rondelles
- 1 gousse d'ail, hachée
- 25 g de farine
- 600 ml de bouillon de légumes
- 2 avocats mûrs
- 2 à 3 cuil. à café de jus de citron
- 1 pincée de zeste de citron râpé
- 150 ml de lait
- 150 ml de crème liquide (allégée)
- 1 à 1 cuil. à soupe ½ de menthe hachée
- sel et poivre
- brins de menthe, en garniture

PAIN À L'AIL ET À LA MENTHE

- 125 g de beurre
- 1 à 2 cuil. à soupe de menthe hachée
- 1 ou 2 gousses d'ail, hachées
- 1 baguette de pain blanc ou complet

1 Faire fondre le beurre ou la margarine dans une grande casserole à fond épais et faire fondre les oignons verts et l'ail à feu doux pendant 3 minutes, en remuant de temps en temps, jusqu'à ce que les oignons verts soient translucides.

2 Ajouter la farine et faire cuire en remuant pendant 1 à 2 minutes. Incorporer progressivement le bouillon de légumes et porter à ébullition. Laisser mijoter doucement pendant la préparation des avocats.

3 Peler et dénoyauter les avocats, les couper grossièrement et les ajouter à la soupe avec le jus et le zeste de citron. Saler et poivrer, couvrir et laisser mijoter 10 minutes. Les morceaux d'avocat doivent être tendres.

4 Laisser la soupe refroidir un peu, puis la passer à travers une passoire en écrasant les légumes avec le dos d'une cuillère, ou la passer au mixeur ou au robot de cuisine, jusqu'à obtenir une consistance homogène et épaisse. Verser dans une jatte.

5 Incorporer le lait, la crème et la menthe. Saler et poivrer. Couvrir et réfrigérer.

6 Réduire le beurre en pommade et y incorporer la menthe et l'ail. Couper le pain en biais en grosses tranches sans couper la croûte inférieure pour laisser les tranches reliées entre elles. Beurrer l'intérieur, puis resserrer le pain et l'envelopper de papier aluminium. Mettre au four préchauffé, à 180 °C (th. 6), 15 minutes.

7 Servir la soupe garnie d'un brin de menthe, accompagnée du pain.

Soupe indienne aux haricots

Une soupe épaisse, nourrissante et suffisamment copieuse pour constituer un plat principal, accompagnée de pain complet.

VALEURS NUTRITIONNELLES

Calories ....237 Glucides ......42 g
Protéines ....9 g Lipides ....9 g
Acides gras saturés ....1 g

 20 min  50 min

6 personnes

INGRÉDIENTS

- 4 cuil. à soupe de ghee (beurre clarifié) ou d'huile
- 2 oignons, épluchés et émincés
- 225 g de pommes de terre, coupées en gros morceaux
- 225 g de panais, coupés en gros morceaux
- 225 g de navets ou de rutabagas, coupés en gros morceaux
- 2 branches de céleri, coupées en rondelles
- 2 courgettes, coupées en rondelles
- 1 poivron vert, épépiné et coupé en morceaux d'environ 1 cm
- 2 gousses d'ail, hachées
- 2 cuil. à café de coriandre en poudre
- 1 cuil. à soupe de paprika
- 1 cuil. à soupe de pâte de curry moyennement épicée
- 1,2 l de bouillon de légumes
- sel
- 400 g de haricots cornilles ou de haricots blancs en boîte, égouttés et rincés
- coriandre hachée, en garniture

1 Faire chauffer le ghee ou l'huile dans une casserole et faire revenir tous les légumes, sauf les courgettes et le poivron vert, pendant 5 minutes à feu moyen, en remuant fréquemment. Ajouter l'ail, la coriandre en poudre, le paprika et la pâte de curry et faire cuire pendant 1 minute sans cesser de remuer.

2 Incorporer le bouillon, saler et poivrer. Porter à ébullition, couvrir et laisser mijoter à feu doux pendant 25 minutes, en remuant de temps en temps.

3 Ajouter les haricots cornilles, les rondelles de courgette et le poivron vert, couvrir et faire cuire pendant environ 15 minutes. Tous les légumes doivent être bien tendres.

4 Passer 300 ml de la soupe (environ le contenu de deux louches) au mixeur ou au robot de cuisine, puis reverser la purée de légumes obtenue dans la casserole et faire réchauffer. Parsemer éventuellement de coriandre et servir très chaud.

1

3

4

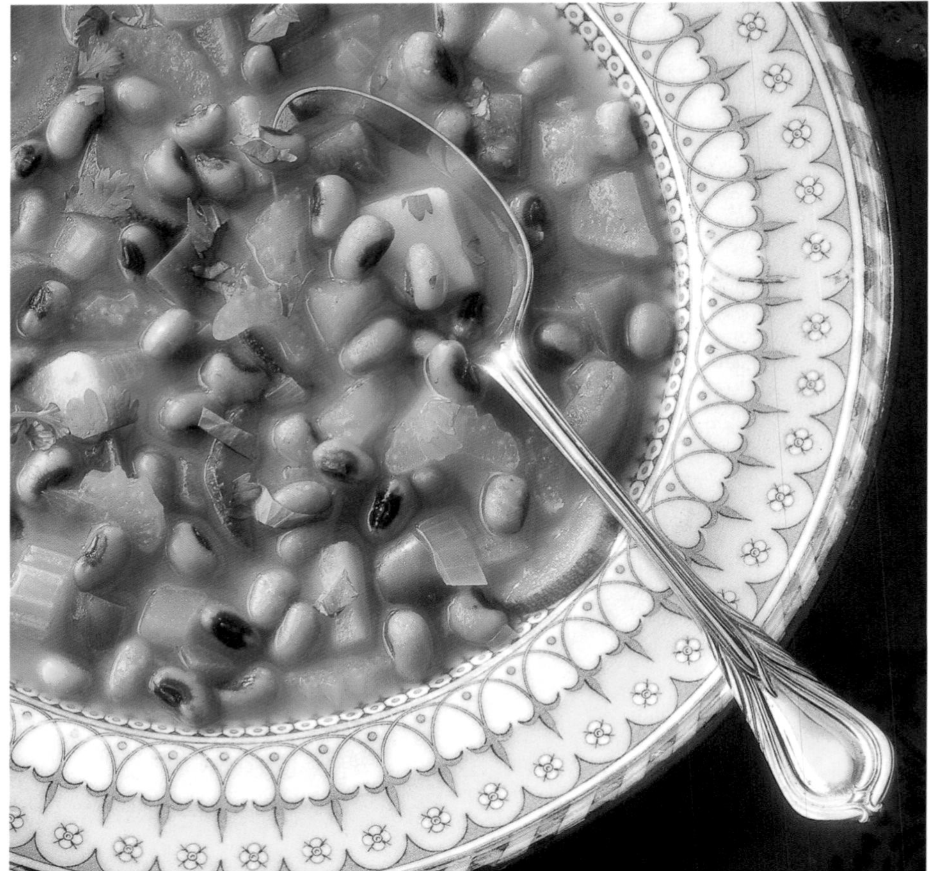

Soupe au dhaal

Le dhaal est un délicieux plat indien à base de lentilles. Cette soupe en est une variante, préparée avec des lentilles rouges et de la poudre de curry.

VALEURS NUTRITIONNELLES

Calories ....284 Glucides ......51 g
Protéines ......16 g Lipides ....9 g
Acides gras saturés ....5 g

 5 min 40 min

4 personnes

INGRÉDIENTS

- 25 g de beurre
- 2 gousses d'ail, hachées
- 1 oignon, émincé
- ½ cuil. à café de curcuma
- 1 cuil. à café de garam masala
- ½ de cuil. à café de poudre de piment
- 1 cuil. à café de cumin en poudre
- 1 kg de tomates concassées en boîte, égouttées
- 175 g de masoor dhaal (lentilles rouges)
- 2 cuil. à café de jus de citron
- 600 ml de bouillon de légumes
- 300 ml de lait de coco
- sel et poivre
- coriandre hachée et rondelles de citron, en garniture
- naan (pain indien), en accompagnement

1

2

3

1 Faire fondre le beurre dans une grande casserole et faire revenir l'ail et l'oignon pendant 2 à 3 minutes, sans cesser de remuer. Ajouter le curcuma, le garam masala, la poudre de piment et le cumin et faire cuire encore pendant 30 secondes.

2 Ajouter les tomates concassées, les lentilles, le jus de citron, le bouillon de légumes et le lait de coco et porter à ébullition.

3 Baisser le feu et laisser la soupe mijoter à découvert pendant 25 à 30 minutes. Les lentilles doivent être bien cuites et tendres.

4 Saler, poivrer et verser la soupe dans une soupière chaude. Décorer avec la coriandre hachée et les rondelles de citron et servir immédiatement avec du naan chaud.

CONSEIL

Le lait de coco se trouve en boîte dans les supermarchés et les épiceries asiatiques. Vous pouvez aussi le préparer en râpant un bloc de noix de coco séchée et en mélangeant les copeaux avec de l'eau.

Soupe d'hiver

Une soupe épaisse de légumes qui, à elle seule, constitue un excellent repas. À servir avec de fins copeaux de parmesan et de la ciabatta (pain italien) chaude.

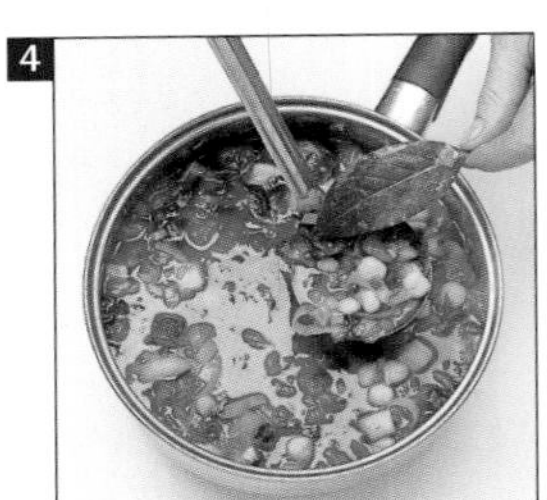

VALEURS NUTRITIONNELLES

Calories ....285 Glucides ......40 g
Protéines ......16 g Lipides ....12 g
Acides gras saturés ....3 g

 10 min  20 min

4 personnes

INGRÉDIENTS

- 2 cuil. à soupe d'huile d'olive
- 2 poireaux, coupés en fines rondelles
- 2 courgettes, coupées en rondelles
- 2 gousses d'ail, hachées
- 800 g de tomates concassées en boîte
- 1 cuil. à soupe de concentré de tomates
- 1 feuille de laurier
- 900 ml de bouillon de légumes
- 400 g de pois chiches en boîte, égouttés
- 225 g de jeunes épinards
- 25 g de parmesan, en fins copeaux
- sel et poivre
- ciabatta chaude, en accompagnement

1 Faire chauffer l'huile dans une casserole à fond épais et faire revenir les rondelles de poireaux et de courgettes pendant 5 minutes à feu doux, sans cesser de remuer.

2 Ajouter l'ail, les tomates concassées, le concentré de tomates, la feuille de laurier, le bouillon de légumes et les pois chiches. Porter à ébullition, puis baisser le feu et laisser mijoter pendant 5 minutes, en remuant de temps en temps.

3 Couper les épinards en fines lanières et les ajouter à la soupe. Laisser bouillir pendant 2 minutes. Saler et poivrer à son goût.

4 Retirer la feuille de laurier et verser dans une soupière. Saupoudrer de parmesan et servir accompagné de ciabatta chaude.

Soupe à la tomate

La soupe à la tomate maison est facile à faire et bien plus savoureuse que les soupes toutes prêtes. Essayez cette version aux accents méditerranéens.

VALEURS NUTRITIONNELLES

Calories ....402 Glucides ......30 g
Protéines ....7 g Lipides ....32 g
Acides gras saturés ....3 g

 20 min  30 à 35 min

4 personnes

INGRÉDIENTS

- 2 cuil. à soupe d'huile d'olive
- 2 oignons rouges, émincés
- 2 branches de céleri, coupées en morceaux
- 1 carotte, coupée en morceaux
- 500 g de tomates olivettes, coupées en deux
- 750 ml de bouillon de légumes
- 1 cuil. à soupe d'origan haché
- 1 cuil. à soupe de basilic haché
- 150 ml de vin blanc sec
- 2 cuil. à café de sucre en poudre
- 125 g de noisettes, grillées
- 125 g d'olives vertes ou noires
- 1 poignée de feuilles de basilic
- 1 cuil. à soupe d'huile d'olive
- 1 ciabatta (pain italien)
- sel et poivre
- brins de basilic, en garniture

1 Faire chauffer l'huile dans une casserole et faire revenir les oignons, le céleri et la carotte à feu doux, en remuant fréquemment, jusqu'à ce que les légumes soient tendres, mais n'aient pas encore doré.

2 Ajouter les tomates, le bouillon, les herbes hachées, le vin et le sucre, et porter à ébullition. Couvrir et laisser mijoter 20 minutes.

3 Mettre les noisettes grillées dans un mixeur ou un robot de cuisine avec les olives et les feuilles de basilic, et mixer pour que les ingrédients soient bien mélangés, mais ne soient pas hachés trop fin. On peut aussi couper les noisettes, les olives et le basilic et les piler grossièrement dans un mortier. Verser le mélange dans une petite jatte. Ajouter l'huile d'olive et mixer ou battre énergiquement pendant quelques secondes. Verser ensuite la préparation obtenue dans un petit bol.

4 Chauffer la ciabatta au four préchauffé, à 190 °C (th. 6-7), pendant 3 à 4 minutes.

5 Mixer la soupe ou la passer à travers une passoire en l'écrasant avec le dos d'une cuillère, pour obtenir une consistance homogène. Saler, poivrer et verser la soupe dans des bols. Garnir avec les brins de basilic. Couper le pain chaud, le tartiner avec la pâte aux noisettes et aux olives et le servir en accompagnement.

Soupe aux haricots variés

Une soupe copieuse, pleine de couleurs, de qualités nutritives et riche en goût, que l'on peut préparer avec tous les légumes qu'on a sous la main.

VALEURS NUTRITIONNELLES

Calories ....190 Glucides ......39 g
Protéines ......10 g Lipides ....4 g
Acides gras saturés ......0,5 g

 10 min  40 min

4 personnes

INGRÉDIENTS

- 1 cuil. à soupe d'huile
- 1 oignon rouge, coupé en deux puis en rondelles
- 100 g de pommes de terre, coupées en dés
- 1 carotte, coupée en dés
- 1 poireau, coupé en rondelles
- 1 piment vert, coupé en rondelles
- 3 gousses d'ail, hachées
- 1 cuil. à café de coriandre en poudre
- 1 cuil. à café de poudre de piment
- 1 litre de bouillon de légumes
- 450 g de haricots variés (haricots rouges, haricots borlotti, haricots cornilles, flageolets, etc.), égouttés
- sel et poivre
- 2 cuil. à soupe de coriandre hachée, en garniture

1 Faire chauffer l'huile dans une grande casserole et faire revenir l'oignon, les pommes de terre, la carotte et le poireau pendant 2 minutes, sans cesser de remuer, jusqu'à ce que les légumes soient légèrement ramollis.

2 Ajouter le piment en morceaux et l'ail haché et faire cuire encore 1 minute.

3 Incorporer la coriandre en poudre, la poudre de piment et le bouillon de légumes.

4 Porter la soupe à ébullition, puis baisser le feu et laisser cuire pendant 20 minutes, jusqu'à ce que les légumes soient tendres.

5 Ajouter les haricots, saler et poivrer et faire cuire pendant encore 10 minutes, en remuant de temps en temps.

6 Verser la soupe dans une soupière chaude ou dans de petits bols, garnir avec la coriandre hachée et servir.

CONSEIL

Servez cette soupe avec des tranches de pain à la farine de maïs ou du pain au fromage chauds.

Soupe de potiron

Un classique de la cuisine américaine qui a traversé l'Océan. On peut éventuellement remplacer le potiron par du potimarron au léger goût de marron.

VALEURS NUTRITIONNELLES

Calories . . . . .112 Glucides . . . . . .15 g
Protéines . . . . . . .4 g Lipides . . . . .7 g
Acides gras saturés . . . . . . .2 g

 10 min  30 min

6 personnes

INGRÉDIENTS

- environ 1 kg de potiron
- 40 g de beurre ou de margarine
- 1 oignon, coupé en fines rondelles
- 1 gousse d'ail, hachée
- 900 ml de bouillon de légumes
- ½ cuil. à café de gingembre moulu
- 1 cuil. à soupe de jus de citron
- 3 ou 4 lanières de zeste d'orange (facultatif)
- 1 ou 2 feuilles de laurier ou 1 bouquet garni
- 300 ml de lait
- sel et poivre

GARNITURE

- 4 à 6 cuil. à soupe de crème fraîche liquide, de crème fraîche épaisse, de yaourt nature ou de fromage blanc
- ciboulette, ciselée

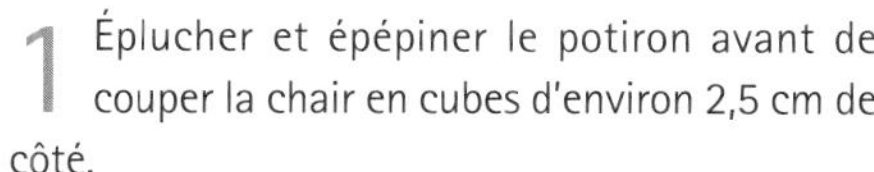

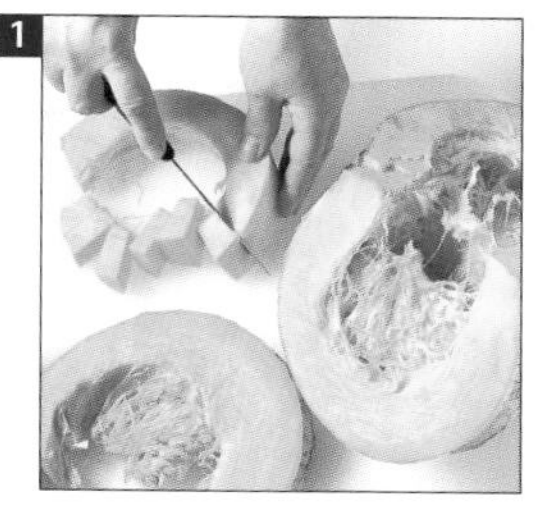

1 Éplucher et épépiner le potiron avant de couper la chair en cubes d'environ 2,5 cm de côté.

2 Faire fondre le beurre ou la margarine dans une grande casserole à fond épais et faire revenir l'oignon et l'ail à feu doux, sans les faire dorer.

3 Ajouter le potiron et faire revenir pendant 2 à 3 minutes.

4 Ajouter le bouillon et porter à ébullition à feu modéré. Saler, poivrer et ajouter le gingembre, le jus de citron, le zeste d'orange, et les feuilles de laurier ou le bouquet garni. Couvrir la casserole et laisser mijoter à feu doux pendant 20 minutes, jusqu'à ce que le potiron soit bien tendre.

5 Retirer les feuilles de laurier et les zestes d'orange. Laisser refroidir et passer la préparation à travers une passoire en l'écrasant avec le dos d'une cuillère, ou la passer au mixeur pour obtenir une consistance homogène. La verser ensuite dans une casserole.

6 Ajouter le lait et chauffer à feu doux. Rectifier l'assaisonnement si nécessaire. Garnir avec une pointe de crème et la ciboulette.

Velouté de petits pois à la menthe

Une délicieuse soupe estivale, rafraîchissante et pleine de qualités nutritives. Également très savoureuse servie froide.

VALEURS NUTRITIONNELLES

Calories ....208 Glucides ......35 g
Protéines ......10 g Lipides ....7 g
Acides gras saturés ....2 g

 15 min  25 min

6 personnes

INGRÉDIENTS

- 2 cuil. à soupe de ghee (beurre clarifié) ou d'huile de tournesol
- 2 oignons, coupés grossièrement
- 225 g de pommes de terre, coupées grossièrement
- 2 gousses d'ail
- 1 morceau de gingembre frais de 2,5 cm, émincé
- 1 cuil. à café de coriandre en poudre
- 1 cuil. à café de cumin en poudre
- 1 cuil. à soupe de farine
- 900 ml de bouillon de légumes
- 500 g de petits pois surgelés
- 2 à 3 cuil. à soupe de menthe hachée
- sel et poivre
- 150 ml de yaourt à la grecque, un peu plus pour accompagner
- ½ cuil. à café de maïzena
- 300 ml de lait
- brins de menthe, en garniture

1 Faire chauffer le ghee ou l'huile de tournesol dans une casserole et faire revenir l'oignon et les pommes de terre pendant environ 3 minutes à feu doux, en remuant de temps en temps, jusqu'à ce que l'oignon soit translucide.

2 Ajouter l'ail, le gingembre, la coriandre, le cumin et la farine et faire cuire pendant 1 minute, sans cesser de remuer.

3 Incorporer le bouillon de légumes, les petits pois et la moitié de la menthe et porter à ébullition, sans cesser de remuer. Baisser le feu, couvrir et laisser mijoter à feu doux 15 minutes, jusqu'à ce que les légumes soient tendres.

4 Mixer la soupe, en plusieurs fois, dans un mixeur ou un robot de cuisine. Reverser la préparation dans la casserole, saler et poivrer. Mélanger le yaourt avec la maïzena de façon à obtenir une pâte lisse et l'incorporer en remuant à la soupe.

5 Verser le lait dans la soupe et bien faire chauffer, sans cesser de remuer, puis laisser cuire à feu très doux pendant 2 minutes. Servir la soupe chaude, garnie du reste de menthe hachée et d'une pointe de yaourt.

Soupe épaisse à l'oignon

Une soupe crémeuse, agrémentée de carotte râpée et de persil qui lui donnent de la couleur. Servie avec des scones au fromage, elle constituera un repas copieux.

VALEURS NUTRITIONNELLES

Calories ....277 Glucides ......31 g
Protéines ....6 g Lipides ....20 g
Acides gras saturés ....8 g

 20 min  1 h 10

6 personnes

INGRÉDIENTS

- 75 g de beurre
- 500 g d'oignons, émincés finement
- 1 gousse d'ail, hachée
- 40 g de farine
- 600 ml de bouillon de légumes
- 600 ml de lait
- 2 à 3 cuil. à café de jus de citron ou de citron vert
- 1 bonne pincée de poivre de la Jamaïque
- 1 feuille de laurier
- 1 carotte, râpée grossièrement
- 4 à 6 cuil. à soupe de crème fraîche épaisse
- 2 cuil. à soupe de persil haché
- sel et poivre

SCONES AU FROMAGE

- 225 g de farine maltée ou complète
- 2 cuil. à café de levure chimique
- 60 g de beurre
- 4 cuil. à soupe de parmesan râpé
- 1 œuf, battu
- environ 75 ml de lait

1 Faire fondre le beurre dans une casserole et faire revenir les oignons et l'ail à feu doux 10 à 15 minutes, en remuant fréquemment. Ils doivent devenir tendres sans dorer. Incorporer la farine et faire cuire, sans cesser de remuer, pendant 1 minute. Verser progressivement le bouillon. Porter à ébullition en remuant souvent et ajouter le lait. Porter de nouveau à ébullition.

2 Saler, poivrer et ajouter 2 cuillerées à café du jus de citron ou de citron vert, le poivre de la Jamaïque et la feuille de laurier. Couvrir et laisser mijoter 25 minutes, jusqu'à ce que les légumes soient tendres. Retirer la feuille de laurier.

3 Pendant ce temps, mélanger la farine complète avec la levure chimique, saler et poivrer, puis incorporer le beurre avec les doigts pour obtenir une consistance de chapelure fine. Ajouter 3 cuillerées à café de parmesan, l'œuf et assez de lait pour obtenir une pâte souple.

4 Abaisser la pâte en un bloc d'environ 2 cm d'épaisseur, la disposer sur une plaque à pâtisserie farinée et la découper en tranches. Saupoudrer avec le reste de parmesan et faire cuire au four préchauffé, à 220 °C (th. 7-8), pendant environ 20 minutes. La pâte doit lever et dorer.

5 Mettre la carotte dans la soupe et laisser mijoter pendant 2 à 3 minutes. Ajouter du jus de citron si nécessaire, puis incorporer la crème fraîche et réchauffer la soupe. La servir garnie de persil et accompagnée des scones chauds.

1

4

5

Soupe onctueuse au maïs

Une soupe onctueuse que l'on sert en entrée, avant un plat principal léger. Facile à faire, elle est aussi savoureuse.

VALEURS NUTRITIONNELLES

Calories	378	Glucides	72 g
Protéines	16 g	Lipides	13 g
Acides gras saturés	6 g		

 15 min  30 min

4 personnes

INGRÉDIENTS

- 1 cuil. à soupe d'huile
- 1 oignon rouge, coupé en dés
- 1 poivron rouge, épépiné et coupé en dés
- 3 gousses d'ail, hachées
- 1 grosse pomme de terre, coupée en dés
- 2 cuil. à soupe de farine
- 600 ml de lait
- 300 ml de bouillon de légumes
- 50 g de brocoli, en fleurettes
- 300 g de maïs en boîte, égoutté
- 75 g de cheddar ou d'emmental, râpé
- sel et poivre
- 1 cuil. à soupe de coriandre hachée, en garniture

1

2

4

1 Faire chauffer l'huile dans une casserole et faire revenir l'oignon, le poivron, l'ail et la pomme de terre pendant 2 à 3 minutes à feu doux, en remuant fréquemment.

2 Incorporer la farine et faire cuire, sans cesser de remuer, pendant 30 secondes, puis verser progressivement le lait et le bouillon.

3 Ajouter le brocoli et le maïs et porter le mélange à ébullition, sans cesser de remuer. Réduire le feu et laisser mijoter pendant environ 20 minutes jusqu'à ce que les légumes soient tendres.

4 Ajouter 50 g de fromage râpé en remuant jusqu'à ce qu'il soit fondu.

5 Saler et poivrer avant de verser la soupe dans une soupière chaude. Parsemer avec le reste du fromage et la coriandre hachée. Servir immédiatement.

CONSEIL

Pour les végétaliens, il existe des fromages faits à partir de présure non animale, à base d'enzymes microbiennes ou fongiques.

Gaspacho

Une soupe espagnole, à base de tomate et d'une multitude de légumes coupés en morceaux. Servie frappée, elle doit être préparée très à l'avance.

VALEURS NUTRITIONNELLES

Calories ....140 Glucides ......25 g
Protéines ....3 g Lipides ....9 g
Acides gras saturés ....1 g

 6 h 30  0 min

4 personnes

INGRÉDIENTS

- ½ concombre
- ½ poivron vert, épépiné et coupé en très petits morceaux
- 500 g de tomates mûres, pelées ou 400 g de tomates concassées en boîte
- ½ oignon, coupé en gros morceaux
- 2 ou 3 gousses d'ail, hachées
- 3 cuil. à soupe d'huile d'olive
- 2 cuil. à soupe de vinaigre de vin blanc
- 1 à 2 cuil. à soupe de jus de citron ou de citron vert
- 2 cuil. à soupe de concentré de tomates
- 450 ml de jus de tomate
- sel et poivre

POUR SERVIR

- morceaux de poivron vert
- fines rondelles d'oignon
- croûtons à l'ail

1 Râper grossièrement le concombre au-dessus d'une grande jatte et y ajouter les morceaux de poivron vert.

2 Passer les tomates, l'oignon et l'ail au mixeur, puis ajouter l'huile, le vinaigre, le jus de citron ou de citron vert et le concentré de tomates et mixer pour obtenir une consistance homogène. On peut aussi couper les tomates en très petits morceaux, râper l'oignon finement et les mélanger avec l'ail, l'huile, le vinaigre, le jus de citron et le concentré de tomates.

3 Verser la préparation dans la jatte et bien mélanger avant d'ajouter le jus de tomate. Mélanger à nouveau.

4 Saler et poivrer, recouvrir la jatte de film plastique et réfrigérer pendant au moins 6 heures pour que les saveurs aient le temps de bien se mélanger.

5 Disposer les accompagnements (poivrons, oignons et croûtons) dans de petits bols.

6 Verser la soupe dans une soupière chaude pour la servir, à table, dans de petits bols. Faire circuler les accompagnements autour de la table.

2

3

5

Vichyssoise

Une soupe crémeuse traditionnelle faite avec des pommes de terre et des poireaux. Pour obtenir une jolie couleur pâle, n'utilisez que le blanc des poireaux.

VALEURS NUTRITIONNELLES

Calories ....208 Glucides ......25 g
Protéines ....5 g Lipides ....12 g
Acides gras saturés ....6 g

 10 min  40 min

6 personnes

INGRÉDIENTS

- 3 gros poireaux
- 40 g de beurre ou de margarine
- 1 oignon, coupé en fines rondelles
- 500 g de pommes de terre, coupées en morceaux
- 850 ml de bouillon de légumes
- 2 cuil. à café de jus de citron
- 1 pincée de muscade râpée
- ¼ de cuil. à café de coriandre en poudre
- 1 feuille de laurier
- 1 jaune d'œuf
- 150 ml de crème liquide
- sel et poivre blanc

GARNITURE

- ciboulette, fraîchement ciselée

1

2

5

1 Couper les poireaux en retirant la plus grosse partie du vert. Couper le blanc en très fines rondelles.

2 Faire fondre le beurre ou la margarine dans une casserole et faire revenir les rondelles de poireaux et l'oignon pendant 5 minutes, en remuant fréquemment, sans faire dorer.

3 Ajouter les pommes de terre, le bouillon, le jus de citron, la muscade, la coriandre et la feuille de laurier dans la casserole. Saler, poivrer et porter à ébullition. Couvrir et laisser mijoter pendant 30 minutes, jusqu'à ce que les légumes soient tendres.

4 Laisser refroidir, retirer la feuille de laurier, puis passer la soupe à travers une passoire en l'écrasant avec le dos d'une cuillère, ou la passer au mixeur jusqu'à obtention d'une consistance homogène. Verser dans une casserole.

5 Dans un bol, mélanger le jaune d'œuf avec la crème et ajouter un peu de la soupe dans le mélange avant de le reverser dans la casserole en battant bien. Faire réchauffer un peu, sans faire bouillir. Saler et poivrer. Laisser refroidir avant de mettre au réfrigérateur pour plusieurs heures.

6 Servir la soupe parsemée de ciboulette fraîchement ciselée.

Soupe de panais au curry

Une soupe absolument délicieuse, où se mêlent la saveur légèrement sucrée des panais et le parfum des épices.

VALEURS NUTRITIONNELLES

Calories ....152 Glucides ......25 g
Protéines ....3 g Lipides ....8 g
Acides gras saturés ....3 g

 10 min  35 min

4 personnes

INGRÉDIENTS

- 1 cuil. à soupe d'huile
- 15 g de beurre
- 1 oignon rouge, émincé
- 3 panais, coupés en cubes
- 2 gousses d'ail, hachées
- 2 cuil. à café de garam masala
- ½ cuil. à café de poudre de piment
- 1 cuil. à soupe de farine
- 850 ml de bouillon de légumes
- zeste râpé et jus d'un citron
- sel et poivre
- zeste de citron, en garniture

1 Faire chauffer l'huile et le beurre dans une casserole. Faire revenir l'ail, l'oignon et les panais pendant 5 à 7 minutes en remuant fréquemment. Les légumes doivent être tendres sans dorer.

2 Ajouter le garam masala et la poudre de piment et faire cuire pendant 30 secondes, sans cesser de remuer. Incorporer progressivement la farine et faire cuire encore pendant 30 secondes, sans cesser de remuer.

3 Verser ensuite le bouillon, le zeste et le jus de citron dans la casserole et porter à ébullition. Baisser le feu et laisser mijoter pendant 20 minutes.

4 Prélever une partie des légumes à l'aide d'une écumoire et les réserver. Passer le reste de la soupe au mixeur ou au robot de cuisine pendant environ 1 minute, jusqu'à obtention d'une purée homogène. On peut aussi passer les légumes à travers une passoire en les écrasant avec le dos d'une cuillère en bois.

5 Verser la soupe dans une casserole et y ajouter les légumes réservés, puis la faire réchauffer pendant 2 minutes.

6 Saler et poivrer, puis verser la soupe dans de petits bols individuels. Garnir de zeste de citron râpé et servir.

Soupe mexicaine

Les haricots constituent la base de l'alimentation au Mexique. Ici, les haricots pinto donnent à cette soupe une consistance originale.

VALEURS NUTRITIONNELLES

Calories ....188 Glucides ......42 g
Protéines ......13 g Lipides ....1 g
Acides gras saturés ......0,3 g

 20 min — 3 heures

4 personnes

INGRÉDIENTS

- 175 g de haricots pinto
- 1,25 l d'eau
- 175 à 225 g de carottes, coupées en petits morceaux
- 1 gros oignon, émincé
- 2 ou 3 gousses d'ail, hachées
- ½ ou 1 piment, épépiné et haché
- 1 litre de bouillon de légumes
- 2 tomates, pelées et coupées en petits morceaux
- 2 branches de céleri, coupées en très petits morceaux
- sel et poivre
- 1 cuil. à soupe de coriandre hachée (facultatif)

CROÛTONS

- 3 tranches de pain blanc, sans la croûte
- huile, pour la friture
- 1 ou 2 gousses d'ail, hachées

VARIANTE

On trouve des haricots pinto assez facilement dans le commerce, mais, dans le cas contraire ou pour varier la recette, vous pouvez les remplacer par des haricots cannellini ou des haricots cornilles.

1 Après avoir mis les haricots à tremper dans l'eau froide une nuit, les égoutter et les mettre dans une casserole avec l'eau. Porter à ébullition puis faire bouillir 10 minutes. Baisser le feu, couvrir et laisser mijoter 2 heures, jusqu'à ce que les haricots soient tendres.

2 Ajouter carottes, oignon, ail, piment et bouillon. Porter à ébullition. Couvrir et faire mijoter encore 30 minutes, jusqu'à ce que les légumes soient bien tendres.

3 Retirer la moitié des haricots et du liquide et les passer à travers une passoire en les écrasant, ou les passer au mixeur pour obtenir une consistance homogène.

4 Remettre la purée de haricots dans la casserole et ajouter les tomates et le céleri. Laisser mijoter pendant 10 à 15 minutes (le céleri doit être tendre), en ajoutant un peu d'eau ou de bouillon si nécessaire.

5 Pendant ce temps, préparer les croûtons : couper le pain en dés, faire chauffer l'huile avec l'ail dans une poêle et faire revenir les croûtons, jusqu'à ce qu'ils soient dorés. Les laisser égoutter sur du papier absorbant.

6 Saler et poivrer la soupe et y ajouter la coriandre hachée. Verser la soupe dans une soupière chaude et servir immédiatement, accompagnée des croûtons.

2

4

5

Soupes à la betterave

Voici deux variations sur un même thème : une soupe crémeuse faite avec de la betterave cuite écrasée et un bouillon traditionnel, le bortsch.

VALEURS NUTRITIONNELLES

Calories ....106 Glucides ......24 g
Protéines ....3 g Lipides ....5 g
Acides gras saturés ....3 g

 25 min — 35 à 55 min

6 personnes

INGRÉDIENTS

BORTSCH

- 500 g de betterave crue, épluchée et râpée
- 2 carottes, coupées en petits morceaux
- 1 gros oignon, émincé
- 1 gousse d'ail, hachée
- 1 bouquet garni
- 1 l de bouillon de légumes
- 2 à 3 cuil. à café de jus de citron
- sel et poivre
- 150 ml de crème fraîche, en accompagnement

SOUPE CRÉMEUSE À LA BETTERAVE

- 60 g de beurre ou de margarine
- 2 gros oignons, émincés
- 1 ou 2 carottes, coupées en morceaux
- 2 branches de céleri, coupées en morceaux
- 500 g de betterave cuite, coupée en dés
- 1 à 2 cuil. à soupe de jus de citron
- 900 ml de bouillon de légumes
- 300 ml de lait
- sel et poivre

GARNITURE

- betterave cuite râpée ou 6 cuil. à soupe de crème fraîche épaisse, légèrement fouettée

1 Pour le bortsch : mettre la betterave, les carottes, l'oignon, l'ail, le bouquet garni, le bouillon de légumes et le jus de citron dans une casserole. Saler et poivrer à son goût puis porter à ébullition. Couvrir et laisser mijoter pendant 45 minutes.

1

2 Faire passer la soupe au travers d'une passoire, éventuellement chemisée avec une étamine, puis reverser le bouillon dans une casserole. Saler, poivrer et ajouter du jus de citron si nécessaire.

2

3 Porter à ébullition et laisser mijoter pendant 1 à 2 minutes. Servir avec une pointe de crème fraîche.

4 Pour la soupe crémeuse : faire fondre le beurre dans une casserole et faire revenir les oignons, les carottes et le céleri, jusqu'à ce que les légumes soient légèrement dorés.

5 Ajouter la betterave, 1 cuillerée à soupe de jus de citron et le bouillon. Saler, poivrer et porter à ébullition, puis couvrir et laisser mijoter pendant 30 minutes, jusqu'à ce que les légumes soient tendres.

5

6 Laisser refroidir un peu, puis passer la soupe à travers une passoire, ou la mixer. Verser la soupe moulinée dans une casserole. Ajouter le lait et porter à ébullition. Saler, poivrer et ajouter un peu de jus de citron si nécessaire. Garnir avec de la betterave râpée ou de la crème fraîche épaisse.

Soupe de chou-fleur et brocoli

Une soupe crémeuse et savoureuse au chou-fleur et au brocoli, un vrai régal, facile à préparer.

VALEURS NUTRITIONNELLES

Calories	378	Glucides	34 g
Protéines	18 g	Lipides	26 g

Acides gras saturés ....7 g

 10 min  35 min

4 personnes

INGRÉDIENTS

- 3 cuil. à soupe d'huile
- 1 oignon rouge, émincé
- 2 gousses d'ail, hachées
- 300 g de chou-fleur, en fleurettes
- 300 g de brocoli, en fleurettes
- 1 cuil. à soupe de farine
- 600 ml de lait
- 300 ml de bouillon de légumes
- 75 g de gruyère, râpé
- 1 pincée de paprika
- 150 ml de crème liquide
- paprika et copeaux de gruyère, en garniture

1 Faire chauffer l'huile dans une grande casserole à fond épais. Faire revenir l'oignon, l'ail et les fleurettes de chou-fleur et de brocoli pendant 3 à 4 minutes, à feu doux, sans cesser de remuer. Ajouter la farine et faire cuire pendant encore 1 minute, sans cesser de remuer.

2 Incorporer progressivement le lait et le bouillon et porter à ébullition sans cesser de remuer, puis baisser le feu et laisser mijoter pendant 20 minutes.

3 Prélever environ un quart des légumes à l'aide d'une écumoire et les réserver. Mettre le reste de la soupe dans un mixeur ou un robot de cuisine et mixer pendant environ 30 secondes jusqu'à obtention d'une consistance homogène. On peut aussi passer les légumes à travers une passoire en les écrasant avec le dos d'une cuillère en bois. Verser la soupe moulinée dans une casserole.

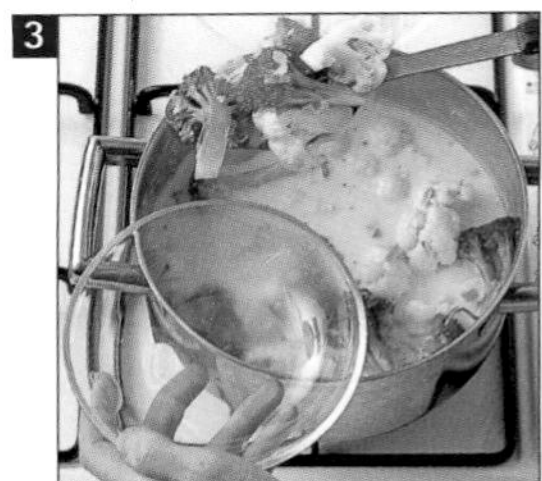

4 Ajouter les légumes réservés à la soupe. Incorporer le fromage râpé, le paprika et la crème liquide et faire chauffer à feu doux pendant 2 à 3 minutes sans faire bouillir. Le fromage doit commencer à fondre.

5 Verser la soupe dans de petits bols individuels et garnir de copeaux de gruyère et de paprika avant de servir.

CONSEIL

La soupe ne doit pas bouillir après ajout de la crème, pour éviter qu'elle ne caille. Vous pouvez, éventuellement, remplacer la crème par du yaourt nature, encore une fois sans faire bouillir.

Soupe espagnole à la tomate

Une soupe méditerranéenne à la tomate que l'on épaissit avec du pain, selon la recette traditionnelle de certaines régions d'Espagne, et que l'on sert avec du pain à l'ail.

VALEURS NUTRITIONNELLES

Calories ....297 Glucides ......46 g
Protéines ....8 g Lipides ....13 g
Acides gras saturés ....2 g

 10 min  20 min

4 personnes

INGRÉDIENTS

- 4 cuil. à soupe d'huile d'olive
- 1 oignon, émincé
- 3 gousses d'ail, hachées
- 1 poivron vert, épépiné et coupé en morceaux
- ½ cuil. à café de poudre de piment
- 500 g de tomates, coupées en morceaux
- 225 g de pain blanc, coupé en dés
- 1 l de bouillon de légumes

PAIN À L'AIL

- 4 tranches de ciabatta ou de baguette
- 4 cuil. à soupe d'huile d'olive
- 2 gousses d'ail, hachées
- 25 g de cheddar ou d'emmental, râpé
- poudre de piment, en garniture

1 Faire chauffer l'huile d'olive dans une grande poêle et faire revenir l'oignon, l'ail et le poivron pendant 2 à 3 minutes à feu doux, sans cesser de remuer.

2 Ajouter la poudre de piment et les tomates et faire cuire à feu modéré, jusqu'à ce que la préparation épaississe.

3 Ajouter les dés de pain et le bouillon en remuant et laisser cuire pendant 10 à 15 minutes. La soupe doit être épaisse et assez homogène.

4 Pour préparer le pain aillé, faire dorer les tranches de pain au gril à température modérée. Arroser le pain d'un filet d'huile, puis le frotter avec l'ail, parsemer de fromage et remettre sous le gril pendant 2 à 3 minutes jusqu'à ce que le fromage soit fondu. Saupoudrer de poudre de piment et servir immédiatement avec la soupe.

VARIANTE

Vous pouvez remplacer le poivron vert par du poivron rouge ou jaune.

Mousseline de brocoli au bleu

Une soupe crémeuse qui doit sa jolie couleur vert pâle et son goût riche du mélange de brocoli tendre et de bleu.

VALEURS NUTRITIONNELLES

Calories	452	Glucides	24 g
Protéines	14 g	Lipides	35 g
Acides gras saturés	19 g		

 5 à 10 min  40 min

4 personnes

INGRÉDIENTS

- 2 cuil. à soupe d'huile d'olive
- 2 pommes de terre, coupées en dés
- 1 oignon, coupé en dés
- 225 g de brocoli, en fleurettes
- 125 g de bleu, émietté
- 1 l de bouillon de légumes
- 150 ml de crème fraîche épaisse
- 1 pincée de paprika
- sel et poivre

1 Faire chauffer l'huile dans une casserole et faire revenir les pommes de terre et l'oignon pendant 5 minutes sans cesser de remuer.

2 Réserver quelques fleurettes de brocoli et mettre le reste dans la casserole avec le fromage et le bouillon.

3 Porter à ébullition, puis baisser le feu, couvrir et laisser mijoter pendant 25 minutes, jusqu'à ce que les pommes de terre soient tendres.

4 Mixer jusqu'à obtention d'une consistance homogène. On peut aussi écraser les légumes en purée avec le dos d'une cuillère en bois pour les faire passer au travers d'une passoire.

5 Verser la purée obtenue dans une casserole et incorporer la crème fraîche épaisse. Ajouter une pincée de paprika, puis saler et poivrer.

6 Blanchir les fleurettes de brocoli réservées dans un peu d'eau bouillante, pendant environ 2 minutes, puis les retirer de la casserole à l'aide d'une écumoire.

7 Verser la mousseline dans de petits bols individuels. Garnir avec les fleurettes de brocoli et saupoudrer d'un soupçon de paprika avant de servir.

CONSEIL

Cette soupe se congèle très bien : il suffit de suivre la recette jusqu'à l'étape 4 et de la congeler après l'avoir mixée. Ajouter la crème et le paprika et garnir juste avant de servir.

Soupe de carottes au dhaal

Une soupe nourrissante, préparée à base de lentilles rouges cassées et de carottes, et relevée par un assortiment d'épices.

VALEURS NUTRITIONNELLES

Calories ....173 Glucides ......35 g
Protéines ....9 g Lipides ....5 g
Acides gras saturés ....1 g

 15 min  45 min

6 personnes

INGRÉDIENTS

- 125 g de masoor dhaal (lentilles rouges)
- 1,2 l de bouillon de légumes
- 350 g de carottes, coupées en rondelles
- 2 oignons, émincés
- 225 g de tomates concassées en boîte
- 2 gousses d'ail, hachées
- 2 cuil. à soupe de ghee (beurre clarifié) ou d'huile
- 1 cuil. à café de cumin en poudre
- 1 cuil. à café de coriandre en poudre
- 1 piment vert frais, épépiné et coupé en petits morceaux, ou 1 cuil. à café de piment haché
- ½ cuil. à café de curcuma en poudre
- 1 cuil. à soupe de jus de citron
- sel
- 300 ml de lait
- 2 cuil. à soupe de coriandre hachée
- yaourt nature, pour accompagner

1

2

4

1 Mettre les lentilles dans une passoire et bien les rincer à l'eau froide, puis les égoutter et les mettre dans une grande casserole avec 900 ml de bouillon, les carottes, les oignons, les tomates et l'ail. Porter le mélange à ébullition, baisser le feu, couvrir et laisser mijoter pendant 30 minutes, jusqu'à ce que les légumes et les lentilles soient bien tendres.

2 Pendant ce temps, faire chauffer le ghee ou l'huile dans une casserole et faire revenir le cumin, la coriandre, le piment et le curcuma pendant 1 minute à feu doux. Retirer la casserole du feu, incorporer le jus de citron et saler.

3 Passer la soupe au mixeur en plusieurs fois, puis la remettre dans la casserole, ajouter le mélange d'épices et le reste de bouillon. Laisser mijoter à feu doux 10 minutes.

4 Ajouter le lait, goûter, rectifier l'assaisonnement si nécessaire. Incorporer la coriandre hachée et remettre à chauffer doucement. Servir chaud avec un soupçon de yaourt.

Soupe de pois cassés

Les pois cassés verts, plus sucrés que les autres variétés de pois cassés, se réduisent en purée à la cuisson et contribuent ainsi à l'épaississement des soupes.

VALEURS NUTRITIONNELLES

Calories	260	Glucides	37 g
Protéines	11 g	Lipides	10 g

Acides gras saturés .... 3 g

 5 à 10 min  45 min

4 personnes

INGRÉDIENTS

- 2 cuil. à soupe d'huile
- 2 pommes de terre, coupées en dés avec la peau
- 2 oignons, coupés en dés
- 75 g de pois cassés verts
- 1 litre de bouillon de légumes
- 5 cuil. à soupe de gruyère râpé
- sel et poivre

CROÛTONS

- 40 g de beurre
- 1 gousse d'ail, hachée
- 1 cuil. à soupe de persil haché
- 1 tranche épaisse de pain blanc, coupée en dés

2

4

5

1 Faire chauffer l'huile dans une casserole et faire revenir les pommes de terre et les oignons à feu doux pendant 5 minutes, sans cesser de remuer.

2 Ajouter les pois cassés et bien mélanger le tout.

3 Verser le bouillon de légumes dans la casserole et porter à ébullition, puis baisser le feu et laisser mijoter pendant 35 minutes. Les pommes de terre doivent être tendres et les pois cassés cuits.

4 Pendant ce temps, préparer les croûtons : faire fondre le beurre dans une poêle et faire revenir l'ail, le persil et les dés de pain pendant environ 2 minutes en les retournant fréquemment. Les dés de pain doivent être bien dorés sur toutes les faces.

5 Incorporer le fromage râpé à la soupe, saler et poivrer. Faire chauffer doucement jusqu'à ce que le fromage commence à fondre.

6 Verser la soupe dans de petits bols individuels chauds et parsemer avec les croûtons. Servir immédiatement.

VARIANTE

Pour une soupe de couleur plus vive, vous pouvez remplacer les pois cassés verts par des lentilles rouges. Dans ce cas, ajoutez une bonne pincée de sucre brun pour obtenir un goût plus sucré.

Soupe à l'avocat et aux légumes

Une soupe crémeuse et savoureuse, grâce à la couleur gaie et la richesse de goût de l'avocat. Meilleure froide, elle peut cependant se déguster chaude.

VALEURS NUTRITIONNELLES

Calories ....167 Glucides ......13 g
Protéines ....4 g Lipides ....13 g
Acides gras saturés ....3 g

 15 min  10 min

4 personnes

INGRÉDIENTS

- 1 gros avocat mûr
- 2 cuil. à soupe de jus de citron
- 1 cuil. à soupe d'huile
- 50 g de maïs en boîte, égoutté
- 2 tomates, pelées et épépinées
- 1 gousse d'ail, hachée
- 1 poireau, coupé en morceaux
- 1 piment rouge, haché
- 425 ml de bouillon de légumes
- 150 ml de lait
- fines lanières de poireau, en garniture

1 Peler l'avocat et écraser la pulpe à l'aide d'une fourchette. Incorporer le jus de citron et réserver jusqu'à utilisation.

2 Faire chauffer l'huile dans une grande casserole, et faire revenir le maïs, les tomates, l'ail, le poireau et le piment à feu doux pendant 2 à 3 minutes, pour ramollir les légumes.

3 Prélever la moitié du mélange de légumes, y incorporer la purée d'avocat et mettre dans un mixeur ou un robot de cuisine. Mixer le mélange jusqu'à obtention d'une consistance homogène ou le passer à travers une passoire en l'écrasant avec le dos d'une cuillère. Verser la préparation obtenue dans une casserole.

4 Ajouter le bouillon de légumes, le lait et le reste des légumes et faire chauffer à feu doux pendant 3 à 4 minutes. Verser la soupe dans de petits bols individuels chauds et garnir de lanières de poireau avant de servir.

CONSEIL

Pour la version froide de cette soupe, versez les légumes mixés dans une jatte, ajoutez le bouillon de légumes et le lait, couvrez et réfrigérez au moins 4 heures.

Soupe indienne

Le garam masala, le piment, le cumin et la coriandre donnent à cette soupe un goût légèrement épicé de cuisine indienne.

VALEURS NUTRITIONNELLES

Calories ....153 Glucides ......24 g
Protéines ....6 g Lipides ....6 g
Acides gras saturés ....1 g

 10 min  35 min

4 personnes

INGRÉDIENTS

- 2 cuil. à soupe d'huile
- 225 g de pommes de terre farineuses, coupées en dés
- 1 gros oignon, émincé
- 2 gousses d'ail, hachées
- 1 cuil. à café de garam masala
- 1 cuil. à café de coriandre en poudre
- 1 cuil. à café de cumin en poudre
- 850 ml de bouillon de légumes
- 1 piment rouge, haché
- 100 g de petits pois surgelés
- 4 cuil. à soupe de yaourt nature
- sel et poivre
- coriandre hachée, en garniture
- pain chaud, pour accompagner

VARIANTE

Pour un peu moins de piquant, épépiner le piment avant de le mettre dans la soupe. Toujours se laver les mains après avoir manipulé du piment car il contient des huiles volatiles pouvant irriter la peau et brûler les yeux en cas de contact.

2

3

4

1 Faire chauffer l'huile dans une casserole et faire revenir les pommes de terre, l'oignon et l'ail à feu doux pendant 5 minutes, sans cesser de remuer.

2 Ajouter le garam masala, la coriandre en poudre et le cumin et faire cuire pendant 1 minute sans cesser de remuer.

3 Ajouter le bouillon et le piment rouge et porter à ébullition. Réduire le feu, couvrir et laisser mijoter pendant 20 minutes, jusqu'à ce que les pommes de terre commencent à se craqueler.

4 Ajouter les petits pois et faire cuire pendant encore 5 minutes. Incorporer ensuite le yaourt, puis saler et poivrer.

5 Verser la soupe dans de petits bols chauds, décorer de coriandre hachée et servir accompagné de pain chaud.

Soupe au fromage blanc

Pour profiter de la saveur des herbes fraîchement cueillies, voici une soupe merveilleusement crémeuse aux arômes du jardin.

VALEURS NUTRITIONNELLES

Calories	275	Glucides	......19 g
Protéines	.......7 g	Lipides	.......22 g
Acides gras saturés	......11 g		

 15 min  35 min

4 personnes

INGRÉDIENTS

- 25 g de beurre ou de margarine
- 2 oignons, émincés
- 850 ml de bouillon de légumes
- 25 g de fines herbes (persil, ciboulette, thym, basilic, origan…), hachées grossièrement
- 200 g de fromage blanc
- 1 cuil. à soupe de maïzena
- 1 cuil. à soupe de lait
- ciboulette, ciselée, en garniture

1 Faire fondre le beurre ou la margarine dans une grande casserole à fond épais et faire revenir les oignons à feu moyen pendant 2 minutes. Puis couvrir et baisser le feu, continuer à faire cuire pendant 5 minutes, avant de retirer le couvercle.

2 Verser le bouillon et les fines herbes dans la casserole. Porter à ébullition à feu moyen, puis baisser le feu, couvrir et laisser mijoter doucement pendant 20 minutes.

3 Retirer la casserole du feu. Mixer la soupe pendant environ 15 secondes, jusqu'à obtention d'une consistance homogène. On peut aussi passer les légumes à travers une passoire en les écrasant avec le dos d'une cuillère. Reverser la soupe dans la casserole.

4 Réserver un peu de fromage blanc pour garnir. Incorporer le reste dans la casserole en fouettant pour le faire fondre.

5 Délayer la maïzena dans le lait jusqu'à obtention d'une pâte, puis incorporer celle-ci à la soupe. Faire chauffer, sans cesser de remuer, jusqu'à obtention d'une soupe épaisse et homogène.

6 Verser la soupe dans de petits bols individuels chauds. Ajouter une cuillerée de fromage blanc dans chaque bol et garnir avec la ciboulette avant de servir.

1

2

5

Entrées

Grâce à l'immense variété de produits frais que l'on trouve dans le commerce, créer toutes sortes d'entrées plus succulentes les unes que les autres devient un jeu d'enfant, et ces entrées feront une excellente introduction à un repas végétarien. Les recettes proposées dans ce chapitre, qui vous invitent à la création, constituent de véritables

petits plaisirs à déguster et aiguiseront votre appétit pour vous faire apprécier d'autant plus le plat principal. Dans le choix de vos entrées, assurez-vous que les saveurs, les couleurs et les sensations sur le palais s'harmonisent bien, qu'elles présentent à la fois de la diversité et du contraste. Pensez également à équilibrer la nature de vos recettes : préférez une entrée légère si le plat principal est consistant, juste pour séduire le palais et stimuler les papilles.

Soufflés aux champignons

Ces petits soufflés individuels feront beaucoup d'effet sur votre table, mais attention de les préparer juste avant de les servir, pour éviter qu'ils ne retombent.

VALEURS NUTRITIONNELLES

Calories	179	Glucides	11 g
Protéines	6 g	Lipides	14 g
Acides gras saturés	8 g		

10 min 20 min

4 personnes

INGRÉDIENTS

- 50 g de beurre
- 75 g de champignons plats, émincés
- 2 cuil. à café de jus de citron vert
- 2 gousses d'ail, écrasées
- 2 cuil. à soupe d'origan haché
- 25 g de farine
- 225 ml de lait
- sel et poivre
- 2 œufs, blancs et jaunes séparés

1 Beurrer légèrement l'intérieur de quatre ramequins d'une contenance de 150 ml.

2 Faire fondre 25 g de beurre dans une poêle et faire revenir les champignons et l'ail avec le jus de citron pendant 2 à 3 minutes. Retirer la préparation obtenue de la poêle à l'aide d'une écumoire pour la mettre dans une jatte, puis y ajouter la marjolaine.

2

4

5

3 Faire fondre le reste du beurre dans une casserole et y incorporer la farine. Faire cuire 1 minute, retirer du feu, incorporer le lait et remettre sur le feu. Porter à ébullition en remuant pour faire épaissir.

4 Mélanger la sauce aux champignons et ajouter les jaunes d'œufs en fouettant.

5 Battre les blancs d'œufs en neige et les incorporer délicatement à la préparation précédente.

6 Répartir la préparation dans les quatre ramequins, les disposer sur une plaque de four et les faire cuire au four préchauffé, à 210 °C (th. 7), pendant 8 à 10 minutes. Les soufflés doivent être bien levés et bien cuits. Servir immédiatement.

CONSEIL

Enfoncez un bâtonnet dans un soufflé : il doit ressortir sec et sans trace de pâte. Sinon, laissez cuire quelques minutes de plus, mais évitez de trop les faire cuire, pour qu'ils ne deviennent pas caoutchouteux.

Tartelettes à la feta

De petites coquilles de pain croustillantes garnies de tomate fraîche, de feta, d'olives noires et d'œufs de caille, faciles à préparer et tout à fait délicieuses.

VALEURS NUTRITIONNELLES

Calories . . . . .570 Glucides . . . . . .39 g
Protéines . . . . . .14 g Lipides . . . . . . .42 g
Acides gras saturés . . . . . .23 g

 30 min  10 min

4 personnes

INGRÉDIENTS

- 8 tranches de pain d'épaisseur moyenne
- 125 g de beurre fondu
- 125 g de feta, coupée en petits dés
- 4 tomates cerises, coupées en quartiers
- 8 olives vertes ou noires, dénoyautées et coupées en deux
- 8 œufs de caille, durs
- 2 cuil. à soupe d'huile d'olive
- 1 cuil. à soupe de vinaigre de vin
- 1 cuil. à café de moutarde à l'ancienne
- 1 pincée de sucre en poudre
- sel et poivre
- quelques brins de persil, en garniture

1 Retirer la croûte des tranches de pain, et les découper en forme de carrés. Les aplatir au rouleau à pâtisserie.

2 Badigeonner les carrés de pain de beurre fondu avant de les utiliser pour chemiser les fonds d'un moule à muffins. Les recouvrir de papier aluminium pour qu'ils restent en place. Faire cuire au four préchauffé, à 190 °C (th. 6-7), pendant environ 10 minutes. Le pain doit être bien croustillant et doré.

3 Mélanger la feta, les tomates et les olives. Écaler les œufs et les couper en quatre. Puis mélanger l'huile d'olive, le vinaigre, la moutarde et le sucre. Saler et poivrer à son goût.

4 Retirer les coquilles de pain du four et jeter le papier aluminium. Laisser refroidir.

5 Juste avant de servir, garnir les coquilles de pain avec le mélange de tomate et de fromage, disposer les quartiers d'œuf par-dessus, arroser d'un peu de vinaigrette et garnir avec le persil.

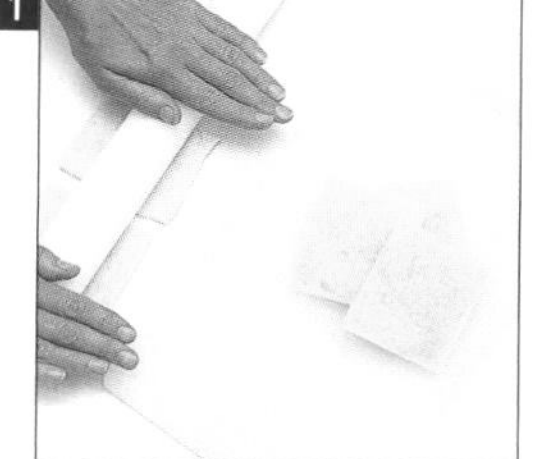
1

2

5

Assortiment de bhajis

Des petits bhajis souvent servis en accompagnement d'un plat principal, mais tout aussi délicieux en entrée, accompagnés d'une salade et d'une sauce au yaourt.

VALEURS NUTRITIONNELLES

Calories . . . . .414 Glucides . . . . . .45 g
Protéines . . . . . . .9 g Lipides . . . . . . .26 g
Acides gras saturés . . . . . . .3 g

 25 min

 30 min

4 personnes

INGRÉDIENTS

BHAJIS

- 175 g de farine de pois chiches
- 1 cuil. à café de bicarbonate de soude
- 2 cuil. à café de coriandre en poudre
- 1 cuil. à café de garam masala
- 1 cuil. à café ½ de curcuma
- 1 cuil. à café ½ de poudre de piment
- 2 cuil. à soupe de coriandre fraîche hachée
- 1 petit oignon, coupé en deux puis en tranches
- 1 petit poireau, coupé en rondelles
- 100 g de chou-fleur, cuit
- 9 à 12 cuil. à soupe d'eau
- sel et poivre
- huile, pour la friture

SAUCE

- 150 ml de yaourt nature
- 2 cuil. à soupe de menthe hachée
- ½ cuil. à café de curcuma
- 1 gousse d'ail, écrasée
- quelques brins de menthe, pour garnir

1

2

3

1 Tamiser la farine, le bicarbonate de soude et un peu de sel au-dessus d'une jatte, puis ajouter toutes les épices, la coriandre fraîche et bien mélanger.

2 Répartir le mélange obtenu dans 3 jattes. Incorporer l'oignon dans l'une des trois, le poireau dans une autre et le chou-fleur dans la troisième. Ajouter 3 ou 4 cuillerées à soupe d'eau dans chaque jatte et mélanger chaque préparation pour former une pâte homogène.

3 Faire chauffer l'huile de friture dans une friteuse à 180 °C (un dé de pain doit y dorer en 30 secondes). Avec deux petites cuillères, former des boules de pâte et les plonger, en plusieurs fournées, dans l'huile. Faire frire pendant 3 à 4 minutes jusqu'à ce qu'elles brunissent. Puis les retirer de l'huile à l'aide d'une écumoire et les laisser égoutter sur du papier absorbant. Garder les bhajis au chaud dans le four pendant la préparation de la sauce.

4 Mélanger tous les ingrédients et verser la sauce obtenue dans un petit bol. Garnir de brins de menthe et servir en accompagnement des bhajis.

Boulettes au yaourt

L'ajout d'un baghaar (assaisonnement à base d'huile) juste avant de servir fait de ce plat un accompagnement fort alléchant pour un repas.

VALEURS NUTRITIONNELLES

Calories . . . . .719 Glucides . . . . . .47 g
Protéines . . . . . . .9 g Lipides . . . . . . .60 g
Acides gras saturés . . . . . . .7 g

 35 min  35 min

4 personnes

INGRÉDIENTS

BOULETTES

- 100 g de farine de pois chiches
- 1 cuil. à café de poudre de piment
- ½ cuil. à café de bicarbonate de soude
- 1 oignon moyen, émincé
- 2 piments verts, hachés
- feuilles de coriandre
- 150 ml d'eau
- 300 ml d'huile
- sel

SAUCE AU YAOURT

- 300 ml de yaourt nature
- 3 cuil. à soupe de farine de pois chiches
- 150 ml d'eau
- 1 cuil. à café de gingembre frais râpé
- 1 cuil. à café d'ail haché
- 1 cuil. à café ½ de poudre de piment
- ½ cuil. à café de curcuma
- 1 cuil. à café de coriandre en poudre
- 1 cuil. à café de cumin en poudre

ASSAISONNEMENT

- 150 ml d'huile
- 1 cuil. à café de graines de cumin blanc
- 6 piments rouges séchés

1 Pour faire les boulettes : tamiser la farine au-dessus d'une grande jatte, ajouter la poudre de piment, ½ cuillerée à café de sel, le bicarbonate de soude, l'oignon, les piments verts et la coriandre. Bien mélanger. Ajouter l'eau et mélanger de façon à obtenir une pâte épaisse. Faire chauffer l'huile dans une poêle, y plonger des cuillerées à café de pâte et les faire frire à feu moyen en les retournant une fois. Elles doivent être bien dorées et croustillantes. Réserver.

2 Pour faire la sauce : mettre le yaourt dans une jatte et le fouetter avec la farine et l'eau. Ajouter toutes les épices ainsi que 1 cuillerée à café ½ de sel. Bien mélanger.

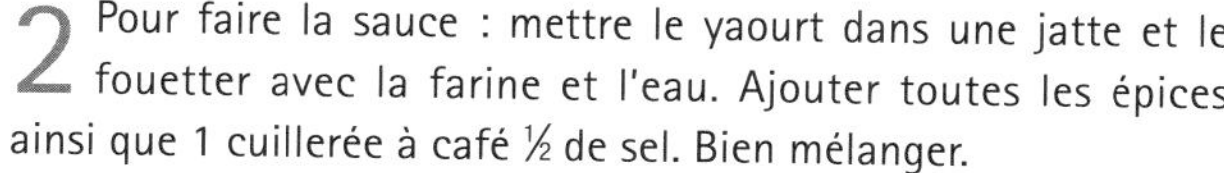

3 Passer la préparation obtenue à travers une passoire en l'écrasant avec le dos d'une cuillère, au-dessus d'une casserole. Porter à ébullition à feu doux, sans cesser de remuer. Si la sauce au yaourt épaissit trop, l'allonger avec un peu d'eau.

4 Verser la sauce dans un plat creux et disposer les boulettes par-dessus. Réserver au chaud.

5 Pour faire l'assaisonnement : faire chauffer l'huile dans une poêle et faire revenir les graines de cumin blanc et les piments rouges séchés pour les faire brunir et libérer leur arôme. Verser l'assaisonnement sur les boulettes et servir chaud.

Paniers aux épinards

Si vous utilisez des épinards surgelés, il suffit de les décongeler et de les égoutter avant de les mélanger aux autres ingrédients.

VALEURS NUTRITIONNELLES

Calories	533	Glucides	29 g
Protéines	24 g	Lipides	38 g
Acides gras saturés	22 g		

 55 min  30 min

2 paniers

INGRÉDIENTS

- 125 g de feuilles d'épinard fraîches, lavées et coupées grossièrement, ou 90 g d'épinards surgelés, décongelés
- 2 à 4 oignons verts émincés, ou 1 cuil. à soupe d'oignon, émincé
- 1 gousse d'ail, hachée
- 2 cuil. à soupe de parmesan râpé
- 90 g de cheddar ou d'emmental, râpé
- 1 pincée d'épices en poudre
- 1 jaune d'œuf
- 4 feuilles de pâte filo
- 25 g de beurre fondu
- sel et poivre
- 2 oignons verts, en garniture

1 Avec des épinards frais, faire cuire dans très peu d'eau salée pendant 3 à 4 minutes, pour les ramollir. Les égoutter soigneusement en les enveloppant dans une étamine et en pressant pour éliminer toute l'eau. Les couper et les mettre dans une jatte. Les épinards surgelés doivent être égouttés une fois décongelés, puis coupés.

2 Ajouter les oignons verts ou l'oignon, l'ail, les fromages, les épices, le jaune d'œuf, du sel et du poivre et mélanger.

3 Beurrer deux ramequins, ou des petits moules d'environ 12 cm de diamètre et de 4 cm de profondeur. Découper les feuilles de pâte filo en deux de façon à obtenir 8 morceaux, et badigeonner chacun d'un peu de beurre fondu.

4 Chemiser un ramequin ou un moule avec l'un des morceaux de pâte, puis en placer un deuxième par-dessus, perpendiculairement au premier. Ajouter encore deux morceaux en quinconce, de manière que tous les angles soient recouverts. Faire de même pour le second ramequin.

5 Mettre la préparation à base d'épinards dans les « paniers » et les faire cuire au four préchauffé, à 180 °C (th. 6), pendant environ 20 minutes. La pâte doit être bien dorée. Garnir avec un pompon d'oignon vert. Servir chaud ou froid.

6 Préparer les pompons d'oignon vert 30 minutes à l'avance : enlever la racine et la couper pour qu'elle mesure 5 à 7 cm de longueur. Pratiquer une série d'entailles dans la partie verte en s'arrêtant à 2 cm avant la partie blanche, puis les mettre dans un bol d'eau glacée pour les ouvrir. Bien égoutter et servir.

2

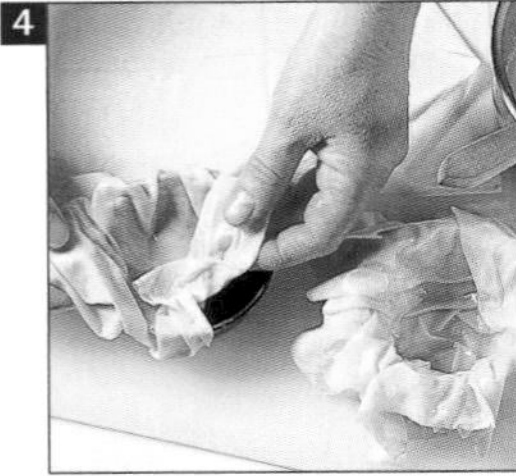
4

5

Beignets de légumes

Des beignets de divers légumes enrobés d'une pâte légère, frits et dorés. Idéal avec une sauce aigre-douce.

VALEURS NUTRITIONNELLES

Calories ....479 Glucides .....60 g
Protéines ....8 g Lipides ......32 g
Acides gras saturés ......5 g

 20 min  20 min

4 personnes

INGRÉDIENTS

- 100 g de farine complète
- 1 pincée de poivre de Cayenne
- 4 cuil. à café d'huile d'olive
- 12 cuil. à soupe d'eau
- 100 g de brocoli, en fleurettes
- 100 g de chou-fleur, en fleurettes
- 50 g de haricots mange-tout
- 1 grosse carotte, coupée en bâtonnets
- 1 poivron rouge, épépiné et coupé en lanières
- 2 blancs d'œufs, battus
- huile, pour la friture
- sel

SAUCE

- 150 ml de jus d'ananas
- 150 ml de bouillon de légumes
- 2 cuil. à soupe de vinaigre de vin blanc
- 2 cuil. à soupe de sucre roux
- 2 cuil. à café de maïzena
- 2 oignons verts, finement émincés

1

4

4

1 Tamiser la farine et une pincée de sel au-dessus d'une jatte et ajouter le poivre de Cayenne. Faire un puits au centre et incorporer progressivement l'huile et l'eau, de façon à former une pâte légère et homogène.

2 Blanchir les légumes à l'eau bouillante pendant 5 minutes et bien les égoutter.

3 Battre les blancs en neige et les incorporer à la pâte.

4 Plonger les légumes dans la pâte pour bien les enrober, puis égoutter un peu pour ôter l'excédent. Faire chauffer l'huile dans une friteuse à 180 °C (un dé de pain doit y dorer en 30 secondes) et y plonger quelques beignets à la fois pendant 1 à 2 minutes. Ils doivent être bien dorés. Les retirer de l'huile à l'aide d'une écumoire et les égoutter soigneusement sur du papier absorbant.

5 Mettre tous les ingrédients de la sauce dans une casserole et porter à ébullition en remuant jusqu'à obtention d'une sauce onctueuse. Servir avec les beignets.

Hachis aux noix et à l'aneth

Un plat original, parfumé au persil et à l'aneth, que l'on sert accompagné de crackers ou de pain croustillant ou grillé. À bien conserver au frais pour qu'il prenne.

VALEURS NUTRITIONNELLES

Calories ....438 Glucides ....4 g
Protéines ......21 g Lipides ....38 g
Acides gras saturés ......18 g

 20 min  2 min

2 personnes

INGRÉDIENTS

- 1 branche de céleri
- 1 ou 2 oignons verts, coupés aux extrémités
- 25 g de cerneaux de noix
- 1 cuil. à soupe de persil frais haché
- 1 cuil. à café d'aneth frais haché, ou ½ cuil. à café d'aneth séché
- 1 gousse d'ail, haché
- 1 trait de sauce Worcester
- 125 g de fromage blanc
- 60 g de bleu, de Bresse ou d'Auvergne par exemple
- 1 œuf, dur
- 25 g de beurre
- sel et poivre
- fines herbes, en garniture
- crackers, pain grillé ou croustillant et crudités, en accompagnement

1

2

4

1 Couper le céleri en petits morceaux, les oignons verts en rondelles et concasser les noix avant de mettre le tout dans une jatte.

2 Ajouter les fines herbes hachées, l'ail, et de la sauce Worcester. Bien mélanger, et incorporer le fromage blanc au mélange.

3 Râper le bleu et l'œuf dur au-dessus de la préparation. Saler et poivrer.

4 Faire fondre le beurre dans une petite casserole et l'incorporer au mélange avant de verser le tout dans un plat ou dans deux plats individuels à l'aide d'une cuillère, sans trop tasser. Mettre au réfrigérateur jusqu'à ce que la préparation ait pris.

5 Garnir avec des fines herbes fraîches et servir accompagné de crackers, de pain grillé ou de pain frais bien croustillant, et éventuellement de quelques crudités.

CONSEIL

Vous pouvez aussi utiliser cette préparation comme farce pour des légumes : découper la calotte de grosses tomates, les épépiner à l'aide d'une cuillère et les garnir de la préparation en tassant bien, ou bien garnir la partie creuse de branches de céleri coupées en tronçons de 5 cm de longueur.

Samosas

Les samosas, sortes de chaussons fourrés à l'indienne, sont parfaits pour manger sur le pouce. En Inde, ils sont vendus sur le bord des routes et font d'excellents casse-croûte.

VALEURS NUTRITIONNELLES

Calories . . . . 261 Glucides . . . . 13,4 g
Protéines . . . . 2 g Lipides . . . . 23 g
Acides gras saturés . . . . 4 g

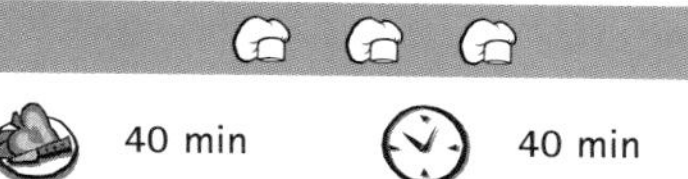

40 min 40 min

12 samosas

INGRÉDIENTS

PÂTE

- 100 g de farine levante
- ½ cuil. à café de sel
- 40 g de beurre, coupé en petits dés
- 4 cuil. à soupe d'eau

GARNITURE

- 3 pommes de terre moyennes, cuites à l'eau
- 1 cuil. à café de gingembre frais émincé
- 1 cuil. à café d'ail haché
- ½ cuil. à café de graines de cumin blanc
- ¼ cuil. à café de graines de moutarde
- ¼ cuil. à café de graines de nigelle
- 1 cuil. à café de sel
- ½ cuil. à café de piments rouges écrasés
- 2 cuil. à soupe de jus de citron
- 2 petits piments verts, hachés
- ghee (beurre clarifié) ou huile, pour la friture

1 Tamiser la farine et le sel au-dessus d'une jatte. Incorporer le beurre du bout des doigts pour obtenir une consistance de chapelure.

2 Verser l'eau et mélanger à l'aide d'une fourchette pour former une pâte. En faire une boule et la pétrir 5 minutes, jusqu'à ce qu'elle soit lisse et homogène. Recouvrir et laisser lever.

3 Pour faire la garniture : écraser les pommes de terre en purée et incorporer le gingembre, l'ail, les graines de cumin blanc, de moutarde et de nigelle, le sel, les piments rouges, le jus de citron et les piments verts.

4 Former des petites boules de pâte et les étaler pour former un rond. Couper les ronds en deux, humecter les bords et les replier en forme de cône. Garnir les cônes avec un peu de la préparation précédente, humecter les extrémités et refermer en pinçant les bords.

5 Remplir d'huile une friteuse profonde jusqu'au tiers et faire chauffer à 180 °C (un morceau de pain doit y brunir en 30 secondes). Plonger délicatement les samosas dans l'huile, en plusieurs fois, et les faire frire 2 à 3 minutes, pour bien les faire dorer. Les retirer de l'huile et les égoutter sur du papier absorbant. Servir chaud ou froid.

1

3

4

Sauce à l'ail et au tahini

Tous les amateurs d'ail vont être enchantés par cette sauce très puissante ! À servir lors d'un barbecue pour y tremper des légumes crus ou des morceaux de pain frais.

VALEURS NUTRITIONNELLES

Calories ....344 Glucides ....5 g
Protéines ....6 g Lipides ....34 g
Acides gras saturés ....5 g

 15 min  20 min

4 personnes

INGRÉDIENTS

- 2 têtes d'ail
- 6 cuil. à soupe d'huile d'olive
- 1 petit oignon, émincé
- 2 cuil. à soupe de jus de citron
- 3 cuil. à soupe de tahini
- 2 cuil. à soupe de persil haché
- sel et poivre

ACCOMPAGNEMENT

- légumes crus frais
- pain frais ou pain pita, chaud

1 Séparer les têtes d'ail en gousses, les mettre sur une plaque de four et les mettre au four préchauffé, à 210 °C (th. 7), pendant 8 à 10 minutes. Laisser tiédir.

2 Une fois qu'elles ont assez refroidi pour être manipulées, peler les gousses d'ail et les émincer finement.

3 Faire chauffer l'huile d'olive dans une casserole ou une poêle et faire revenir l'oignon et l'ail à feu doux pendant 8 à 10 minutes, en remuant de temps en temps (il doit être ramolli). Retirer du feu.

4 Ajouter le jus de citron, le tahini et le persil dans la casserole. Saler et poivrer, puis verser le mélange dans une petite jatte résistant à la chaleur et laisser au chaud à côté du barbecue.

5 Servir avec des légumes crus frais et des morceaux de pain frais ou du pain pita chaud.

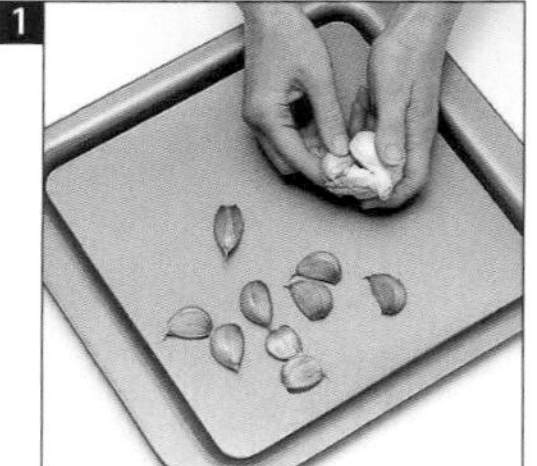
1

3

4

VARIANTE

Vous pouvez utiliser de l'ail fumé, c'est excellent ; auquel cas ce n'est pas la peine de le mettre au four (ne pas exécuter l'étape 1). Cette sauce peut aussi servir à badigeonner des chiches-kebabs ou tenir lieu de sauce pour accompagner les hamburgers.

Terrine de haricots

Une entrée très rapide à préparer si l'on utilise des haricots en boîte. Pour plus de couleur et de saveur, utilisez diverses variétés de haricots.

VALEURS NUTRITIONNELLES

Calories ....126 Glucides ......16 g
Protéines ....5 g Lipides ....6 g
Acides gras saturés ....1 g

 45 min  0 min

4 personnes

INGRÉDIENTS

- 400 g de haricots variés en boîte, égouttés
- 2 cuil. à soupe d'huile d'olive
- jus d'un citron
- 2 gousses d'ail, hachées
- 1 cuil. à soupe de coriandre hachée
- 2 oignons verts, émincés
- sel et poivre
- oignon vert, coupé en fines lanières, pour garnir

1 Bien rincer les haricots à l'eau froide et bien les égoutter.

2 Mixer les haricots jusqu'à obtention d'une pâte épaisse. On peut aussi mettre les haricots dans une jatte et bien les écraser avec une fourchette ou un presse-purée.

3 Ajouter l'huile d'olive, le jus de citron, l'ail, la coriandre et les oignons verts et mixer jusqu'à obtention d'un mélange assez homogène. Saler et poivrer à son goût.

4 Mettre la préparation obtenue dans un plat creux et mettre au réfrigérateur pendant au moins 30 minutes.

5 Garnir de lanières d'oignon vert avant de servir.

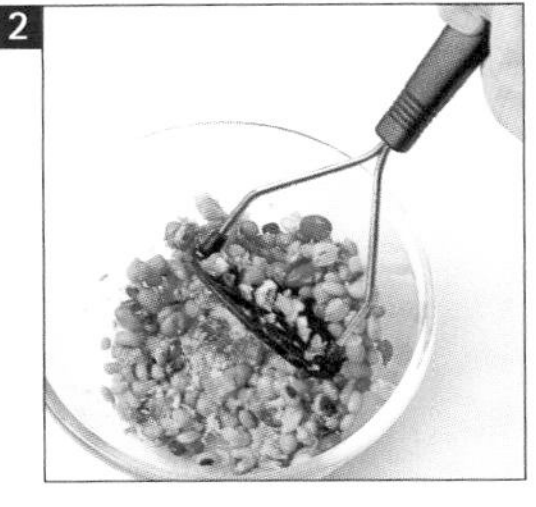

Tortilla espagnole

Un plat espagnol traditionnel que l'on peut adapter en y ajoutant de nombreux légumes cuits et qui est souvent servi parmi un assortiment de tapas.

VALEURS NUTRITIONNELLES

Calories ....430 Glucides ......56 g
Protéines ......16 g Lipides ....20 g
Acides gras saturés ......4 g

 10 min  35 min

4 personnes

INGRÉDIENTS

- 1 kg de pommes de terre à chair ferme, coupées en fines rondelles
- 4 cuil. à soupe d'huile
- 1 oignon, coupé en rondelles
- 2 gousses d'ail, hachées
- 1 poivron vert, épépiné et coupé en dés
- 2 tomates, épépinées et coupées en morceaux
- 25 g de maïs en boîte, égoutté
- 6 gros œufs, battus
- 2 cuil. à soupe de persil haché
- sel et poivre

1 Faire cuire à moitié les pommes de terre dans une casserole d'eau légèrement salée, pendant 5 minutes. Bien égoutter.

2 Faire chauffer l'huile dans une poêle et faire revenir les pommes de terre et l'oignon à feu doux pendant 5 minutes en remuant. Les pommes de terre doivent être bien dorées.

3 Ajouter l'ail, les dés de poivron, les morceaux de tomate et le maïs, et bien mélanger.

4 Verser les œufs battus et le persil haché, bien saler et poivrer et faire cuire pendant 10 à 12 minutes. Le dessous de l'omelette doit être bien cuit.

5 Retirer la poêle du feu et continuer à faire cuire la tortilla au gril préchauffé pendant 5 à 7 minutes. La tortilla doit être prise et le dessus bien doré.

6 Couper la tortilla en parts ou en cubes. Servir accompagné de salade. En Espagne, la tortilla se déguste chaude, froide ou tiède.

CONSEIL

Vérifiez que la poignée de la poêle résiste à la chaleur avant de la mettre sous le gril, et utilisez une manique pour la retirer, car elle sera très chaude.

Marinade d'Hyderabad

Un plat qui se mariera bien avec presque tout, servi chaud ou froid. Idéal en entrée d'un dîner entre amis.

VALEURS NUTRITIONNELLES

Calories ....732 Glucides ......14 g
Protéines ....6 g Lipides ....75 g
Acides gras saturés ......10 g

30 min 30 min

6 personnes

INGRÉDIENTS

2 cuil. à café de coriandre en poudre
2 cuil. à café de cumin en poudre
2 cuil. à café de noix de coco déshydratée
2 cuil. à café de graines de sésame
½ cuil. à café de graines de moutarde
½ cuil. à café de graines de nigelle
300 ml d'huile
3 oignons moyens, coupés en rondelles
1 cuil. à café de gingembre frais émincé
1 cuil. à café d'ail haché
½ cuil. à café de curcuma
1 cuil. à café ½ de poudre de piment
1 cuil. à café ½ de sel
3 aubergines moyennes, coupées en deux dans la longueur
1 cuil. à soupe de pâte de tamarin
300 ml d'eau
3 œufs, durs, coupés en deux, en garniture

BAGHAAR

1 cuil. à café de graines de moutarde et de nigelle
1 cuil. à café de graines de cumin
4 piments rouges séchés
150 ml d'huile
feuilles de coriandre
1 piment vert, haché

1 Faire griller à sec la coriandre en poudre, le cumin, la noix de coco, les graines de sésame, de moutarde et de nigelle dans une casserole. Piler le mélange dans un mortier ou le broyer dans un robot de cuisine, puis réserver.

2 Faire chauffer l'huile dans une poêle et faire revenir les oignons. Baisser le feu et ajouter le gingembre, l'ail, le curcuma, la poudre de piment et le sel, en remuant bien. Laisser refroidir avant de broyer le mélange de façon à former une pâte.

3 Faire 4 entailles à l'oblique dans chaque moitié d'aubergine. Mélanger les épices et la pâte à base d'oignon. Garnir les fentes des aubergines avec la préparation obtenue.

4 Dans une jatte, mélanger la pâte de tamarin avec 3 cuillerées à soupe d'eau pour obtenir une pâte fine, puis réserver.

5 Pour le baghaar, faire revenir les graines de moutarde, de nigelle, et de cumin et les piments dans l'huile. Baisser le feu, mettre les aubergines dans le baghaar et remuer doucement. Ajouter la pâte de tamarin et le reste de l'eau. Faire cuire à feu moyen 15 à 20 minutes. Ajouter la coriandre et le piment vert.

6 Une fois refroidi, disposer dans un plat et garnir avec les œufs durs avant de servir.

1

2

3

Toasts aillés à l'houmous

L'houmous est une savoureuse pâte à base de pois chiches que l'on tartine sur du pain grillé à l'ail et que l'on sert en entrée ou en amuse-gueule.

VALEURS NUTRITIONNELLES

Calories	731	Glucides	41 g
Protéines	22 g	Lipides	55 g

Acides gras saturés .... 8 g

 20 min  3 min

4 personnes

INGRÉDIENTS

HOUMOUS

- 400 g de pois chiches en boîte
- jus d'un gros citron
- 6 cuil. à soupe de tahini
- 2 cuil. à soupe d'huile d'olive
- 2 gousses d'ail, hachées
- sel et poivre
- un peu de coriandre hachée et quelques olives noires, pour garnir

TOASTS

- 1 ciabatta (pain italien), coupé en tranches
- 2 gousses d'ail, hachées
- 1 cuil. à soupe de coriandre hachée
- 4 cuil. à soupe d'huile d'olive

2

3

5

1 Pour faire l'houmous, égoutter les pois chiches, en réservant le jus. Mettre les pois chiches avec un peu de jus dans un robot de cuisine et mixer en ajoutant progressivement du jus ainsi que le jus de citron. Bien mixer après chaque ajout, jusqu'à obtention d'une consistance épaisse et homogène.

2 Incorporer le tahini et l'huile d'olive moins une cuillerée à café, à réserver. Ajouter l'ail, assaisonner à son goût et mixer jusqu'à obtention d'une consistance homogène.

3 Verser l'houmous dans un plat et égaliser la surface avec une spatule. Arroser du reste d'huile d'olive et garnir avec la coriandre hachée et quelques olives noires. Réserver l'houmous au réfrigérateur pendant la préparation des toasts.

4 Disposer les tranches de ciabatta en une seule couche sur une grille de four.

5 Dans un bol, mélanger l'ail, la coriandre et l'huile d'olive et arroser chaque tranche de pain avec le mélange obtenu. Faire cuire les tranches de pain sous le gril chaud pendant 2 à 3 minutes, en les retournant une fois. Elles doivent être bien dorées. Servir immédiatement avec l'houmous.

CONSEIL

Préparez l'houmous la veille et laissez-le au réfrigérateur jusqu'à son utilisation, en le couvrant. Garnissez et servez.

Sauce pimentée des enfers

Une sauce mexicaine qui ranimera les palais blasés : ses saveurs endiablées réveillent vraiment les papilles. À servir avec des chips mexicaines épicées.

VALEURS NUTRITIONNELLES

Calories ....328 Glucides ......23 g
Protéines ....4 g Lipides ....26 g
Acides gras saturés ....5 g

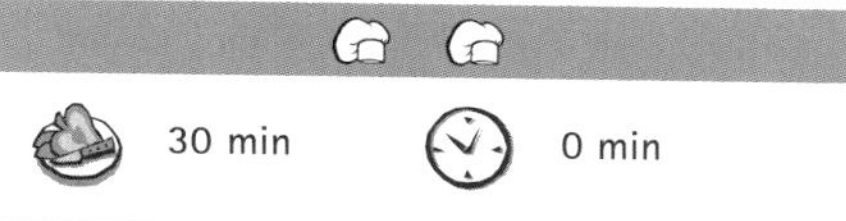

30 min 0 min

4 personnes

INGRÉDIENTS

- 2 petits piments rouges frais
- 1 cuil. à soupe de jus de citron ou de citron vert
- 2 gros avocats mûrs
- 1 morceau de concombre de 5 cm de long
- 2 tomates, pelées
- 1 petite gousse d'ail, hachée
- quelques gouttes de sauce Tabasco
- sel et poivre
- rondelles de citron ou de citron vert, en garniture
- tortilla chips, en accompagnement

1 Enlever les pépins et la queue de l'un des piments et hacher la chair avant de la mettre dans une grande jatte

2 Faire une fleur de piment en décoration : procéder à plusieurs entailles dans toute la longueur de l'autre piment à l'aide d'un petit couteau tranchant, sans enlever la queue. Mettre le piment dans un bol d'eau glacée pour ouvrir les pétales.

3 Verser le jus de citron ou de citron vert dans la jatte. Couper les avocats en deux, les dénoyauter et les peler. Mettre la chair dans la jatte et bien écraser à l'aide d'une fourchette, de façon à ce qu'il ne reste que quelques morceaux. (Le jus de citron empêche l'avocat de s'oxyder.)

4 Ajouter à la préparation le concombre et les tomates hachés, ainsi que l'ail haché.

5 Verser quelques gouttes de Tabasco, saler et poivrer. Verser la sauce dans un bol de service, garnir avec des rondelles de citron ou de citron vert et avec la fleur de piment.

6 Disposer le bol sur un grand plat et l'entourer de chips mexicaines avant de servir. Ne pas conserver trop longtemps car cette salsa perd vite sa jolie couleur.

1

3

5

Nems

De fines lamelles de légumes enveloppées dans une galette de riz, frites et croustillantes. Les galettes de riz peuvent s'acheter surgelées ou fraîches.

VALEURS NUTRITIONNELLES

Calories ....186 Glucides ......20 g
Protéines ....4 g Lipides ....11 g
Acides gras saturés ....1 g

45 min 25 à 30 min

12 nems

INGRÉDIENTS

- 5 champignons noirs séchés (à défaut, on peut utiliser des champignons de couche)
- 1 grande carotte
- 60 g de pousses de bambou en boîte
- 2 oignons verts
- 60 g de chou chinois
- 2 cuil. à soupe d'huile
- 225 g de germes de soja
- 1 cuil. à soupe de sauce de soja
- 12 galettes de riz
- 1 œuf, battu
- huile, pour la friture
- sel

1 Faire tremper les champignons dans de l'eau chaude pendant 20 à 25 minutes.

2 Égoutter les champignons et les essorer un peu pour enlever l'excédent d'eau. Ôter le pied dur et couper les chapeaux en tranches. Couper la carotte et les pousses de bambou en très fines lamelles. Émincer les oignons verts et râper le chou chinois.

3 Faire chauffer les 2 cuillerées à soupe d'huile dans un wok et faire revenir les champignons, la carotte et les pousses de bambou à feu vif pendant 2 minutes. Ajouter oignons verts, chou chinois, germes de soja et sauce de soja. Saler et continuer à faire sauter à feu vif sans cesser de remuer pendant 2 minutes. Laisser refroidir.

4 Séparer la préparation obtenue en 12 parts égales. Disposer une part sur l'extrémité de chaque galette de riz. Replier les bords vers l'intérieur et rouler chaque nem. Badigeonner la jointure d'un peu d'œuf battu pour faire tenir.

5 Faire frire les nems en plusieurs fois, dans un wok ou une grande casserole rempli(e) d'huile chaude. Ils doivent être dorés et croustillants. Éviter que l'huile soit trop chaude, pour que les nems ne brûlent à l'extérieur avant de cuire à l'intérieur. Les retirer de l'huile et les laisser égoutter sur du papier absorbant. Réserver la fournée au chaud en attendant que les autres cuisent. Servir immédiatement.

3

4

5

CONSEIL

À défaut de galettes de riz, vous pouvez utiliser des feuilles de pâte filo.

Amuse-gueule grillés

De toutes petites boules de fromage enrobées de fines herbes fraîches, de noix grillées ou de paprika : de savoureux amuse-gueule dans une soirée, lors d'un buffet ou à l'apéritif.

VALEURS NUTRITIONNELLES

Calories . . . . .310 Glucides . . . . . . .2 g
Protéines . . . . . .15 g Lipides . . . . . . .27 g
Acides gras saturés . . . . . .12 g

 40 min — 5 min

4 personnes

INGRÉDIENTS

- 125 g de ricotta
- 125 g de chester ou de cheddar, finement râpé
- 2 cuil. à café de persil haché
- 60 g de mélange de fruits à écale, pilés
- 3 cuil. à soupe de fines herbes hachées (persil, ciboulette, origan, livèche, cerfeuil, etc.)
- 2 cuil. à soupe de paprika doux
- poivre
- brins de fines herbes, en garniture

1 Mélanger la ricotta et le fromage râpé. Ajouter ensuite le persil, poivrer et bien mélanger énergiquement.

2 Faire de petites boules avec la préparation obtenue. Les disposer sur une assiette, couvrir et mettre au réfrigérateur pendant environ 20 minutes. Elles doivent être bien fermes.

3 Étaler les fruits à écale pilés sur une plaque de four et les mettre sous le gril préchauffé pour les faire griller, en les surveillant bien car ils brûlent rapidement. Laisser refroidir.

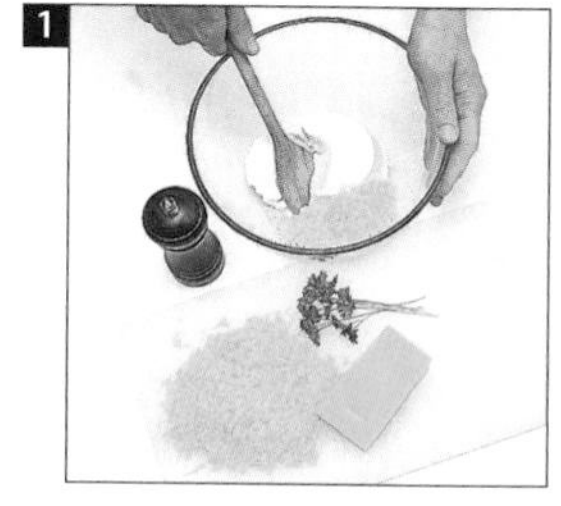

1

2

3

4 Mettre les noix, les fines herbes et le paprika dans trois petits bols différents. Retirer les boules de fromage du réfrigérateur et les répartir en trois tas séparés. Rouler un tiers des boules dans les fruits à écale, un autre tiers dans les fines herbes et le reste dans le paprika en veillant à bien les enrober.

5 Disposer les boules de fromage enrobées en alternance dans un grand plat. Mettre au réfrigérateur jusqu'au moment de servir, et garnir avec des brins de fines herbes.

Roulés au chou-fleur

Un mélange léger d'œufs et de légumes, pour un plat végétarien raffiné à déguster chaud ou froid.

VALEURS NUTRITIONNELLES

Calories . . . . .271 Glucides . . . . . .11 g
Protéines . . . . . .15 g Lipides . . . . . . .20 g
Acides gras saturés . . . . . .11 g

30 min 40 min

6 personnes

INGRÉDIENTS

1 petit chou-fleur, en fleurettes
4 œufs, blancs et jaunes séparés
90 g de cheddar ou d'emmental, râpé
60 g de fromage blanc
1 pincée de muscade râpée
½ cuil. à café de farine de moutarde
sel et poivre

GARNITURE

1 botte de cresson, émincée
60 g de beurre
25 g de farine
175 ml de yaourt nature
25 g de cheddar ou d'emmental, râpé
60 g de fromage blanc

1 Chemiser un moule à bords bas avec du papier sulfurisé.

2 Cuire le chou-fleur à la vapeur jusqu'à ce qu'il soit juste tendre. Passer sous l'eau froide et égoutter. Mixer le chou-fleur ou le couper en petits morceaux et le passer à travers une passoire en l'écrasant.

3 Battre les jaunes d'œufs, ajouter le chou-fleur, 60 g du cheddar et le fromage blanc. Ajouter la muscade, la farine de moutarde, saler et poivrer. Battre les blancs en neige ferme et les incorporer à la préparation.

4 Étaler la préparation en couche régulière dans le moule et faire cuire au four préchauffé, à 190 °C (th. 6-7), pendant 20 à 25 minutes, pour bien faire lever et dorer.

5 Parer le cresson, en réservant quelques feuilles pour décorer. Faire fondre le beurre dans une casserole et faire fondre le cresson 3 minutes. Incorporer la farine et le yaourt, laisser mijoter 2 minutes, puis ajouter les fromages.

6 Retourner le roulé sur un torchon humide recouvert de papier sulfurisé. Retirer le papier et laisser le roulé reposer une minute pour laisser s'échapper la vapeur. Puis l'enrouler avec la nouvelle feuille de papier sulfurisé, en partant du petit côté.

7 Dérouler, étaler la garniture en s'arrêtant à 2,5 cm des bords, et rouler à nouveau. Ensuite, disposer sur une plaque de four, parsemer du reste de cheddar et remettre au four pendant 5 minutes. Servir immédiatement, ou laisser refroidir complètement et servir froid.

4

6
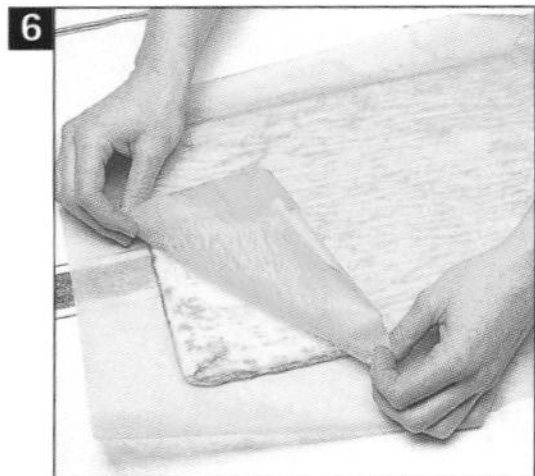

7

Mini-feuilletés aux légumes

L'entrée idéale d'un repas un peu solennel : ces petits feuilletés sont très rapides à préparer et ont néanmoins beaucoup d'allure.

VALEURS NUTRITIONNELLES

Calories ....649 Glucides ......60 g
Protéines ....9 g Lipides ....45 g
Acides gras saturés ......18 g

 15 min  35 min

4 personnes

INGRÉDIENTS

450 g de pâte feuilletée, décongelée si nécessaire

1 œuf, battu

GARNITURE

225 g de patates douces, coupées en dés

100 g de pointes d'asperges miniatures

25 g de beurre ou de margarine

1 poireau, coupé en rondelles

2 petits champignons de couche, émincés

1 cuil. à café de jus de citron vert

1 cuil. à café de thym haché

1 pincée de moutarde en poudre

sel et poivre

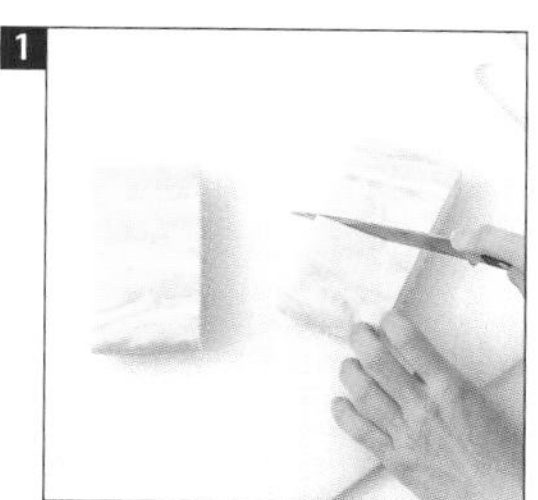

1 Découper la pâte en 4 parts égales et les abaisser sur une planche farinée, pour former des carrés de 12,5 cm de côté environ. Les disposer sur une plaque de four préalablement humectée et tracer un plus petit carré de 7,5 cm à l'intérieur de chaque carré.

2 Badigeonner les carrés de pâte d'œuf battu et faire cuire au four préchauffé, à 210 °C (th. 7), 20 minutes, pour faire lever et dorer.

3 Pendant ce temps, faire la garniture : faire cuire les patates douces 15 minutes dans une casserole d'eau bouillante. Elles doivent être tendres. Égoutter et réserver.

Pendant ce temps, blanchir les asperges dans une casserole d'eau bouillante environ 10 minutes jusqu'à ce qu'elles soient tendres. Égoutter et réserver.

4 Sortir les carrés de pâte du four, puis retirer les carrés centraux à l'aide d'un couteau pointu, et les réserver.

5 Faire fondre le beurre ou la margarine dans une casserole et faire revenir le poireau et les champignons 2 à 3 minutes. Ajouter le jus de citron, le thym et la moutarde. Saler et poivrer. Ajouter les patates douces et les asperges. Répartir la préparation dans les petits écrins de pâte, disposer les carrés réservés par-dessus et servir immédiatement.

Samosas aux légumes

D'excellents petits chaussons frits, vraiment très faciles à faire. À servir chaud ou froid comme entrée d'un repas indien.

VALEURS NUTRITIONNELLES

Calories	343	Glucides	26 g
Protéines	5 g	Lipides	26 g
Acides gras saturés	5 g		

 30 min  40 min

12 samosas

INGRÉDIENTS

- 350 g de pommes de terre, coupées en dés
- sel
- 125 g de petits pois surgelés
- 3 cuil. à soupe d'huile
- 1 oignon, émincé
- 1 morceau de gingembre de 2,5 cm de long, émincé
- 1 gousse d'ail, hachée
- 1 cuil. à café de garam masala
- 2 cuil. à café de pâte de curry peu épicée
- ½ cuil. à café de graines de cumin
- 2 cuil. à café de jus de citron
- 60 g de noix de cajou non salées, concassées
- huile, pour la friture
- brins de coriandre, en garniture
- chutney à la mangue, en accompagnement

PÂTE

- 225 g de farine
- 60 g de beurre
- 6 cuil. à soupe de lait, chaud
- gros sel

1 Faire cuire les pommes de terre dans une casserole d'eau bouillante salée pendant 5 minutes. Ajouter les petits pois et laisser cuire encore 4 minutes (les pommes de terre doivent être tendres) et bien égoutter. Faire chauffer l'huile dans une poêle et faire revenir l'oignon, les pommes de terre, les petits pois, le gingembre, l'ail et les épices pendant 2 minutes. Ajouter le jus de citron et faire cuire à feu doux 2 minutes, sans couvrir. Retirer la poêle du feu, écraser légèrement les pommes de terre et les petits pois, puis ajouter les noix de cajou. Bien mélanger et saler.

2 Mettre la farine dans une jatte et incorporer le beurre. Ajouter le lait pour obtenir une pâte. La pétrir légèrement et la séparer en 6 morceaux. Les rouler en boule, les abaisser pour former des ronds de 18 cm de diamètre et les couper en deux.

3 Répartir la garniture sur les demi-cercles de pâte, en l'étalant jusqu'à 5 mm des bords. Humecter le tour de la pâte, replier les bords pour former des triangles et bien les pincer pour enfermer la garniture.

4 Faire chauffer l'huile dans une poêle à 180 °C (un morceau de pain doit y brunir en 30 secondes). Y faire frire les samosas en plusieurs fois, en les retournant fréquemment, jusqu'à ce qu'ils soient bien chauds et bien dorés. Les laisser égoutter sur du papier absorbant et les réserver au chaud pendant que les autres fournées cuisent. Garnir avec les brins de coriandre et servir chaud.

Échalotes à la grecque

Voici une célèbre méthode de cuisson des légumes qui est parfaite pour les oignons ou les échalotes. À servir accompagné d'une bonne salade verte.

VALEURS NUTRITIONNELLES

Calories ....200 Glucides ......54 g
Protéines ....2 g Lipides ....9 g
Acides gras saturés ....1 g

 10 min  15 min

4 personnes

INGRÉDIENTS

- 450 g d'échalotes
- 3 cuil. à soupe d'huile d'olive
- 3 cuil. à soupe de miel liquide
- 2 cuil. à soupe de vinaigre de vin aillé
- 3 cuil. à soupe de vin blanc sec
- 1 cuil. à soupe de concentré de tomates
- 2 branches de céleri, coupées en tranches
- 2 tomates, épépinées et coupées en morceaux
- sel et poivre
- feuilles de céleri, ciselées, pour garnir

1 Éplucher les échalotes. Faire chauffer l'huile dans une grande casserole et faire revenir les échalotes pendant 3 à 5 minutes. Elles doivent commencer à brunir.

2 Ajouter le miel et faire cuire à feu vif encore 30 secondes avant de verser le vinaigre de vin aillé et le vin blanc sec. Bien mélanger.

3 Ajouter le concentré de tomates, le céleri et les tomates, et porter à ébullition. Laisser cuire à feu vif pendant 5 à 6 minutes, puis saler, poivrer et laisser tiédir.

4 Garnir avec les feuilles de céleri et servir chaud. On peut aussi mettre ce plat au réfrigérateur et le servir froid.

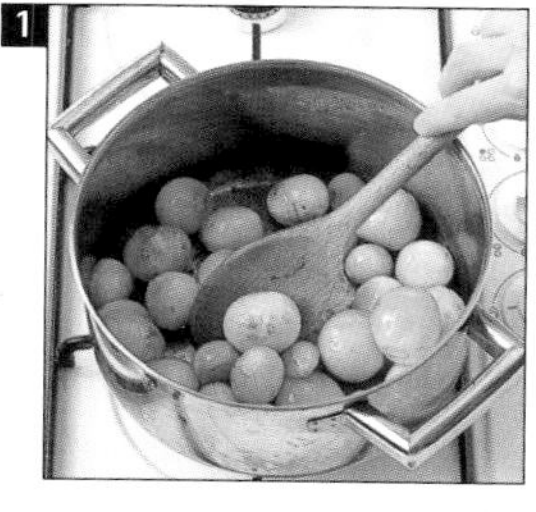

Pakoras aux champignons

Des champignons entiers trempés dans une pâte épicée à l'ail, frits et dorés. Encore meilleurs lorsqu'ils sont servis très chauds.

VALEURS NUTRITIONNELLES

Calories ....297 Glucides ......27 g
Protéines ....5 g Lipides ....21 g
Acides gras saturés ....2 g

 20 min  10 à 15 min

6 personnes

INGRÉDIENTS

- 175 g de farine de pois chiches
- ½ cuil. à café de sel
- ½ de cuil. à café de levure chimique
- 1 cuil. à café de graines de cumin
- ½ ou 1 cuil. à café de poudre de piment
- 200 ml d'eau
- 2 gousses d'ail, hachées
- 1 petit oignon, émincé
- huile, pour la friture
- 500 g de champignons de Paris, lavés et essuyés
- quelques rondelles de citron et quelques brins de coriandre, pour garnir

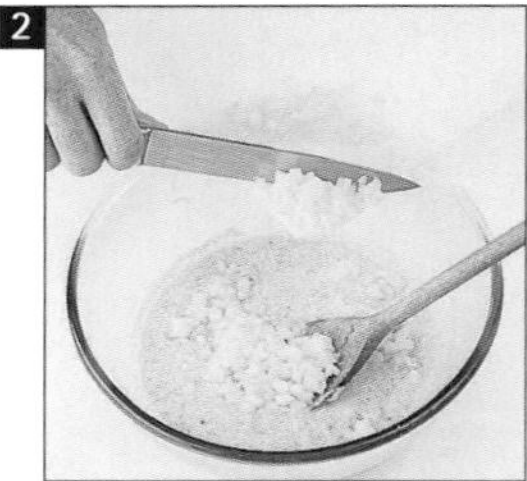
2

3

4

1 Mettre la farine de pois chiches, le sel, la levure chimique, le cumin et la poudre de piment dans une jatte et bien mélanger. Faire un puits au milieu et incorporer progressivement l'eau, en mélangeant bien de façon à obtenir une pâte lisse.

2 Ajouter l'ail écrasé et l'oignon émincé et laisser le mélange reposer pendant environ 10 minutes. Remplir une friteuse ou une casserole au tiers avec de l'huile et faire chauffer à 180 °C (un dé de pain doit y dorer en 30 secondes). Faire descendre le panier dans l'huile chaude.

3 Mélanger les champignons dans la pâte, en remuant pour bien les enrober. Puis les en retirer pour les plonger dans l'huile, en plusieurs fois. Les faire frire pendant environ 2 minutes. Les champignons doivent être bien dorés.

4 Retirer les champignons de l'huile à l'aide d'une écumoire, les égoutter sur du papier absorbant et les réserver au chaud pendant que les autres fournées sont dans la friture.

5 Servir les pakoras chauds, saupoudrés de gros sel et décorés de rondelles de citron et de brins de coriandre.

INFORMATION

La farine de pois chiches, en hindi « besan », est une farine de couleur pâle. Aujourd'hui, on en trouve en grande surface ainsi que dans les épiceries indiennes ou les épiceries fines. Elle est également utilisée dans la préparation des bhajis à l'oignon.

Fromage à l'ail et aux fines herbes

Un savoureux pâté à base de fromage frais, merveilleusement parfumé grâce à l'ail et aux fines herbes. Servi avec des toasts fins, il fera l'entrée parfaite.

VALEURS NUTRITIONNELLES

Calories ....392 Glucides ......19 g
Protéines ......17 g Lipides ....28 g
Acides gras saturés ......18 g

 20 min  10 min

4 personnes

INGRÉDIENTS

- 15 g de beurre
- 1 gousse d'ail, hachée
- 3 oignons verts, émincés
- 125 g de fromage frais
- 2 cuil. à soupe de fines herbes hachées (persil, ciboulette, origan, basilic, etc.)
- 175 g de cheddar fort ou d'emmental, râpé
- poivre
- 4 à 6 tranches de pain blanc d'épaisseur moyenne
- mesclun et tomates cerises, en accompagnement

GARNITURE

- paprika en poudre
- fines herbes

1 Faire fondre le beurre dans une petite poêle et faire revenir l'ail et les oignons verts à feu doux pendant 3 à 4 minutes pour les ramollir. Laisser refroidir un peu.

2 Battre le fromage frais dans une grande jatte de façon à l'homogénéiser, puis ajouter l'ail et les oignons verts. Ajouter les fines herbes en mélangeant bien.

3 Ajouter le cheddar ou l'emmental et travailler le mélange jusqu'à obtention d'une pâte ferme. Couvrir et mettre au réfrigérateur jusqu'au moment de servir.

4 Pour faire les toasts, griller les tranches de pain des deux côtés, puis retirer la croûte. À l'aide d'un couteau à pain tranchant, couper les tranches dans l'épaisseur de façon à obtenir de très fines tranches. Les couper en triangles, puis griller le côté non toasté.

5 Répartir le mesclun dans 4 assiettes avec les tomates cerises. Mettre le fromage par-dessus et saupoudrer d'un peu de paprika. Garnir avec des fines herbes avant de servir avec les toasts.

2

3

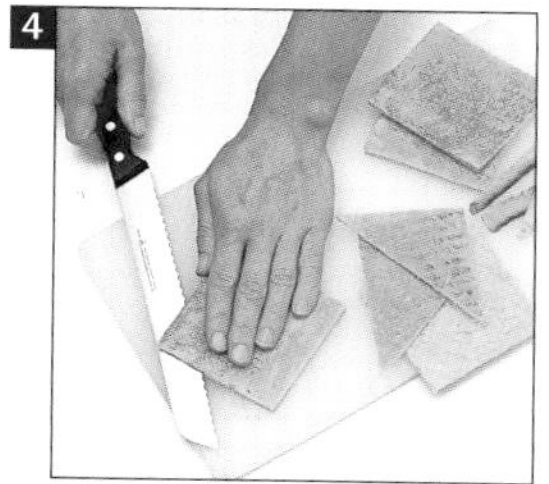
4

Tzatziki et tapenade

Le tzatziki est un plat grec à base de yaourt, de menthe et de concombre. Servi sur du pain pita, c'est un véritable délice.

VALEURS NUTRITIONNELLES

Calories	381	Glucides	60 g
Protéines	11 g	Lipides	15 g
Acides gras saturés	2 g		

 1 heure  3 min

4 personnes

INGRÉDIENTS

½ concombre

225 g de yaourt nature

1 cuil. à soupe de menthe hachée

sel et poivre

4 pains pita

TAPENADE

2 gousses d'ail, hachées

125 g d'olives noires, dénoyautées

4 cuil. à soupe d'huile d'olive

2 cuil. à soupe de jus de citron

1 cuil. à soupe de persil haché

GARNITURE

brins de menthe

brins de persil

CONSEIL

On met du sel sur le concombre pour le faire dégorger, ce qui le rend plus croquant. Si vous êtes pressé, vous pouvez sauter cette étape. Vous pouvez aussi réaliser de la tapenade avec des olives vertes.

2

3

4

1 Pour faire le tzatziki, éplucher le concombre et le couper grossièrement. Saupoudrer de sel et laisser dégorger pendant 15 à 20 minutes, puis le rincer à l'eau froide et bien l'égoutter.

2 Mélanger le concombre avec le yaourt et la menthe. Saler, poivrer et verser le tzatziki dans un plat creux. Couvrir et réfrigérer 20 à 30 minutes.

3 Pour faire la tapenade, mettre l'ail haché et les olives dans un mixeur ou un robot de cuisine et les mixer 15 à 20 secondes. À défaut, on peut aussi les hacher finement.

4 Ajouter l'huile d'olive, le jus de citron et le persil dans le mixeur ou le robot et mixer à nouveau pendant quelques secondes. On peut aussi ajouter ces ingrédients aux olives hachées et à l'ail et écraser le tout ensemble. Saler et poivrer.

5 Envelopper les pains pita dans du papier aluminium et les mettre sur un barbecue pendant 2 à 3 minutes, en les retournant une fois pour que les deux côtés chauffent. À défaut, les faire chauffer sous le gril d'un four. Puis les couper en morceaux et les servir avec le tzatziki et la tapenade décorés de brins de menthe et de persil.

Petites boulettes au yaourt

De petites boulettes légères et idéales à grignoter en été ou en entrée d'un repas végétarien.

VALEURS NUTRITIONNELLES

Calories ....476 Glucides ......93 g
Protéines ......11 g Lipides ....21 g
Acides gras saturés ....3 g

 15 min  20 min

4 personnes

INGRÉDIENTS

- 200 g d'urid dhaal (lentilles noires à chair blanche)
- 1 cuil. à café de levure chimique
- ½ cuil. à café de gingembre moulu
- 700 ml d'eau
- huile, pour la friture
- 400 ml de yaourt nature
- 75 g de sucre

MASALA

- 50 g de coriandre en poudre
- 50 g de cumin blanc en poudre
- 25 g de piments rouges, hachés
- 100 g d'acide citrique
- piment rouge frais haché, en garniture

1

1

4

1 Mettre la farine de lentilles blanches dans une grande jatte. Ajouter la levure chimique et le gingembre et mélanger. Ajouter 300 ml d'eau et mélanger de façon à obtenir une pâte.

2 Faire chauffer l'huile dans une grande casserole. Y plonger des cuillerées à café de pâte, une seule à la fois, et bien faire dorer dans la friture, en baissant le feu si l'huile devient trop chaude. Réserver.

3 Mettre le yaourt dans une jatte. Ajouter 400 ml d'eau et le sucre et mélanger le tout à l'aide d'un fouet ou d'une fourchette. Réserver.

4 Pour faire le masala : faire griller la coriandre en poudre et le cumin blanc dans une casserole. Ils doivent foncer et libérer leur arôme. Puis les moudre grossièrement dans un mixeur ou dans un mortier à l'aide d'un pilon. Ajouter les piments rouges hachés et l'acide citrique et mélanger.

5 Saupoudrer environ 1 cuillerée à soupe de masala sur les boulettes et conserver le reste dans un récipient hermétique pour un usage ultérieur. Garnir avec les piments rouges hachés et servir avec la sauce au yaourt.

Dip aux amandes et aux lentilles

Un dip très facile à préparer, et qui est idéal en apéritif avant un barbecue, pour que les invités puissent grignoter en attendant.

VALEURS NUTRITIONNELLES

Calories . . . . . . .395 Glucides . . . . . .22 g
Protéines . . . . . .12 g Lipides . . . . . . .31 g
Acides gras saturés . . . . . .10 g

5 à 10 min 40 min

4 personnes

INGRÉDIENTS

- 60 g de beurre
- 1 petit oignon, émincé
- 90 g de masoor dhaal (lentilles rouges)
- 300 ml de bouillon de légumes
- 60 g d'amandes, mondées
- 60 g de pignons
- ½ cuil. à café de coriandre en poudre
- ½ cuil. à café de cumin en poudre
- ½ cuil. à café de gingembre frais râpé
- 1 cuil. à café de coriandre fraîche hachée
- sel et poivre
- brins de coriandre fraîche, en garniture

ACCOMPAGNEMENT

- petits bâtonnets de légumes crus
- mouillettes

2

3

4

1 Faire fondre la moitié du beurre dans une casserole et faire revenir l'oignon à feu moyen en remuant souvent. Il doit être doré.

2 Ajouter les lentilles et le bouillon de légumes, porter à ébullition puis baisser le feu et laisser mijoter à découvert pendant 25 à 30 minutes (les lentilles doivent être tendres). Bien égoutter.

3 Faire fondre le reste du beurre dans une petite poêle et faire revenir les amandes et les pignons à feu doux, en remuant fréquemment, jusqu'à ce qu'ils soient bien dorés. Retirer du feu.

4 Mettre les lentilles, les amandes et les pignons, avec le reste de beurre s'il y a lieu, dans un mixeur. Ajouter la coriandre en poudre, le cumin, le gingembre et la coriandre fraîche et mixer pendant 15 à 20 secondes, jusqu'à obtention d'un mélange homogène. À défaut, on peut passer les lentilles à travers une passoire en les écrasant. Ajouter les épices, les amandes et les pignons hachés finement.

5 Saler, poivrer et garnir avec des brins de coriandre fraîche. Servir avec des bâtonnets de légumes frais et des mouillettes.

VARIANTE

Vous pouvez utiliser des lentilles vertes ou brunes, mais elles mettront plus de temps à cuire que les lentilles rouges. Vous pouvez, éventuellement, remplacer les amandes par des cacahuètes, et le gingembre frais par ½ cuillère à café de gingembre moulu.

Pakoras

Les pakoras, consommés en Inde, peuvent être préparés de diverses façons, avec une multitude de garnitures. Ils peuvent s'accompagner de yaourt.

VALEURS NUTRITIONNELLES

Calories	331	Glucides	32 g
Protéines	9 g	Lipides	22 g
Acides gras saturés	3 g		

 15 min  15 à 20 min

4 personnes

INGRÉDIENTS

- 6 cuil. à soupe de farine de pois chiches
- ½ cuil. à café de sel
- 1 cuil. à café de poudre de piment
- 1 cuil. à café de levure chimique
- 1 cuil. à café ½ de graines de cumin blanc
- 1 cuil. à café de pépins de grenade
- 300 ml d'eau
- feuilles de coriandre fraîche, hachées finement
- légumes de son choix (fleurettes de chou-fleur, rondelles d'oignon, dés de pomme de terre, morceaux d'aubergine ou feuilles d'épinard frais)
- huile, pour la friture

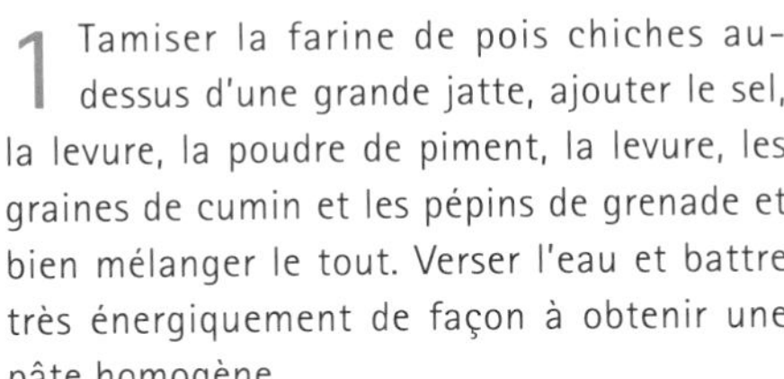

1 Tamiser la farine de pois chiches au-dessus d'une grande jatte, ajouter le sel, la levure, la poudre de piment, la levure, les graines de cumin et les pépins de grenade et bien mélanger le tout. Verser l'eau et battre très énergiquement de façon à obtenir une pâte homogène.

2 Ajouter la coriandre et mélanger, puis réserver la pâte.

3 Tremper les légumes préparés dans la pâte, puis les égoutter un peu pour enlever l'excédent de pâte.

4 Faire chauffer l'huile dans une grande casserole à fond épais et y plonger une première fournée de légumes enrobés de pâte. Les faire frire en les retournant une fois. Procéder de même avec les fournées suivantes.

5 Répéter l'opération jusqu'à ce que toute la pâte ait été utilisée.

6 Laisser les pakoras égoutter sur du papier absorbant avant de servir.

CONSEIL

Pour la friture, il est important que l'huile soit à bonne température. Si elle est trop chaude, la pâte et les épices brûleront avant que l'intérieur ne soit cuit. Si elle est trop tiède, les légumes seront gorgés d'huile avant que la pâte ne soit cuite.

En-cas & Repas légers

Dans la vie bien remplie de tous les jours, il est bon de pouvoir préparer un simple en-cas ou un repas léger. Même si l'on n'a, parfois, pas envie d'un repas complet, on désire tout de même se régaler d'un petit quelque chose appétissant et réjouissant. Ou encore, en attendant un déjeuner ou un dîner tardif, on peut avoir envie d'un petit en-cas pour patienter et éviter les crampes d'estomac ! Pour une collation nourrissante qui permette de faire une pause dans la journée, pour un apéritif consistant, pour un déjeuner sur le pouce ou pour un dîner entre amis, voici une sélection de recettes alléchantes.

Légumes au four

Une recette délicieusement appétissante, qui devient incomparable servie dans de petits pains chauds avec une sauce aux herbes.

VALEURS NUTRITIONNELLES

Calories ....509 Glucides ......62 g
Protéines ......15 g Lipides ....28 g
Acides gras saturés ......12 g

 1 h 15 30 min

4 personnes

INGRÉDIENTS

1 oignon rouge, coupé en huit
1 aubergine, coupée en deux puis en tranches
1 poivron jaune, épépiné et coupé en lamelles
1 courgette, coupée en rondelles
4 cuil. à soupe d'huile d'olive
1 cuil. à soupe de vinaigre aillé
2 cuil. à soupe de vermouth
2 gousses d'ail, hachées
1 cuil. à soupe de thym haché
2 cuil. à café de sucre roux
4 petits pains, coupés en deux

SAUCE

2 cuil. à soupe de beurre
1 cuil. à soupe de farine
150 ml de lait
75 ml de bouillon de légumes
75 g de cheddar ou d'emmental, râpé
1 cuil. à café de moutarde à l'ancienne
3 cuil. à soupe de fines herbes hachées
sel et poivre

1 Disposer les légumes dans un plat à gratin. Mélanger l'huile, le vinaigre, le vermouth, l'ail, le thym et le sucre, puis verser le mélange sur les légumes. Laisser mariner pendant 1 heure.

2 Mettre les légumes sur une plaque de four et les faire cuire au four préchauffé, à 210 °C (th. 7), 20 à 25 minutes. Les légumes doivent être bien tendres.

3 Pendant ce temps, préparer la sauce : faire fondre le beurre dans une petite casserole, ajouter la farine et faire cuire pendant 1 minute sans cesser de remuer. Retirer la casserole du feu et incorporer progressivement le lait et le bouillon de légumes. Remettre sur le feu et porter à ébullition sans cesser de remuer, pour faire épaissir. Incorporer ensuite le fromage, la moutarde et les fines herbes, puis saler et poivrer.

4 Mettre le gril à préchauffer. Couper les petits pains en deux et les faire dorer sous le gril pendant 2 à 3 minutes. Puis les retirer et les disposer sur un plat.

5 Répartir les légumes cuits sur les petits pains et napper de sauce. Servir immédiatement.

1

3

5

Falafel

Un plat du Moyen-Orient très connu et très savoureux : de petites boulettes à base de pois chiches, épicées et frites.

VALEURS NUTRITIONNELLES

Calories . . . . .491 Glucides . . . . . .46 g
Protéines . . . . . .15 g Lipides . . . . . . .30 g
Acides gras saturés . . . . . . .3 g

25 min 10 à 15 min

4 personnes

INGRÉDIENTS

- 675 g de pois chiches en boîte, égouttés
- 1 oignon rouge, émincé
- 3 gousses d'ail, hachées
- 100 g de pain complet
- 2 petits piments rouges frais
- 1 cuil. à café de cumin en poudre
- 1 cuil. à café de coriandre en poudre
- ½ cuil. à café de curcuma
- 1 cuil. à soupe de coriandre hachée, un peu plus pour garnir
- 1 œuf, battu
- 100 g de chapelure blonde
- huile, pour la friture
- sel et poivre
- salade de tomates et de concombre et tranches de citron, en accompagnement
- coriandre, en garniture

2

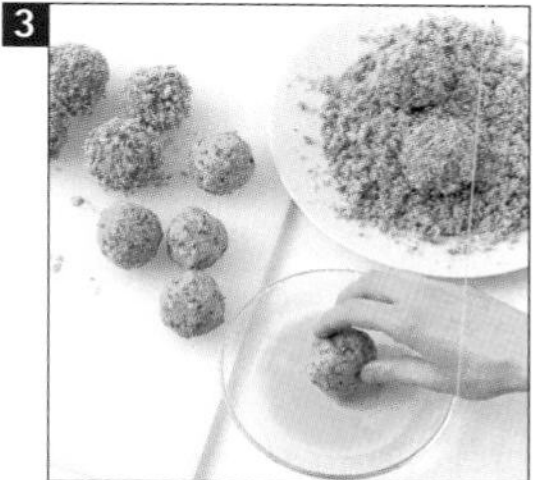

3

4

1 Mettre les pois chiches, l'oignon, l'ail, le pain, les piments, les épices et la coriandre dans un mixeur et mixer pendant 30 secondes. Remuer, puis saler et poivrer à son goût.

2 Retirer le mélange du mixeur et former des boules de la taille d'une noix.

3 Mettre l'œuf battu dans une petite jatte et la chapelure dans une assiette. Tremper les boulettes d'abord dans l'œuf pour les enrober, puis les rouler dans la panure. Les secouer légèrement pour enlever l'excédent.

4 Faire chauffer l'huile de friture à 180 °C (un dé de pain doit y dorer en 30 secondes). Y plonger les falafel et les faire frire pendant 2 à 3 minutes, en plusieurs fournées si nécessaire. Lorsqu'ils sont croustillants et bien dorés, les retirer de l'huile à l'aide d'une écumoire et les égoutter soigneusement avec du papier absorbant. Garnir avec de la coriandre hachée et servir immédiatement accompagné d'une salade de tomates et de concombre, et de tranches de citron.

Röstis à la sauce tomate

Une recette extrêmement facile à réaliser, et qui séduira aussi bien comme en-cas qu'en accompagnement de la plupart des repas indiens.

VALEURS NUTRITIONNELLES

Calories ....294 Glucides ......22 g
Protéines ....4 g Lipides ....24 g
Acides gras saturés ....3 g

40 min 15 min

8 personnes

INGRÉDIENTS

- 60 g de farine complète
- ½ cuil. à café de coriandre en poudre
- ½ cuil. à café de graines de cumin
- ¼ de cuil. à café de poudre de piment
- ½ cuil. à café de curcuma en poudre
- ¼ de cuil. à café de sel
- 1 œuf
- 3 cuil. à soupe de lait
- 350 g de pommes de terre, épluchées
- 1 ou 2 gousses d'ail, hachées
- 4 oignons verts, émincés
- 60 g de grains de maïs
- huile, pour la friture

SAUCE À LA TOMATE ET À L'OIGNON

- 1 oignon, épluché
- 225 g de tomates
- 2 cuil. à soupe de coriandre hachée
- 2 cuil. à soupe de menthe hachée
- 2 cuil. à soupe de jus de citron
- ½ cuil. à café de graines de cumin, grillées
- ¼ cuil. à café de sel
- 1 pincée de poivre de Cayenne

2

3

5

1 Commencer par préparer la sauce : couper l'oignon et les tomates en dés et les mettre dans une jatte avec le reste des ingrédients. Bien mélanger et laisser reposer pendant au moins 15 minutes, le temps que les saveurs se marient.

2 Mettre la farine dans une jatte, ajouter les épices et le sel, puis faire un puits au milieu. Y mettre l'œuf et le lait et mélanger de façon à obtenir une pâte épaisse.

3 Râper grossièrement les pommes de terre, les mettre dans une passoire et bien les rincer à l'eau froide. Puis les égoutter, les essuyer et les incorporer à la pâte. Incorporer ensuite l'ail, les oignons verts et le maïs.

4 Faire chauffer environ 5 mm d'huile dans une grande poêle et y faire frire quelques cuillerées à soupe de la préparation en les aplatissant pour en faire de fines galettes. Les faire frire à feu doux pendant 2 à 3 minutes en les retournant fréquemment. Elles doivent être bien dorées et bien cuites.

5 Les laisser égoutter sur du papier absorbant et les réserver au chaud pendant la cuisson du reste de la préparation. Servir chaud avec la sauce.

Poêlée de haricots et de fèves

Les haricots verts, bien frais et croquants, ont une saveur incomparable. À défaut de haricots frais, on peut utiliser des haricots surgelés, préalablement décongelés.

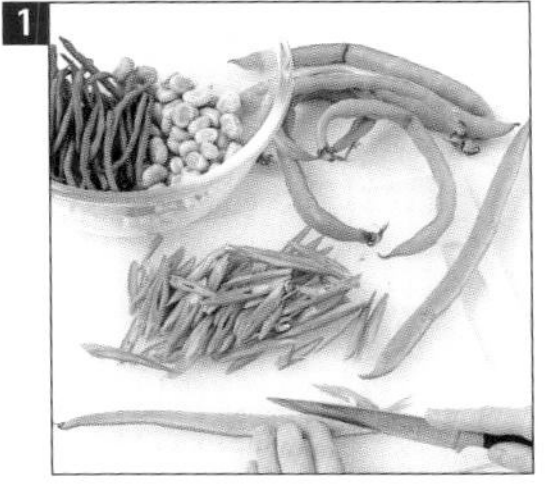

VALEURS NUTRITIONNELLES

Calories ....179 Glucides ......14 g
Protéines ......10 g Lipides ....11 g
Acides gras saturés ....1 g

 10 min  15 min

4 personnes

INGRÉDIENTS

- 350 g de mélange de haricots (haricots verts, mange-tout, etc.) et de fèves écossées
- 2 cuil. à soupe d'huile
- 2 gousses d'ail, hachées
- 1 oignon rouge, coupé en deux puis en tranches
- 225 g de tofu ferme mariné, coupé en dés
- 1 cuil. à soupe de jus de citron
- ½ cuil. à café de curcuma
- 1 cuil. à café de mélange d'épices en poudre
- 150 ml de bouillon de légumes
- 2 cuil. à café de graines de sésame

1 Équeuter les haricots verts en prenant soin d'enlever les fils au besoin, les couper, puis les réserver.

2 Faire chauffer l'huile dans une poêle de taille moyenne et faire revenir l'ail et l'oignon à feu doux pendant 2 minutes, en remuant fréquemment.

3 Ajouter le tofu et laisser cuire pendant environ 2 à 3 minutes, jusqu'à ce qu'il commence à bien dorer.

4 Ajouter les haricots verts et les fèves dans la poêle ainsi que le jus de citron, le curcuma, le mélange d'épices en poudre et le bouillon de légumes. Remuer et porter à ébullition.

5 Baisser le feu et laisser mijoter pendant 5 à 7 minutes (les haricots doivent être tendres). Parsemer les légumes de graines de sésame et servir immédiatement.

VARIANTE

Vous pouvez remplacer le tofu mariné par du tofu fumé qui offrira un goût différent et assez particulier.

Crêpes aux épinards

Ces crêpes sont idéales pour un déjeuner léger ou l'un des plats d'un dîner ; accompagnées d'une salade de tomates au basilic, elles offriront un contraste de couleurs spectaculaire.

VALEURS NUTRITIONNELLES

Calories ....663 Glucides ......37 g
Protéines ......32 g Lipides ....48 g
Acides gras saturés ......18 g

25 min 1 h 15

4 personnes

INGRÉDIENTS

- 90 g de farine complète
- 1 œuf
- 150 ml de yaourt nature
- 3 cuil. à soupe d'eau
- 1 cuil. à soupe d'huile, un peu plus pour badigeonner
- 200 g de feuilles d'épinard surgelées, décongelées et écrasées en purée
- 1 pincée de noix muscade râpée
- sel et poivre

GARNITURE

- tranches de citron
- brins de coriandre fraîche

GARNITURE

- 1 cuil. à soupe d'huile
- 3 oignons verts, coupés en fines rondelles
- 225 g de ricotta
- 4 cuil. à soupe de yaourt nature
- 90 g de gruyère, râpé
- 1 œuf, légèrement battu
- 125 g de noix de cajou non salées
- 2 cuil. à soupe de persil haché
- 1 pincée de poivre de Cayenne
- sel

1 Tamiser la farine et le sel au-dessus d'une jatte. Ajouter le son restant dans le tamis. Battre l'œuf avec le yaourt, l'eau et l'huile et verser le mélange progressivement sur la farine, sans cesser de battre. Puis incorporer les épinards, ajouter un peu de poivre et de muscade.

2 Pour faire la garniture : faire chauffer l'huile dans une poêle et faire revenir les oignons verts (ils doivent être translucides). Les retirer de l'huile à l'aide d'une écumoire et les égoutter sur du papier absorbant. Battre la ricotta avec le yaourt et la moitié du gruyère puis ajouter l'œuf en battant, ainsi que les noix de cajou et le persil. Ajouter du sel et du poivre de Cayenne.

3 À l'aide d'un pinceau, passer un peu d'huile dans une poêle à fond épais et la faire chauffer. Verser 3 à 4 cuillerées à soupe de pâte à crêpes et incliner la poêle pour répartir la pâte sur le fond. Laisser cuire environ 3 minutes (des bulles doivent se former au centre). Puis retourner la crêpe et la laisser cuire encore 2 minutes, avant de la faire glisser sur un plat chaud. Recouvrir de papier aluminium et garder au chaud le temps de faire les autres crêpes. On doit obtenir entre 8 et 12 crêpes.

4 Étaler un peu de la garniture sur chaque crêpe et les plier en quatre, comme pour les mettre dans une enveloppe. Puis disposer un peu de garniture restante sur l'ouverture.

5 Beurrer un plat à gratin peu profond et y disposer les crêpes en une seule couche. Parsemer du reste du gruyère et faire cuire au four préchauffé, à 180 °C (th. 6), environ 15 minutes. Servir chaud, décoré de tranches de citron et de brins de coriandre.

3

4

5

Pommes de terre au gril

Un plat qui accompagne à merveille les viandes grillées ou au barbecue car ces deux modes de cuisson conviennent également très bien aux pommes de terre.

VALEURS NUTRITIONNELLES

Calories........417 Glucides......21 g
Protéines.......3 g Lipides.......37 g
Acides gras saturés......10 g

 15 min  20 min

4 personnes

INGRÉDIENTS

450 g de pommes de terre, non pelées et brossées
40 g de beurre fondu
2 cuil. à soupe de thym haché
paprika, pour saupoudrer

MAYONNAISE AU CITRON VERT

150 ml de mayonnaise
2 cuil. à café de jus de citron vert
zeste finement râpé d'un citron vert
1 gousse d'ail, hachée
1 pincée de paprika
sel et poivre

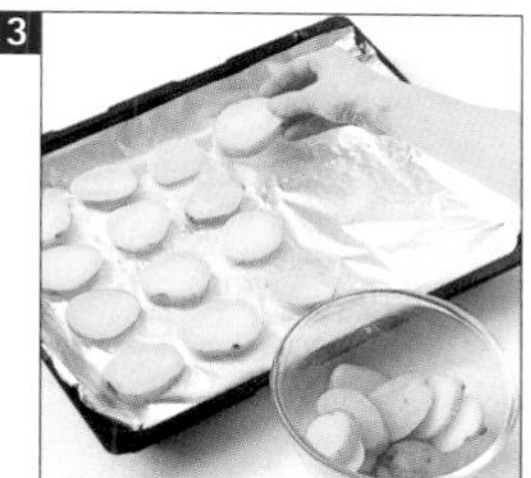
3

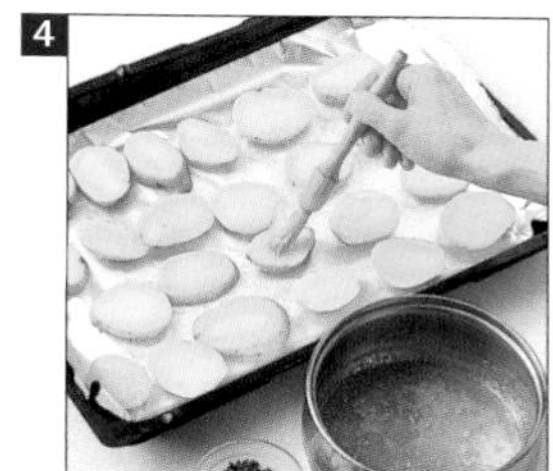
4

6

1 Couper les pommes de terre en rondelles de 1 cm d'épaisseur.

2 Faire cuire les pommes de terre dans une casserole d'eau bouillante 5 à 7 minutes (elles doivent rester fermes). Retirer les pommes de terre à l'aide d'une écumoire et bien égoutter.

3 Chemiser une lèchefrite avec du papier d'aluminium et y disposer les rondelles de pomme de terre.

4 Badigeonner les pommes de terre de beurre fondu et parsemer de thym haché. Saler et poivrer.

5 Faire cuire les pommes de terre au gril préchauffé à puissance moyenne pendant 10 minutes, en les retournant une fois.

6 Pendant ce temps, faire la mayonnaise : dans un petit bol, mélanger la mayonnaise avec le jus et le zeste de citron vert, l'ail, le paprika, du sel et du poivre.

7 Saupoudrer les rondelles de pomme de terre chaudes avec un peu de paprika et servir immédiatement avec la mayonnaise au citron vert.

CONSEIL

Vous pouvez aussi napper de mayonnaise les rondelles de pommes de terre grillées juste avant de servir.

Chips au paprika

De délicieuses chips aux pommes de terre extrêmement fines, cuites au barbecue et servies avec des brochettes végétariennes épicées.

VALEURS NUTRITIONNELLES

Calories	149	Glucides	17,6 g
Protéines	2 g	Lipides	8 g
Acides gras saturés	1 g		

 5 min  7 min

4 personnes

INGRÉDIENTS

- 2 grosses pommes de terre
- 3 cuil. à soupe d'huile d'olive
- ½ cuil. à café de paprika
- sel

1 À l'aide d'un couteau tranchant, couper de très fines rondelles de pomme de terre, presque transparentes, puis les égoutter et les essuyer en les tapotant avec du papier absorbant.

2 Faire chauffer l'huile dans une grande poêle et ajouter le paprika sans cesser de remuer pour éviter que le paprika n'attache ou ne brûle.

3 Mettre les rondelles de pomme de terre dans la poêle et les faire cuire en une seule couche pendant environ 5 minutes. Les pommes de terre doivent tout juste commencer à onduler sur les bords.

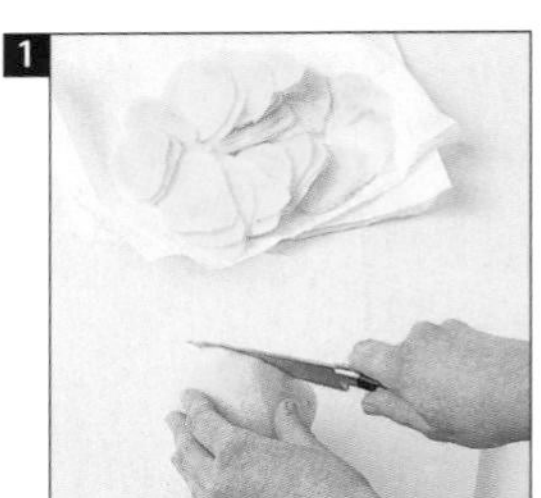
1

4

5

4 Retirer les rondelles de la poêle à l'aide d'une écumoire et les laisser égoutter sur du papier absorbant.

5 Enfiler les rondelles de pomme de terre sur des brochettes en bois.

6 Saupoudrer les chips de sel et les cuire 10 minutes au barbecue ou sous un gril à puissance moyenne, en les retournant fréquemment. Elles doivent commencer à durcir. Saupoudrer éventuellement avec encore un peu de sel et servir immédiatement.

VARIANTE

Vous pouvez également utiliser du curry en poudre ou une autre épice à la place du paprika pour parfumer ces chips.

Tartelettes au cresson

Des tartelettes individuelles, idéales au déjeuner ou pour un pique-nique. Le cresson est source d'acide folique, particulièrement précieux pour les femmes en début de grossesse.

VALEURS NUTRITIONNELLES

Calories . . . . .410 Glucides . . . . . .28 g
Protéines . . . . . .15 g Lipides . . . . . . .29 g
Acides gras saturés . . . . . .19 g

 20 min  25 min

4 personnes

INGRÉDIENTS

- 100 g de farine
- 1 pincée de sel
- 75 g de beurre ou de margarine
- 2 ou 3 cuil. à soupe d'eau froide
- 2 bottes de cresson
- 2 gousses d'ail, hachées
- 1 échalote, émincée
- 150 g de cheddar ou d'emmental, râpé
- 4 cuil. à soupe de yaourt nature
- ½ cuil. à café de paprika

1 Tamiser la farine au-dessus d'une jatte et ajouter le sel. Incorporer 50 g de beurre ou de margarine jusqu'à obtention d'une consistance de chapelure.

2 Ajouter juste assez d'eau pour former une pâte homogène.

3 Étaler la pâte sur une planche farinée pour foncer 4 moules à tartelette de 10 cm de diamètre. Piquer les fonds à l'aide d'une fourchette et mettre au réfrigérateur.

4 Faire fondre le reste du beurre dans une poêle. Retirer les tiges du cresson et mettre les feuilles dans la poêle avec l'ail et l'échalote pendant 1 à 2 minutes, jusqu'à ce que le cresson ait réduit.

5 Retirer la poêle du feu et incorporer le fromage râpé, le yaourt et le paprika.

6 Répartir la préparation obtenue sur les fonds de tartelettes et les faire cuire au four préchauffé, à 180 °C (th. 6), pendant 20 minutes. La garniture doit être prise. Démouler les tartelettes et les servir immédiatement.

VARIANTE

Vous pouvez remplacer le cresson par des épinards, en les égouttant bien avant de les mélanger aux autres ingrédients de la garniture.

Sauté de légumes aux lentilles

Les lentilles vertes utilisées ici doivent être mises à tremper mais leur goût en vaut la peine. Faute de temps, on peut les remplacer par des pois cassés rouges.

VALEURS NUTRITIONNELLES

Calories	386	Glucides	51 g
Protéines	12 g	Lipides	23 g
Acides gras saturés	12 g		

 45 min  40 à 45 min

4 personnes

INGRÉDIENTS

- 150 g de lentilles vertes
- 60 g de beurre ou de margarine
- 2 gousses d'ail, hachées
- 2 cuil. à soupe d'huile d'olive
- 1 cuil. à soupe de vinaigre de cidre
- 1 oignon rouge, coupé en huit
- 50 g d'épis de maïs nains, coupés dans la longueur
- 1 poivron jaune, épépiné et coupé en lamelles
- 1 poivron rouge, épépiné et coupé en lamelles
- 50 g de haricots verts, coupés en deux
- 125 ml de bouillon de légumes
- 2 cuil. à soupe de miel liquide
- sel et poivre
- pain frais, en accompagnement

1 Faire tremper les lentilles dans une grande casserole d'eau froide 25 minutes. Porter la casserole à ébullition, puis baisser le feu et laisser mijoter 20 minutes. Bien les égoutter.

2 Ajouter dans les lentilles 1 cuillerée à café de beurre ou de margarine, 1 gousse d'ail, 1 cuillerée à soupe d'huile et le vinaigre. Bien mélanger.

3 Faire fondre le reste du beurre, de l'ail et de l'huile dans une poêle et faire revenir l'oignon, les épis de maïs, les poivrons et les haricots pendant 3 à 4 minutes à feu vif.

4 Ajouter le bouillon de légumes et porter à ébullition. Laisser réduire pendant environ 10 minutes, jusqu'à évaporation du liquide.

5 Ajouter le miel, saler et poivrer. Verser la préparation obtenue dans les lentilles et faire réchauffer pendant 1 minute. Servir dans des assiettes chaudes accompagné de pain frais.

VARIANTE

Vous pouvez adapter cette recette de légumes sautés avec les légumes de votre choix, par exemple des courgettes, des carottes ou des pois mange-tout.

Champignons farcis

Des champignons cuits au four, recouverts d'une garniture crémeuse de pomme de terre et de champignons, et gratinés au fromage.

VALEURS NUTRITIONNELLES

Calories . . . . .214 Glucides . . . . . .12 g
Protéines . . . . . . .5 g Lipides . . . . . . .17 g
Acides gras saturés . . . . . .11 g

40 min  40 min

4 personnes

INGRÉDIENTS

- 25 g de cèpes séchés
- 225 g de pommes de terre farineuses, coupées en dés
- 25 g de beurre fondu
- 4 cuil. à soupe de crème fraîche épaisse
- 2 cuil. à soupe de ciboulette fraîche émincée
- 25 g d'emmental, râpé
- 8 gros champignons de couche
- 150 ml de bouillon de légumes
- sel et poivre
- ciboulette fraîche, en garniture

1 Mettre les cèpes séchés dans un petit bol et ajouter suffisamment d'eau bouillante pour les immerger. Les laisser tremper pendant 20 minutes.

2 Pendant ce temps, faire cuire les pommes de terre pendant 10 minutes dans une casserole moyenne d'eau frémissante. Elles doivent être bien cuites et tendres. Bien les égoutter puis les réduire en purée.

3 Égoutter les cèpes puis les émincer, avant de les incorporer à la purée.

4 Bien mélanger le beurre, la crème et la ciboulette, puis verser le mélange dans la purée de pommes de terre. Bien amalgamer, saler et poivrer.

5 Retirer les pieds des champignons, et couper ceux-ci en morceaux pour les mélanger à la préparation précédente. Répartir la préparation obtenue sur les champignons, puis parsemer de fromage râpé.

6 Disposer les champignons ainsi farcis dans un plat à gratin peu profond et verser le bouillon de légumes dans le fond.

7 Couvrir le plat et faire cuire au four préchauffé, à 220 °C (th. 7-8), pendant 20 minutes. Découvrir et faire cuire encore 5 minutes pour faire dorer.

8 Garnir les champignons avec de la ciboulette fraîche et servir immédiatement.

VARIANTE

Vous pouvez également utiliser des champignons frais à la place de cèpes séchés, et ajouter un peu de fruits à écale concassés dans la farce pour plus de croustillant.

Omelettes à l'indienne

L'omelette est un plat que l'on peut décliner à l'envi : elle se marie avec tout et peut être servie à n'importe quel moment de la journée.

VALEURS NUTRITIONNELLES

Calories	132	Glucides	3 g
Protéines	7 g	Lipides	11 g

Acides gras saturés ....2 g

10 min 20 min

4 personnes

INGRÉDIENTS

- 1 petit oignon, émincé très finement
- 2 piments verts, émincés et hachés
- feuilles de coriandre, hachées
- 4 œufs moyens
- 1 cuil. à café de sel
- 2 cuil. à soupe d'huile
- pain grillé ou salade verte croquante, en accompagnement

1 Mélanger l'oignon, les piments et la coriandre dans une grande jatte.

2 Mettre les œufs dans une jatte à part et les battre.

3 Ajouter la préparation précédente aux œufs et battre le tout.

4 Ajouter le sel à la préparation ainsi obtenue et bien battre le tout.

5 Faire chauffer 1 cuillerée à soupe d'huile dans une grande poêle, puis y verser une louche d'œufs battus.

6 Faire frire l'omelette en la retournant une fois et en appuyant dessus avec une cuillère plate pour qu'elle cuise bien. Elle doit être bien dorée.

7 Répéter l'opération pour le reste du mélange aux œufs. On doit obtenir quatre omelettes au total. Réserver les omelettes au chaud le temps de préparer le reste.

8 Servir les omelettes immédiatement, accompagnées de pain grillé. On peut aussi faire un repas plus léger en les servant accompagnées d'une salade verte bien croquante.

1

2

3

CONSEIL

Les cuisiniers indiens utilisent de nombreuses huiles. L'huile d'arachide ou l'huile de tournesol sont de bonnes variantes, même si dans certaines recettes l'huile de coco, l'huile de moutarde ou l'huile de sésame sont indiquées.

Samosas à l'indienne

De petits en-cas indiens, parfaits pour un déjeuner léger ou rapide et que l'on peut préparer à l'avance et congeler. À servir avec une salade.

VALEURS NUTRITIONNELLES

Calories . . . . .291 Glucides . . . . . .20 g
Protéines . . . . . . .4 g Lipides . . . . . . .23 g
Acides gras saturés . . . . . . .3 g

20 min 30 min

12 samosas

INGRÉDIENTS

2 cuil. à soupe d'huile

1 oignon, émincé

½ cuil. à café de coriandre en poudre

½ cuil. à café de cumin en poudre

1 pincée de curcuma

½ cuil. à café de gingembre moulu

½ cuil. à café de garam masala

1 gousse d'ail, hachée

225 g de pommes de terre, coupées en dés

100 g de petits pois surgelés, décongelés

150 g d'épinards, hachés

PÂTE

12 feuilles de pâte filo

huile, pour la friture

4 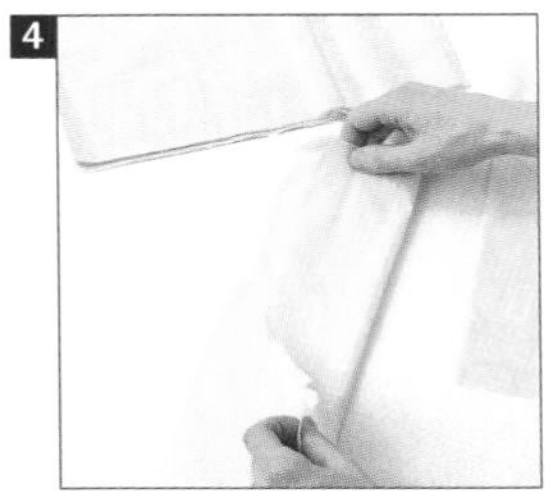

5 

5 

1 Pour la garniture, faire chauffer l'huile dans une poêle et faire revenir l'oignon pendant 1 à 2 minutes en remuant fréquemment. Ajouter ensuite toutes les épices et l'ail et faire cuire pendant 1 minute.

2 Ajouter les pommes de terre et les faire cuire à feu doux 5 minutes, en remuant souvent. Elles doivent commencer à ramollir.

3 Ajouter les petits pois et les épinards et laisser cuire encore 3 à 4 minutes.

4 Étaler les feuilles de pâte filo sur un plan de travail propre et plier chaque feuille en deux dans le sens de la longueur.

5 Mettre 2 cuillerées à soupe de garniture à une extrémité de chaque feuille pliée, puis replier un coin de façon à faire un triangle. Continuer à plier de la même façon pour faire un cône, et coller les bords avec de l'eau.

6 Répéter l'opération avec le reste de pâte et de garniture.

7 Faire chauffer l'huile à 180 °C (un morceau de pain doit y brunir en 30 secondes). Y faire dorer les samosas pendant 1 à 2 minutes, en plusieurs fournées. Les mettre ensuite à égoutter sur du papier absorbant et les garder au chaud le temps de faire frire le reste. Servir immédiatement.

Toasts aux champignons aillés

Extrêmement simples à préparer, ces toasts auront beaucoup d'allure si l'on utilise plusieurs sortes de champignons de formes et de consistances différentes.

VALEURS NUTRITIONNELLES

Calories	366	Glucides	47 g
Protéines	9 g	Lipides	18 g
Acides gras saturés	4 g		

 10 min  10 min

4 personnes

INGRÉDIENTS

- 75 g de margarine
- 2 gousses d'ail, hachées
- 350 g de champignons variés (de Paris, shiitake, etc.), émincés
- 8 tranches de pain
- 1 cuil. à soupe de persil haché
- sel et poivre

1 Faire fondre la margarine dans une poêle et faire revenir l'ail écrasé pendant 30 secondes, sans cesser de remuer.

2 Ajouter les champignons et laisser cuire 5 minutes, en remuant de temps en temps.

3 Faire griller les tranches de pain sous le gril préchauffé, à température moyenne, pendant 2 à 3 minutes, en les retournant une fois. Les disposer ensuite sur un plat.

4 Incorporer le persil aux champignons à l'ail, bien mélanger, saler et poivrer à son goût.

5 Répartir les champignons sur les toasts et servir immédiatement.

CONSEIL

Les champignons se conservent au réfrigérateur 24 à 36 heures dans un sac en papier, car ils transpirent dans du plastique. Il faut laver les champignons sauvages, mais les autres peuvent être simplement frottés avec du papier absorbant.

Petites galettes de maïs

Un délicieux petit plus dans un buffet, et une préparation d'une grande simplicité. À servir avec une sauce au piment doux.

VALEURS NUTRITIONNELLES

Calories ....90 Glucides ......14 g
Protéines ....2 g Lipides ....5 g
Acides gras saturés ......0,6 g

10 min 10 min

6 personnes

INGRÉDIENTS

325 g de maïs en boîte, égoutté

1 oignon, émincé

1 cuil. à café de poudre de curry

1 gousse d'ail, hachée

1 cuil. à café de coriandre en poudre

2 oignons verts, émincés

3 cuil. à soupe de farine

½ cuil. à café de levure chimique

1 gros œuf

4 cuil. à soupe d'huile de tournesol

sel

1 Écraser légèrement le maïs égoutté dans une jatte. Puis ajouter les uns après les autres l'oignon, la poudre de curry, l'ail, la coriandre en poudre, les oignons verts, la farine, la levure chimique et l'œuf, en remuant bien après chaque ajout. Assaisonner à sa convenance.

2 Faire chauffer l'huile dans une poêle. Déposer des cuillerées à soupe de la préparation dans l'huile chaude, assez espacées pour éviter qu'elles ne s'attachent les unes aux autres en cuisant.

3 Les faire cuire pendant 4 à 5 minutes environ, en retournant chaque galette une fois. Elles doivent être bien dorées des deux côtés et fermes au toucher. Attention à ne pas les retourner trop tôt, car elles risquent de se casser dans la poêle.

4 Sortir les galettes de la poêle à l'aide d'une spatule et les laisser égoutter sur du papier absorbant pour enlever l'excédent d'huile. Servir immédiatement tant qu'elles sont chaudes.

CONSEIL

Pour rendre ces galettes plus attrayantes, vous pouvez les servir sur de grandes feuilles, comme sur la photo. Découpez bien les oignons verts en biais, pour plus de raffinement.

Toasts au fromage et à l'œuf

Une variante anglaise du croque-monsieur. Des toasts garnis d'une onctueuse sauce au fromage et surmontés d'un œuf poché. Un en-cas savoureux et consistant.

VALEURS NUTRITIONNELLES

Calories ....478 Glucides ......16 g
Protéines ......29 g Lipides ....34 g
Acides gras saturés ......20 g

 10 min  15 à 20 min

4 personnes

INGRÉDIENTS

- 350 g de cheddar fort
- 125 g de gouda, de gruyère ou d'emmental
- 1 cuil. à café de farine de moutarde
- 1 cuil. à café de moutarde à l'ancienne
- 2 à 4 cuil. à soupe de bière brune, de cidre ou de lait
- ½ cuil. à café de sauce Worcester
- 4 tranches épaisses de pain de mie blanc ou complet
- 4 œufs
- sel et poivre

GARNITURE

- tranches de tomate
- brins de cresson

3

4

6

1 Râper les fromages et les mettre dans une casserole antiadhésive.

2 Ajouter la moutarde et la farine de moutarde, la bière brune, le cidre ou le lait, puis la sauce Worcester. Bien mélanger.

3 Faire chauffer le mélange à feu doux, en remuant jusqu'à ce que les fromages soient fondus et que la préparation soit épaisse et crémeuse. Retirer du feu et laisser refroidir.

4 Griller les tranches de pain des deux côtés au gril préchauffé, puis y étaler la préparation en couche régulière. Les remettre sous le gril à température moyenne pour les faire dorer. Des bulles doivent se former à la surface.

5 Pocher les œufs. Si l'on utilise une pocheuse, beurrer les alvéoles, faire chauffer l'eau dans la casserole et au moment de l'ébullition, casser les œufs dans les alvéoles. Couvrir et laisser mijoter pendant 4 à 5 minutes. Sinon, faire bouillir 4 cm d'eau dans une poêle ou une grande casserole, et, pour chaque œuf, faire tourbillonner l'eau rapidement à l'aide d'un couteau et faire tomber l'œuf dans le tourbillon créé. Laisser cuire pendant environ 4 minutes.

6 Disposer un œuf poché sur chaque toast et garnir de tranches de tomate et de cresson, avant de servir.

VARIANTE

Pour changer, vous pouvez utiliser, en partie ou exclusivement, un bleu tel que le stilton ou le bleu d'Auvergne. Le résultat visuel est moins attrayant, mais le goût délicieux.

Soufflé de pommes de terre

Les soufflés chauds ont la réputation d'être difficiles à réussir, pourtant celui-ci est simple à réaliser et fait beaucoup d'effet. Attention, veillez à le servir immédiatement.

VALEURS NUTRITIONNELLES

Calories ....294 Glucides ......52 g
Protéines ......10 g Lipides ....9 g
Acides gras saturés ....4 g

 1 h 15 40 min

4 personnes

INGRÉDIENTS

25 g de beurre fondu
4 cuil. à soupe de chapelure blonde
675 g de pommes de terre farineuses, cuites au four avec la peau
2 carottes, râpées
2 œufs, blancs et jaunes séparés
2 cuil. à soupe de jus d'orange
½ de cuil. à café de muscade râpée
sel et poivre
lanières de carotte, en garniture

1 

2 

3 

1 Enduire de beurre un moule à soufflé d'une contenance de 900 ml. Parsemer l'intérieur des trois quarts de la panure.

2 Découper les pommes de terre cuites en deux et retirer la chair avec une cuillère pour la mettre dans une jatte.

3 Y ajouter les carottes, les jaunes d'œufs, le jus d'orange et la muscade. Saler et poivrer.

4 Dans une jatte à part, battre les blancs d'œufs en neige, puis les incorporer délicatement au mélange à base de pommes de terre à l'aide d'une cuillère en métal.

5 Verser délicatement la préparation obtenue dans le moule à soufflé à l'aide d'une cuillère. Parsemer du reste de la panure.

6 Faire cuire au four préchauffé, à 210 °C (th. 7), pendant 40 minutes. Le soufflé doit être doré et bien levé. Ne pas ouvrir la porte du four pendant la cuisson, sinon le soufflé retombera. Servir immédiatement, garni avec des lanières de carotte.

CONSEIL

Pour faire les pommes de terre au four, piquer la peau et les faire cuire au four préchauffé, à 190 °C (th. 6-7), pendant environ 1 heure.

Galettes de légumes épicées

De délicieuses galettes faites à base d'un mélange de légumes et d'épices, très faciles à préparer.

VALEURS NUTRITIONNELLES

Calories	268	Glucides	10 g
Protéines	2 g	Lipides	25 g
Acides gras saturés	3 g		

 20 min  25 à 30 min

12 galettes

INGRÉDIENTS

- 2 grosses pommes de terre, coupées en rondelles
- 1 oignon moyen, coupé en rondelles
- ½ chou-fleur moyen, en fleurettes
- 50 g de petits pois
- 1 cuil. à soupe d'épinards hachés
- 2 ou 3 piments verts
- feuilles de coriandre fraîche
- 1 cuil. à café de gingembre frais haché
- 1 cuil. à café d'ail écrasé
- 1 cuil. à café de coriandre en poudre
- 1 pincée de curcuma
- 1 cuil. à café de sel
- 60 g de chapelure
- 300 ml d'huile
- quelques lanières de piment frais, pour garnir

1 Mettre les pommes de terre, l'oignon et le chou-fleur dans une casserole d'eau et porter à ébullition. Puis baisser le feu et laisser mijoter jusqu'à ce que les pommes de terre soient bien cuites. Retirer les légumes de l'eau à l'aide d'une écumoire, bien les égoutter et réserver.

2 Ajouter les petits pois et les épinards aux légumes cuits et les mélanger en les écrasant bien avec une fourchette.

3 À l'aide d'un couteau tranchant, hacher les piments verts et les feuilles de coriandre très finement.

4 Mélanger avec le gingembre, l'ail, la coriandre en poudre, le curcuma et le sel.

5 Mélanger la préparation aux épices avec les légumes à l'aide d'une fourchette, de façon à former une pâte.

6 Étaler la chapelure dans une grande assiette.

7 Faire 10 à 12 boules de pâte et les aplatir avec la paume de la main, de façon à former des galettes rondes et plates.

8 Tourner les galettes une à une dans la chapelure, pour bien les enrober.

9 Faire chauffer l'huile dans une poêle à fond épais et y faire frire les galettes en plusieurs fournées, en les retournant de temps en temps. Elles doivent être bien dorées. Les disposer ensuite dans des assiettes et les garnir de lanières de piment frais. Servir chaud.

1

2

3

Quenelles de lentilles

Une très bonne idée pour un déjeuner léger, servi avec une bonne salade verte et une sauce au tahini.

VALEURS NUTRITIONNELLES

Calories	409	Glucides	53 g
Protéines	19 g	Lipides	17 g

Acides gras saturés ....2 g

10 min — 55 min

4 personnes

INGRÉDIENTS

- 225 g de masoor dhaal (lentilles rouges cassées)
- 1 poivron vert, épépiné et coupé en petits morceaux
- 1 oignon rouge, émincé finement
- 2 gousses d'ail, hachées
- 1 cuil. à café de garam masala
- ½ cuil. à café de poudre de piment
- 1 cuil. à café de cumin en poudre
- 2 cuil. à café de jus de citron
- 2 cuil. à soupe de cacahuètes non salées, concassées
- 600 ml d'eau
- 1 œuf, battu
- 3 cuil. à soupe de farine
- 1 cuil. à café de curcuma
- 1 cuil. à café de poudre de piment
- 4 cuil. à soupe d'huile
- sel et poivre
- salade verte et fines herbes, en accompagnement

1

3

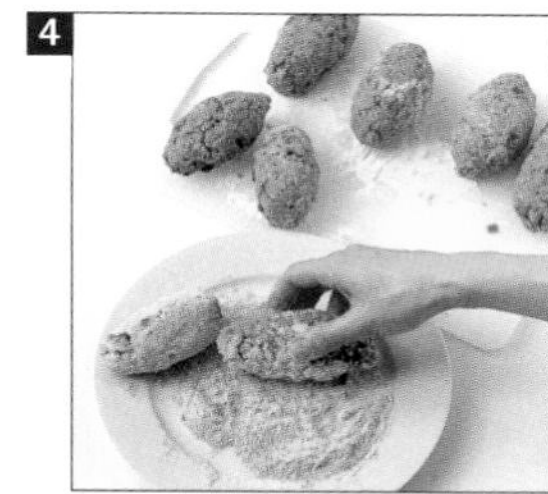

4

1 Mettre les lentilles dans une grande casserole avec le poivron, l'oignon, l'ail, le garam masala, la poudre de piment, le cumin en poudre, le jus de citron et les cacahuètes. Ajouter l'eau et porter à ébullition, puis baisser le feu et laisser mijoter 30 minutes, en remuant de temps en temps. L'eau doit être entièrement absorbée.

2 Retirer la casserole du feu et laisser refroidir quelques instants. Ajouter l'œuf au mélange en battant. Saler et poivrer. Laisser refroidir complètement.

3 Les mains enduites de farine, former 8 rectangles avec la pâte obtenue.

4 Mélanger la farine, le curcuma et la poudre de piment dans une petite assiette. Rouler les quenelles dans le mélange obtenu pour bien les enrober.

5 Faire chauffer l'huile dans une grande poêle et y faire frire les quenelles environ 10 minutes, en plusieurs fournées, en les retournant une fois. Elles doivent être croustillantes des deux côtés. Puis les disposer dans des assiettes chaudes et les servir avec de la salade verte et des fines herbes.

Röstis aux champignons

Un plat qui réjouira tous les palais, végétariens ou non : des pommes de terre crémeuses avec autant de variétés de champignons que possible.

VALEURS NUTRITIONNELLES

Calories	298	Glucides	22,8 g
Protéines	5 g	Lipides	22 g
Acides gras saturés	5 g		

 20 min  25 min

4 personnes

INGRÉDIENTS

- 500 g de pommes de terre farineuses, coupées en dés
- 25 g de beurre
- 175 g de champignons variés, émincés
- 2 gousses d'ail, hachées
- 1 petit œuf, battu
- 1 cuil. à soupe de ciboulette fraîche émincée, un peu plus pour garnir
- farine, pour saupoudrer
- huile, pour la friture
- sel et poivre

1 Faire cuire les pommes de terre dans une casserole d'eau salée frémissante, pendant 10 minutes. Elles doivent être bien cuites.

2 Bien les égoutter avant de les écraser en purée à l'aide d'un presse-purée ou d'une fourchette, puis réserver.

3 Pendant ce temps, faire fondre le beurre dans une poêle et faire revenir les champignons et l'ail pendant 5 minutes, sans cesser de remuer. Les laisser égoutter.

4 Incorporer les champignons et l'ail cuits à la purée, ainsi que l'œuf battu et la ciboulette.

5 Séparer la préparation obtenue en 4 parts égales et les modeler en forme de galettes rondes. Puis les rouler dans la farine de façon à bien les enrober.

6 Faire chauffer l'huile dans une poêle et y faire frire les croquettes de pomme de terre pendant 10 minutes, à feu moyen, en les retournant une fois à mi-cuisson. Elles doivent être bien dorées. Servir les croquettes immédiatement, accompagnées simplement d'une salade verte.

3

5

6

CONSEIL

Vous pouvez aussi préparer les croquettes à l'avance, les couvrir et les conserver au réfrigérateur jusqu'à 24 heures.

Aubergines farcies

Des aubergines fourrées avec un mélange de boulgour épicé et de légumes, pour un repas léger et délicieux.

VALEURS NUTRITIONNELLES

Calories ....360 Glucides ......67 g
Protéines ....9 g Lipides ....16 g
Acides gras saturés ....2 g

40 min 30 min

4 personnes

INGRÉDIENTS

- 4 aubergines moyennes
- sel
- 175 g de boulgour
- 300 ml d'eau bouillante
- 3 cuil. à soupe d'huile d'olive
- 2 gousses d'ail, hachées
- 2 cuil. à soupe de pignons
- ½ cuil. à café de curcuma
- 1 cuil. à café de poudre de piment
- 2 branches de céleri, coupées en morceaux
- 4 oignons verts, émincés
- 1 carotte, râpée
- 50 g de champignons de Paris, émincés
- 2 cuil. à soupe de raisins secs
- 2 cuil. à soupe de coriandre hachée
- salade verte, en accompagnement

1 Couper les aubergines en deux dans la longueur et retirer la chair à l'aide d'une petite cuillère. Couper la chair en morceaux et la réserver. Frotter l'intérieur des aubergines avec un peu de sel et laisser reposer 20 minutes.

2 Pendant ce temps, mettre le boulgour dans une jatte et verser l'eau bouillante par-dessus. Laisser reposer pendant 20 minutes. L'eau doit être totalement absorbée.

3 Faire chauffer l'huile dans une poêle et faire revenir l'ail, les pignons, le curcuma, la poudre de piment, le céleri, les oignons verts, la carotte, les champignons et les raisins secs, pendant 2 à 3 minutes.

4 Ajouter la chair d'aubergine réservée et faire cuire pendant encore 2 à 3 minutes. Ajouter la coriandre hachée et bien mélanger.

5 Retirer la poêle du feu et y verser le boulgour. Rincer les aubergines à l'eau froide et les essuyer en tapotant avec du papier absorbant.

6 Remplir les aubergines avec la garniture obtenue, puis les mettre dans un plat à gratin. Verser un peu d'eau bouillante au fond et faire cuire au four préchauffé, à 180 °C (th. 6), pendant 15 à 20 minutes. Retirer du four et servir très chaud avec une salade verte.

1

2

3

Frites épicées

Des frites faites maison, parfumées avec des épices et cuites au four. À servir avec une mayonnaise au citron vert (*voir* page 95).

VALEURS NUTRITIONNELLES

Calories ....328 Glucides ......58 g
Protéines ....5 g Lipides ....11 g
Acides gras saturés ....7 g

35 min 40 min

4 personnes

INGRÉDIENTS

- 4 grosses pommes de terre à chair ferme
- 2 patates douces
- 50 g de beurre, fondu
- ½ cuil. à café de poudre de piment
- 1 cuil. à café de garam masala
- sel

1 Couper les pommes de terre et les patates douces en rondelles d'environ 1 cm d'épaisseur, puis en frites.

2 Mettre les frites dans une grande jatte remplie d'eau froide salée. Laisser tremper pendant 20 minutes.

3 Sortir les pommes de terre de l'eau à l'aide d'une écumoire et les égoutter. Les essuyer avec du papier absorbant en les tapotant.

1

3

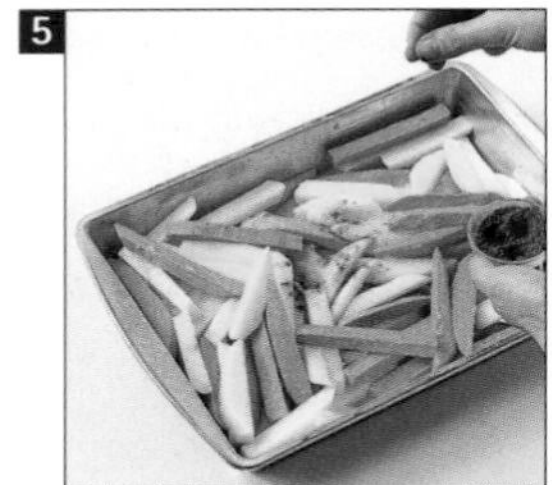
5

CONSEIL

Le rinçage des pommes de terre à l'eau froide permet d'enlever l'amidon. Ainsi elles ne colleront pas ensemble. Quant au trempage dans l'eau froide salée, il les rend vraiment plus croustillantes une fois cuites.

4 Verser le beurre fondu sur une plaque de four et disposer les pommes de terre par-dessus.

5 Saupoudrer avec la poudre de piment et le garam masala, en retournant les frites pour qu'elles s'enrobent du mélange.

6 Cuire les frites au four préchauffé, à 210 °C (th. 7), 40 minutes, en les retournant souvent. Elles doivent être bien cuites et dorées.

7 Mettre les frites à égoutter sur du papier absorbant pour enlever l'excédent de matière grasse et servir immédiatement.

Poêlée de haricots et tortillas

Un plat mexicain typique, présenté d'ordinaire en accompagnement. Mais il est aussi un en-cas délicieux servi avec des tortillas mexicaines chaudes.

VALEURS NUTRITIONNELLES

Calories . . . . .519 Glucides . . . . . .58 g
Protéines . . . . . .25 g Lipides . . . . . . .28 g
Acides gras saturés . . . . . . .9 g

15 min

15 min

4 personnes

INGRÉDIENTS

HARICOTS

- 2 cuil. à soupe d'huile d'olive
- 1 oignon, émincé
- 3 gousses d'ail, hachées
- 1 piment vert, haché
- 400 g de haricots rouges en boîte, égouttés
- 400 g de haricots pinto en boîte, égouttés
- 2 cuil. à soupe de coriandre hachée
- 150 ml de bouillon de légumes
- 8 tortillas à la farine de blé
- 25 g de cheddar ou d'emmental, râpé
- sel et poivre

CONDIMENT

- 4 oignons verts, émincés
- 1 oignon rouge, émincé
- 1 piment vert, haché
- 1 cuil. à soupe de vinaigre de vin aillé
- 1 cuil. à café de sucre en poudre
- 1 tomate, coupée en morceaux

2

3

5

1 Faire chauffer l'huile dans une grande poêle à feu moyen et faire revenir l'oignon pendant 3 à 5 minutes, en remuant fréquemment. Ajouter l'ail et le piment et laisser cuire pendant 1 minute.

2 Écraser les haricots à l'aide d'un presse-purée puis les mettre dans la poêle, ainsi que la coriandre.

3 Verser le bouillon de légumes et laisser cuire pendant 5 minutes, sans cesser de remuer. Les haricots doivent être moelleux.

4 Pendant ce temps, mettre les tortillas sur une plaque de four et les faire chauffer au four préchauffé, à 180 °C (th. 6), pendant environ 1 à 2 minutes.

5 Pour préparer le condiment, mélanger soigneusement tous les ingrédients. Mettre les haricots dans un plat et parsemer de fromage râpé, saler et poivrer à son goût. Rouler les tortillas chaudes et les servir immédiatement accompagnées du condiment à l'oignon et des haricots en purée.

Pommes de terres farcies

Mieux vaut préparer les pommes de terre farcies à l'avance et les réchauffer avant de les servir avec les garnitures.

VALEURS NUTRITIONNELLES

Calories	332	Glucides	65 g
Protéines	8 g	Lipides	14 g
Acides gras saturés	5 g		

 30 min  1 h 10

4 personnes

INGRÉDIENTS

- 4 grosses pommes de terre
- 2 cuil. à soupe d'huile
- 4 cuil. à café de sel
- ciboulette ciselée, en garniture
- 150 ml de crème aigre ou de crème fraîche et 2 cuil. à soupe de ciboulette émincée, en accompagnement

SALADE AU SOJA

- 50 g de germes de soja
- 1 branche de céleri, coupée en tranches
- 1 orange, pelée et coupée en quartiers
- 1 pomme à couteau rouge, coupée en morceaux
- ½ poivron rouge, épépiné et coupé en morceaux
- 1 cuil. à soupe de persil haché
- 1 cuil. à soupe de sauce de soja claire
- 1 cuil. à soupe de miel liquide
- 1 petite gousse d'ail, hachée

GARNITURE AUX HARICOTS

- 100 g de haricots variés en boîte, égouttés
- 1 oignon, coupé en deux puis en tranches
- 1 tomate, coupée en morceaux
- 2 oignons verts, émincés
- 2 cuil. à café de jus de citron
- sel et poivre

3 

4 

5 

1 Brosser les pommes de terre puis les disposer sur une plaque du four et piquer la peau avec une fourchette. Faire pénétrer l'huile et le sel dans la peau en frottant.

2 Faire cuire au four préchauffé, à 210 °C (th. 7), pendant 1 heure. Elles doivent être tendres et bien cuites.

3 Couper les pommes de terre en deux dans la longueur et retirer la chair avec une petite cuillère, pour n'en laisser qu'1 cm d'épaisseur. Les remettre au four, côté peau vers le haut, 10 minutes. La peau doit être craquante.

4 Mélanger ensemble les ingrédients de la salade au soja dans une jatte, en incorporant bien la sauce de soja, le miel, le persil et l'ail.

5 Mélanger ensemble les ingrédients de la garniture aux haricots dans une jatte à part.

6 Mélanger la crème aigre et la ciboulette dans une jatte à part.

7 Servir chaud avec les garnitures et la crème à la ciboulette. Garnir avec un peu de ciboulette.

Sandwichs de ciabatta

Les sandwichs sont toujours pratiques, mais ont tendance à être quelconques au niveau gustatif. Ce pain croustillant garni de poivrons cuits au gril et de fromage est irrésistible.

VALEURS NUTRITIONNELLES

Calories ....328 Glucides ......40 g
Protéines ....8 g Lipides ....19 g
Acides gras saturés ....9 g

15 min 10 min

4 personnes

INGRÉDIENTS

4 petits pains ciabatta (pain italien)
2 cuil. à soupe d'huile d'olive
1 gousse d'ail, hachée

GARNITURE

1 poivron rouge
1 poivron vert
1 poivron jaune
4 radis, coupés en rondelles
1 botte de cresson
100 g de fromage frais

1 Couper les pains ciabatta en deux dans l'épaisseur. Faire chauffer l'huile et l'ail dans une casserole, puis verser un peu de ce mélange sur les parois intérieures des petits pains. Laisser reposer quelques instants.

2 Couper les poivrons en deux et les disposer sur une grille de four, côté peau vers le haut. Les faire cuire sous le gril chaud 8 à 10 minutes. Ils doivent juste commencer à noircir. Les peler et les couper très fin.

3 Disposer les rondelles de radis et quelques feuilles de cresson sur une moitié de chaque pain. Recouvrir avec un peu de fromage frais, puis disposer les morceaux de poivron par-dessus. Refermer le sandwich avec l'autre moitié de pain. Servir immédiatement.

1

2
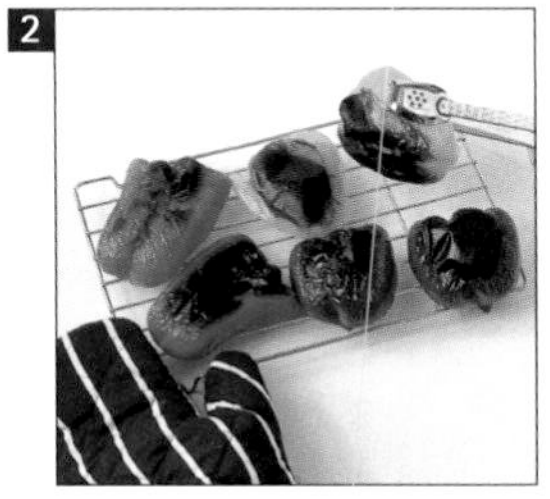

3

Gratin de riz complet

Un plat que l'on peut adapter selon son goût, qui peut être réalisé quels que soient les légumes que l'on a à sa disposition.

VALEURS NUTRITIONNELLES

Calories . . . . .321 Glucides . . . . . .38 g
Protéines . . . . . .10 g Lipides . . . . . . .18 g
Acides gras saturés . . . . . . .9 g

 15 min 1 heure

4 personnes

INGRÉDIENTS

- 100 g de riz complet
- 2 cuil. à soupe de beurre ou de margarine, un peu plus pour beurrer le plat
- 1 oignon rouge, émincé
- 2 gousses d'ail, hachées
- 1 carotte, coupée en julienne
- 1 courgette, coupée en rondelles
- 75 g d'épis de maïs nains, coupés en deux dans la longueur
- 2 cuil. à soupe de graines de tournesol
- 3 cuil. à soupe de fines herbes variées hachées
- 100 g de mozzarella, émiettée
- 2 cuil. à soupe de chapelure blonde
- sel et poivre

1 Faire cuire le riz dans une casserole d'eau bouillante légèrement salée, pendant 20 minutes. Bien égoutter.

2 Beurrer légèrement un plat à gratin d'une contenance de 850 ml.

3 Faire chauffer le beurre ou la margarine dans une poêle et faire revenir l'oignon pendant 2 minutes, sans cesser de remuer (il doit être ramolli et translucide).

4 Ajouter l'ail, la carotte, la courgette et les épis de maïs et faire cuire encore 5 minutes, sans cesser de remuer.

5 Mélanger le riz avec les graines de tournesol et les fines herbes, puis verser le tout dans la casserole. Bien mélanger.

6 Ajouter la moitié de la mozzarella en remuant, saler et poivrer.

7 Verser la préparation obtenue dans le plat et parsemer de la panure et du reste de mozzarella. Faire cuire au four préchauffé, à 180 °C (th. 6), pendant environ 25 à 30 minutes (le fromage doit être doré). Servir immédiatement.

4

5

7

VARIANTE

Vous pouvez, éventuellement, essayer cette recette avec du riz basmati, et parfumer avec du curry.

Pommes de terre au vin blanc

Des pommes de terre cuites au four avec des poireaux et du vin blanc. Très facile et rapide à préparer, excellent pour un déjeuner.

VALEURS NUTRITIONNELLES	
Calories 200	Glucides ......35 g
Protéines ....6 g	Lipides ....4 g
Acides gras saturés ....2 g	

 15 min — 45 min

4 personnes

INGRÉDIENTS

- 675 g de pommes de terre à chair ferme, coupées en gros morceaux
- 15 g de beurre
- 2 poireaux, coupés en rondelles
- 150 ml de bouillon de légumes
- 150 ml de vin blanc sec
- 1 cuil. à soupe de jus de citron
- 2 cuil. à soupe de fines herbes hachées
- sel et poivre
- salade verte, en accompagnement

GARNITURE

- zeste de citron, râpé
- fines herbes (facultatif)

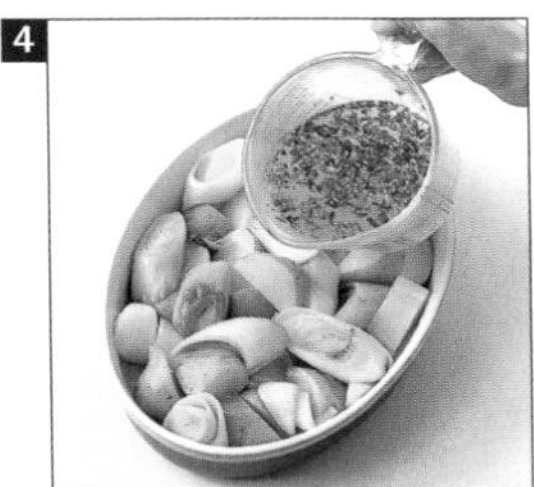

1 Faire cuire les morceaux de pomme de terre dans une casserole d'eau bouillante légèrement salée pendant 5 minutes. Bien égoutter.

2 Pendant ce temps, faire fondre le beurre dans une poêle et faire revenir les poireaux pendant 5 minutes, pour les ramollir.

3 Mettre les pommes de terre partiellement cuites et les poireaux dans un plat à gratin et les répartir dans le fond du plat.

4 Mélanger le vin blanc, le bouillon de légumes, le jus de citron et les fines herbes hachées. Saler et poivrer, puis verser le mélange sur les pommes de terre.

5 Mettre à cuire au four préchauffé, à 190 °C (th. 6-7), pendant 35 minutes. Les pommes de terre doivent être tendres.

6 Décorer le plat avec du zeste de citron râpé et éventuellement des fines herbes. Servir immédiatement avec de la salade verte.

CONSEIL

Recouvrez le plat à gratin à mi-cuisson si les poireaux commencent à brunir sur le dessus.

Röstis au fromage et à l'oignon

Des galettes de pommes de terre râpée qui font penser à de petits paillassons ! À servir avec une sauce tomate ou une salade.

VALEURS NUTRITIONNELLES

Calories	307	Glucides	46 g
Protéines	8 g	Lipides	13 g
Acides gras saturés	6 g		

 10 min  40 min

4 personnes

INGRÉDIENTS

- 900 g de pommes de terre
- 1 oignon, râpé
- 50 g de gruyère, râpé
- 2 cuil. à soupe de persil haché
- 1 cuil. à soupe d'huile d'olive
- 25 g de beurre
- sel et poivre

GARNITURE

- oignon vert, râpé
- 1 petite tomate, en quartiers

1 Faire cuire les pommes de terre à demi dans une casserole d'eau bouillante légèrement salée, pendant 10 minutes, puis laisser refroidir. Les éplucher et les râper à l'aide d'une grosse râpe, puis les mettre dans une grande jatte.

2 Ajouter l'oignon, le fromage et le persil en remuant bien. Bien saler et poivrer avant de diviser la préparation obtenue en 4 morceaux. Modeler ces morceaux en forme de galettes.

3 Faire chauffer la moitié de l'huile et du beurre dans une poêle et faire cuire 2 galettes de pommes de terre à feu vif, pendant 1 minute. Puis baisser le feu et faire cuire pendant 5 minutes (elles doivent être bien dorées en dessous), les retourner et les faire cuire encore 5 minutes.

4 Répéter l'opération avec l'autre moitié d'huile et le reste de beurre pour faire cuire les 2 autres galettes. Disposer dans des assiettes chaudes, décorer et servir immédiatement.

CONSEIL

Les galettes de pomme de terre doivent être aussi plates que possible pendant la cuisson, pour éviter que l'extérieur ne soit cuit avant l'intérieur.

Mini-brochettes

Des cubes de tofu fumé piqués sur des bâtonnets en bambou en alternance avec des légumes croquants, le tout mariné dans du jus de citron et de l'huile d'olive.

VALEURS NUTRITIONNELLES

Calories ....322 Glucides ......22 g
Protéines ......13 g Lipides ....24 g
Acides gras saturés ....7 g

 25 min — 15 à 20 min

6 personnes

INGRÉDIENTS

- 300 g de tofu fumé, coupé en cubes
- 1 gros poivron rouge, épépiné et coupé en petits carrés
- 1 gros poivron jaune, épépiné et coupé en petits carrés
- 175 g de champignons de Paris
- 1 petite courgette, coupée en rondelles
- zeste finement râpé et jus d'un citron
- 3 cuil. à soupe d'huile d'olive
- 1 cuil. à soupe de persil haché
- 1 cuil. à café de sucre en poudre
- sel et poivre
- brins de persil, en garniture

SAUCE

- 125 g de noix de cajou
- 15 g de beurre
- 1 gousse d'ail, hachée
- 1 échalote, émincée
- 1 cuil. à café de coriandre en poudre
- 1 cuil. à café de cumin en poudre
- 1 cuil. à soupe de sucre roux
- 1 cuil. à soupe de noix de coco déshydratée
- 150 ml de yaourt nature

1 Piquer les cubes de tofu, les carrés de poivron, les champignons et les courgettes sur des bâtonnets de bambou puis disposer les brochettes dans un plat peu profond.

2 Mélanger le jus et le zeste de citron avec l'huile d'olive, le persil et le sucre, puis saler et poivrer. Verser ensuite le mélange obtenu sur les brochettes, en les enrobant bien de ce mélange.

3 Pour faire la sauce : étaler les noix de cajou sur une plaque de four et les mettre sous le gril chaud pour les faire griller.

4 Faire fondre le beurre dans une casserole et faire revenir l'ail et l'échalote à feu doux. Verser ensuite le contenu de la casserole dans un mixeur ou un robot de cuisine avec les noix de cajou, la coriandre, le cumin, le sucre, la noix de coco et le yaourt. Mixer pendant environ 15 secondes, ou bien couper les noix en très petits morceaux et les mélanger au reste des ingrédients.

5 Mettre les brochettes sous le gril préchauffé et les faire cuire en les retournant et en les arrosant avec le mélange à base de citron. Elles doivent être légèrement dorées. Décorer avec des brins de persil et servir accompagné de la sauce aux noix de cajou.

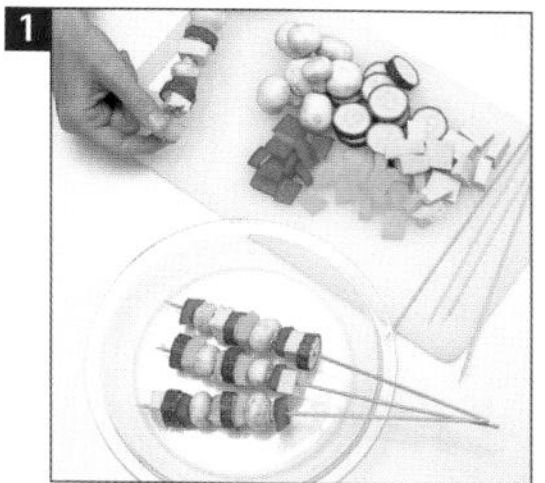

Champignons farcis aux légumes

Pour cette recette, utilisez de gros champignons, à la fois savoureux et pratiques pour mettre la farce.

VALEURS NUTRITIONNELLES

Calories	273	Glucides	20 g
Protéines	13 g	Lipides	18 g
Acides gras saturés	5 g		

15 min 25 min

4 personnes

INGRÉDIENTS

- 8 champignons de couche
- 1 cuil. à soupe d'huile d'olive
- 1 petit poireau, coupé en morceaux
- 1 branche de céleri, coupée en morceaux
- 100 g de tofu ferme, coupé en dés
- 1 courgette, coupée en morceaux
- 1 carotte, coupée en morceaux
- 100 g de chapelure blonde
- 2 cuil. à soupe de basilic haché
- 1 cuil. à soupe de concentré de tomates
- 2 cuil. à soupe de pignons
- 75 g de cheddar ou d'emmental, râpé
- 150 ml de bouillon de légumes
- sel et poivre
- salade verte, en accompagnement

1 Enlever les pieds des champignons et les couper en petits morceaux. Réserver les chapeaux.

2 Faire chauffer l'huile d'olive dans une grande poêle à fond épais et faire revenir les pieds de champignons, le poireau, le céleri, le tofu, la courgette et la carotte, à feu moyen, pendant 3 à 4 minutes, sans cesser de remuer.

3 Ajouter la panure, le basilic haché, le concentré de tomates et les pignons. Saler et poivrer et bien mélanger.

4 Répartir la préparation obtenue dans les chapeaux de champignons et parsemer de fromage râpé.

5 Disposer les champignons farcis dans un plat à gratin peu profond et verser le bouillon de légumes dans le fond.

6 Mettre à cuire au four préchauffé, à 220 °C (th. 7-8), pendant 20 minutes (les champignons doivent être bien cuits et le fromage doit être fondu), puis retirer les champignons du plat et servir immédiatement avec une salade.

1

3

4

Beignets de pommes de terre

De beaux morceaux de pomme de terre cuite enrobés de parmesan puis d'une pâte légère, frits et dorés à souhait. Une merveilleuse idée de petit en-cas chaud.

VALEURS NUTRITIONNELLES

Calories ....599 Glucides ......51 g
Protéines ......22 g Lipides ....39 g
Acides gras saturés ......13 g

 20 min — 20 à 25 min

4 personnes

INGRÉDIENTS

- 500 g de pommes de terre à chair ferme, coupées en gros dés
- 125 g de parmesan, râpé
- huile, pour la friture

SAUCE

- 25 g de beurre
- 1 oignon, coupé en deux puis en rondelles
- 2 gousses d'ail, hachées
- 25 g de farine
- 300 ml de lait
- 1 cuil. à soupe de persil haché

PÂTE

- 50 g de farine
- 1 petit œuf
- 150 ml de lait

4

5

7

1 Pour faire la sauce, faire fondre le beurre dans une casserole et faire revenir l'oignon et l'ail à feu doux pendant 2 à 3 minutes, sans cesser de remuer. Ajouter la farine et faire cuire pendant 1 minute, toujours sans cesser de remuer.

2 Retirer la casserole du feu pour incorporer le lait et le persil, puis la remettre sur le feu et porter à ébullition. Réserver au chaud.

3 Pendant ce temps, faire cuire les cubes de pomme de terre dans une casserole d'eau bouillante pendant 5 à 10 minutes. Les pommes de terre doivent être juste fermes. Ne pas les faire trop cuire sinon elles se casseront.

4 Égoutter les pommes de terre puis les rouler dans le parmesan. Si elles sont encore un peu mouillées, le fromage adhérera facilement et les enrobera bien.

5 Pour faire la pâte, mettre la farine dans une jatte et y incorporer l'œuf et le lait en battant, de façon à obtenir une pâte homogène. Plonger les morceaux de pomme de terre dans la pâte pour les enrober.

6 Dans une grande casserole ou une friteuse, faire chauffer l'huile à 180 °C (un morceau de pain doit y brunir en 30 secondes). Y plonger les beignets et les laisser frire pendant 3 à 4 minutes. Ils doivent être bien dorés.

7 Sortir les beignets de l'huile à l'aide d'une écumoire et bien les égoutter avant de les mettre dans un bol. Les servir immédiatement, accompagnés de la sauce à l'ail.

Gratin de pommes de terre

Toutes les variétés de champignons feront l'affaire dans ce gratin crémeux qui peut être servi dès la sortie du four, directement dans son plat de cuisson.

VALEURS NUTRITIONNELLES

Calories	304	Glucides	22 g
Protéines	4 g	Lipides	24 g
Acides gras saturés	15 g		

 15 min  1 heure

4 personnes

INGRÉDIENTS

- 25 g de beurre
- 500 g de pommes de terre à chair ferme, coupées en fines rondelles
- 150 g de champignons variés, émincés
- 1 cuil. à soupe de romarin haché
- 4 cuil. à soupe de ciboulette émincée
- 2 gousses d'ail, hachées
- 150 ml de crème fraîche épaisse
- sel et poivre
- ciboulette ciselée, en garniture

1 Beurrer un plat à gratin rond et peu profond.

2 Faire cuire les pommes de terre à demi dans une casserole d'eau bouillante, 10 minutes. Bien les égoutter, puis disposer une couche de pomme de terre dans le fond du plat.

3 Disposer un quart des champignons par-dessus les pommes de terre et parsemer d'un quart du romarin, de la ciboulette et de l'ail. Répéter l'opération dans le même ordre, en terminant par une couche de pommes de terre.

4 Verser la crème sur les pommes de terre. Puis saler et poivrer.

5 Mettre à cuire au four préchauffé, à 190 °C (th. 6-7), environ 45 minutes. Le gratin doit être bien doré et très chaud.

6 Décorer avec de la ciboulette ciselée et servir immédiatement, directement dans le plat de cuisson.

2

3

4

CONSEIL

Pour un plat de fête, faites le gratin dans un moule à gâteau chemisé avec du papier sulfurisé et démoulez avant de servir.

Enchiladas aux légumes

Un plat mexicain fait à partir de tortillas prêtes à l'emploi achetées en supermarché, fourrées d'un mélange de légumes épicés.

VALEURS NUTRITIONNELLES

Calories ....309 Glucides ......37 g
Protéines ......12 g Lipides ....19 g
Acides gras saturés ....8 g

 20 min  55 min

4 personnes

INGRÉDIENTS

4 tortillas mexicaines

75 g de cheddar ou d'emmental, râpé

GARNITURE

75 g d'épinards

2 cuil. à soupe d'huile d'olive

8 épis de maïs nains, coupés en rondelles

25 g de petits pois surgelés, décongelés

1 poivron rouge, épépiné et coupé en dés

1 carotte, coupée en dés

1 poireau, coupé en rondelles

2 gousses d'ail, hachées

1 piment rouge, haché

sel et poivre

SAUCE

300 ml de coulis de tomates

2 échalotes, émincées

1 gousse d'ail, hachée

300 ml de bouillon de légumes

1 cuil. à café de sucre en poudre

1 cuil. à café de poudre de piment

1 Pour faire la garniture, blanchir les épinards à demi pendant 2 minutes dans une casserole d'eau bouillante. Bien les égoutter, en les essorant de façon à enlever autant d'eau que possible, puis les couper en morceaux.

2 Faire chauffer l'huile dans une poêle à feu moyen et faire revenir les épis de maïs, les petits pois, le poivron, la carotte, le poireau, l'ail et le piment pendant 3 à 4 minutes, en remuant vivement. Ajouter ensuite les épinards, puis saler et poivrer.

3 Mettre tous les ingrédients de la sauce dans une casserole à fond épais, porter à ébullition sans cesser de remuer puis laisser cuire pendant 20 minutes à feu vif, toujours sans cesser de remuer. La sauce doit être épaisse et réduite d'un tiers.

4 Fourrer les tortillas avec un quart de la garniture chacune avant de les rouler et de les disposer en une seule couche dans un plat à gratin, jointure vers le bas.

5 Verser la sauce par-dessus et parsemer de fromage râpé. Faire cuire au four préchauffé, à 180 °C (th. 6), pendant 20 minutes (le fromage doit être fondu et doré). Servir immédiatement.

2

4

4

Hamburgers végétariens et frites

Des steaks végétariens épicés, excellents dans du pain chaud et servis avec des frites au four légères.

VALEURS NUTRITIONNELLES

Calories . . . . .461 Glucides . . . . . .68 g
Protéines . . . . . .18 g Lipides . . . . . . .17 g
Acides gras saturés . . . . . . .2 g

 45 min

1 heure

4 personnes

INGRÉDIENTS

HAMBURGERS VÉGÉTARIENS

- 100 g d'épinards
- 1 cuil. à soupe d'huile d'olive
- 1 poireau, coupé en morceaux
- 2 gousses d'ail, hachées
- 100 g de champignons, émincés
- 300 g de tofu ferme, coupé en morceaux
- 1 cuil. à café de poudre de piment
- 1 cuil. à café de poudre de curry
- 1 cuil. à soupe de coriandre hachée
- 75 g de chapelure blonde
- petits pains ronds et salade verte, en accompagnement

FRITES

- 2 grosses pommes de terre
- 2 cuil. à soupe de farine
- 1 cuil. à café de poudre de piment
- 2 cuil. à soupe d'huile d'olive

1 Pour faire les hamburgers : faire cuire les épinards dans un peu d'eau bouillante pendant 2 minutes, puis bien les égoutter et les sécher en les tapotant avec du papier absorbant.

2 Faire chauffer l'huile dans une poêle et faire revenir l'ail 2 à 3 minutes. Ajouter le reste des ingrédients sauf la panure de pain, et laisser cuire 5 à 7 minutes pour attendrir les légumes. Puis ajouter les épinards, bien remuer et faire cuire encore 1 minute.

3 Mixer la préparation obtenue 30 secondes, jusqu'à obtention d'une consistance à peu près homogène. Verser la préparation mixée dans une jatte, ajouter la panure de pain, bien mélanger et laisser refroidir un peu. Avec les mains farinées, former quatre boules de taille égale avec la préparation, et les modeler en forme de steaks. Mettre au réfrigérateur pendant 30 minutes.

4 Pour faire les frites : couper les pommes de terre en bâtonnets fins et les faire cuire dans une casserole d'eau bouillante 10 minutes. Puis les égoutter et les enrober de farine et de poudre de piment. Les disposer ensuite sur une plaque de four et verser un peu d'huile par-dessus. Faire cuire au four préchauffé, à 210 °C (th. 7), pendant 30 minutes (elles doivent être bien dorées).

5 Faire chauffer le reste d'huile dans une poêle et faire cuire les steaks 8 à 10 minutes, en les retournant une fois. Servir dans un petit pain, accompagné d'une salade et des frites.

3

3

4

Omelettes fourrées

Des omelettes faites avec de beaux morceaux de pomme de terre mélangés aux œufs, et ensuite fourrées de feta et d'épinards.

VALEURS NUTRITIONNELLES

Calories ....564 Glucides ......31 g
Protéines ......30 g Lipides ....39 g
Acides gras saturés ......19 g

 20 min  25 à 30 min

4 personnes

INGRÉDIENTS

75 g de beurre
6 pommes de terre à chair ferme, coupées en dés
3 gousses d'ail, hachées
1 cuil. à café de paprika
2 tomates, pelées, épépinées et coupées en dés
12 œufs
poivre

GARNITURE

225 g d'épinards
1 cuil. à café de graines de fenouil
125 g de feta, coupée en dés
4 cuil. à soupe de yaourt nature

1 Faire chauffer 25 g du beurre dans une poêle et faire revenir les pommes de terre à feu doux pendant 7 à 10 minutes sans cesser de remuer, pour les faire dorer. Les mettre dans une jatte.

2 Mettre l'ail, le paprika et les tomates dans la poêle et les faire revenir 2 minutes.

3 Battre les œufs et les poivrer avant de les verser dans les pommes de terre. Bien mélanger.

4 Faire cuire les épinards dans l'eau bouillante pendant 1 minute, juste le temps de les flétrir, puis les égoutter et les passer sous l'eau froide avant de les sécher avec du papier absorbant. Ajouter ensuite les graines de fenouil, la feta et le yaourt.

5 Faire chauffer un quart du reste de beurre dans une poêle de 15 cm de diamètre. À l'aide d'une louche, verser un quart de la préparation aux œufs et aux pommes de terre et faire cuire pendant 2 minutes, en retournant une fois. L'omelette doit être prise.

6 Disposer l'omelette dans une assiette, en recouvrir la moitié d'un peu de garniture, puis replier en deux. Répéter l'opération de façon à obtenir quatre omelettes fourrées.

VARIANTE

Vous pouvez également utiliser d'autres fromages, comme le bleu, ou d'autres légumes à la place des épinards, comme du brocoli cuit à moitié.

Fondue aux trois fromages

Une sauce au fromage dans laquelle on trempe du pain ou des légumes, facile à préparer et réussie à tous les coups au micro-ondes.

VALEURS NUTRITIONNELLES

Calories ....565 Glucides ......16 g
Protéines ......29 g Lipides ....38 g
Acides gras saturés ......24 g

 15 min  10 min

4 personnes

INGRÉDIENTS

1 gousse d'ail

300 ml de vin blanc sec

250 g de cheddar doux, râpé

125 g de gruyère, râpé

125 g de mozzarella, émiettée

2 cuil. à soupe de maïzena

poivre

ACCOMPAGNEMENT

pain

légumes variés (courgettes, champignons, épis de maïs nains, chou-fleur, etc.)

1 Écraser l'ail avec le plat d'un couteau et en appuyant avec la main.

2 Frotter l'ail sur les parois d'un grand bol, puis jeter la gousse d'ail.

3 Verser le vin dans le bol et faire chauffer au micro-ondes à la puissance maximale pendant 3 à 4 minutes, sans couvrir. Le vin doit être chaud mais pas bouillant.

4 Incorporer progressivement le cheddar et le gruyère, en remuant bien après chaque ajout, puis ajouter la mozzarella. Mélanger jusqu'à ce que tout le fromage soit fondu.

5 Délayer la maïzena dans un peu d'eau jusqu'à obtention d'une pâte homogène et l'incorporer à la préparation. Poivrer.

6 Couvrir et mettre au micro-ondes pendant 6 minutes à puissance moyenne, en interrompant la cuisson deux fois pour remuer. La fondue doit être homogène.

7 Couper le pain en cubes et les légumes en julienne ou en fleurettes. Servir la fondue posée sur un réchaud pour la garder au chaud, ou bien la réchauffer aussi fréquemment que nécessaire au micro-ondes. Y tremper les morceaux de pain et de légumes.

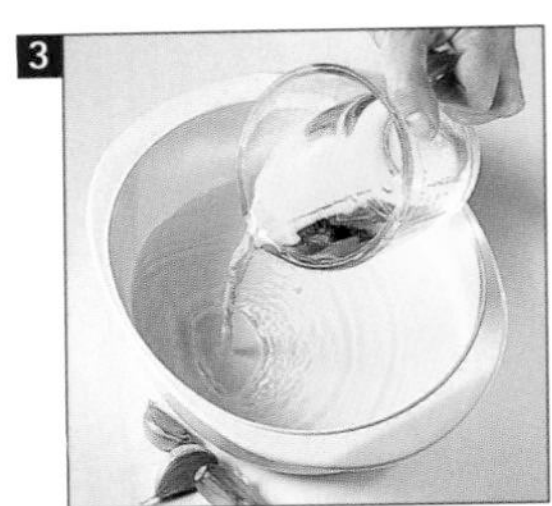

CONSEIL

Incorporez le fromage au vin très progressivement, en mélangeant bien entre les ajouts, pour éviter que la préparation ne caille.

Pommes sautées au fromage

Une recette qui prend un peu de temps, mais dont le résultat vaut la peine : de délicieuses rondelles de pomme de terre dorées, enrobées de chapelure et de fromage.

VALEURS NUTRITIONNELLES

Calories ....560 Glucides ......58 g
Protéines ......19 g Lipides ....31 g
Acides gras saturés ....7 g

 10 min  40 min

4 personnes

INGRÉDIENTS

- 3 grosses pommes de terre à chair ferme non épluchées, coupées en rondelles épaisses
- 75 g de chapelure blanche
- 40 g de parmesan, râpé
- 1 cuil. à café ½ de poudre de piment
- 2 œufs, battus
- huile, pour la friture
- poudre de piment, pour saupoudrer (facultatif)

2 

3 

5 

1 Faire cuire les rondelles de pomme de terre dans de l'eau bouillante pendant 10 à 15 minutes. Elles doivent être tendres. Bien les égoutter.

2 Mélanger la chapelure, le fromage et la poudre de piment dans une jatte, puis étaler le mélange dans un plat. Verser les œufs battus dans un plat peu profond.

3 Commencer par tremper les rondelles de pomme de terre dans l'œuf, puis les rouler dans la chapelure pour bien les enrober.

4 Faire chauffer l'huile dans une grande casserole ou une friteuse, à 180 °C (un morceau de pain doit y brunir en 30 secondes). Y plonger les rondelles enrobées en plusieurs fournées et les faire frire pendant 4 à 5 minutes. Elles doivent être bien dorées.

5 Sortir les rondelles de pomme de terre de l'huile à l'aide d'une écumoire et les laisser égoutter sur du papier absorbant. Les réserver au chaud le temps de cuire les autres fournées.

6 Disposer les rondelles de pomme de terre au fromage dans des assiettes chaudes et les saupoudrer éventuellement de piment. Servir immédiatement.

CONSEIL

Vous pouvez enrober les rondelles de pomme de terre dans la chapelure à l'avance, et les conserver au frais en attendant de les faire frire.

Jambalaya aux légumes

Traditionnellement préparé avec de la saucisse épicée, ce plat est tout aussi délicieux dans cette version végétarienne épicée, composée d'une multitude de légumes.

VALEURS NUTRITIONNELLES

Calories ....181 Glucides ......33 g
Protéines ....6 g Lipides ....7 g
Acides gras saturés ....1 g

10 min 55 min

4 personnes

INGRÉDIENTS

- 75 g de riz complet
- 2 cuil. à soupe d'huile d'olive
- 2 gousses d'ail, hachées
- 1 oignon rouge, coupé en huit
- 1 aubergine, coupée en dés
- 1 poivron vert, coupé en dés
- 50 g d'épis de maïs nain, coupés en deux dans la longueur
- 50 g de petits pois surgelés
- 100 g de de brocoli, en fleurettes
- 150 ml de bouillon de légumes
- 225 g de tomates concassées en boîte
- 1 cuil. à soupe de concentré de tomates
- 1 cuil. à café d'épices créoles
- ½ cuil. à café de flocons de piment
- sel et poivre

3

4

6

1 Faire cuire le riz dans une casserole d'eau bouillante salée pendant 20 minutes. Il doit être bien cuit. Puis l'égoutter, le rincer à l'eau bouillante et l'égoutter à nouveau. Réserver.

2 Faire chauffer l'huile dans une poêle à fond épais et faire revenir l'ail et l'oignon pendant 2 à 3 minutes, sans cesser de remuer.

3 Ajouter l'aubergine, le poivron, le maïs, les petits pois et le brocoli dans la poêle et faire cuire 2 à 3 minutes, sans cesser de remuer.

4 Verser le bouillon de légumes dans la poêle ainsi que les tomates, le concentré de tomates, les épices créoles et les flocons de piment.

5 Saler et poivrer, puis cuire à feu doux pendant 15 à 20 minutes. Les légumes doivent être tendres.

6 Incorporer le riz à la préparation et faire cuire pendant 3 à 4 minutes en remuant bien. Mettre le jambalaya dans un plat chaud et servir immédiatement.

CONSEIL

Vous pouvez aussi mélanger différentes sortes de riz, comme du riz sauvage ou du riz rouge, pour plus de couleur et de consistance. Cuire le riz à l'avance pour que la recette soit plus rapide à préparer.

Poêlée paysanne

Un plat facile à préparer à la poêle, plein de couleurs et de goût, idéal pour un en-cas, et que l'on peut adapter selon son goût en y ajoutant les légumes de son choix.

VALEURS NUTRITIONNELLES

Calories ....182 Glucides ......40 g
Protéines ....5 g Lipides ....4 g
Acides gras saturés ......0,5 g

15 min — 30 min

4 personnes

INGRÉDIENTS

- 675 g de pommes de terre, coupées en cubes
- 1 cuil. à soupe d'huile d'olive
- 2 gousses d'ail, hachées
- 1 poivron vert, épépiné et coupé en cubes
- 1 poivron jaune, épépiné et coupé en cubes
- 3 tomates, coupées en dés
- 75 g de champignons de Paris, coupés en deux
- 1 cuil. à soupe de sauce Worcester
- 2 cuil. à soupe de basilic haché
- sel et poivre
- quelques brins de basilic, pour garnir
- pain frais et chaud, en accompagnement

2

4

5

1 Faire cuire les pommes de terre dans de l'eau bouillante salée pendant 7 à 8 minutes. Bien les égoutter puis les réserver.

2 Faire chauffer l'huile dans une grande poêle à fond épais et faire revenir les pommes de terre pendant 8 à 10 minutes, en remuant fréquemment. Elles doivent être dorées.

3 Ajouter l'ail et les poivrons et laisser cuire pendant 2 à 3 minutes, en remuant souvent.

4 Ajouter les tomates et les champignons en remuant, puis laisser cuire pendant 2 à 3 minutes en remuant régulièrement.

5 Ajouter la sauce Worcester et le basilic, saler et poivrer à son goût. Mettre ensuite la poêlée dans un plat chaud et la garnir avec des tiges de basilic avant de servir accompagné de pain bien frais et chaud.

CONSEIL

La plupart des marques de sauce Worcester comportent des anchois. Il faut donc veiller à acheter une sauce végétarienne que l'on trouve dans les boutiques spécialisées.

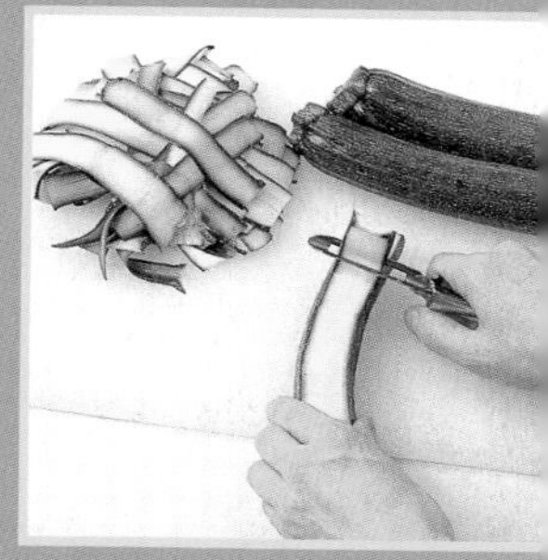

Pâtes & Nouilles

Les pâtes sont très appréciées, et l'on peut les cuisiner de diverses façons, toujours pour obtenir des plats copieux et appétissants. Rapides à cuire, elles existent dans toutes les tailles, toutes les couleurs, toutes les formes et toutes les saveurs s'accordent avec une multitude de sauces végétariennes. Les pâtes se marient bien avec les légumes, les fines herbes, les fruits à écale (noix, noisettes, amandes, cacahuètes...) et les fromages, ingrédients qui permettent de cuisiner des plats variés et alléchants. Souvent relevées de saveurs orientales, les recettes de ce livre à base de nouilles asiatiques permettent à coup sûr d'égayer un régime végétarien.

Cannelloni végétariens

Un plat réalisé avec des pâtes tuyautées prêtes à l'emploi, mais que l'on peut aussi faire en roulant des lasagnes.

VALEURS NUTRITIONNELLES

Calories ....594 Glucides ......64 g
Protéines ......13 g Lipides ....38 g
Acides gras saturés ....7 g

 10 min  45 min

4 personnes

INGRÉDIENTS

1 aubergine
125 ml d'huile d'olive
225 g d'épinards
2 gousses d'ail, hachées
1 cuil. à café de cumin en poudre
75 g de champignons, émincés
12 cannellonis
sel et poivre

SAUCE TOMATE

1 cuil. à soupe d'huile d'olive
1 oignon, émincé
2 gousses d'ail, hachées
800 g de tomates concassées en boîte
1 cuil. à café de sucre en poudre
2 cuil. à soupe de basilic haché
50 g de mozzarella, coupée en rondelles

CONSEIL

La sauce tomate peut être préparée à l'avance et conservée au réfrigérateur jusqu'à 24 heures.

1

2

4

1 Couper l'aubergine en dés. Faire chauffer l'huile dans une poêle et faire revenir l'aubergine à feu moyen 2 à 3 minutes, sans cesser de remuer.

2 Ajouter les épinards, l'ail, le cumin et les champignons. Saler, poivrer et faire cuire pendant 2 à 3 minutes sans cesser de remuer.

3 Fourrer les cannelloni avec la préparation obtenue, puis les mettre au four en les disposant en une seule couche dans un plat à gratin.

4 Pour faire la sauce, faire chauffer l'huile d'olive dans une casserole et faire revenir l'oignon et l'ail pendant 1 minute. Ajouter les tomates, le sucre en poudre et le basilic haché et porter à ébullition, puis baisser le feu et laisser mijoter 5 minutes. Verser la sauce sur les cannelloni.

5 Disposer la mozzarella sur la sauce et faire cuire au four préchauffé, à 190 °C (th. 6-7), pendant 30 minutes. Le fromage doit être bien doré et des bulles doivent se former à la surface. Servir immédiatement.

Lasagnes végétariennes

Des lasagnes colorées et savoureuses préparées avec des couches d'aubergines et de légumes dans une sauce à la tomate, le tout recouvert d'une béchamel onctueuse.

VALEURS NUTRITIONNELLES

Calories ....544 Glucides ......79 g
Protéines ......20 g Lipides ....26 g
Acides gras saturés ......12 g

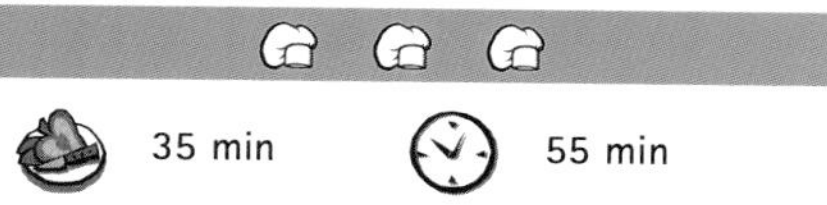

35 min 55 min

4 personnes

INGRÉDIENTS

- 1 aubergine, coupée en rondelles
- 3 cuil. à soupe d'huile d'olive
- 2 gousses d'ail, hachées
- 1 oignon rouge, coupé en deux puis en rondelles
- 3 poivrons de couleurs différentes, épépinés et coupés en dés
- 225 g de champignons variés, émincés
- 2 branches de céleri, coupées en rondelles
- 1 courgette, coupée en dés
- ½ cuil. à café de poudre de piment
- ½ cuil. à café de cumin en poudre
- 2 tomates, coupées en morceaux
- 300 ml de coulis de tomates
- 2 cuil. à soupe de basilic haché
- 8 lasagnes vertes sans pré-cuisson
- sel et poivre

BÉCHAMEL

- 2 cuil. à soupe de beurre ou de margarine
- 1 cuil. à soupe de farine
- 150 ml de bouillon de légumes
- 300 ml de lait
- 75 g de cheddar ou d'emmental, râpé
- 1 cuil. à café de moutarde de Dijon
- 1 cuil. à soupe de basilic haché
- 1 œuf, battu

1 Mettre les rondelles d'aubergine dans une passoire, les saupoudrer de sel et les laisser dégorger 20 minutes. Puis les rincer à l'eau froide et les égoutter. Réserver.

2 Faire chauffer l'huile dans une casserole et faire revenir l'ail et l'oignon pendant 1 à 2 minutes. Ajouter les poivrons, les champignons, le céleri et la courgette, et faire cuire pendant 3 à 4 minutes, sans cesser de remuer.

3 Ajouter les épices en remuant et laisser cuire pendant 1 minute. Incorporer les tomates, le coulis de tomates et le basilic, puis saler et poivrer.

4 Pour la sauce : faire fondre le beurre dans une casserole, incorporer la farine et faire cuire pendant 1 minute. Retirer du feu, ajouter le bouillon et le lait, et remettre sur le feu. Ajouter le fromage et la moutarde. Faire bouillir sans cesser de remuer pour faire épaissir, et incorporer le basilic. Retirer du feu et ajouter l'œuf.

5 Mettre la moitié des lasagnes dans un plat, les recouvrir avec la moitié de la préparation à base de légumes, puis avec la moitié des aubergines. Répéter l'opération puis napper de béchamel. Parsemer de fromage et faire cuire au four préchauffé, à 180 °C (th. 6), pendant 40 minutes.

5

5

5

Pâtes aux épinards et aux pignons

Pour cette recette, on peut utiliser des pâtes de n'importe quelle forme, mais les pâtes tricolores sont les plus plaisantes à l'œil.

VALEURS NUTRITIONNELLES

Calories	603	Glucides	51 g
Protéines	12 g	Lipides	41 g
Acides gras saturés	6 g		

 5 min  15 min

4 personnes

INGRÉDIENTS

- 225 g de pâtes de la forme de son choix
- 125 ml d'huile d'olive
- 2 gousses d'ail, hachées
- 1 oignon, coupé en quatre puis en tranches
- 3 gros champignons plats, émincés
- 225 g d'épinards
- 2 cuil. à soupe de pignons
- 75 ml de vin blanc sec
- sel et poivre
- copeaux de parmesan, en garniture

1 Faire cuire les pâtes dans une casserole d'eau bouillante salée 8 à 10 minutes (elles doivent être al dente). Bien les égoutter.

2 Faire chauffer l'huile dans une casserole et faire revenir l'ail et l'oignon 1 minute.

3 Ajouter ensuite les champignons émincés et faire cuire à feu moyen pendant 2 minutes, en remuant régulièrement.

4 Baisser le feu, mettre les épinards dans la casserole et faire cuire pendant 4 à 5 minutes en remuant régulièrement, jusqu'à ce que les épinards aient réduit.

5 Ajouter ensuite les pignons puis le vin, saler et poivrer et faire cuire pendant 1 minute.

6 Mettre les pâtes dans un plat creux chaud puis verser la sauce, en mélangeant bien. Garnir avec des copeaux de parmesan avant de servir.

CONSEIL

Pour plus de goût, vous pouvez râper un peu de muscade sur les pâtes : elle se marie spécialement bien avec les épinards.

Gratin de macaronis à la tomate

Un plat vraiment simple et familial : peu onéreux et facile à préparer et à cuire. À servir accompagné d'une salade ou de légumes verts frais.

VALEURS NUTRITIONNELLES

Calories ....592 Glucides ......63 g
Protéines ......28 g Lipides ....29 g
Acides gras saturés ......17 g

 15 min  35 à 40 min

4 personnes

INGRÉDIENTS

225 g de macaronis courts

175 g de cheddar ou d'emmental, râpé

100 g de parmesan, râpé

4 cuil. à soupe de panure de pain blanc frais

1 cuil. à soupe de basilic haché

1 cuil. à soupe de beurre ou de margarine, un peu plus pour beurrer le plat

SAUCE TOMATE

1 cuil. à soupe d'huile d'olive

1 échalote, émincée finement

2 gousses d'ail, hachées

500 g de tomates concassées en boîte

1 cuil. à soupe de basilic haché

sel et poivre

4

4

5

1 Pour faire la sauce tomate, faire chauffer l'huile dans une casserole à fond épais et faire revenir l'échalote et l'ail pendant 1 minute. Ajouter les tomates et le basilic, saler et poivrer. Laisser cuire à feu moyen pendant 10 minutes, sans cesser de remuer.

2 Pendant ce temps, faire cuire les macaronis dans une grande casserole d'eau bouillante légèrement salée pendant 8 minutes (ils doivent être al dente). Bien égoutter, puis réserver.

3 Mélanger le cheddar ou l'emmental avec le parmesan dans une jatte.

4 Beurrer un plat à gratin profond, puis verser un tiers de la sauce tomate au fond. Recouvrir avec un tiers des macaronis puis avec un tiers de fromage. Saler et poivrer, puis répéter l'opération deux fois, en finissant par une couche de fromage de râpé.

5 Mélanger la panure avec le basilic, et en parsemer le plat d'une couche régulière. Mettre des noisettes de beurre ou de margarine par-dessus et faire cuire au four préchauffé, à 190 °C (th. 6-7), 25 minutes. Le dessus doit être bien doré et des bulles doivent se former à la surface. Servir immédiatement.

Tagliatelles estivales

Une recette au goût frais, à base de courgettes et de crème, idéalement mise en valeur par un vin blanc gouleyant et du pain croustillant.

VALEURS NUTRITIONNELLES	
Calories 502	Glucides ......49 g
Protéines ......16 g	Lipides ....30 g
Acides gras saturés ....9 g	

 10 min  20 min

4 personnes

INGRÉDIENTS

- 650 g de courgettes
- 6 cuil. à soupe d'huile d'olive
- 3 gousses d'ail, hachées
- 3 cuil. à soupe de basilic haché
- 2 piments rouges, coupés en tranches
- jus d'un gros citron
- 5 cuil. à soupe de crème fraîche liquide (allégée)
- 4 cuil. à soupe de parmesan râpé
- 225 g de tagliatelles
- sel et poivre
- pain frais, en accompagnement

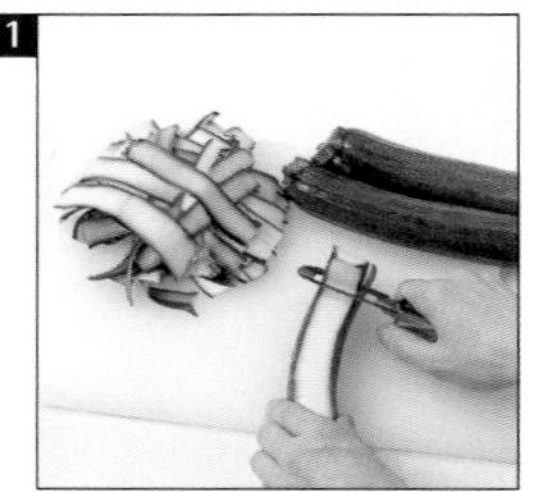

1 À l'aide d'un économe, découper les courgettes dans la longueur en fines lanières.

2 Faire chauffer l'huile dans une poêle et faire revenir l'ail 30 secondes.

3 Ajouter les lanières de courgette et les faire cuire à feu doux pendant 5 à 7 minutes, sans cesser de remuer.

4 Ajouter ensuite le basilic, les piments, le jus de citron, la crème fraîche liquide et le parmesan râpé dans la poêle. Saler et poivrer et garder le tout au chaud à feu doux.

5 Pendant ce temps, faire cuire les tagliatelles dans une grande casserole d'eau légèrement salée pendant 10 minutes (elles doivent être al dente). Égoutter et mettre dans un grand plat creux chaud.

6 Verser la préparation à base de courgettes sur les pâtes et servir immédiatement accompagné de pain croustillant.

CONSEIL

Vous pouvez remplacer le jus de citron par du jus de citron vert. Les citrons verts étant plus petits, il vous faudra le jus de deux citrons.

Nouilles sautées à la thaïlandaise

Considérées comme le plat national en Thaïlande, les nouilles sautées peuvent se préparer et se déguster partout : un plat unique rapide pour manger sur le pouce.

VALEURS NUTRITIONNELLES

Calories . . . . .407 Glucides . . . . . .67 g
Protéines . . . . . .14 g Lipides . . . . . . .16 g
Acides gras saturés . . . . . . .3 g

 15 min  5 min

4 personnes

INGRÉDIENTS

225 g de vermicelles de riz
2 piments rouges, épépinés et émincés finement
2 échalotes, émincées finement
2 cuil. à soupe de sucre
2 cuil. à soupe d'eau de tamarin
1 cuil. à soupe de jus de citron vert
2 cuil. à soupe de sauce de soja claire
1 cuil. à soupe d'huile de tournesol
1 cuil. à café d'huile de sésame
175 g de tofu fumé, coupé en dés
poivre
2 cuil. à soupe de cacahuètes grillées, concassées, en garniture

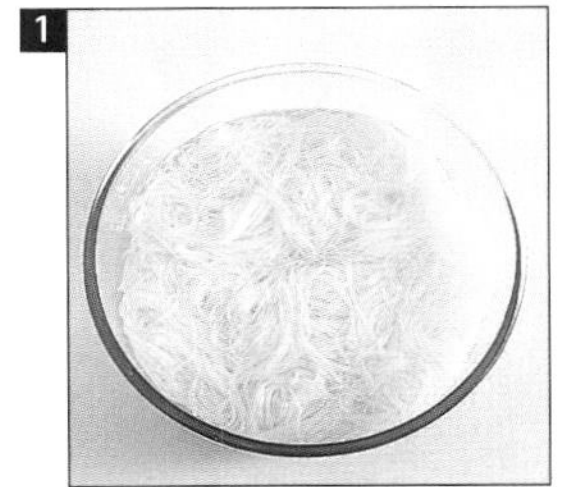

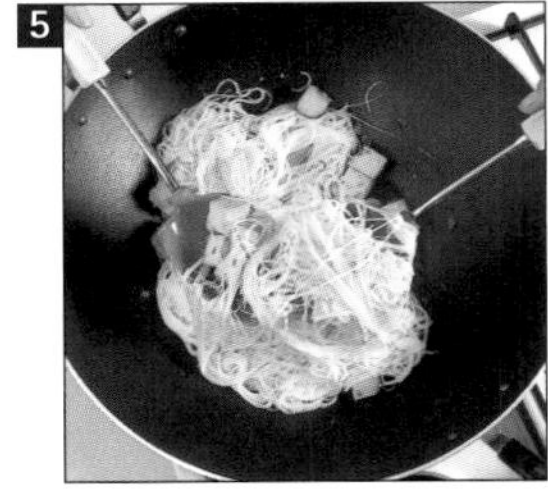

1 Faire cuire les nouilles comme indiqué sur le paquet, ou bien les immerger dans l'eau bouillante 5 minutes.

2 Broyer ensemble les piments, les échalotes, le sucre, l'eau de tamarin, le jus de citron et la sauce de soja. Poivrer.

3 Faire chauffer les deux huiles à feu vif dans un wok préchauffé ou dans une grande poêle à fond épais. Ajouter le tofu et faire revenir sans cesser de remuer, pendant 1 minute.

4 Ajouter la préparation à base de piments, porter à ébullition puis faire épaissir pendant environ 2 minutes, sans cesser de remuer.

5 Égoutter les nouilles et les ajouter à la préparation précédente. À l'aide de deux cuillères, les soulever et les mélanger jusqu'à ce qu'elles ne dégagent plus de vapeur. Garnir avec les cacahuètes grillées concassées et servir immédiatement.

CONSEIL

Ce plat unique est rapide et donc très pratique, même pour une personne seule.

Nouilles japonaises sautées

Un plat unique idéal pour un déjeuner, avec une sauce aigre-douce aux champignons de son choix.

VALEURS NUTRITIONNELLES

Calories ....379 Glucides ......61 g
Protéines ......12 g Lipides ....13 g
Acides gras saturés ....3 g

 15 min  15 min

4 personnes

INGRÉDIENTS

- 225 g de nouilles japonaises aux œufs
- 2 cuil. à soupe d'huile de tournesol
- 1 oignon rouge, émincé
- 1 gousse d'ail, hachée
- 500 g d'un mélange de champignons (shiitake, pleurotes, champignons bruns, etc.)
- 350 g de pak-choi
- 2 cuil. à soupe de xérès doux
- 6 cuil. à soupe de sauce de soja
- 4 oignons verts, coupés en rondelles
- 1 cuil. à soupe de graines de sésame grillées

1 Immerger les nouilles dans de l'eau bouillante dans une grande jatte. Laisser tremper 10 minutes.

2 Faire chauffer l'huile de tournesol dans un grand wok préchauffé.

3 Faire revenir l'oignon rouge et l'ail à feu vif pendant 2 à 3 minutes, pour les faire fondre.

4 Mettre les champignons dans le wok et les faire sauter à feu vif pendant environ 5 minutes. Ils doivent être ramollis.

5 Bien égoutter les nouilles dans une passoire et réserver.

6 Ajouter le pak-choi, les nouilles, le xérès et la sauce de soja dans le wok. Mélanger tous les ingrédients et les faire sauter à feu vif 2 à 3 minutes. Le liquide doit commencer à frémir.

7 Verser les nouilles aux champignons dans de petits bols chauds, parsemer d'un peu d'oignon vert et de quelques graines de sésame, et servir immédiatement.

3

4

6

CONSEIL

Les commerces offrent désormais une plus grande variété de champignons et l'on doit pouvoir se procurer de quoi constituer un bel assortiment. À défaut, vous pouvez utiliser des champignons de Paris ou plats, plus ordinaires.

Nouilles sautées aux épices

Une idée simple pour relever les nouilles qui accompagnent fréquemment les plats principaux en Thaïlande.

VALEURS NUTRITIONNELLES

Calories ....568 Glucides ......93 g
Protéines ......16 g Lipides ....19 g
Acides gras saturés ....4 g

 15 min  3 à 5 min

4 personnes

INGRÉDIENTS

- 500 g de nouilles de blé aux œufs, d'épaisseur moyenne
- 60 g de germes de soja
- 15 g de ciboulette
- 3 cuil. à soupe d'huile de tournesol
- 1 gousse d'ail, hachée
- 4 piments verts, épépinés, coupés en morceaux et marinés dans 2 cuil. à soupe de vinaigre de riz
- sel

1 Mettre les nouilles dans une jatte, les immerger dans l'eau bouillante salée et les laisser tremper pendant 10 minutes, puis les égoutter et les réserver.

2 Trier les germes de soja et les faire tremper dans l'eau froide. Pendant ce temps, ciseler la ciboulette en brins de 2,5 cm de long et en réserver quelques-uns pour décorer. Bien égoutter les germes de soja.

3 Faire chauffer l'huile dans un wok préchauffé ou dans une grande poêle à fond épais. Faire revenir l'ail haché à feu vif, puis ajouter les piments et les faire sauter à feu vif pendant environ 1 minute (les arômes doivent se libérer).

4 Ajouter les germes de soja et remuer avant d'ajouter les nouilles. Saler à son goût avant d'ajouter la ciboulette puis, à l'aide de deux cuillères ou d'une cuillère pour wok, soulever les nouilles et les mélanger pendant 1 minute.

5 Disposer les nouilles dans un plat chaud et décorer avec la ciboulette réservée avant de servir.

CONSEIL

Le trempage du piment dans le vinaigre de riz a pour effet de diffuser la saveur épicée dans tout le plat. Pour des nouilles moins épicées, coupez le piment en plus gros morceaux avant de le faire tremper.

Chow mein

Des nouilles cuites puis sautées avec un assortiment coloré de légumes : un grand classique toujours apprécié.

VALEURS NUTRITIONNELLES

Calories ....669 Glucides .....109 g
Protéines ......19 g Lipides ....23 g
Acides gras saturés ....4 g

 15 min  10 min

4 personnes

INGRÉDIENTS

- 500 g de nouilles aux œufs
- 4 cuil. à soupe d'huile
- 1 oignon, émincé finement
- 2 carottes, coupées en julienne
- 125 g de champignons de Paris, coupés en quatre
- 125 g de haricots mange-tout
- ½ concombre, coupé en julienne
- 125 g d'épinards frais, coupés en fines lanières
- 125 g de germes de soja
- 2 cuil. à soupe de sauce de soja épaisse
- 1 cuil. à soupe de xérès
- 1 cuil. à café de sel
- 1 cuil. à café de sucre
- 1 cuil. à café de maïzena
- 1 cuil. à café d'huile de sésame

CONSEIL

Pour une version épicée, ajoutez 1 cuillerée à soupe de sauce au piment ou remplacez l'huile de sésame par de l'huile pimentée.

2

4

5

1 Faire cuire les nouilles selon les instructions figurant sur le paquet, puis les égoutter et les rincer à l'eau froide pour les faire refroidir. Réserver.

2 Faire chauffer 3 cuillerées à soupe d'huile dans un wok préchauffé ou dans une sauteuse et faire revenir l'oignon et les carottes à feu vif pendant 1 minute. Ajouter les champignons, les haricots mange-tout et le concombre et faire sauter pendant 1 minute.

3 Verser le reste de l'huile et ajouter les nouilles égouttées, ainsi que les épinards et les germes de soja.

4 Mélanger le reste des ingrédients dans un bol avant de les incorporer aux nouilles et aux légumes.

5 Faire sauter à feu vif jusqu'à ce que le mélange soit bien chaud, puis mettre la préparation dans un plat chaud et servir.

Nouilles japonaises aux épices

Des nouilles très épicées qui ont un délicieux petit goût de noix grâce à l'ajout de graines de sésame.

VALEURS NUTRITIONNELLES

Calories ....381 Glucides ......71 g
Protéines ......11 g Lipides ....13 g
Acides gras saturés ....2 g

 5 min  15 min

4 personnes

INGRÉDIENTS

- 500 g de nouilles japonaises fraîches
- 1 cuil. à soupe d'huile de sésame
- 1 cuil. à soupe de graines de sésame
- 1 cuil. à soupe d'huile de tournesol
- 1 oignon rouge, émincé
- 100 g de haricots mange-tout
- 175 g de carottes, coupées en fines rondelles
- 350 g de chou blanc, râpé
- 3 cuil. à soupe de sauce au piment douce
- 2 oignons verts, émincés, pour garnir

2

4

5

1 Porter une grande casserole d'eau à ébullition, puis y plonger les nouilles japonaises pendant 2 à 3 minutes. Bien égoutter.

2 Mélanger les nouilles avec l'huile et les graines de sésame.

3 Faire chauffer l'huile de tournesol dans un grand wok préchauffé.

4 Mettre les rondelles d'oignon, les haricots mange-tout, les rondelles de carotte et le chou râpé dans le wok et faire revenir à feu vif pendant environ 5 minutes.

5 Ajouter la sauce au piment douce et faire revenir pendant encore 2 minutes, en remuant de temps en temps.

6 Mettre les nouilles au sésame et bien mélanger, puis faire chauffer encore pendant 2 à 3 minutes (on peut préférer ne pas mélanger les ingrédients, dans ce cas, mettre d'abord les nouilles dans de petits bols).

7 Répartir les nouilles japonaises et les légumes dans des bols chauds, parsemer d'un peu d'oignon vert en rondelles et servir immédiatement.

CONSEIL

Si vous ne trouvez pas de nouilles japonaises fraîches, remplacez-les par du vermicelle de riz ou des nouilles fines aux œufs.

Céréales & Légumineuses

Les céréales et les légumineuses sont des aliments de base très importants. Nourrissantes et pauvres en matières grasses, elles sont source de protéines, de fer, de calcium et

de vitamines B. Parmi les céréales, on trouve : blé, maïs, orge, seigle, avoine, sarrasin ou blé noir, riz, et les farines correspondantes. Parmi les légumineuses, on trouve : pois chiches, pois cassés verts et jaunes, haricots et lentilles. Les céréales et les légumineuses, qui ont chacune leur goût et leur spécificité, constituent une base consistante à laquelle on ajoute d'autres ingrédients. Voilà qui vaut la peine de se laisser tenter par l'expérience.

Risotto verde

Le risotto est un plat italien facile à réaliser, à base de riz arborio, d'oignon et d'ail. Il peut se présenter de multiples façons.

VALEURS NUTRITIONNELLES

Calories ....374 Glucides ......60 g
Protéines ......10 g Lipides ....9 g
Acides gras saturés ....2 g

 5 min  35 min

4 personnes

INGRÉDIENTS

- 1,75 l de bouillon de légumes
- 2 cuil. à soupe d'huile d'olive
- 2 gousses d'ail, hachées
- 2 poireaux, émincés
- 225 g de riz arborio (riz rond)
- 300 ml de vin blanc sec
- 4 cuil. à soupe de fines herbes hachées
- 225 g de jeunes épinards
- 3 cuil. à soupe de yaourt nature
- sel et poivre
- lanières de poireau, pour garnir

1 Verser le bouillon dans une grande casserole et le porter à ébullition, puis baisser le feu et laisser frémir.

2 Pendant ce temps, faire chauffer l'huile dans une autre casserole et faire revenir l'ail et les poireaux à feu doux pendant 2 à 3 minutes, en remuant de temps en temps. Les légumes doivent être tendres.

2

3 Ajouter le riz et faire cuire pendant 2 minutes, en remuant bien pour que chaque grain de riz soit bien enrobé d'huile.

4 Verser la moitié du vin et un peu de bouillon dans la casserole, et faire cuire à feu doux jusqu'à complète absorption du liquide. Ajouter progressivement le reste du bouillon et du vin et laisser cuire pendant 25 minutes à feu doux, jusqu'à ce que le riz soit crémeux.

4

5 Ajouter les fines herbes hachées et les épinards, saler et poivrer à son goût puis laisser cuire encore 2 minutes.

5

6 Ajouter le yaourt nature en remuant, avant de disposer le risotto dans un plat chaud. Garnir avec des lanières de poireau et servir immédiatement.

CONSEIL

Il est inutile d'essayer d'accélérer la cuisson du risotto, car le riz doit absorber le liquide lentement pour parvenir à la bonne consistance.

Couscous royal

Un plat principal éblouissant de vrai festin à l'orientale, pour un repas vraiment inoubliable.

VALEURS NUTRITIONNELLES

Calories ....329 Glucides ......81 g
Protéines ....6 g Lipides ....13 g
Acides gras saturés ....6 g

 25 min  45 min

6 personnes

INGRÉDIENTS

3 carottes
3 courgettes
350 g de potiron ou de potimarron
1,25 l de bouillon de légumes
2 bâtons de cannelle, cassés en deux
2 cuil. à café de cumin en poudre
1 cuil. à café de coriandre en poudre
1 pincée de filaments de safran
2 cuil. à soupe d'huile d'olive
zeste râpé et jus d'un citron
2 cuil. à soupe de miel liquide
500 g de semoule précuite
60 g de beurre ou de margarine, ramolli(e)
175 g de gros raisins secs sans pépins
sel et poivre
coriandre, en garniture

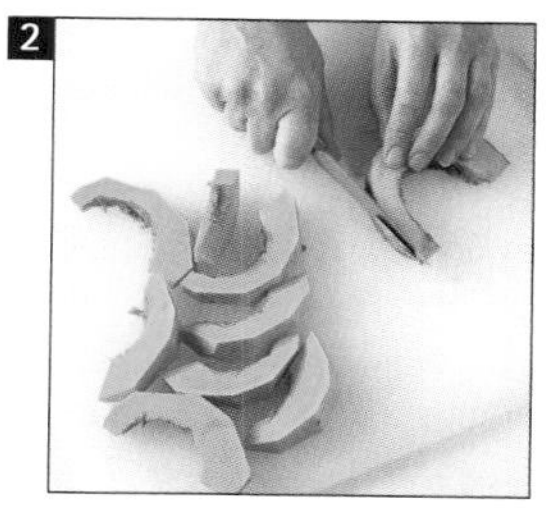

2

4

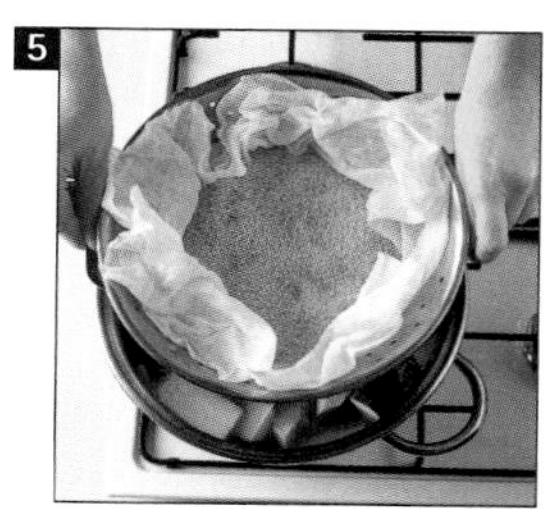

5

1 Couper d'abord les carottes et les courgettes en morceaux de 7 cm, puis en deux dans la longueur.

2 Couper les extrémités du potiron ou du potimarron, jeter les graines puis l'éplucher et faire des morceaux de la même taille que les carottes et les courgettes.

3 Mettre le bouillon, les épices, le safran et les carottes dans une grande casserole. Porter à ébullition en écumant un peu, puis ajouter l'huile d'olive et laisser mijoter pendant 15 minutes.

4 Ajouter ensuite le zeste et le jus de citron, ainsi que le miel, les courgettes et le potiron ou la courge. Bien saler et poivrer, puis porter de nouveau à ébullition et laisser mijoter pendant 10 minutes.

5 Pendant ce temps, faire tremper la semoule comme indiqué sur le paquet, puis la mettre dans un couscoussier ou dans une grande passoire chemisée d'une étamine. Placer le couscoussier ou la passoire au-dessus de la casserole de légumes, couvrir et faire cuire à la vapeur comme indiqué. Incorporer ensuite le beurre en remuant.

6 Former un tas de semoule dans un plat chaud. Égoutter les légumes en réservant le bouillon, le zeste de citron et la cannelle, puis disposer les légumes sur la semoule. Mettre les raisins secs sur les légumes et verser 6 cuillerées à soupe de bouillon par-dessus. Réserver le tout bien au chaud.

7 Remettre le reste du bouillon sur le feu, porter à ébullition et laisser réduire 5 minutes. Puis jeter le zeste de citron et la cannelle, décorer avec de la coriandre et servir immédiatement, avec la sauce à part.

Riz pilaf aux épices

Les épices entières ne sont pas destinées à être mangées et l'on peut les retirer du plat avant de servir. On peut aussi réaliser cette recette sans brocolis ni champignons.

VALEURS NUTRITIONNELLES

Calories ....450 Glucides ......79 g
Protéines ....9 g Lipides ....15 g
Acides gras saturés ....2 g

 20 min  25 min

6 personnes

INGRÉDIENTS

- 500 g de riz basmati
- 175 g de brocoli, en fleurettes
- 6 cuil. à soupe d'huile
- 2 gros oignons, émincés
- 225 g de champignons, émincés
- 2 gousses d'ail, hachées
- 6 gousses de cardamome, coupées en deux
- 6 clous de girofle entiers
- 8 grains de poivre noir
- 1 bâton de cannelle ou 1 morceau de cannelle de Chine
- 1 cuil. à café de curcuma en poudre
- 1,2 l de bouillon de légumes chaud ou d'eau bouillante
- sel et poivre
- 60 g de raisins secs sans pépins
- 60 g de pistaches non salées, coupées en gros morceaux

1 Mettre le riz dans une passoire, le laver à l'eau froide et l'égoutter. Enlever la queue du brocoli, la découper en quatre dans la longueur, puis en biais en morceau de 1 cm. Couper le reste en petites fleurettes.

2 Faire chauffer l'huile dans une casserole et faire revenir les oignons et les queues de brocoli à feu doux pendant 3 minutes, en remuant régulièrement. Puis ajouter les champignons, le riz, l'ail et les épices et faire revenir pendant 1 minute en remuant pour imprégner le riz d'huile.

3 Verser le bouillon ou l'eau bouillante dans la casserole, puis saler et poivrer. Ajouter ensuite les fleurettes de brocoli avant de porter à nouveau à ébullition. Couvrir, réduire le feu et faire cuire à feu doux pendant 15 minutes à couvert.

4 Retirer du feu et laisser reposer pendant 5 minutes sans découvrir. Ajouter les raisins secs et les pistaches et les mélanger au riz à l'aide d'une fourchette, pour aérer les grains. Servir chaud.

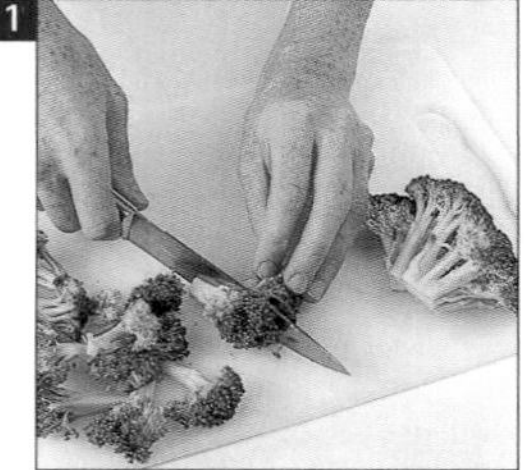
1

3

4

VARIANTE

Pour un goût plus riche, vous pouvez ajouter une cuillerée de ghee (beurre clarifié) au riz,, juste avant de servir. Pour plus de couleur, vous pouvez incorporer un petit poivron rouge coupé en dés et quelques petits pois cuits à l'étape 4.

Taboulé

Une salade que l'on mange beaucoup au Moyen-Orient, et dont le goût se bonifie au fil des jours : elle est encore meilleure le lendemain.

VALEURS NUTRITIONNELLES

Calories ....637 Glucides ......58 g
Protéines ......20 g Lipides ....41 g
Acides gras saturés ......11 g

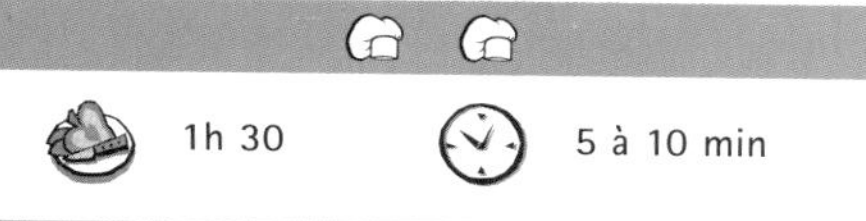

1h 30 — 5 à 10 min

2 personnes

INGRÉDIENTS

- 125 g de boulgour
- 600 ml d'eau bouillante
- 1 poivron rouge, épépiné et coupé en deux
- 3 cuil. à soupe d'huile d'olive
- 1 gousse d'ail, hachée
- zeste râpé de ½ citron vert
- environ 1 cuil. à soupe de jus de citron vert
- 1 cuil. à soupe de menthe hachée
- 1 cuil. à soupe de persil haché
- 3 ou 4 oignons verts, coupés en fines rondelles
- 8 olives noires dénoyautées, coupées en deux
- 40 g de grosses cacahuètes salées ou de noix de cajou
- 1 à 2 cuil. à café de jus de citron
- 60 à 90 g de gruyère
- sel et poivre
- brins de menthe, en garniture
- pains pita ou petits pains chauds, en accompagnement

1 Mettre le boulgour dans une jatte et l'immerger dans l'eau bouillante, de façon à ce qu'elle dépasse de 2,5 cm. Réserver en laissant tremper jusqu'à 1 heure. L'eau doit être devenue froide et doit avoir été absorbée presque entièrement.

2 Pendant ce temps, mettre le poivron rouge coupé en deux sur une grille de four, côté peau vers le haut, et le faire cuire sous le gril préchauffé à puissance moyenne, jusqu'à ce que la peau soit bien noircie et fripée. Laisser refroidir quelques instants.

3 Lorsque le poivron est assez refroidi pour être manipulé, le peler et jeter les pépins, puis découper la chair en fines lamelles.

4 Battre l'huile avec l'ail, le zeste et le jus de citron. Saler et poivrer, puis battre jusqu'à ce que le tout soit bien amalgamé. Verser 4 cuillerées à soupe ½ de la préparation obtenue dans les poivrons et mélanger doucement.

5 Bien égoutter le boulgour, en l'essorant dans un torchon sec pour enlever l'excédent d'eau, puis le mettre dans une jatte.

6 Ajouter les herbes hachées, les oignons verts, les olives et les cacahuètes ou les noix de cajou et bien les mélanger au boulgour. Ajouter le jus de citron vert au reste de l'assaisonnement à l'huile puis l'incorporer au boulgour. Disposer la salade dans 2 assiettes.

7 Couper le fromage en copeaux fins et mélanger aux lamelles de poivron. Disposer la préparation obtenue autour du taboulé, décorer avec des brins de menthe et servir accompagné de pain pita ou de petits pains croustillants tout chauds.

1

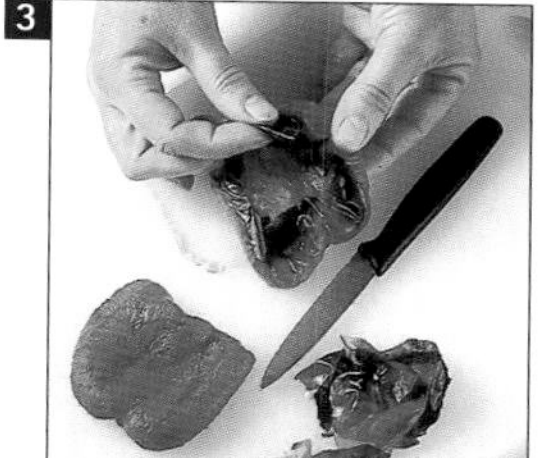

3

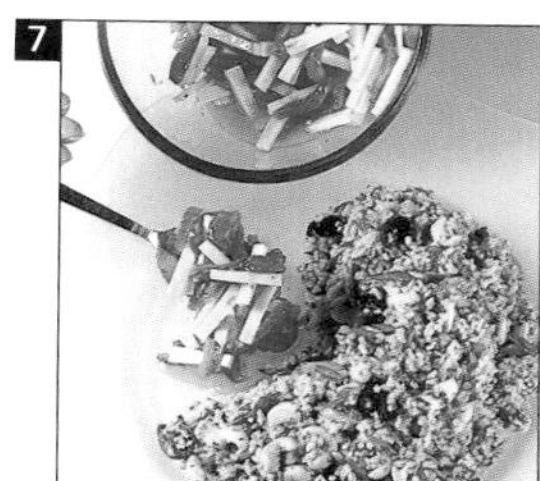

7

Salade cajun

Les épices cajun donnent à cette salade de riz et de haricots rouges haute en couleur un petit goût du Sud des États-Unis.

VALEURS NUTRITIONNELLES

Calories ....336 Glucides ......59 g
Protéines ....7 g Lipides ....13 g
Acides gras saturés ....2 g

 10 min  15 min

4 personnes

INGRÉDIENTS

- 175 g de riz long
- 4 cuil. à soupe d'huile d'olive
- 1 petit poivron vert, épépiné et coupé en morceaux
- 1 petit poivron rouge, épépiné et coupé en morceaux
- 1 oignon, émincé
- 1 petit piment vert ou rouge, épépiné et haché fin
- 2 tomates, coupées en morceaux
- 125 g de haricots rouges en boîte, rincés et égouttés
- 1 cuil. à soupe de basilic frais haché
- 2 cuil. à café de thym frais haché
- 1 cuil. à café d'épices cajun
- sel et poivre
- feuilles de basilic frais, en garniture

1 Faire cuire le riz dans une casserole d'eau bouillante pendant environ 12 minutes (il doit être juste tendre). Le rincer à l'eau froide et bien égoutter.

2 Pendant ce temps, faire chauffer l'huile d'olive dans une poêle et faire revenir le poivron rouge et le poivron vert ainsi que l'oignon, pendant environ 5 minutes à feu doux.

3 Ajouter ensuite le piment et les tomates, et laisser cuire pendant encore 2 minutes.

4 Mettre la préparation obtenue avec les haricots rouges dans le riz. Bien mélanger.

5 Incorporer les herbes et les épices cajun. Saler et poivrer et décorer avec des feuilles de basilic avant de servir.

Brochettes de koftas

Traditionnellement préparés à base d'un mélange de viandes épicé, ces koftas à base de haricots et de boulgour constituent une excellente version végétarienne.

VALEURS NUTRITIONNELLES

Calories ....598 Glucides ......97 g
Protéines ......26 g Lipides ....17 g
Acides gras saturés ....3 g

 1 h 20  1 h 30

4 personnes

INGRÉDIENTS

- 175 g de haricots adzuki
- 175 g de boulgour
- 450 ml de bouillon de légumes
- 3 cuil. à soupe d'huile d'olive, un peu plus pour badigeonner
- 1 oignon, émincé finement
- 2 gousses d'ail, hachées
- 1 cuil. à café de coriandre en poudre
- 1 cuil. à café de cumin en poudre
- 2 cuil. à soupe de coriandre fraîche hachée
- 3 œufs, battus
- 125 g de chapelure blonde
- sel et poivre

TABOULÉ

- 175 g de boulgour
- 2 cuil. à soupe de jus de citron
- 1 cuil. à soupe d'huile d'olive
- 6 cuil. à soupe de persil haché
- 4 oignons verts, émincés
- 60 g de concombre, coupé en petits morceaux
- 3 cuil. à soupe de menthe hachée
- 1 très grosse tomate, coupée en petits morceaux

ACCOMPAGNEMENT

- olives noires
- pain pita

4

5

5

1 Faire cuire les haricots dans l'eau bouillante pendant 40 minutes (ils doivent être tendres), puis égoutter, rincer et laisser refroidir. Faire cuire le boulgour dans le bouillon 10 minutes, jusqu'à absorption complète du liquide et réserver.

2 Faire chauffer 1 cuillerée à soupe de l'huile dans une poêle et faire revenir l'oignon, l'ail et les épices pendant 4 à 5 minutes.

3 Mettre le contenu de la poêle dans une jatte avec les haricots, la coriandre, du sel, du poivre et les œufs. Écraser le tout à l'aide d'un pilon ou d'une fourchette. Ajouter la chapelure et le boulgour et bien mélanger, puis couvrir et mettre au frais pendant 1 heure (le mélange doit être ferme au toucher).

4 Pour faire le taboulé : faire tremper le boulgour dans 425 ml d'eau bouillante pendant 15 minutes. Y incorporer les autres ingrédients, recouvrir et conserver au frais.

5 Les mains mouillées, former 32 boules avec la préparation pour koftas. Les piquer sur des brochettes, badigeonner d'huile et passer au gril 5 à 6 minutes (elles doivent être dorées). Retourner, badigeonner d'huile à nouveau et les remettre au gril pendant 5 à 6 minutes. Égoutter sur du papier absorbant, décorer et les servir avec le taboulé, les olives noires et le pain pita.

Couscous aux légumes

Le couscous est une semoule très facile et rapide à préparer, et qui change agréablement des pâtes ou du riz.

VALEURS NUTRITIONNELLES

Calories ....280 Glucides ......60 g
Protéines ......10 g Lipides ....7 g
Acides gras saturés ....1 g

20 min 40 min

4 personnes

INGRÉDIENTS

- 2 cuil. à soupe d'huile
- 1 gros oignon, coupé grossièrement
- 1 carotte, coupée en morceaux
- 1 navet, coupé en morceaux
- 600 ml de bouillon de légumes
- 175 g de semoule de blé
- 2 tomates, pelées et coupées en quatre
- 2 courgettes, coupées en morceaux
- 1 poivron rouge, épépiné et coupé en morceaux
- 125 g de haricots verts, coupés en morceaux
- zeste râpé d'un citron
- 1 pincée de curcuma en poudre (facultatif)
- 1 cuil. à soupe de coriandre fraîche ou de persil finement haché(e)
- sel et poivre
- brins de persil plat, en garniture

1 Faire chauffer l'huile dans une grande casserole et faire revenir l'oignon, la carotte et le navet 3 à 4 minutes. Ajouter ensuite le bouillon, porter à ébullition, puis couvrir et laisser mijoter pendant 20 minutes.

2 Pendant ce temps, mettre la semoule dans une jatte et la mouiller avec un peu d'eau bouillante, en remuant pour que les grains gonflent et se dissocient.

3 Mettre les tomates, les courgettes, le poivron et les haricots dans la casserole.

4 Incorporer le zeste de citron à la semoule, puis ajouter le curcuma s'il y a lieu. Bien mélanger le tout avant de mettre la semoule dans un couscoussier disposé par-dessus la casserole de légumes. Laisser frémir les légumes de façon à ce que la semoule cuise à la vapeur pendant 8 à 10 minutes.

5 Former un tas de semoule dans un plat chaud. À l'aide d'une louche, disposer les légumes par-dessus avec un peu de jus. Parsemer de coriandre ou de persil et servir immédiatement, décoré de brins de persil.

Risotto en gratin

Une aubergine coupée en deux et farcie d'un mélange à base de risotto, le tout recouvert de fromage et cuit au four : idéal pour un en-cas ou un repas rapide pour deux.

VALEURS NUTRITIONNELLES

Calories ....444 Glucides ......70 g
Protéines ......13 g Lipides ....23 g
Acides gras saturés ....8 g

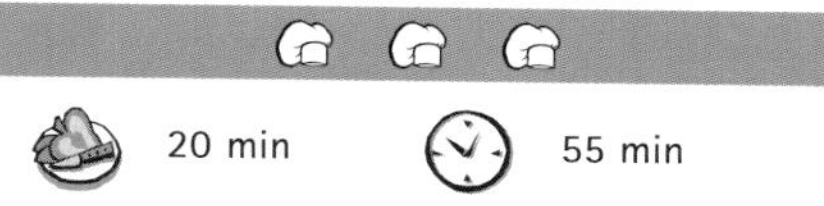

20 min 55 min

2 personnes

INGRÉDIENTS

- 60 g de mélange de riz long et de riz sauvage
- 1 aubergine d'environ 350 g
- 1 cuil. à soupe d'huile d'olive
- 1 petit oignon, émincé finement
- 1 gousse d'ail, hachée
- ½ poivron rouge, épépiné et coupé en morceaux
- 2 cuil. à soupe d'eau
- 25 g de raisins secs
- 25 g de noix de cajou, coupées grossièrement
- ½ cuil. à café d'origan séché
- 40 g de cheddar fort ou de parmesan, râpé
- sel et poivre
- origan ou persil, en garniture

1 Faire cuire le riz dans une casserole d'eau bouillante salée pendant 15 minutes (il doit être juste tendre), puis l'égoutter, le rincer et l'égoutter à nouveau.

2 Porter une grande casserole d'eau à ébullition. Ébouter l'aubergine et la couper en deux dans la longueur, puis évider son centre en laissant une marge de chair de 1,5 cm. Mettre les deux moitiés à blanchir dans l'eau bouillante pendant 3 à 4 minutes. Bien égoutter, puis couper la chair en tout petits morceaux.

3 Faire chauffer l'huile dans une casserole ou une poêle et faire revenir l'oignon et l'ail à feu doux (ils doivent être ramollis). Ajouter ensuite le poivron, les petits morceaux d'aubergine et faire revenir pendant 2 à 3 minutes. Ajouter l'eau et laisser cuire encore 2 à 3 minutes.

4 Mettre ensuite les raisins secs, les noix de cajou, l'origan et le riz dans la casserole ou la poêle. Saler et poivrer.

5 Mettre les deux moitiés d'aubergine dans un plat à gratin et les farcir avec la préparation au riz à l'aide d'une petite cuillère, en tassant bien. Couvrir et faire cuire au four préchauffé, à 190 °C (th. 6-7), pendant 20 minutes.

6 Découvrir et parsemer le riz d'un peu de fromage avant de mettre le plat sous un gril préchauffé à puissance moyenne. Laisser cuire pendant 3 à 4 minutes (le dessus doit être doré et des bulles doivent se former à la surface). Décorer avec de l'origan ou du persil et servir chaud.

2

5

6

Riz sauté du chef

Du riz cuit puis sauté avec des petits légumes et des noix de cajou : une recette simple, pour un mets délicieux, à déguster comme plat principal ou en accompagnement.

VALEURS NUTRITIONNELLES

Calories ....355 Glucides ......54 g
Protéines ....9 g Lipides ....15 g
Acides gras saturés ....3 g

10 min 30 min

4 personnes

INGRÉDIENTS

- 175 g de riz long
- 60 g de noix de cajou
- 1 carotte
- ½ concombre
- 1 poivron jaune
- 2 oignons verts
- 2 cuil. à soupe d'huile
- 1 gousse d'ail, hachée
- 125 g de petits pois surgelés, décongelés
- 1 cuil. à soupe de sauce de soja
- 1 cuil. à café de sel
- quelques feuilles de coriandre, pour garnir

2

4

4

1 Plonger le riz dans de l'eau bouillante, laisser frémir pendant 15 minutes et verser dans une passoire. Rincer et bien égoutter.

2 Faire chauffer un wok ou une grande sauteuse et faire revenir à sec les noix de cajou jusqu'à ce qu'elles dorent. Retirer du feu et réserver.

3 Couper la carotte en deux dans la longueur et la couper en demi-rondelles fines. Couper le concombre en deux, évider le centre à l'aide d'une petite cuillère, puis couper la chair en dés. Épépiner et couper le poivron en morceaux, puis émincer les oignons verts.

4 Faire chauffer l'huile dans un wok ou une grande sauteuse et faire revenir les légumes et l'ail pendant 3 minutes à feu vif. Ajouter le riz, les petits pois, la sauce de soja et le sel. Prolonger la cuisson à feu vif en mélangeant bien les ingrédients. La préparation doit être très chaude.

5 Ajouter les noix de cajou réservées et verser le riz dans un plat chaud. Garnir avec des feuilles de coriandre et servir immédiatement.

CONSEIL

Vous pouvez remplacer les légumes de cette recette par d'autres que l'on peut faire sauter. Cette recette est une excellente idée de repas rapide pour accommoder un reste de riz.

Riz pilaf aux épinards et pistaches

Du riz basmati parfumé cuit avec des cèpes, des épinards et des pistaches : une recette facile, à réaliser au micro-ondes.

VALEURS NUTRITIONNELLES

Calories ....403 Glucides ......69 g
Protéines ......10 g Lipides ....15 g
Acides gras saturés ....2 g

 55 min  15 à 20 min

4 personnes

INGRÉDIENTS

- 10 g de cèpes séchés
- 300 ml d'eau chaude
- 1 oignon, émincé
- 1 gousse d'ail, hachée
- 1 cuil. à café de gingembre frais râpé
- ½ piment vert frais, épépiné et haché
- 2 cuil. à soupe d'huile
- 225 g de riz basmati
- 1 grosse carotte, râpée
- 175 ml de bouillon de légumes
- ½ cuil. à café de cannelle en poudre
- 4 clous de girofle
- ½ cuil. à café de filaments de safran
- 225 g d'épinards frais, équeutés
- 60 g de pistaches
- 1 cuil. à soupe de coriandre hachée
- sel et poivre
- feuilles de coriandre, en garniture

1

3

4

1 Mettre les cèpes dans un petit bol, verser l'eau chaude par-dessus et laisser à tremper pendant 30 minutes.

2 Mettre l'oignon, l'ail, le gingembre, le piment et l'huile dans une jatte, couvrir et mettre au micro-ondes à puissance maximale pendant 2 minutes. Rincer le riz et le mélanger aux autres ingrédients, avec la carotte. Couvrir et remettre 1 minute à puissance maximale.

3 Égoutter les champignons et les couper en gros morceaux. Ajouter l'eau de trempage des champignons au bouillon pour avoir 425 ml de liquide. Verser le liquide sur le riz, puis ajouter les champignons, la cannelle, les clous de girofle, le safran et ½ cuillerée à café de sel. Bien remuer, couvrir et mettre au micro-ondes à puissance maximale pendant 10 minutes, en remuant une fois. Laisser ensuite reposer pendant 10 minutes, toujours couvert.

4 Mettre les épinards dans une grande jatte, couvrir et faire cuire à puissance maximale pendant 3 minutes ½, en remuant une fois. Bien les égoutter et les hacher grossièrement.

5 Ajouter les épinards, les pistaches et la coriandre hachée au riz. Saler, poivrer et décorer avec des feuilles de coriandre avant de servir.

Riz pilaf

Le riz simplement cuit à l'eau est le plat que l'on mange en Inde tous les jours, mais pour changer on peut servir ce plat à base de riz, un peu plus élaboré.

VALEURS NUTRITIONNELLES

Calories ....265 Glucides ......43 g
Protéines ....4 g Lipides ....10 g
Acides gras saturés ....6 g

 5 min  25 min

4 personnes

INGRÉDIENTS

- 200 g de riz basmati
- 2 cuil. à soupe de ghee (beurre clarifié)
- 3 graines de cardamome verte
- 2 clous de girofle
- 3 grains de poivre
- ½ cuil. à café de sel
- ½ cuil. à café de safran
- 400 ml d'eau

1 Rincer deux fois le riz sous l'eau courante puis réserver.

2 Chauffer le ghee dans une casserole puis faire revenir la cardamome, les clous de girofle et le poivre pendant environ 1 minute, sans cesser de remuer.

3 Ajouter le riz et prolonger la cuisson à feu moyen pendant environ 2 minutes, sans cesser de remuer.

4 Ajouter le sel, le safran et l'eau à la préparation. Couvrir et cuire à feu doux jusqu'à complète évaporation de l'eau.

5 Transférer le riz sur un plat et servir chaud.

CONSEIL

Le safran, fait de stigmates séchés de crocus mauve, est l'épice la plus onéreuse. Il confère aux aliments une teinte dorée, une saveur particulière et un soupçon d'amertume. Le safran s'achète en poudre ou en filaments, plus chers mais plus parfumés.

Riz à la tomate

Du riz cuit avec de la tomate et des oignons pour colorer la table, surtout si l'on décore ce plat de piments verts et de coriandre.

VALEURS NUTRITIONNELLES

Calories ....866 Glucides .....113 g
Protéines ......15 g Lipides ....46 g
Acides gras saturés ....6 g

 10 min  35 min

4 personnes

INGRÉDIENTS

- 150 ml d'huile
- 2 oignons moyens, coupés en rondelles
- 1 cuil. à café de graines de nigelle (kalongi)
- 1 cuil. à café de gingembre frais émincé
- 1 cuil. à café d'ail haché
- ½ cuil. à café de curcuma
- 1 cuil. à café de poudre de piment
- 1 cuil. à café ½ de sel
- 400 g de tomates entières en boîte
- 500 g de riz basmati
- 600 ml d'eau

GARNITURE

- 3 piments verts frais, hachés
- feuilles de coriandre fraîche, hachées
- 3 œufs, durs

1

2

3

1 Chauffer l'huile dans une casserole et faire revenir les oignons à feu moyen pendant 5 minutes, sans cesser de remuer. Ils doivent être dorés.

2 Ajouter les graines de nigelle, le gingembre, l'ail, le curcuma, la poudre de piment et le sel, en remuant pour bien mélanger.

3 Ajouter les tomates et poêler à feu vif pendant 10 minutes, en concassant les tomates.

4 Ajouter le riz à la préparation obtenue, en remuant doucement pour bien enrober le riz dans le mélange. Verser ensuite l'eau, couvrir la casserole et laisser cuire à feu doux jusqu'à absorption du liquide. Le riz doit être complètement cuit.

5 Disposer le riz à la tomate dans un plat chaud, garnir avec les piments verts émincés, les feuilles de coriandre et les œufs durs, puis servir.

INFORMATION

Dans la cuisine indienne, les graines de nigelle sont toujours utilisées entières, le plus souvent sous forme de condiments marinés et servies sur du naan (pain indien). Elles ressemblent aux graines d'oignon.

Riz thaï au jasmin

Tout repas thaïlandais comporte un grand bol de riz au jasmin bien gonflé et fumant, auquel il ne faut pas ajouter de sel.

VALEURS NUTRITIONNELLES

Calories ....239 Glucides ......54 g
Protéines ....5 g Lipides ....2 g
Acides gras saturés ......0,6 g

 5 min  10 à 15 min

4 personnes

INGRÉDIENTS

CUISSON À DÉCOUVERT

225 g de riz thaï au jasmin

1 litre d'eau

CUISSON PAR ABSORPTION

225 g de riz thaï au jasmin

450 ml d'eau

2

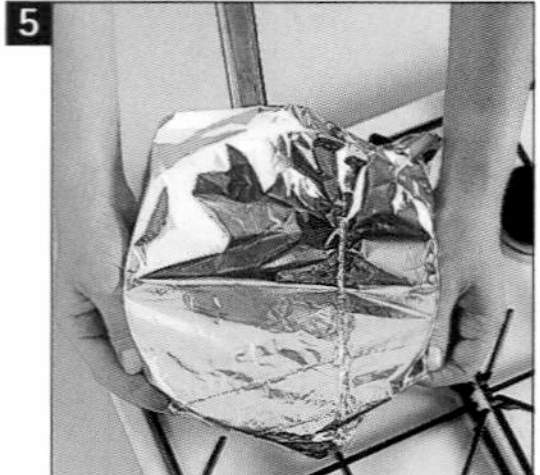
5

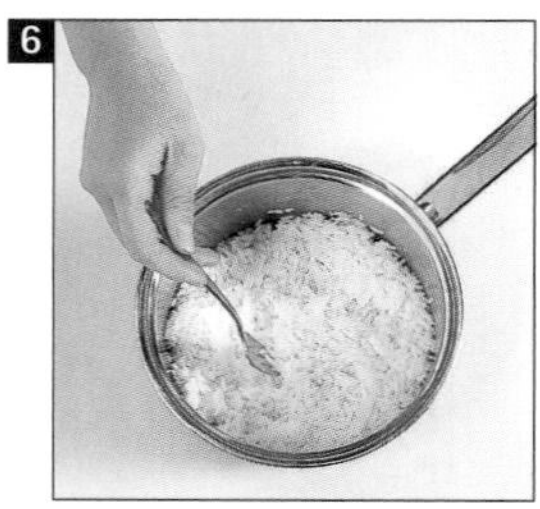
6

1 Pour la méthode de cuisson à découvert, mettre le riz dans une passoire et le rincer à l'eau froide. Laisser égoutter.

2 Porter l'eau à ébullition et y plonger le riz. Remuer une fois puis baisser le feu pour que l'eau soit frémissante et laisser cuire pendant 8 à 10 minutes (le riz doit être juste tendre).

3 Bien égoutter et détacher les grains à l'aide d'une fourchette avant de servir.

4 Pour la cuisson par absorption, rincer le riz sous l'eau froide.

5 Mettre le riz et l'eau dans une casserole et porter à ébullition. Remuer une fois puis bien couvrir la casserole, baisser le feu autant que possible et laisser cuire pendant 10 minutes. Laisser ensuite reposer 5 minutes.

6 Aérer doucement le riz à l'aide d'une fourchette et servir immédiatement.

CONSEIL

Le riz thaï au jasmin peut être congelé, dans un récipient en plastique fermé hermétiquement. Le riz congelé est idéal pour les plats au wok, car c'est un procédé de cuisson qui dissocie bien les grains.

Kadgéri aux lentilles

Le kadgéri est un plat anglais d'origine indienne. Il est parfois agrémenté de petits morceaux de poisson, haddock ou saumon.

VALEURS NUTRITIONNELLES

Calories . . . . .318 Glucides . . . . . .53 g
Protéines . . . . . .12 g Lipides . . . . . . .10 g
Acides gras saturés . . . . . . .6 g

 10 min  30 min

4 personnes

INGRÉDIENTS

- 2 cuil. à soupe de ghee (beurre clarifié) ou de beurre
- 1 oignon rouge, émincé
- 1 gousse d'ail, écrasée
- ½ branche de céleri, coupée en petits morceaux
- 1 cuil. à café de curcuma
- ½ cuil. à café de garam masala
- 1 piment vert, épépiné et haché
- ½ cuil. à café de graines de cumin
- 1 cuil. à soupe de coriandre hachée
- 125 g de riz basmati, rincé à l'eau froide
- 125 g de lentilles vertes
- 300 ml de jus de légumes
- 600 ml de bouillon de légumes

1

2

4

1 Faire chauffer le ghee ou le beurre dans une grande sauteuse et faire revenir l'oignon, l'ail et le céleri pendant 5 minutes pour les ramollir.

2 Ajouter le curcuma, le garam masala, le piment, les graines de cumin et la coriandre, et faire revenir à feu moyen pendant 1 minute en remuant (les arômes doivent commencer à se libérer).

3 Ajouter le riz et les lentilles et laisser cuire pendant 1 minute (le riz doit être translucide).

4 Verser le jus et le bouillon de légumes dans la sauteuse, porter à ébullition à feu moyen, puis couvrir et laisser mijoter à feu doux pendant 20 minutes environ, en remuant de temps en temps. Les lentilles doivent être cuites, c'est-à-dire céder sous la pression des doigts.

5 Verser le kadgéri dans un plat chaud et servir immédiatement.

CONSEIL

Vous pouvez adapter ce plat, pour le servir en plat unique consistant et savoureux en l'accompagnant de tomates et de yaourt.

Curry de légumes au yaourt

Des légumes cuits dans une sauce au curry doux, auxquels on ajoute du yaourt et de la coriandre fraîche juste avant de servir.

VALEURS NUTRITIONNELLES

Calories ....423 Glucides ......74 g
Protéines ......16 g Lipides ....19 g
Acides gras saturés ....7 g

 20 min  25 min

4 personnes

INGRÉDIENTS

- 2 cuil. à soupe d'huile de tournesol
- 1 oignon, coupé en rondelles
- 2 cuil. à café de graines de cumin
- 2 cuil. à soupe de coriandre en poudre
- 1 cuil. à café de curcuma en poudre
- 2 cuil. à café de gingembre moulu
- 1 cuil. à café de piment rouge frais haché
- 2 gousses d'ail, émincées
- 400 g de tomates concassées en boîte
- 3 cuil. à soupe de noix de coco en poudre, mélangée à 300 ml d'eau bouillante
- 1 petit chou-fleur, en fleurettes
- 2 courgettes, coupées en rondelles
- 2 carottes, coupées en rondelles
- 1 pomme de terre, coupée en cubes
- 400 g de pois chiches en boîte, égouttés et rincés
- 150 ml de yaourt bulgare nature
- 2 cuil. à soupe de chutney à la mangue
- 3 cuil. à soupe de coriandre fraîche hachée
- sel et poivre
- fines herbes fraîches, en garniture

1 Faire chauffer l'huile dans une casserole et faire suer l'oignon. Ajouter le cumin, la coriandre, le curcuma, le gingembre, le piment et l'ail et faire revenir pendant 1 minute.

2 Ajouter les tomates concassées et la préparation à la noix de coco. Mélanger.

3 Mettre le chou-fleur, les courgettes, les carottes, les cubes de pomme de terre et les pois chiches dans la casserole, puis saler et poivrer. Couvrir et laisser mijoter pendant 20 minutes (les légumes doivent être tendres).

4 Verser ensuite le yaourt, le chutney à la mangue et la coriandre dans la casserole en remuant bien, puis faire chauffer sans faire bouillir. Verser le curry de légumes dans un plat chaud et garnir de fines herbes fraîches avant de servir.

Riz sauté aux épices

Un plat à base de riz délicieusement parfumé, agréablement relevé avec du gingembre et de l'ail. On peut, si l'on veut, ajouter quelques petits pois pour mettre de la couleur.

VALEURS NUTRITIONNELLES

Calories . . . . .507 Glucides . . . . .101 g
Protéines . . . . . . .9 g Lipides . . . . . . .11 g
Acides gras saturés . . . . . . .6 g

 10 min  35 min

4 personnes

INGRÉDIENTS

500 g de riz
1 oignon moyen
2 cuil. à soupe de ghee (beurre clarifié)
1 cuil. à café de gingembre frais émincé
1 cuil. à café d'ail haché
1 cuil. à café de sel
1 cuil. à café de graines de cumin noir
3 clous de girofle entiers
3 cardamomes vertes entières
2 bâtons de cannelle
4 grains de poivre
700 ml d'eau

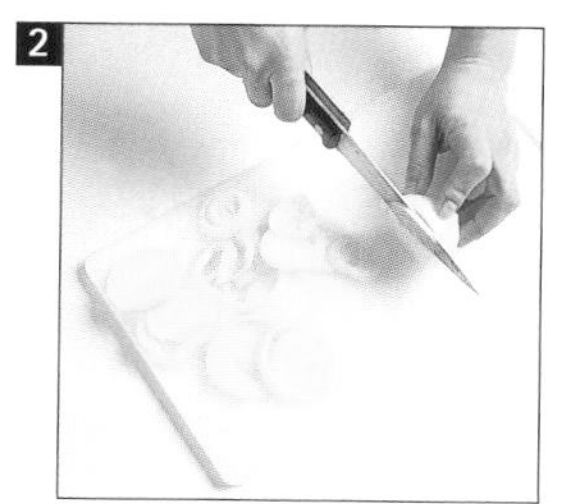

1 Rincer le riz soigneusement sous l'eau froide.

2 À l'aide d'un couteau tranchant, couper l'oignon en fines rondelles.

3 Faire chauffer le ghee (beurre clarifié) dans une grande casserole et faire revenir l'oignon à feu moyen, en remuant souvent. L'oignon doit être croustillant et bien doré.

4 Ajouter ensuite le gingembre, l'ail et le sel dans la casserole, en remuant pour les mélanger aux oignons.

5 Retirer la moitié des oignons aux épices de la casserole et réserver.

6 Mettre dans la casserole le riz, les graines de cumin noir, les clous de girofle, les cardamomes, les bâtons de cannelle et les grains de poivre et poêler à feu vif pendant 3 à 5 minutes.

7 Verser l'eau dans la casserole, porter à ébullition à feu moyen puis baisser le feu, couvrir et laisser mijoter jusqu'à ce que de la vapeur s'échappe. Vérifier que le riz est cuit et que le liquide a bien été absorbé.

8 Servir le riz dans un plat chaud, garni avec les oignons frits réservés.

Riz aux herbes

Une façon originale et sympathique de cuisiner le riz, pour les grandes occasions ou pour égayer un repas simple.

VALEURS NUTRITIONNELLES

Calories	652	Glucides	125 g
Protéines	15 g	Lipides	17 g
Acides gras saturés	6 g		

1 h 10 — 35 min

4 personnes

INGRÉDIENTS

- 2 cuil. à soupe d'huile d'olive
- 500 g de riz basmati ou de riz thaï au jasmin, mis à tremper pendant 1 heure, rincé et égoutté
- 700 ml de lait de coco
- 1 cuil. à café de sel
- 1 feuille de laurier
- 2 cuil. à soupe de coriandre hachée
- 2 cuil. à soupe de menthe hachée
- 2 piments verts, épépinés et émincés

1 Faire chauffer l'huile dans une casserole et poêler le riz à feu moyen, en remuant jusqu'à ce que les grains soient translucides.

2 Porter à ébullition avec le lait de coco, le sel et le laurier et laisser absorber le liquide.

1

2

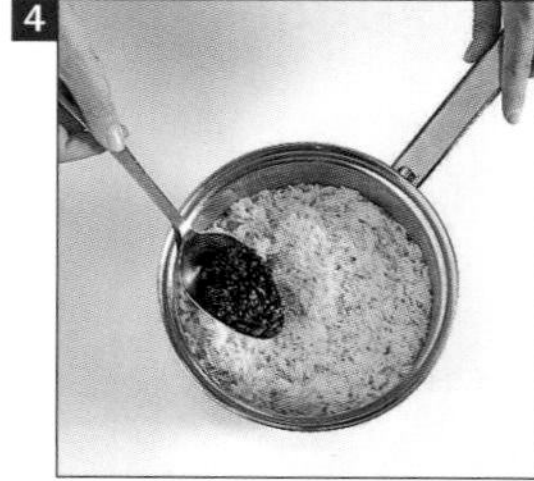

4

3 Baisser le feu au minimum, bien couvrir la casserole et laisser cuire pendant 10 minutes. Faire bien attention à ce que le riz n'attache pas et ne brûle pas le fond de la casserole.

4 Enlever la feuille de laurier et ajouter la coriandre, la menthe et les piments verts. Remuer délicatement le riz à l'aide d'une fourchette pour l'aérer et servir immédiatement dans un plat chaud.

CONSEIL

Le contraste de couleurs dans ce plat le rend spécialement attrayant, contraste qui peut être accentué selon sa décoration. L'ajout de deux tranches de citron vert frais complète parfaitement la coriandre.

Légumes pilaf

Une excellente façon de cuisiner ensemble du riz et des légumes, le tout délicieusement parfumé grâce au safran. À servir en accompagnement de tous types de brochettes.

VALEURS NUTRITIONNELLES

Calories ....557 Glucides .....113 g
Protéines ......11 g Lipides ....14 g
Acides gras saturés ....7 g

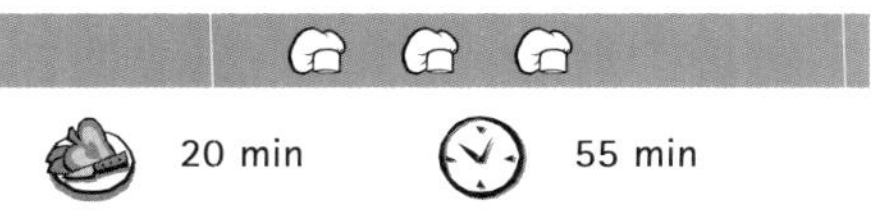

20 min 55 min

6 personnes

INGRÉDIENTS

- 2 pommes de terre moyennes, épluchées et coupées en six
- 1 aubergine moyenne, coupée en six
- 200 g de carottes, épluchées et coupées en julienne
- 50 g de haricots verts, coupés en morceaux
- 4 cuil. à soupe de ghee (beurre clarifié)
- 2 oignons moyens, émincés
- 175 ml de yaourt nature
- 2 cuil. à café de gingembre haché fin
- 2 cuil. à café d'ail haché
- 2 cuil. à café de garam masala
- 2 cuil. à café de graines de cumin noir
- ½ cuil. à café de curcuma
- 3 cardamomes noires
- 3 bâtonnets de cannelle
- 2 cuil. à café de sel
- 1 cuil. à café de poudre de piment
- ½ cuil. à café de filaments de safran
- 300 ml de lait
- 600 g de riz basmati
- 5 cuil. à soupe de jus de citron

GARNITURE

- 4 piments verts, hachés
- coriandre, hachée

1 Faire chauffer le ghee dans une poêle. Puis y faire revenir les pommes de terre, l'aubergine, les carottes et les haricots. Réserver.

2 Faire fondre les oignons, ajouter le yaourt, le gingembre, l'ail, le garam masala, le curcuma, la poudre de piment, la moitié du sel et du cumin, une cardamome et un bâtonnet de cannelle. Faire cuire pendant 3 à 5 minutes en remuant régulièrement. Remettre les légumes dans la poêle et faire revenir pendant environ 4 à 5 minutes.

3 Mettre le lait et le safran dans une casserole et porter à ébullition, sans cesser de remuer. Enlever la poêle du feu et réserver.

4 Dans une casserole d'eau bouillante, faire cuire le riz avec le reste du sel et des épices. Égoutter à mi-cuisson puis remettre la moitié du riz dans la casserole et le recouvrir avec les légumes. Arroser de la moitié du jus de citron et du lait safrané. Couvrir avec le reste de riz, de jus de citron et de lait. Garnir des piments verts et de la coriandre hachée, puis couvrir et faire cuire pendant 20 minutes à feu doux. Servir immédiatement.

Riz épicé aux lentilles

Une séduisante association de riz et de masoor dhaal (lentilles rouges), facile à préparer, à laquelle on peut ajouter une noisette de beurre doux, juste avant de servir.

VALEURS NUTRITIONNELLES

Calories ....394 Glucides ......73 g
Protéines ......14 g Lipides ....8 g
Acides gras saturés ....1 g

 5 min  30 min

4 personnes

INGRÉDIENTS

- 200 g de riz basmati
- 175 g de masoor dhaal (lentilles rouges)
- 2 cuil. à soupe de ghee (beurre clarifié)
- 1 petit oignon, émincé
- 1 cuil. à café de gingembre frais haché finement
- 1 cuil. à café d'ail haché
- ½ cuil. à café de curcuma
- 600 ml d'eau
- 1 cuil. à café de sel

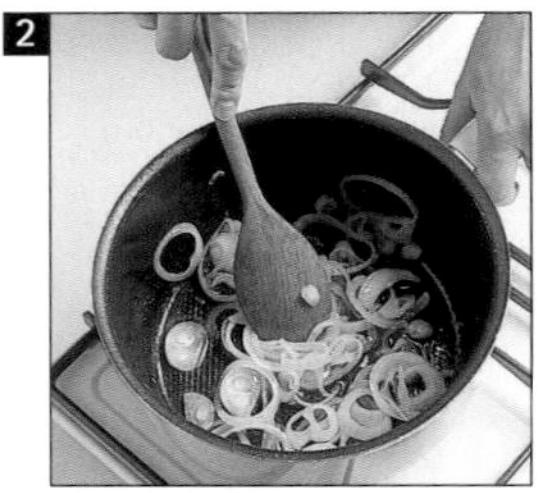

1 Mélanger le riz et les lentilles puis rincer deux fois, en frottant entre les doigts pour éliminer les impuretés. Réserver.

2 Chauffer le ghee dans une sauteuse et y faire revenir l'oignon environ 2 minutes.

3 À feu doux, ajouter le gingembre, l'ail et le curcuma. Prolonger la cuisson d'une minute.

4 Mettre le riz et les lentilles dans la sauteuse et remuer délicatement.

5 Ajouter l'eau à la préparation dans la poêle et porter à ébullition. Puis réduire le feu et continuer à cuire pendant 20 à 25 minutes en couvrant, jusqu'à ce que le riz devienne tendre et que l'eau soit totalement absorbée.

6 Juste avant de servir, saler et mélanger soigneusement.

7 Transférer le riz et les lentilles sur un grand plat de service chaud et déguster immédiatement.

CONSEIL

De nombreuses recettes indiennes préconisent l'emploi de ghee comme matière grasse. Le ghee est un beurre clarifié qui ne brûle pas à haute température. Il confère aux plats un arôme de noisette et rend les sauces plus brillantes.

Chana dhaal au riz

Un plat absolument délicieux en accompagnement de tous les currys, rendu particulier grâce au safran qui le parfume.

VALEURS NUTRITIONNELLES

Calories ....479 Glucides ......87 g
Protéines ......12 g Lipides ....14 g
Acides gras saturés ....8 g

3 h 15 — 1 heure

6 personnes

INGRÉDIENTS

- 100 g de chana dhaal (pois cassés blonds)
- 60 ml de ghee (beurre clarifié)
- 2 oignon moyen, coupé en rondelles
- 1 cuil. à café de gingembre frais émincé
- 1 cuil. à café d'ail haché
- ½ cuil. à café de curcuma
- 2 cuil. à café de sel
- ½ cuil. à café de poudre de piment
- 1 cuil. à café de garam masala
- 5 cuil. à soupe de yaourt nature
- 1,50 l d'eau
- 150 ml de lait
- 1 cuil. à café de safran
- 3 cuil. à café de jus de citron
- 2 piments verts frais
- feuilles de coriandre fraîche
- 3 cardamomes noires
- 3 graines de cumin noir
- 500 g de riz basmati

2

3

3

1 Rincer le chana dhaal et le faire tremper pendant 3 heures. Rincer le riz à l'eau froide et réserver.

2 Faire chauffer le ghee dans une poêle et faire revenir l'oignon pour bien le faire dorer. Retirer ensuite la moitié de l'oignon et un peu de ghee à l'aide d'une écumoire. Réserver dans une jatte.

3 Ajouter ensuite le gingembre, l'ail, le curcuma, 1 cuillerée à café de sel, la poudre de piment et le garam masala dans la poêle, et faire cuire à feu vif pendant 5 minutes. Incorporer le yaourt puis le chana dhaal et 150 ml d'eau. Couvrir et laisser cuire pendant 15 minutes. Réserver.

4 Pendant ce temps, porter le lait à ébullition avec le safran, puis réserver avec l'oignon sauté, le jus de citron, les piments verts et les feuilles de coriandre.

5 Porter le reste d'eau à ébullition, puis y plonger sel, cardamomes, graines de cumin et riz. Cuire sans cesser de remuer, pour que le riz soit à moitié cuit. Égoutter. Mettre la moitié de l'oignon sauté, du safran, du jus de citron, des piments et de la coriandre par-dessus la préparation à base de chana dhaal, puis recouvrir avec le riz et le reste d'oignon, de safran, de jus de citron, de piment et coriandre. Bien couvrir et cuire 20 minutes à feu très doux. Mélanger à l'aide d'une spatule, et disposer la préparation dans un plat chaud. Servir.

Tarte aux lentilles et aux poivrons

Une tarte savoureuse qui mélange les saveurs des lentilles et du poivron rouge, sur une pâte à tarte croustillante.

VALEURS NUTRITIONNELLES

Calories ....287 Glucides ......40 g
Protéines ......10 g Lipides ....5 g
Acides gras saturés ....3 g

45 min 50 min

8 personnes

INGRÉDIENTS

PÂTE

225 g de farine complète

100 g de margarine, coupée en petits dés

4 cuil. à soupe d'eau

GARNITURE

175 g de moong dhaal (lentilles blondes), passées sous l'eau

300 ml de bouillon de légumes

15 g de margarine

1 oignon, émincé

2 poivrons rouges, épépinés et coupés en dés

1 cuil. à café d'extrait de levure

1 cuil. à soupe de concentré de tomates

3 cuil. à soupe de persil frais haché

poivre

1 Pour faire la pâte : mettre la farine dans une jatte et incorporer la margarine avec les doigts jusqu'à obtention d'une consistance de chapelure fine. Ajouter l'eau et mélanger pour obtenir une pâte. L'envelopper et la mettre au réfrigérateur pendant 30 minutes.

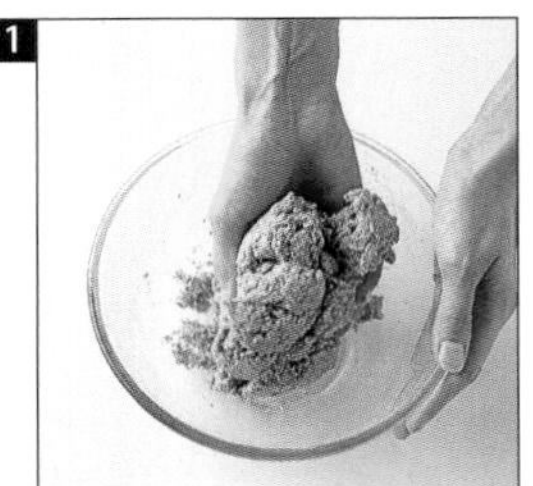

1

2 Pour faire la garniture : mettre les lentilles dans une casserole avec le bouillon. Porter à ébullition et laisser mijoter pendant 10 minutes. Les lentilles doivent être assez tendres pour être réduites en purée.

2

3 Faire fondre la margarine dans une casserole puis faire revenir l'oignon et les poivrons.

4 Ajouter la purée de lentilles, l'extrait de levure, le concentré de tomates et le persil. Poivrer et bien mélanger.

4

5 Sur un plan de travail fariné, étaler la pâte puis foncer un moule à tarte à fond amovible de 24 cm de diamètre. Piquer le fond de tarte à l'aide d'une fourchette et y verser la garniture à base de lentilles.

6 Cuire au four préchauffé, à 210 °C (th. 7), pendant 30 minutes. La garniture doit être prise.

VARIANTE

Vous pouvez ajouter du maïs au mélange dans l'étape 4, pour ajouter de la couleur et du goût.

Ragoût de haricots rouges

Un plat consistant avec de délicieuses boulettes aux herbes, très facile et rapide à réaliser : l'idéal pour un repas hivernal.

VALEURS NUTRITIONNELLES

Calories ....508 Glucides ......98 g
Protéines ......22 g Lipides ....12 g
Acides gras saturés ....4 g

 20 min — 40 min

4 personnes

INGRÉDIENTS

- 1 cuil. à soupe d'huile
- 1 oignon rouge, coupé en rondelles
- 2 branches de céleri, coupées en morceaux
- 850 ml de bouillon de légumes
- 225 g de carottes, coupées en dés
- 225 g de pommes de terre, coupées en dés
- 225 g de courgettes, coupées en dés
- 4 tomates, pelées et coupées en morceaux
- 125 g de masoor dhaal (lentilles rouges)
- 400 g de haricots rouges en boîte, rincés et égouttés
- 1 cuil. à café de paprika
- sel et poivre

BOULETTES AUX HERBES

- 125 g de farine
- ½ cuil. à café de sel
- 2 cuil. à café de levure chimique
- 1 cuil. à café de paprika
- 1 cuil. à café de fines herbes séchées
- 25 g d'huile
- 7 cuil. à soupe d'eau
- quelques brins de persil plat, en garniture

3

4

5

1 Faire chauffer l'huile dans un fait-tout ou dans une casserole et faire revenir l'oignon et le céleri à feu doux 3 à 4 minutes, en remuant fréquemment.

2 Verser le bouillon dans la casserole et ajouter les carottes et les pommes de terre. Remuer, porter à ébullition, puis couvrir et laisser cuire pendant 5 minutes.

3 Ajouter courgettes, tomates, lentilles, haricots rouges et paprika. Remuer, saler et poivrer à son goût et porter à nouveau à ébullition. Couvrir et laisser cuire 5 minutes.

4 Préparer les boulettes : tamiser la farine, le sel, la levure chimique et le paprika au-dessus d'une jatte. Incorporer les herbes et l'huile en remuant, puis lier le tout avec l'eau jusqu'à obtention d'une pâte souple. Diviser cette pâte en 8 morceaux, et les rouler en boule.

5 Retirer le couvercle, remuer et ajouter les boulettes en appuyant légèrement pour les enfoncer un peu dans le ragoût. Couvrir, baisser le feu et laisser frémir encore 15 minutes. Les boulettes doivent être levées et bien cuites. Décorer avec le persil plat avant de servir.

Beignets de semoule au fromage

D'excellents beignets au fromage, basés sur une recette de gnocchi, que l'on accompagne d'un condiment maison fruité aux pommes.

VALEURS NUTRITIONNELLES

Calories ....682 Glucides .....125 g
Protéines ......19 g Lipides ....32 g
Acides gras saturés ......11 g

30 min  40 à 45 min

4 personnes

INGRÉDIENTS

- 600 ml de lait
- 1 petit oignon
- 1 branche de céleri
- 1 feuille de laurier
- 2 clous de girofle
- 125 g de semoule
- 125 g de cheddar fort ou de mimolette, râpé(e)
- ½ cuil. à café de farine de moutarde
- 2 cuil. à soupe de farine
- 1 œuf, battu
- 60 g de chapelure blanche
- 6 cuil. à soupe d'huile
- sel et poivre
- feuilles de céleri, en garniture
- coleslaw, en accompagnement

CONDIMENT

- 2 branches de céleri, coupées en morceaux
- 2 petites pommes à couteau, évidées et coupées en dés
- 90 g de raisins de Smyrne
- 90 g d'abricots secs, coupés en morceaux
- 6 cuil. à soupe de vinaigre de cidre
- 1 pincée de clous de girofle moulus
- ½ cuil. à café de cannelle en poudre

1 Verser le lait dans une casserole et y plonger l'oignon, le céleri, le laurier et les clous de girofle. Porter à ébullition, retirer du feu et laisser reposer pendant 15 minutes.

2 Passer le liquide au-dessus d'une casserole et porter à ébullition. Verser la semoule en pluie dans le lait en remuant. Baisser le feu et faire épaissir pendant 5 minutes, sans cesser de remuer pour éviter que la semoule n'attache.

3 Retirer du feu et ajouter fromage, farine de moutarde, sel et poivre en battant. Verser le tout dans une jatte beurrée et laisser refroidir.

4 Pour faire le condiment, mettre tous les ingrédients dans une casserole, porter à ébullition, couvrir et laisser mijoter doucement pendant 20 minutes (les ingrédients doivent être tendres). Laisser refroidir.

5 Mettre la farine, l'œuf et la chapelure dans trois assiettes séparées. Séparer la semoule refroidie en 8 morceaux et appuyer dessus avec les mains enduites de farine pour former des galettes de 6 cm de diamètre.

6 Enrober les galettes de farine, d'œuf et de chapelure. Faire chauffer l'huile dans une poêle et y frire les beignets à feu doux, 3 à 4 minutes de chaque côté. Ils doivent être dorés. Les égoutter sur du papier absorbant, décorer de feuilles de céleri et servir avec le condiment aux pommes et le coleslaw.

Curry de pois chiches

L'une des multiples façons de cuisiner les pois chiches, probablement l'une des meilleures et des plus appréciées.

VALEURS NUTRITIONNELLES

Calories . . . . .313 Glucides . . . . . .34 g
Protéines . . . . . . .8 g Lipides . . . . . . .19 g
Acides gras saturés . . . . . . .2 g

10 min

20 min

4 personnes

INGRÉDIENTS

- 6 cuil. à soupe d'huile
- 2 oignons moyens, coupés en rondelles
- 1 cuil. à café de gingembre frais émincé
- 1 cuil. à café de cumin en poudre
- 1 cuil. à café de coriandre en poudre
- 1 cuil. à café d'ail haché
- 1 cuil. à café de poudre de piment
- 2 piments verts frais
- feuilles de coriandre
- 150 ml d'eau
- 1 grosse pomme de terre
- 400 g de pois chiches en boîte, égouttés
- 1 cuil. à soupe de jus de citron

2

2

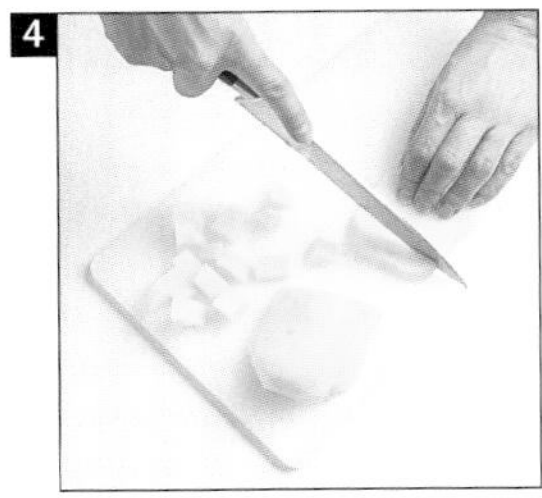

4

1 Faire chauffer l'huile dans une grande casserole et faire revenir les oignons à feu moyen pendant 5 à 8 minutes, en remuant régulièrement. Ils doivent être bien dorés.

2 Baisser le feu, mettre le gingembre, le cumin, la coriandre, l'ail, la poudre de piment, les piments verts frais et les feuilles de coriandre dans la casserole et poêler à feu vif pendant 2 minutes.

3 Verser l'eau sur la préparation obtenue et bien mélanger.

4 À l'aide d'un couteau tranchant, couper la pomme de terre en petits dés, puis les mettre avec les pois chiches dans la casserole. Baisser le feu, couvrir et laisser mijoter pendant 5 à 7 minutes, en remuant régulièrement.

5 Arroser le curry de jus de citron. Bien mélanger.

6 Répartir le curry de pois chiches dans des bols chauds et servir immédiatement.

CONSEIL

L'emploi de pois chiches en boîte permet de gagner du temps, mais vous pouvez utiliser des pois chiches secs, en les laissant tremper une nuit puis en les faisant cuire dans l'eau bouillante 15 à 20 minutes pour bien les ramollir.

Curry familial

Un curry facile à réaliser et toujours apprécié, que l'on peut préparer pour une grande tablée en doublant les quantités.

VALEURS NUTRITIONNELLES

Calories ....403 Glucides ......70 g
Protéines ......19 g Lipides ....15 g
Acides gras saturés ....3 g

 20 min  40 à 45 min

4 personnes

INGRÉDIENTS

2 cuil. à soupe d'huile

2 gousses d'ail, hachées

1 gros oignon, émincé

1 grosse carotte, coupée en rondelles

1 pomme, évidée et coupée en morceaux

2 cuil. à soupe de poudre de curry moyennement épicé

1 cuil. à café de gingembre frais finement râpé

2 cuil. à café de paprika

850 ml de bouillon de légumes

2 cuil. à soupe de concentré de tomates

½ chou-fleur, en fleurettes

425 g de pois chiches en boîte, rincés et égouttés

25 g de raisins de Smyrne

2 cuil. à soupe de maïzena

2 cuil. à soupe d'eau

4 œufs, durs

sel et poivre

paprika, en garniture

SAUCE AU CONCOMBRE

1 tronçon de concombre de 7,5 cm, coupé en morceaux

1 cuil. à soupe de menthe hachée

150 ml de yaourt nature

brins de menthe, en garniture

1 Faire chauffer l'huile dans une grande casserole et faire revenir l'ail, l'oignon, les rondelles de carotte et la pomme pendant 4 à 5 minutes en remuant régulièrement pour les ramollir.

2 Ajouter la poudre de curry, le gingembre et le paprika et faire revenir pendant 1 minute, avant de verser le bouillon de légumes et le concentré de tomates. Mélanger.

3 Ajouter le chou-fleur, les pois chiches et les raisins secs, porter à ébullition puis baisser le feu, couvrir et laisser mijoter pendant 25 à 30 minutes. Les légumes doivent être tendres.

4 Mélanger la maïzena avec l'eau de façon à former une pâte homogène, puis verser cette pâte dans la préparation, en remuant bien pour faire épaissir. Laisser cuire à feu doux pendant 2 minutes, en salant et en poivrant.

5 Pour faire la sauce, mélanger le concombre avec la menthe et le yaourt dans une petite jatte.

6 À l'aide d'une louche, répartir le curry entre 4 assiettes chaudes. Écailler les œufs, les couper en quatre et les disposer dans les assiettes sur le curry, puis saupoudrer d'un peu de paprika. Décorer la sauce au concombre avec des brins de menthe et servir en accompagnement du curry.

2

2

3

Lentilles et légumes biryani

Un savoureux mélange de légumes, de riz basmati et de lentilles vertes, pour un plat sain et nourrissant.

VALEURS NUTRITIONNELLES

Calories ....516 Glucides ......81 g
Protéines ......20 g Lipides ....19 g
Acides gras saturés ....3 g

20 min 45 min

6 personnes

INGRÉDIENTS

- 125 g de moong dhaal (lentilles blondes)
- 4 cuil. à soupe de ghee (beurre clarifié) ou d'huile
- 2 oignons, coupés en quatre puis en tranches
- 2 gousses d'ail, hachées
- 1 morceau de gingembre frais de 2,5 cm, émincé
- 1 cuil. à café de curcuma en poudre
- ½ cuil. à café de poudre de piment
- 1 cuil. à café de coriandre en poudre
- 2 cuil. à café de cumin en poudre
- 3 tomates pelées, et coupées en morceaux
- 1 aubergine, éboutée et coupée en morceaux de 1 cm
- 1,75 l de bouillon de légumes, frémissant
- 1 poivron rouge ou vert, épépiné et coupé en dés
- 350 g de riz basmati
- 125 g de haricots verts, coupés en deux
- 225 g de chou-fleur, en fleurettes
- 125 g de champignons, émincés ou coupés en quatre
- 60 g de noix de cajou non salées
- 3 œufs, durs et écalés et brins de coriandre, en garniture

2

4

5

1 Rincer les lentilles et les égoutter. Faire chauffer le ghee ou l'huile dans une casserole et faire revenir les oignons à feu doux pendant 2 minutes. Ajouter l'ail, le gingembre et les épices sans cesser de remuer, et faire revenir à feu doux 1 minute, en remuant régulièrement.

2 Mettre les lentilles, les tomates, les morceaux d'aubergine et 600 ml de bouillon dans la casserole. Bien mélanger, couvrir et laisser mijoter à feu doux 20 minutes.

3 Ajouter le poivron rouge ou vert et laisser cuire encore pendant 10 minutes (les lentilles doivent être tendres et le liquide complètement absorbé).

4 Pendant ce temps, rincer le riz à l'eau froide, l'égoutter et le transvaser dans une autre casserole avec le reste de bouillon. Porter à ébullition avant d'ajouter haricots verts, chou-fleur et champignons. Couvrir la casserole et laisser cuire à feu doux pendant 15 minutes (le riz et les légumes doivent être tendres). Retirer du feu et réserver 10 minutes, sans retirer le couvercle.

5 Mettre la préparation à base de lentilles dans la casserole de riz cuit, et ajouter les noix de cajou. Mélanger le tout délicatement, puis disposer la préparation dans un plat chaud. Décorer avec des quartiers d'œuf dur et des brins de coriandre, et servir chaud.

Moong dhaal sec

Un dhaal accompagné d'un baghaar, de piments rouges séchés et de graines de cumin blanc, simple à préparer et délicieux.

VALEURS NUTRITIONNELLES

Calories ....304 Glucides ......22 g
Protéines ....9 g Lipides ....21 g
Acides gras saturés ......14 g

5 min — 30 à 35 min

4 personnes

INGRÉDIENTS

150 g de moong dhaal (lentilles blondes)
1 cuil. à café de gingembre frais haché très fin
½ cuil. à café de cumin moulu
½ cuil. à café de coriandre en poudre
1 cuil. à café d'ail haché
½ cuil. à café de poudre de piment
600 ml d'eau
1 cuil. à café de sel

BAGHAAR

100 g de beurre
5 piments rouges séchés
1 cuil. à café de graines de cumin

ACCOMPAGNEMENT

chapati
curry de légumes

2

3

4

CONSEIL

Le moong dhaal (lentilles blondes en forme de goutte d'eau) est très prisé dans le Nord de l'Inde.
Les piments rouges séchés sont le meilleur moyen « d'embraser » n'importe quel plat.

1 Rincer les lentilles à l'eau courante froide, en retirant les éventuelles impuretés. Puis mettre les lentilles dans une sauteuse. Ajouter le gingembre, le cumin moulu, la coriandre en poudre, l'ail et la poudre de piment. Bien mélanger.

2 Verser assez d'eau pour couvrir la préparation aux lentilles. Faire cuire à feu moyen, en remuant souvent, jusqu'à ce que les lentilles soient bien cuites, sans être molles.

3 Saler, mélanger et disposer sur un plat de service. Réserver au chaud.

4 Pour confectionner le baghaar : faire fondre le beurre dans une casserole, ajouter les piments séchés et les graines de cumin. Les griller jusqu'à ce qu'elles commencent à éclater.

5 Verser le baghaar sur les lentilles et servir avec des chapati et un curry de légumes.

Koftas aux légumes et lentilles

Un mélange de légumes, de noix de cajou et de lentilles en petites boulettes, saupoudrées de garam masala pour parfumer, puis cuites au four.

VALEURS NUTRITIONNELLES

Calories ....679 Glucides ......93 g
Protéines ......29 g Lipides ....33 g
Acides gras saturés ....5 g

 30 min 50 min

4 personnes

INGRÉDIENTS

- 6 cuil. à soupe de ghee (beurre clarifié) ou d'huile
- 1 oignon, émincé
- 2 carottes, coupées en petits morceaux
- 2 branches de céleri, coupées en petits morceaux
- 2 gousses d'ail, hachées
- 1 piment vert frais, épépiné et haché
- 4 cuil. à café ½ de poudre ou de pâte de curry
- 225 g de masoor dhaal (lentilles rouges)
- 600 ml de bouillon de légumes
- 2 cuil. à soupe de concentré de tomates
- 125 g de chapelure blonde
- 90 g de noix de cajou non salées, concassées
- 2 cuil. à soupe de coriandre hachée
- 1 œuf, battu
- sel et poivre
- garam masala, pour saupoudrer

SAUCE AU YAOURT

- 250 ml de yaourt nature
- 1 à 2 cuil. à soupe de coriandre hachée
- 1 à 2 cuil. à soupe de chutney à la mangue, coupé en morceaux si nécessaire

1 Faire chauffer 4 cuillerées à soupe de ghee ou d'huile dans une casserole, et faire revenir l'oignon, les carottes, le céleri, l'ail et le piment à feu doux pendant 5 minutes, en remuant fréquemment. Ajouter la poudre ou la pâte de curry et les lentilles, puis faire revenir pendant 1 minute sans cesser de remuer.

2 Ajouter le bouillon et le concentré de tomates. Porter à ébullition. Baisser le feu, couvrir et cuire 20 minutes. Le liquide doit être absorbé et les lentilles tendres.

3 Retirer du feu et laisser refroidir. Ajouter la chapelure, les noix de cajou, la coriandre et l'œuf. Saler et poivrer. Mélanger et laisser refroidir. Faire des boulettes de la taille d'une balle de golf avec la préparation, en s'aidant éventuellement de 2 petites cuillères.

4 Mettre les boulettes sur une plaque de four beurrée. Arroser du reste d'huile et saupoudrer d'un peu de garam masala. Faire cuire au four préchauffé, à 180 °C (th. 6), pendant 15 à 20 minutes. Les boulettes doivent être très chaudes et légèrement dorées.

5 Préparer la sauce en mélangeant tous les ingrédients dans une jatte. Servir les koftas chauds avec la sauce.

Chana dhaal aux épinards

Un plat visuellement très attrayant qui accompagne à merveille la plupart des plats principaux. Servir avec un curry de tomates pour un contraste de goût et de couleur.

VALEURS NUTRITIONNELLES

Calories ....175 Glucides ......13 g
Protéines ....6 g Lipides ....12 g
Acides gras saturés ....1 g

3 h 05 45 min

6 personnes

INGRÉDIENTS

- 4 cuil. à soupe de chana dhaal (pois cassés blonds)
- 6 cuil. à soupe d'huile
- 1 cuil. à café de mélange de graines de nigelle et de moutarde
- 4 piments rouges séchés
- 400 à 425 g d'épinards, cuits
- 1 cuil. à café de gingembre frais haché
- 1 cuil. à café de coriandre
- 1 cuil. à café de cumin moulu
- 1 cuil. à café de sel
- 1 cuil. à café de poudre de piment
- 2 cuil. à soupe de jus de citron
- 1 piment vert, en garniture

1 Faire tremper les pois pendant 3 à 12 heures dans un bol d'eau tiède

2 Égoutter les pois et les mettre dans une casserole ; les couvrir d'eau, porter à ébullition et laisser cuire pendant 30 minutes.

3 Chauffer l'huile dans une casserole ; y faire brunir les graines de nigelle et de moutarde et les piments séchés, sans cesser de remuer.

4 Ajouter les épinards et mélanger délicatement. Puis incorporer le cumin, le gingembre, le sel, la coriandre et la poudre de piment aux épinards. Réduire le feu et faire sauter le mélange pendant 7 à 10 minutes.

5 Ajouter les pois cassés aux autres ingrédients et mélanger délicatement pour ne pas les briser.

6 Disposer la préparation sur un plat de service chaud. Arroser de jus de citron et garnir d'un piment vert. Servir immédiatement.

CONSEIL

Le chana dhaal ressemble au moong dhaal (lentilles blondes) mais ses graines sont moins brillantes. On l'utilise essentiellement comme liant ; ce pois cassé blond se trouve chez les épiciers spécialisés.

Kabli channa sag

Les légumineuses sont très utilisées en Inde, en particulier les pois chiches. Il faut les préparer bien à l'avance car il faut les faire tremper pendant une nuit.

VALEURS NUTRITIONNELLES

Calories ....217 Glucides ......30 g
Protéines ......12 g Lipides ....9 g
Acides gras saturés ....1 g

 10 min  1 heure

6 personnes

INGRÉDIENTS

- 225 g de pois chiches secs, mis à tremper pendant une nuit puis égouttés
- 5 clous de girofle
- 1 bâton de cannelle de 2,5 cm
- 2 gousses d'ail
- 3 cuil. à soupe d'huile de tournesol
- 1 petit oignon, coupé en rondelles
- 3 cuil. à soupe de jus de citron
- 1 cuil. à café de graines de coriandre
- 2 tomates pelées, épépinées et coupées en morceaux
- 500 g d'épinards rincés, parties dures enlevées
- 1 cuil. à soupe de coriandre, hachée

GARNITURE

- brins de coriandre
- rondelles de citron

1

3

4

1 Mettre les pois chiches dans une casserole avec suffisamment d'eau pour les immerger complètement. Ajouter les clous de girofle, la cannelle et 1 gousse d'ail entière non épluchée, préalablement écrasée avec le dos d'un couteau pour libérer le jus. Porter à ébullition puis baisser le feu et laisser mijoter en écumant un peu la surface pendant 40 à 50 minutes (enfoncer la pointe d'un couteau dans un pois chiche : il doit être tendre).

2 Pendant ce temps, faire chauffer 1 cuillerée à soupe d'huile dans une casserole. Écraser la gousse d'ail restante et la faire revenir dans la casserole avec l'oignon à feu moyen pendant 5 minutes.

3 Retirer les clous de girofle, la cannelle et la gousse d'ail de la préparation précédente, puis égoutter les pois chiches. Dans un robot de cuisine, ou à l'aide d'une fourchette, broyer 90 g de pois chiches avec l'oignon, l'ail, le jus de citron et 1 cuillerée à soupe d'huile, de façon à former un mélange homogène. Mélanger la purée obtenue au reste des pois chiches, en remuant bien.

4 Faire chauffer le reste de l'huile dans une grande poêle et faire revenir les graines de coriandre pendant 1 minute. Ajouter ensuite les tomates en remuant, puis les épinards. Couvrir la poêle et laisser cuire à feu moyen pendant 1 minute afin que les épinards soient juste flétris, mais pas détrempés. Ajouter la coriandre hachée et retirer du feu.

5 Transférer les pois chiches dans un plat chaud et disposer les épinards par-dessus. Décorer avec la coriandre et les rondelles de citron et servir immédiatement.

Lentilles aux épinards épicés

Un mélange original et savoureux de lentilles et de légumes épicés, que l'on peut servir avec des parathas, des chapati ou encore du naan (pain indien) et du yaourt.

VALEURS NUTRITIONNELLES

Calories ....362 Glucides ......53 g
Protéines ......20 g Lipides ....13 g
Acides gras saturés ....2 g

 15 min  30 min

4 personnes

INGRÉDIENTS

- 225 g de masoor dhaal (lentilles rouges)
- 700 ml d'eau
- 1 oignon
- 1 aubergine
- 1 poivron rouge
- 2 courgettes
- 125 g de champignons
- 225 g de feuilles d'épinards
- 4 cuil. à soupe de ghee (beurre clarifié) ou d'huile
- 1 piment vert frais, épépiné et haché
- 1 cuil. à café de cumin en poudre
- 1 cuil. à café de coriandre en poudre
- 1 morceau de gingembre frais de 2,5 cm, émincé
- 150 ml de bouillon de légumes
- sel
- brins de coriandre, en garniture

1 Laver les lentilles et les mettre dans une casserole avec l'eau. Couvrir la casserole et laisser mijoter pendant 15 minutes (les lentilles doivent être tendres mais toujours entières).

2 Pendant ce temps, couper l'oignon en quatre puis en tranches. Enlever l'extrémité de l'aubergine comprenant la feuille, puis la couper en morceaux de 1 cm. Enlever la queue et les pépins du poivron, puis le couper en morceaux de 1 cm. Enlever les extrémités des courgettes et les couper en morceaux de 1 cm. Émincer les champignons. Jeter la tige dure des feuilles d'épinards et bien les laver.

3 Faire chauffer le ghee ou l'huile dans une casserole et faire revenir l'oignon et le poivron rouge 3 minutes à feu doux, en remuant fréquemment. Puis mettre aubergine, champignons, piment, épices et gingembre dans la casserole et faire revenir pendant 1 minute à feu doux. Ajouter les épinards et le bouillon. Saler. Mélanger et remuer jusqu'à ce que les épinards soient flétris. Couvrir et laisser mijoter pendant 10 minutes environ (les légumes doivent être juste tendres).

4 Former une couronne de lentilles dans un plat chaud, et verser la préparation à base de légumes au milieu à l'aide d'une cuillère. (On peut, si l'on préfère, mélanger les lentilles avec les légumes au lieu d'en faire une couronne) Décorer avec des brins de coriandre et servir immédiatement.

1

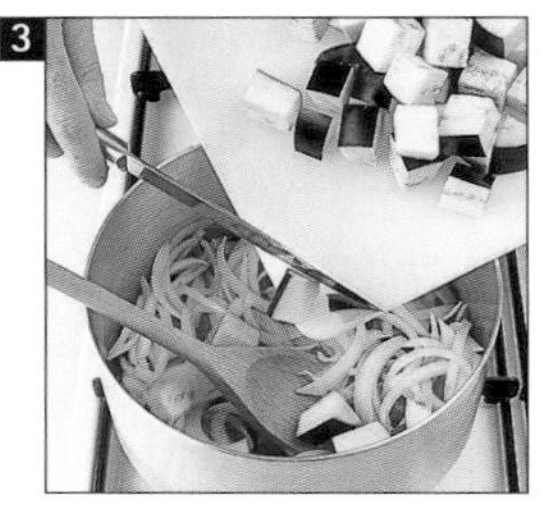
3

3

CONSEIL

Lavez bien les épinards à l'eau froide, car ils peuvent renfermer des graviers. Égouttez-les soigneusement, en les essorant un peu pour enlever l'excédent d'eau, avant de les mettre dans la casserole.

Lentilles blanches

Ce dhaal se dessèche à la cuisson et sera meilleur assaisonné avec du baghaar. Il sera l'accompagnement idéal de tous vos plats de korma.

VALEURS NUTRITIONNELLES

Calories ....129 Glucides ......15 g
Protéines ....6 g Lipides ....6 g
Acides gras saturés ....1 g

 5 min  45 min

4 personnes

INGRÉDIENTS

- 100 g d'urid dhaal (lentilles noires à chair blanche)
- 1 cuil. à café de gingembre haché
- 600 ml d'eau
- 1 cuil. à café de sel
- 1 cuil. à café de poivre
- 2 cuil. à soupe de ghee (beurre clarifié)
- 2 gousses d'ail
- 2 piments verts, hachés finement
- feuilles de menthe fraîche, pour garnir
- chapati, en accompagnement

1 Rincer les lentilles dans deux eaux, en ôtant les éventuelles impuretés. Mettre les lentilles et le gingembre dans une cocotte.

2 Ajouter l'eau et couvrir. Porter à ébullition sur feu modéré. Au bout de 30 minutes, vérifier la cuisson des graines en les roulant entre le pouce et l'index. Si elles semblent trop fermes, prolonger la cuisson pendant 5 à 7 minutes. Découvrir si nécessaire, jusqu'à complète évaporation du liquide.

3 Incorporer le sel et le poivre grossièrement concassé. Réserver.

4 Pour faire le baghaar, faire chauffer le ghee dans une seconde casserole, puis y mélanger les gousses d'ail et les piments rouges.

5 Verser la préparation obtenue sur les graines et parsemer de feuilles de menthe, pour garnir.

6 Répartir sur des assiettes chaudes. À déguster chaud, accompagné de chapati.

INFORMATION

L'urid dhaal, apprécié dans le Nord de l'Inde, se trouve au rayon « produits exotiques » des grandes surfaces, sous l'appellation de « lentilles ».

Dhaal à l'oignon

Ce dhaal est plutôt sec. Aussi, il vaut mieux le servir avec un curry en sauce. On peut remplacer les oignons verts par des oignons courants.

VALEURS NUTRITIONNELLES

Calories ....232 Glucides ......16 g
Protéines ....6 g Lipides ....17 g
Acides gras saturés ....2 g

 5 min  30 min

4 personnes

INGRÉDIENTS

- 100 g de masoor dhaal (lentilles rouges)
- 6 cuil. à soupe d'huile
- 1 petite botte d'oignons verts, émincés
- 1 cuil. à café de gingembre frais haché
- 1 cuil. à café d'ail écrasé
- ½ cuil. à café de poudre de piment
- ½ cuil. à café de curcuma
- 300 ml d'eau
- 1 cuil. à café de sel
- 1 piment vert frais, finement haché
- quelques feuilles de coriandre fraîche

2

3

3

1 Rincer soigneusement les lentilles et réserver.

2 Faire chauffer l'huile dans une casserole à fond épais et faire revenir les oignons verts à feu moyen, en remuant fréquemment. Ils doivent être légèrement dorés.

3 Baisser le feu avant d'ajouter le gingembre, l'ail, la poudre de piment et le curcuma. Faire sauter les oignons verts avec les épices pendant quelques secondes à feu vif, puis ajouter les lentilles et bien mélanger.

4 Verser l'eau dans la préparation obtenue, puis baisser le feu et laisser cuire pendant 20 à 25 minutes.

5 Une fois que les lentilles sont complètement cuites, ajouter le sel et remuer délicatement la préparation pour bien mélanger le tout.

6 Verser les lentilles à l'oignon dans un plat de service chaud et garnir avec les piments verts hachés et les feuilles de coriandre fraîche. Servir immédiatement.

INFORMATION

Les masoor dhaal sont des lentilles rondes de petite taille et de couleur rouge orangé.
Elles prennent une couleur jaune pâle à la cuisson.

Chana dhaal

Toutes les légumineuses peuvent se préparer de la même façon, mais leur temps de préparation peut varier. Il vaut donc mieux lire les instructions figurant sur le paquet.

VALEURS NUTRITIONNELLES

Calories ....195 Glucides ......32 g
Protéines ......11 g Lipides ....5 g
Acides gras saturés ....3 g

 1 h 10  50 min

6 personnes

INGRÉDIENTS

- 2 cuil. à soupe de ghee (beurre clarifié)
- 1 gros oignon, émincé
- 1 gousse d'ail, hachée
- 1 cuil. à soupe de gingembre frais râpé
- 1 cuil. à soupe de graines de cumin moulues
- 2 cuil. à café de graines de coriandre moulues
- 1 piment rouge séché
- 1 bâton de cannelle de 2,5 cm
- 1 cuil. à café de sel
- ½ cuil. à café de curcuma en poudre
- 225 g de chana dhaal (pois cassés jaunes), trempés dans l'eau froide pendant 1 heure puis égouttés
- 400 g de tomates olivettes en boîte
- 300 ml d'eau
- 2 cuil. à café de garam masala

1

2

4

1 Faire chauffer le ghee dans une casserole et faire revenir l'oignon, l'ail et le gingembre pendant 3 à 4 minutes. L'oignon doit être légèrement ramolli.

2 Ajouter le cumin, la coriandre, le piment, la cannelle, le sel et le curcuma, suivis des pois cassés. Bien mélanger.

3 Ajouter les tomates et leur jus, en les cassant un peu avec le dos d'une cuillère.

4 Verser l'eau dans la casserole et porter à ébullition, puis baisser le feu et laisser mijoter sans couvrir pendant 40 minutes, en remuant de temps en temps. Le liquide doit être presque absorbé et les pois cassés doivent être tendres. Écumer la surface régulièrement à l'aide d'une écumoire.

5 Incorporer progressivement le garam masala en remuant et en goûtant après chaque ajout. Servir chaud.

CONSEIL

Utilisez, si possible, une casserole anti-adhésive, car la préparation est assez dense et peut attacher au fond. Si l'on remue trop ce dhaal, les pois cassés risquent de s'écraser et le plat une fois fini sera un peu réduit en bouillie et n'aura pas autant de consistance.

Dhaal au baghaar

Un dhaal relevé juste avant de servir avec du baghaar à base de ghee, d'oignon et d'un mélange de graines épicées.

VALEURS NUTRITIONNELLES

Calories	173	Glucides	23 g
Protéines	8 g	Lipides	8 g
Acides gras saturés	5 g		

 5 min  30 min

4 personnes

INGRÉDIENTS

- 75 g de masoor dhaal (lentilles rouges)
- 50 g de moong dhaal (lentilles blondes)
- 425 ml d'eau
- 1 cuil. à café de rhizome de gingembre frais haché
- 1 cuil. à café d'ail haché
- 2 piments rouges, hachés
- 1 cuil. à café de sel

BAGHAAR

- 2 cuil. à soupe de ghee (beurre clarifié)
- 1 oignon moyen, émincé
- 1 cuil. à café de mélange de graines de moutarde et de nigelle

1 Mettre les lentilles dans une sauteuse et verser l'eau progressivement, sans cesser de remuer. Puis ajouter le hachis de piment, le gingembre et l'ail et porter à ébullition à feu moyen et à demi couvert pendant environ 15 à 20 minutes, jusqu'à ce que les lentilles soient assez molles pour être réduites en purée.

2 Écraser les lentilles, en ajoutant un peu d'eau si nécessaire, pour obtenir une sauce épaisse.

3 Saler et mélanger. Verser la préparation dans un plat de service.

4 Avant de servir, faire fondre le ghee dans une casserole. Y faire dorer l'oignon puis ajouter les graines de nigelle et de moutarde.

5 Verser la préparation aux oignons sur le dhaal et servir immédiatement.

1

2

4

CONSEIL

Cette recette constitue un bon plat d'accompagnement, particulièrement pour les currys un peu secs. Il est possible de congeler ce plat et de le réchauffer dans une casserole, ou au four, à couvert.

Dhaal tarka

L'une des nombreuses versions du dhaal, qui est la base de l'alimentation en Inde, étant donné la grande proportion de végétariens.

VALEURS NUTRITIONNELLES

Calories ....183 Glucides ......26 g
Protéines ....8 g Lipides ....8 g
Acides gras saturés ......5 g

 10 min  25 min

4 personnes

INGRÉDIENTS

- 2 cuil. à soupe de ghee (beurre clarifié)
- 2 échalotes, coupées en rondelles
- 1 cuil. à café de graines de moutarde jaune
- 2 gousses d'ail, hachées
- 8 graines de fenugrec
- 1 morceau de gingembre frais de 1 cm, râpé
- ½ cuil. à café de sel
- 125 g de masoor dhaal (lentilles rouges)
- 1 cuil. à soupe de concentré de tomates
- 600 ml d'eau
- 2 tomates, pelées et coupées en morceaux
- 1 cuil. à soupe de jus de citron
- 4 cuil. à soupe de coriandre hachée
- ½ cuil. à café de poudre de piment
- ½ cuil. à café de garam masala

1 Faire chauffer la moitié du ghee dans une casserole et faire revenir les échalotes pendant 2 à 3 minutes à feu vif, puis ajouter les graines de moutarde. Couvrir la casserole jusqu'à ce que les graines commencent à sauter à l'intérieur.

2 Retirer le couvercle et ajouter l'ail, le fenugrec, le gingembre et le sel.

3 Remuer une fois puis ajouter les lentilles, le concentré de tomates et l'eau. Porter à ébullition puis baisser le feu et laisser mijoter pendant 10 minutes.

4 Incorporer tomates, jus de citron et coriandre et laisser mijoter pendant 4 à 5 minutes (les lentilles doivent être tendres).

5 Disposer dans un plat. Chauffer le reste du ghee dans une poêle, puis retirer la poêle du feu et incorporer le garam masala et la poudre de piment. Verser sur le dhaal tarka et servir.

CONSEIL

Vous pouvez adapter les parfums donnés à un dhaal selon votre propre goût : par exemple, ajouter plus de poudre de piment ou des piments entiers pour un résultat plus épicé, ou des graines de fenouil pour un parfum agréablement anisé.

Poêlées & Sautés

L'une des façons les plus pratiques et les plus saines de cuisiner est le poêlage : les aliments sont saisis rapidement à feu vif, dans très peu d'huile. Ainsi la haute température, en

empêchant le jus des aliments de s'évaporer, préserve les vitamines et les sels minéraux. Le temps de cuisson très court permet aux légumes de garder leur croquant, leur goût naturel délicieux ainsi que leur couleur. Un wok à fond concave est idéal pour préparer les poêlées car il répartit uniformément la chaleur ; la cuisson nécessite donc moins d'huile. Pour les sautés, préférez une poêle à fond plat, pour pouvoir plus facilement remuer et retourner les ingrédients.

Sauté de légumes d'été

La fraîcheur de légumes d'été saisis à la poêle puis relevés et parfumés grâce à une sauce à l'estragon et au vin blanc.

VALEURS NUTRITIONNELLES

Calories ....217 Glucides ......17 g
Protéines ....2 g Lipides ....18 g
Acides gras saturés ....9 g

 10 min  10 à 15 min

4 personnes

INGRÉDIENTS

- 225 g de mini-carottes, grattées
- 125 g de haricots à rames
- 2 courgettes, éboutées
- 1 botte de gros oignons verts
- 1 botte de radis
- 60 g de beurre
- 2 cuil. à soupe d'huile d'olive
- 2 cuil. à soupe de vinaigre de vin blanc
- 4 cuil. à soupe de vin blanc sec
- 1 cuil. à café de sucre en poudre
- 1 cuil. à soupe d'estragon haché
- sel et poivre
- brins d'estragon, en garniture

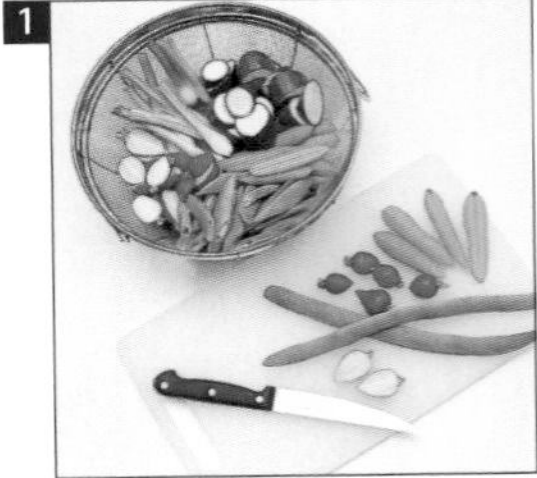

1

2

4

1 Couper les carottes en deux dans la longueur, les haricots et les courgettes en rondelles et les oignons verts et les radis en deux, de sorte que tous les légumes soient de taille à peu près égale.

2 Faire fondre le beurre dans une grande poêle à fond épais ou dans un wok. Mettre tous les légumes et les faire sauter à feu moyen, en remuant fréquemment. Ils doivent être tendres mais encore croquants et fermes sous la dent.

3 Faire chauffer l'huile d'olive, le vinaigre, le vin blanc et le sucre à feu doux dans une petite casserole, et remuer jusqu'à ce que le sucre soit fondu. Retirer la casserole du feu et ajouter l'estragon haché.

4 Une fois les légumes saisis, verser la sauce par-dessus, bien remuer pour enrober les légumes, puis verser le tout dans un plat chaud. Saler, poivrer et servir aussitôt, décoré de brins d'estragon frais.

Curry rouge aux noix de cajou

Un plat excellent et très rapide à réaliser. Si vous n'avez pas le temps de préparer la pâte de curry rouge, vous pouvez l'acheter prête à l'emploi.

VALEURS NUTRITIONNELLES

Calories ....274 Glucides ......43 g
Protéines ......10 g Lipides ....10 g
Acides gras saturés ....3 g

 25 min  15 min

4 personnes

INGRÉDIENTS

- 250 ml de lait de coco
- 1 feuille de citron kafir
- ¼ de cuil. à café de sauce de soja claire
- 60 g d'épis de maïs nains, coupés en deux dans la longueur
- 125 g de brocoli,en fleurettes
- 125 g de haricots verts, coupés en morceaux de 5 cm
- 25 g de noix de cajou
- 15 feuilles de basilic frais
- 1 cuil. à soupe de coriandre hachée
- 1 cuil. à soupe de cacahuètes grillées, concassées, pour garnir

PÂTE DE CURRY ROUGE

- 7 piments rouges frais, coupés en deux, épépinés et blanchis
- 2 cuil. à café de graines de cumin
- 2 cuil. à café de graines de coriandre
- 1 morceau de galanga de 2,5 cm, coupé en morceaux
- ½ tige de lemon-grass, coupée en morceaux
- 1 cuil. à café de sel
- zeste râpé d'un citron vert
- 4 gousses d'ail, émincées
- 3 échalotes, émincées
- 2 feuilles de citron kafir, ciselées
- 1 cuil. à soupe d'huile

1 Pour faire la pâte de curry, piler tous les ingrédients ensemble dans un grand mortier, ou les mixer pendant quelques secondes dans un robot de cuisine. La quantité de pâte de curry rouge obtenue est trop importante pour cette seule recette, mais le curry rouge se conserve jusqu'à 3 semaines au réfrigérateur, dans un récipient hermétique.

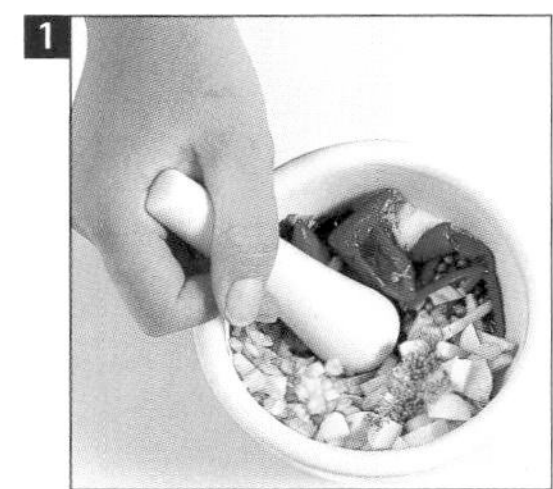

2 Faire chauffer à feu vif un wok ou une grande sauteuse, ajouter 3 cuillerées à soupe de pâte de curry et bien remuer pour qu'elle libère son arôme. Réduire ensuite le feu à température modérée.

3 Ajouter le lait de coco, la feuille de citron kafir, la sauce de soja, les épis de maïs, les fleurettes de brocoli, les haricots verts et les noix de cajou. Porter à ébullition et laisser mijoter pendant environ 10 minutes (les légumes doivent être cuits mais rester fermes et croquants).

4 Retirer la feuille de citron kafir et la jeter, puis ajouter les feuilles de basilic et la coriandre en remuant. Verser dans un plat chaud et garnir avec les cacahuètes. Servir immédiatement.

Curry de pommes de terre

Les Indiens mangent peu de viande, leur régime étant principalement végétarien. Voici un curry de pommes de terre et de petits légumes, qui constitue un plat nourrissant.

VALEURS NUTRITIONNELLES

Calories . . . . .301 Glucides . . . . . .51 g
Protéines . . . . . . .9 g Lipides . . . . . . .12 g
Acides gras saturés . . . . . . .1 g

 15 min  45 min

4 personnes

INGRÉDIENTS

- 4 cuil. à soupe d'huile
- 675 g de pommes de terre à chair ferme, coupées en gros morceaux
- 2 oignons, coupés en quatre
- 3 gousses d'ail, hachées
- 1 cuil. à café de garam masala
- ½ cuil. à café de curcuma
- ½ cuil. à café de cumin en poudre
- ½ cuil. à café de coriandre en poudre
- 1 morceau de gingembre frais de 2,5 cm, râpé
- 1 piment rouge frais, haché
- 225 g de chou-fleur, en fleurettes
- 4 tomates, pelées et coupées en quartiers
- 75 g de petits pois surgelés
- 2 cuil. à soupe de coriandre hachée
- 300 ml de bouillon de légumes
- coriandre ciselée, en garniture

1

2

3

1 Faire chauffer l'huile dans une grande casserole ou une grande poêle à fond épais et faire revenir les morceaux de pomme de terre, les oignons et l'ail à feu doux pendant 2 à 3 minutes, en remuant fréquemment.

2 Ajouter le garam masala, le curcuma, le cumin en poudre, la coriandre en poudre, le gingembre râpé et le piment haché, et bien mélanger aux pommes de terre. Faire revenir à feu doux pendant 1 minute sans cesser de remuer.

3 Ajouter les fleurettes de chou-fleur, les tomates, les petits pois, la coriandre hachée et le bouillon de légumes dans les pommes de terre au curry.

4 Faire cuire à feu doux pendant 30 à 40 minutes. Les pommes de terre doivent être tendres et bien cuites.

5 Décorer avec de la coriandre fraîche et servir accompagné de riz nature ou de pain indien chaud.

CONSEIL

L'utilisation d'une grande casserole ou d'une grande poêle à fond épais pour cette recette permet aux pommes de terre de cuire de façon uniforme.

Haricots rouges à la mode de Kiev

Une version végétarienne du poulet à la mode de Kiev : des boulettes de haricots avec un cœur de beurre à l'ail et aux fines herbes, le tout enrobé de chapelure.

VALEURS NUTRITIONNELLES

Calories . . . . . . .688 Glucides . . . . . .57 g
Protéines . . . . . .17 g Lipides . . . . . . .49 g
Acides gras saturés . . . . . .20 g

 25 min  20 min

4 personnes

INGRÉDIENTS

BEURRE À L'AIL

100 g de beurre
3 gousses d'ail, hachées
1 cuil. à soupe de persil haché

BOULETTES DE HARICOTS

675 g de haricots rouges en boîte
150 g de chapelure blanche
25 g de beurre
1 poireau, coupé en morceaux
1 branche de céleri, coupée en morceaux
1 cuil. à soupe de persil haché
1 œuf, battu
sel et poivre
huile, pour la friture

1 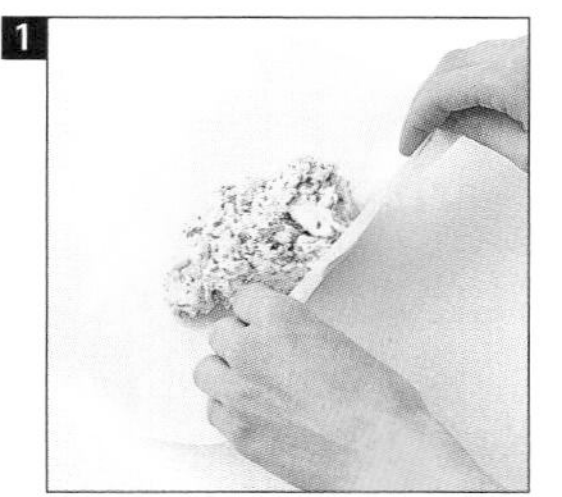

6 

7 

1 Pour faire le beurre à l'ail, mettre le beurre, l'ail et le persil dans une jatte et les mélanger à l'aide d'une cuillère en bois, puis mettre le beurre sur une feuille de papier sulfurisé, le rouler en forme de cigare et l'enrouler dans le papier. Réserver au réfrigérateur jusqu'à utilisation.

2 Dans une jatte, écraser les haricots rouges à l'aide d'un presse-purée, puis y ajouter 75 g de la chapelure. Remuer pour bien amalgamer.

3 Faire fondre le beurre dans une poêle à fond épais et faire revenir le poireau et le céleri pendant 3 à 4 minutes, sans cesser de remuer.

4 Verser la préparation à base de haricots dans la poêle, puis ajouter le persil, saler et poivrer. Bien mélanger le tout, retirer la poêle du feu et laisser refroidir pendant quelques instants.

5 Diviser la préparation obtenue en 4 morceaux de taille égale et les modeler en boules ovales.

6 Découper le beurre à l'ail en 4 tranches et déposer chaque tranche au centre de chaque boulette de haricots. Rouler la boulette avec les mains autour du beurre, de façon à bien l'emprisonner.

7 Plonger les boulettes dans l'œuf battu pour bien les enrober, puis les rouler dans le reste de la chapelure.

8 Faire chauffer l'huile dans une poêle et y faire frire les boulettes 7 à 10 minutes, en les retournant une fois. Elles doivent être bien dorées. Servir immédiatement.

Bubble and squeak

Le « bubble and squeak » anglais est un plat que l'on sert en accompagnement. Il se compose de purée de pommes de terre et de restes de légumes verts.

VALEURS NUTRITIONNELLES

Calories . . . . .301 Glucides . . . . . .29 g
Protéines . . . . . .11 g Lipides . . . . . . .18 g
Acides gras saturés . . . . . . .2 g

 15 min  40 min

4 personnes

INGRÉDIENTS

- 450 g de pommes de terre farineuses, coupées en dés
- 225 g de chou frisé, râpé
- 5 cuil. à soupe d'huile
- 2 poireaux, coupés en morceaux
- 1 gousse d'ail, hachée
- 225 g de tofu fumé, coupé en dés
- sel et poivre
- poireau, cuit et coupé en fines lanières, en garniture

1 Faire cuire les dés de pomme de terre dans une casserole d'eau bouillante légèrement salée pendant 10 minutes (elles doivent être tendres). Bien égoutter puis les réduire en purée.

2 Dans une casserole, cuire le chou à moitié à l'eau bouillante pendant 5 minutes. Bien égoutter et mélanger aux pommes de terre.

3 Faire chauffer l'huile dans une poêle à fond épais et faire revenir les poireaux et l'ail pendant 2 à 3 minutes à feu doux, puis ajouter aux pommes de terre.

4 Ajouter le tofu, saler, poivrer et laisser cuire à feu moyen pendant 10 minutes.

5 Retourner délicatement la préparation dans la poêle et continuer à faire cuire à feu moyen pendant 5 à 7 minutes (le dessous doit commencer à être croustillant). Servir immédiatement, décoré de lanières de poireau.

CONSEIL

Cette version végétarienne constitue un plat principal idéal, grâce au tofu fumé qui complète la recette de base du « bubble and squeak » pour la rendre nourrissante et consistante.

Mutter pannir

Le pannir est une sorte de fromage délicieusement frais, très utilisé dans la cuisine indienne. Facile à réaliser soi-même, il doit cependant être préparé un jour à l'avance.

VALEURS NUTRITIONNELLES

Calories ....550 Glucides ......58 g
Protéines ......19 g Lipides ....39 g
Acides gras saturés ......12 g

15 min 25 min

6 personnes

INGRÉDIENTS

150 ml d'huile
2 oignons, émincés
2 gousses d'ail, hachées
1 morceau de gingembre frais de 2,5 cm, émincé
1 cuil. à café de garam masala
1 cuil. à café de curcuma en poudre
1 cuil. à café de poudre de piment
500 g de petits pois surgelés
225 g de tomates concassées en boîte
125 ml de bouillon de légumes
sel et poivre
2 cuil. à soupe de coriandre hachée

PANNIR

2,5 l de lait entier pasteurisé
5 cuil. à soupe de jus de citron
1 gousse d'ail, hachée (facultatif)
1 cuil. à soupe de coriandre hachée (facultatif)

1 Pour faire le pannir : porter le lait à ébullition dans une casserole. Retirer du feu et incorporer le jus de citron. Remettre sur le feu environ 1 minute, jusqu'à séparation du lait caillé et du petit-lait. Retirer à nouveau du feu et passer le mélange à travers une passoire chemisée avec une double épaisseur d'étamine. Ajouter l'ail et la coriandre s'il y a lieu. Bien presser pour enlever tout le liquide au lait caillé et laisser égoutter.

2 Verser la préparation dans un grand plat, recouvrir avec une assiette et un poids lourd. Placer une nuit au réfrigérateur.

3 Couper le pannir condensé en petits cubes. Faire chauffer l'huile dans une grande poêle et faire revenir les cubes de pannir pour les faire dorer sur toutes les faces. Retirer ensuite la poêle du feu et mettre le pannir à égoutter sur du papier absorbant.

4 Enlever un peu d'huile, pour n'en laisser que 4 cuillerées à soupe, et faire revenir les oignons, l'ail et le gingembre à feu doux pendant 5 minutes, en remuant fréquemment. Incorporer les épices et faire revenir à feu doux pendant 2 minutes. Ajouter les tomates concassées, les petits pois et le bouillon, puis saler et poivrer. Couvrir la poêle et laisser mijoter pendant 10 minutes en remuant régulièrement (l'oignon doit être fondu). Ajouter les cubes de pannir et laisser cuire pendant encore 5 minutes. Parsemer de coriandre et servir.

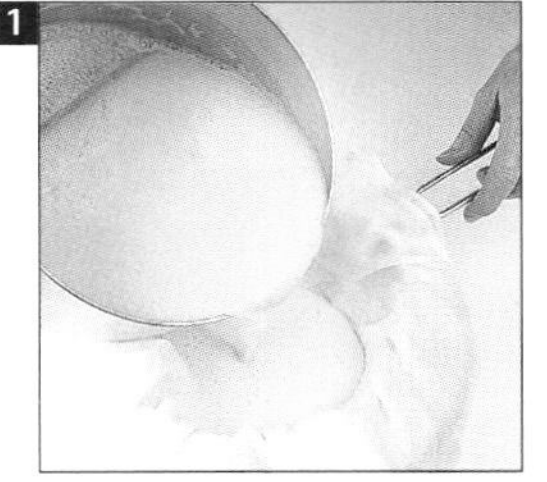
1

3

4

Röstis au fromage

Une idée savoureuse pour un petit dîner simple et rapide, à servir avec des œufs brouillés pour les plus gros appétits.

VALEURS NUTRITIONNELLES

Calories ....766 Glucides ......67 g
Protéines ......22 g Lipides ....50 g
Acides gras saturés ......20 g

 25 min  35 min

4 personnes

INGRÉDIENTS

- 1 kg de pommes de terre
- 4 cuil. à soupe de lait
- 60 g de beurre ou de margarine
- 2 poireaux, coupés fin
- 1 oignon, émincé
- 175 g de cheddar fort ou d'emmental, râpé
- 1 cuil. à soupe de persil ou de ciboulette haché(e)
- 1 œuf, battu
- 2 cuil. à soupe d'eau
- 90 g de chapelure blanche ou blonde
- huile, pour la friture
- sel et poivre
- brins de persil plat frais, en garniture
- mesclun, en accompagnement

1 Faire cuire les pommes de terre dans une casserole d'eau bouillante légèrement salée (elles doivent être tendres), puis les égoutter et les réduire en purée avec le lait et le beurre ou la margarine.

2 Faire cuire les poireaux et l'oignon dans un peu d'eau bouillante légèrement salée pendant environ 10 minutes, pour bien les ramollir. Bien égoutter.

3 Dans une grande jatte, mélanger les poireaux et l'oignon avec la purée de pomme de terre, le fromage et le persil ou la ciboulette. Saler et poivrer.

4 Battre l'œuf avec l'eau dans une jatte peu profonde et étaler la chapelure dans une petite jatte à part. Diviser la préparation à base de pommes de terre en 12 morceaux de taille égale et les modeler pour en faire des galettes, puis les tremper dans l'œuf et les rouler dans la chapelure pour bien les enrober.

5 Faire chauffer l'huile dans une grande poêle et y mettre les röstis à frire à feu doux, en plusieurs fois si nécessaire, pendant 2 ou 3 minutes de chaque côté. Ils doivent être légèrement dorés. Décorer avec du persil plat et servir accompagné d'une petite salade.

Curry vert au tempeh

La pâte de curry verte se conserve jusqu'à trois semaines au réfrigérateur. Servir ce curry sur du riz ou des nouilles.

VALEURS NUTRITIONNELLES

Calories ....237 Glucides ....9 g
Protéines ......16 g Lipides ....17 g
Acides gras saturés ....3 g

 20 min  15 à 20 min

4 personnes

INGRÉDIENTS

- 1 cuil. à soupe d'huile de tournesol
- 175 g de tempeh mariné ou nature, coupé en losanges
- 6 oignons verts, coupés en morceaux de 2,5 cm
- 150 ml de lait de coco
- zeste râpé d'un citron vert
- 15 g de feuilles de basilic frais
- ½ de cuil. à café d'assaisonnement liquide

PÂTE DE CURRY VERT

- 2 cuil. à café de graines de coriandre
- 1 cuil. à café de graines de cumin
- 1 cuil. à café de grains de poivre noir
- 4 gros piments verts, épépinés
- 2 échalotes, coupées en quatre
- 2 gousses d'ail, hachées
- 2 cuil. à soupe de coriandre hachée
- zeste râpé d'un citron vert
- 1 cuil. à soupe de gingembre thaïlandais coupé en dés (galanga)
- 1 cuil. à café de curcuma en poudre
- sel
- 2 cuil. à soupe d'huile

GARNITURE

- feuilles de coriandre
- 2 piments verts, coupés en fines rondelles

1 Pour faire la pâte de curry vert : passer les graines de coriandre et de cumin avec les grains de poivre au robot de cuisine ou les piler dans un mortier.

2 Mélanger le reste des ingrédients puis ajouter les épices broyées. Conserver la pâte obtenue dans un récipient sec jusqu'à 3 semaines au réfrigérateur, ou bien la congeler.

3 Faire chauffer l'huile dans un wok ou dans une grande poêle à fond épais et faire revenir le tempeh à feu vif environ 2 minutes (il doit être saisi sur tous les cotés). Ajouter les oignons verts et poêler à feu vif pendant 1 minute, puis retirer le tempeh et les oignons verts. Réserver.

4 Verser la moitié du lait de coco dans le wok ou la poêle et porter à ébullition. Mettre 6 cuillerées à soupe de la pâte de curry et le zeste de citron vert, laisser cuire 1 minute (les saveurs doivent commencer à se libérer) puis réintégrer le tempeh et les oignons verts.

5 Ajouter le reste de lait de coco dans le wok et laisser mijoter pendant 7 à 8 minutes. Incorporer les feuilles de basilic et l'assaisonnement liquide, laisser mijoter pendant 1 minute et décorer avec les feuilles de coriandre et les piments avant de servir.

3

4

5

Gombos au curry

Un excellent bhujia (curry de légumes) sec, à servir chaud avec des chapati. Le gombo se cuisine avec peu d'épices car c'est un légume délicat.

VALEURS NUTRITIONNELLES

Calories	371	Glucides	18 g
Protéines	4 g	Lipides	35 g
Acides gras saturés	4 g		

 10 min  30 min

4 personnes

INGRÉDIENTS

- 450 g de gombos
- 150 ml d'huile
- 2 oignons moyens, émincés
- 3 piment verts, finement hachés
- 2 feuilles de curry
- 1 cuil. à café de sel
- 1 tomate, coupée en tranches
- 2 cuil. à soupe de jus de citron
- feuilles de coriandre fraîche

1 Rincer les gombos et bien les égoutter. Puis, à l'aide d'un couteau tranchant, en retirer les extrémités. Détailler les gombos en tronçons de 2 ou 3 cm.

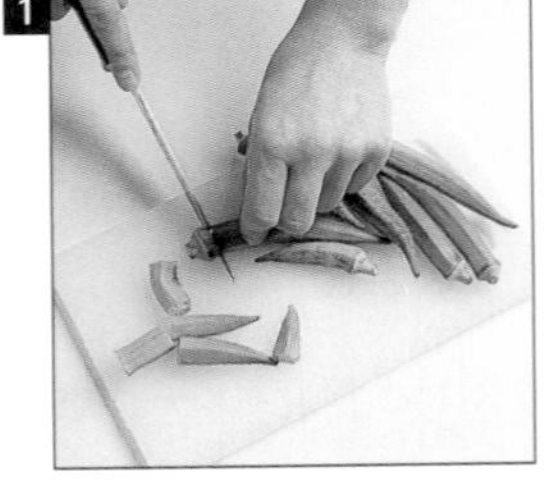

2 Faire chauffer l'huile dans une grande poêle à fond épais. Y faire suer les oignons, les piments verts et les feuilles de curry. Saler et mélanger, puis faire revenir pendant environ 5 minutes.

3 Ajouter progressivement les gombos à l'aide d'une écumoire, en mélangeant soigneusement. Faire revenir les légumes pendant environ 12 à 15 minutes, à feu modéré.

4 Ajouter les rondelles de tomates et arroser légèrement de jus de citron. Goûter et rectifier l'assaisonnement si nécessaire.

5 Parsemer de feuilles de coriandre, couvrir et laisser cuire à feu doux 3 à 5 minutes.

6 Répartir les légumes sur un plat chaud et servir immédiatement.

INFORMATION

Le gombo possède une texture très visqueuse qui en fait un épaississant naturel des currys.

Paella aux noix de cajou

Cette recette de paëlla, composée d'une multitude de légumes et de noix de cajou, constitue un repas végétarien facile à cuisiner et vraiment délicieux.

VALEURS NUTRITIONNELLES

Calories ....406 Glucides ......52 g
Protéines ......10 g Lipides ....22 g
Acides gras saturés ....6 g

 15 min  35 min

4 personnes

INGRÉDIENTS

- 2 cuil. à soupe d'huile d'olive
- 1 cuil. à soupe de beurre
- 1 oignon rouge, émincé
- 150 g de riz arborio (riz rond)
- 1 cuil. à café de curcuma en poudre
- 1 cuil. à café de cumin en poudre
- ½ cuil. à café de poudre de piment
- 3 gousses d'ail, hachées
- 1 piment vert, coupé en rondelles
- 1 poivron vert, épépiné et coupé en dés
- 1 poivron rouge, épépiné et coupé en dés
- 75 g d'épis de maïs nains, coupés en deux dans la longueur
- 2 cuil. à soupe d'olives noires dénoyautées
- 1 grosse tomate, épépinée et coupée en dés
- 450 ml de bouillon de légumes
- 75 g de noix de cajou non salées
- 50 g de petits pois surgelés
- 2 cuil. à soupe de persil haché
- 1 pincée de poivre de Cayenne
- sel et poivre
- fines herbes, en garniture

1 Faire chauffer l'huile et faire fondre le beurre dans une grande poêle.

2 Faire revenir l'oignon dans la poêle pendant 2 à 3 minutes à feu moyen, sans cesser de remuer.

3 Ajouter le riz, le curcuma en poudre, le cumin en poudre, la poudre de piment, l'ail, le piment en rondelles, les dés de poivrons, les épis de maïs, les olives noires et les dés de tomate. Faire revenir à feu moyen pendant 1 à 2 minutes, en remuant de temps en temps.

4 Verser le bouillon dans la poêle, porter à ébullition, puis réduire le feu et faire cuire pendant 20 minutes, sans cesser de remuer.

5 Ajouter les noix de cajou et les petits pois et faire cuire pendant encore 5 minutes sans cesser de remuer. Saler et poivrer, puis parsemer de persil haché et de poivre de Cayenne. Mettre la paella dans des assiettes chaudes, décorer et servir immédiatement.

Œufs au curry

Un curry très rapide à préparer, qui peut être servi en accompagnement, ou avec des paratas pour faire un déjeuner léger.

VALEURS NUTRITIONNELLES

Calories ....189 Glucides ....7 g
Protéines ....7 g Lipides ....16 g
Acides gras saturés ....3 g

 10 min — 15 min

4 personnes

INGRÉDIENTS

- 4 cuil. à soupe d'huile
- 1 oignon moyen, coupé en rondelles
- 1 piment rouge frais, haché
- ½ cuil. à café de poudre de piment
- ½ cuil. à café de gingembre frais émincé
- ½ cuil. à café d'ail frais haché
- 4 œufs moyens
- 1 tomate ferme, coupée en rondelles
- feuilles de coriandre fraîche
- paratas, en accompagnement (facultatif)

1 Faire chauffer l'huile dans une grande casserole à fond épais et faire revenir l'oignon en rondelles à feu moyen pendant environ 5 minutes, en remuant de temps en temps. Il doit être juste fondu et légèrement doré.

2 Baisser le feu et ajouter le piment rouge, la poudre de piment, le gingembre émincé et l'ail haché. Faire revenir à feu doux environ 1 minute, sans cesser de remuer.

3 Ajouter les œufs et la tomate et faire cuire pendant 3 à 5 minutes, en cassant les œufs quand ils commencent à cuire.

4 Parsemer de feuilles de coriandre fraîche.

5 Répartir les œufs au curry dans des assiettes chaudes et servir chaud, éventuellement accompagné de paratas.

1

2

2

CONSEIL

Dans la cuisine indienne, on utilise les feuilles et la tige de la coriandre pour parfumer les plats, et c'est également une jolie décoration que l'on peut manger. Elle a un goût très particulier et très prononcé.

Curry fort de légumes

On peut varier à loisir les légumes de cette recette selon son goût personnel : tentez de nouvelles expériences !

VALEURS NUTRITIONNELLES

Calories ....408 Glucides ......59 g
Protéines ......11 g Lipides ....24 g
Acides gras saturés ....3 g

30 min  45 min

4 personnes

INGRÉDIENTS

- 225 g de navets ou de rutabagas
- 1 aubergine, éboutée
- 350 g de pommes de terre nouvelles, brossées
- 225 g de chou-fleur, en fleurettes
- 225 g de champignons de Paris, frottés
- 1 gros oignon, épluché
- 225 g de carottes, épluchées
- 6 cuil. à soupe de ghee (beurre clarifié) ou d'huile
- 2 gousses d'ail, épluchées et hachées
- 1 morceau de gingembre frais de 5 cm, pelé et émincé
- 1 ou 2 piment(s) vert(s) frais, épépiné(s) et émincé(s)
- 1 cuil. à soupe de paprika
- 2 cuil. à café de coriandre en poudre
- 1 cuil. à soupe de poudre ou de pâte de curry doux ou moyennement épicé(e)
- 450 ml de bouillon de légumes
- 400 g de tomates concassées en boîte
- sel
- 1 poivron vert, épépiné et coupé en lamelles
- 1 cuil. à soupe de maïzena
- 150 ml de lait de coco
- 2 ou 3 cuil. à soupe d'amandes en poudre
- brins de coriandre, en garniture

1 Couper les navets ou les rutabagas, l'aubergine et les pommes de terre en cubes de 1 cm.

2 Laisser les champignons entiers ou les couper en gros morceaux et couper l'oignon et les carottes en rondelles.

3 Faire chauffer le ghee ou l'huile dans une grande casserole et faire revenir oignon, navets, pommes de terre et chou-fleur à feu doux 3 minutes, en remuant fréquemment.

4 Ajouter ail, gingembre, piment et épices, et cuire 1 minute sans cesser de remuer.

5 Verser le bouillon et les tomates concassées dans la casserole et ajouter l'aubergine et les champignons. Saler, puis couvrir et laisser mijoter à feu doux environ 30 minutes, en remuant de temps en temps (les légumes doivent être tendres). Ajouter le poivron, couvrir et faire cuire encore 5 minutes.

6 Mélanger délicatement la maïzena avec le lait de coco puis verser le mélange dans la casserole. Ajouter les amandes en poudre et faire mijoter pendant 2 minutes sans cesser de remuer. Goûter, saler à nouveau si besoin et servir chaud, décoré avec des brins de coriandre.

Poêlée de pommes de terre

Une variante du plat traditionnel américain appelé « beef hash », que l'on préparait avec du bœuf salé et des restes, et que l'on servait aux marins en Nouvelle-Angleterre.

VALEURS NUTRITIONNELLES

Calories ....302 Glucides ......45 g
Protéines ......15 g Lipides ....10 g
Acides gras saturés ....4 g

 10 min 30 min

4 personnes

INGRÉDIENTS

- 25 g de beurre
- 1 oignon rouge, coupé en deux puis en rondelles
- 1 carotte, coupée en dés
- 25 g de haricots verts, coupés en deux
- 3 grosses pommes de terre à chair ferme, coupées en dés
- 2 cuil. à soupe de farine
- 600 ml de bouillon de légumes
- 225 g de tofu, coupé en dés
- sel et poivre
- persil haché, en garniture

1 Faire fondre le beurre dans une grande poêle à fond épais et faire revenir l'oignon, la carotte, les haricots verts et les pommes de terre à feu plutôt doux pendant 5 à 7 minutes, sans cesser de remuer. Les légumes doivent commencer à dorer.

2 Ajouter la farine, faire revenir 1 minute et incorporer le bouillon en remuant.

3 Baisser le feu au minimum puis laisser mijoter pendant environ 15 minutes afin que les pommes de terre soient bien tendres et le bouillon absorbé.

4 Ajouter le tofu et laisser cuire pendant 5 minutes. Saler et poivrer.

5 Décorer la poêlée avec le persil haché et servir directement dans la poêle.

1

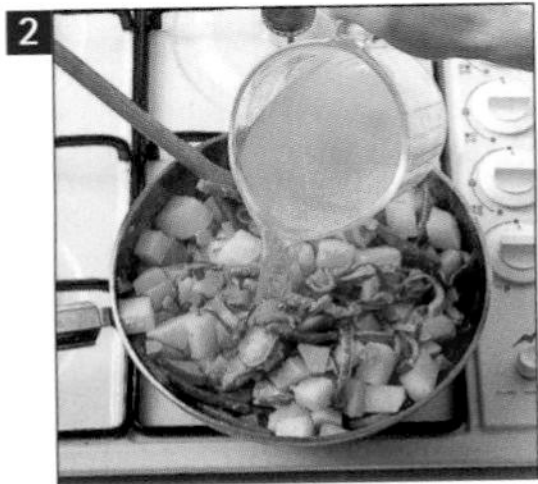
2

4

INFORMATION

« To hash » est un terme américain qui veut dire découper les aliments en petits morceaux. Un « hash » traditionnel est donc préparé avec des ingrédients frais coupés finement, comme des poivrons ou de l'oignon.

Curry de pannir aux épinards

Un curry végétarien plein de protéines et de fer. Le pannir est une sorte de fromage frais facile à réaliser soi-même, mais qu'il faut préparer un jour à l'avance.

VALEURS NUTRITIONNELLES

Calories ....578 Glucides ....8 g
Protéines ......10 g Lipides ....58 g
Acides gras saturés ....7 g

20 à 30 min 25 min

4 personnes

INGRÉDIENTS

300 ml d'huile

200 g de pannir, coupé en cubes (*voir* page 185)

3 tomates, coupées en rondelles

1 cuil. à café de cumin en poudre

1 cuil. à café ½ de poudre de piment

1 cuil. à café de sel

400 g d'épinards

3 piments verts

poori ou riz cuit à l'eau, en accompagnement

1 Faire chauffer l'huile dans une grande poêle à fond épais et faire revenir les cubes de pannir en remuant de temps en temps, pour bien les faire dorer.

2 Retirer le pannir de la poêle à l'aide d'une écumoire et le laisser égoutter sur du papier absorbant.

3 Ajouter les tomates dans la poêle et les poêler à feu vif pendant 5 minutes en les cassant à l'aide d'une cuillère.

4 Ajouter le cumin en poudre, la poudre de piment et le sel. Bien mélanger.

5 Ajouter les épinards dans la poêle et faire rissoler à feu doux pendant 7 à 10 minutes pour faire réduire les épinards.

1

3

4

6 Remettre les cubes de pannir avec les piments verts dans la poêle et faire cuire pendant encore 2 minutes, sans cesser de remuer.

7 Répartir la préparation obtenue dans des assiettes chaudes et servir immédiatement accompagné de poori ou de riz cuit nature.

VARIANTE

Vous pouvez utiliser des épinards congelés pour cette recette : il suffit de les faire décongeler complètement et de les essorer le plus possible avant de les mettre dans la poêle.

Curry haricots-pommes de terre

Vous pouvez utiliser des haricots verts frais ou en boîte pour cette recette de curry plutôt sec, qui offrira un beau contraste visuel et gustatif si vous le servez avec un dhaal au baghaar.

VALEURS NUTRITIONNELLES

Calories ....690 Glucides ......20 g
Protéines ....3 g Lipides ....69 g
Acides gras saturés ....7 g

 15 min  30 min

4 personnes

INGRÉDIENTS

- 300 ml d'huile
- 1 cuil. à café de graines de cumin
- 1 cuil. à café de mélange de graines de moutarde et de graines de nigelle
- 4 piments rouges séchés
- 3 tomates fraîches, coupées en rondelles
- 1 cuil. à café de sel
- 1 cuil. à café de gingembre frais émincé
- 1 cuil. à café d'ail pilé
- 1 cuil. à café de poudre de piment
- 200 g de haricots verts, coupés
- 2 pommes de terre moyennes, coupées en cubes
- 300 ml d'eau
- quelques feuilles de coriandre, hachées
- 2 piments verts, hachés
- riz nature, en accompagnement

1 Faire chauffer l'huile dans une grande casserole à fond épais, puis baisser le feu et faire revenir les graines de cumin, de moutarde et de nigelle avec les piments rouges séchés, en remuant bien.

2 Ajouter les tomates et faire revenir en remuant pendant 3 à 5 minutes.

3 Mélanger le sel avec le gingembre, l'ail et la poudre de piment, puis ajouter la préparation obtenue à la précédente dans la casserole. Bien mélanger.

4 Ajouter ensuite les haricots verts et les pommes de terre et faire rissoler pendant environ 5 minutes.

5 Verser ensuite l'eau dans la casserole, baisser le feu au minimum et laisser mijoter pendant 10 à 15 minutes, en remuant de temps en temps.

6 Garnir le curry de pommes de terre et de haricots verts avec la coriandre et les piments verts hachés et servir chaud accompagné de riz nature.

1

2

3

CONSEIL

On fait souvent revenir les graines de moutarde dans de l'huile ou du ghee pour leur permettre de libérer leur arôme avant de les mélanger aux autres ingrédients.

Boulettes à la feta

Des carottes, des courgettes et de la feta râpées et mélangées avec des graines de cumin, des graines de pavot, de la poudre de curry et du persil frais haché.

VALEURS NUTRITIONNELLES

Calories . . . . .217 Glucides . . . . . .18 g
Protéines . . . . . . .6 g Lipides . . . . . . .16 g
Acides gras saturés . . . . . . .7 g

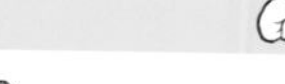 15 min 20 min

4 personnes

INGRÉDIENTS

2 grosses carottes
1 grosse courgette
1 petit oignon
60 g de feta
25 g de farine
¼ de cuil. à café de graines de cumin
½ cuil. à café de graines de pavot
1 cuil. à café de poudre de curry moyennement épicé
1 cuil. à soupe de persil frais haché
1 œuf, battu
25 g de beurre
2 cuil. à soupe d'huile
sel et poivre
fines herbes, en garniture

1 Râper grossièrement les carottes, la courgette, l'oignon et la feta, à la main ou dans un robot.

2 Mélanger la farine, les graines de cumin et de pavot, la poudre de curry et le persil dans une jatte, en salant et en poivrant.

3 Ajouter la première préparation dans la jatte et remuer pour bien amalgamer le tout. Incorporer ensuite l'œuf battu.

4 Faire chauffer le beurre et l'huile dans une grande poêle à fond épais, y disposer de bonnes cuillerées à soupe de la préparation en les aplatissant un peu avec le dos d'une cuillère et les faire frire à feu doux pendant 2 minutes de chaque côté pour qu'elles soient dorées et croustillantes à l'extérieur. Les laisser égoutter sur du papier absorbant et les garder au chaud le temps de frire les autres boulettes.

5 Décorer avec des fines herbes et servir immédiatement.

2

3

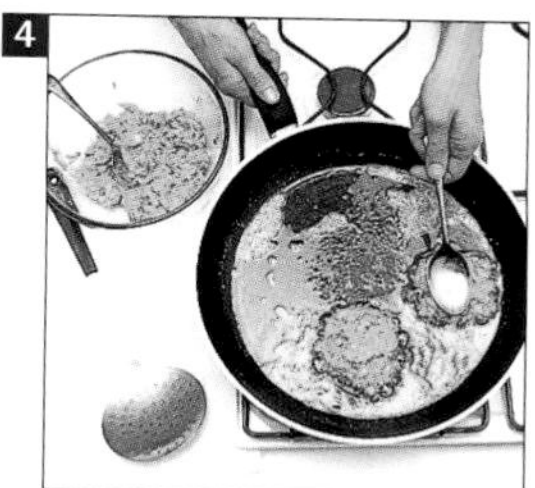
4

Légumes à l'aigre-douce

Un plat qui, accompagné de nouilles nature ou de riz blanc bien gonflé, constituera un repas oriental copieux et savoureux.

VALEURS NUTRITIONNELLES

Calories . . . . .401 Glucides . . . . . .86 g
Protéines . . . . . .14 g Lipides . . . . .9 g
Acides gras saturés . . . . . . .2 g

 10 min  15 min

4 personnes

INGRÉDIENTS

- 1 cuil. à soupe d'huile d'arachide
- 2 gousses d'ail, hachées
- 1 cuil. à café de gingembre frais râpé
- 50 g d'épis de maïs nains
- 50 g de pois mange-tout
- 1 carotte, coupée en julienne
- 1 poivron vert, épépiné et coupé en julienne
- 8 oignons verts
- 50 g de pousses de bambou en boîte
- 225 g de tofu ferme mariné, coupé en dés
- 2 cuil. à soupe de xérès ou d'alcool de riz
- 2 cuil. à soupe de vinaigre de riz
- 2 cuil. à soupe de miel liquide
- 1 cuil. à soupe de sauce de soja claire
- 150 ml de bouillon de légumes
- 1 cuil. à soupe de maïzena
- nouilles ou riz cuit à l'eau, en accompagnement

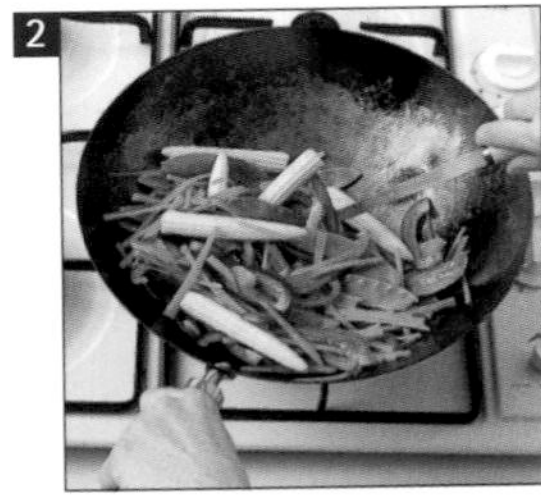
2

3

4

1 Faire chauffer l'huile dans un wok préchauffé, presque fumant, et faire revenir l'ail et le gingembre à feu moyen pendant 30 secondes, en remuant fréquemment.

2 Ajouter les épis de maïs, les pois mange-tout et la julienne de carotte et de poivron. Poêler à feu vif pendant environ 5 minutes en remuant. Les légumes doivent être tendres mais toujours croquants.

3 Ajouter oignons verts, pousses de bambou et tofu, et laisser cuire pendant 2 minutes.

4 Verser dans le wok le xérès ou l'alcool de riz, le vinaigre de riz, le miel, la sauce de soja, le bouillon de légumes et la maïzena, puis porter à ébullition. Baisser le feu au minimum et laisser mijoter pendant 2 minutes (le tout doit être bien chaud). Disposer dans un plat chaud et servir immédiatement.

Poêlée de légumes et de pâtes

La rencontre de l'Orient et de l'Occident, avec ce plat délicieux qui peut être réalisé en quelques minutes si l'on prépare tous les légumes et que l'on cuit les pâtes à l'avance.

VALEURS NUTRITIONNELLES

Calories ....383 Glucides ......50 g
Protéines ......14 g Lipides ....23 g
Acides gras saturés ....8 g

 20 min  30 min

4 personnes

INGRÉDIENTS

- 400 g de penne de blé complet ou de pâtes courtes
- 1 cuil. à soupe d'huile d'olive
- 2 carottes, coupées en fines rondelles
- 115 g d'épis de maïs nains
- 3 cuil. à soupe d'huile d'arachide
- 1 morceau de gingembre frais de 2,5 cm, coupé en fines rondelles
- 1 gros oignon, coupé en fines rondelles
- 1 gousse d'ail, coupée en fines rondelles
- 3 branches de céleri, coupées en fines rondelles
- 1 petit poivron rouge, épépiné et coupé en fines lamelles
- 1 petit poivron vert épépiné et coupé en fines lamelles
- sel
- pois mange-tout cuits à la vapeur, en accompagnement

SAUCE

- 1 cuil. à café de maïzena
- 2 cuil. à soupe d'eau
- 3 cuil. à soupe de sauce de soja
- 3 cuil. à soupe de xérès sec
- 1 cuil. à café de miel liquide
- 1 trait de sauce pimentée (facultatif)

1 Faire cuire les pâtes dans de l'eau bouillante légèrement salée, en y mettant la cuillerée à soupe d'huile d'olive. Une fois al dente, les égoutter et les reverser dans la casserole. Couvrir et réserver au chaud.

2 Faire cuire les carottes et les épis de maïs à l'eau bouillante légèrement salée 2 minutes, puis les égoutter dans une passoire, les plonger dans de l'eau froide pour stopper la cuisson et les égoutter à nouveau.

3 Faire chauffer l'huile d'arachide à feu moyen dans une grande poêle, et poêler le gingembre sans cesser de remuer pendant 1 minute, pour parfumer l'huile. Retirer les morceaux de gingembre à l'aide d'une écumoire et les jeter.

4 Mettre l'oignon, l'ail, le céleri et les poivrons dans la poêle et les poêler à feu moyen pendant 2 minutes. Ajouter les carottes et les épis de maïs et poêler encore 2 minutes avant d'y verser les pâtes cuites.

5 Verser la maïzena dans une petite jatte et la mélanger avec l'eau de façon à former une pâte. Ajouter la sauce de soja, le xérès et le miel.

6 Verser la sauce dans la poêle en remuant bien et laisser cuire pendant 2 minutes, en remuant une ou deux fois. Goûter la sauce et la relever éventuellement d'un peu de sauce pimentée. Servir accompagné d'un légume vert cuit à la vapeur, par exemple des haricots mange-tout.

3

4

6
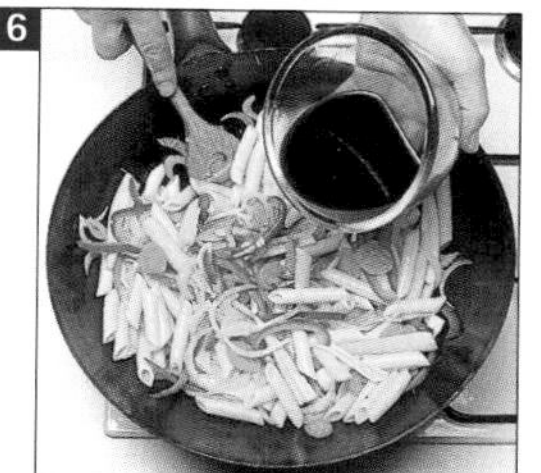

Ragoûts & Plats au four

Ce chapitre propose une sélection de recettes d'une très grande diversité. Preuve sera désormais faite aux détracteurs de la cuisine végétarienne que cette manière

d'accommoder les plats est loin d'être fade ou terne. On trouve dans ce chapitre des accents de cuisine mexicaine ou chinoise, mais également des ragoûts traditionnels et des plats au four consistants qui peuvent, dans toutes les circonstances et en toute saison, constituer des repas appétissants. N'hésitez pas, lorsque vous le souhaitez, à remplacer certains ingrédients. Il est toujours possible d'adapter les recettes et de leur ajouter une petite touche personnelle.

Potée de lentilles au riz

Un mets vraiment copieux, idéal pour un jour d'hiver quand on ne rêve que d'un bon plat bien chaud et nourrissant.

VALEURS NUTRITIONNELLES

Calories	312	Glucides	60 g
Protéines	20 g	Lipides	2 g
Acides gras saturés	0,4 g		

 15 min

 40 min

4 personnes

INGRÉDIENTS

- 225 g de masoor dhaal (lentilles rouges)
- 50 g de riz long
- 1,2 l de bouillon de légumes
- 1 poireau, coupé en gros morceaux
- 3 gousses d'ail, hachées
- 400 g de tomates concassées en boîte
- 1 cuil. à café de cumin en poudre
- 1 cuil. à café de poudre de piment
- 1 cuil. à café de garam masala
- 1 poivron rouge, épépiné et coupé en lanières
- 100 g de brocoli, en fleurettes
- 8 épis de maïs nains, coupés en deux dans la longueur
- 50 g de haricots verts, coupés en deux
- 1 cuil. à soupe de basilic ciselé
- sel et poivre
- brins de basilic frais, pour garnir

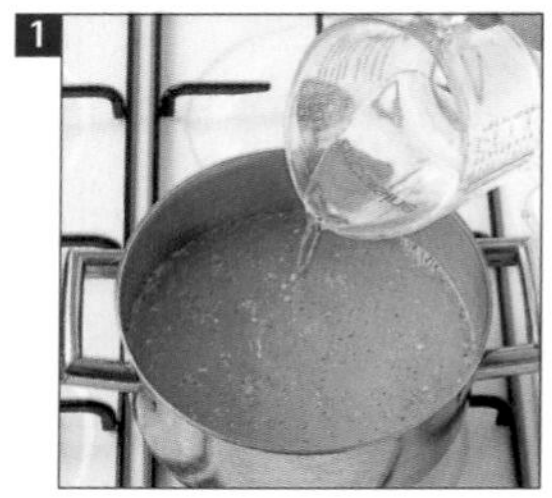

VARIANTE

Vous pouvez utiliser une autre variété de riz pour cette recette, par exemple du riz complet ou du riz sauvage.

1 Mettre les lentilles, le riz et le bouillon de légumes dans une grande cocotte et faire cuire à feu doux pendant 20 minutes, en remuant de temps en temps.

2 Ajouter le poireau, l'ail, les tomates avec leur jus, le cumin en poudre, la poudre de piment, le garam masala, les lanières de poivron, le brocoli, les épis de maïs et les haricots verts.

3 Porter à ébullition puis baisser le feu, couvrir et laisser mijoter pendant 10 à 15 minutes, jusqu'à ce que les légumes soient bien tendres.

4 Ajouter le basilic, saler et poivrer à son goût.

5 Garnir de feuilles de basilic frais et servir immédiatement.

Gratin à l'anglaise

Un gratin que l'on peut faire cuire dans un seul grand plat ou dans quatre petits plats individuels.

VALEURS NUTRITIONNELLES

Calories . . . . 313 Glucides . . . . . . 40 g
Protéines . . . . 9 g Lipides . . . . 18 g
Acides gras saturés . . . . 7 g

 15 min  55 min

4 personnes

INGRÉDIENTS

PÂTE À CRÊPES

- 100 g de farine
- 2 œufs, battus
- 200 ml de lait
- 2 cuil. à soupe de moutarde à l'ancienne
- 2 cuil. à soupe d'huile

GARNITURE

- 25 g de beurre
- 2 gousses d'ail, hachées
- 1 oignon, coupé en huit
- 75 g de jeunes carottes, coupées en deux dans la longueur
- 50 g de haricots verts
- 50 g de maïs en boîte, égoutté
- 2 tomates, épépinées et coupées en gros morceaux
- 1 cuil. à café de moutarde à l'ancienne
- 1 cuil. à soupe de fines herbes hachées
- sel et poivre

1

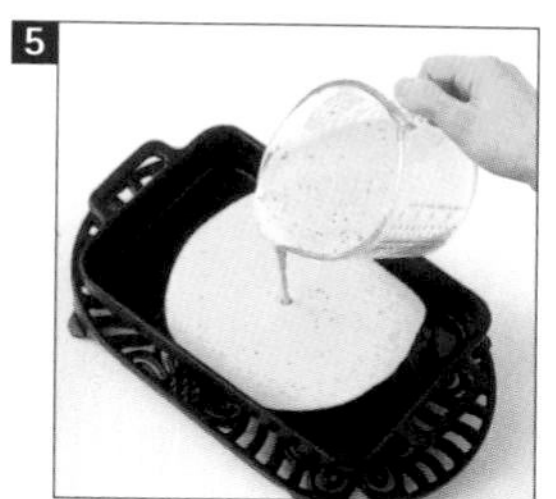

5

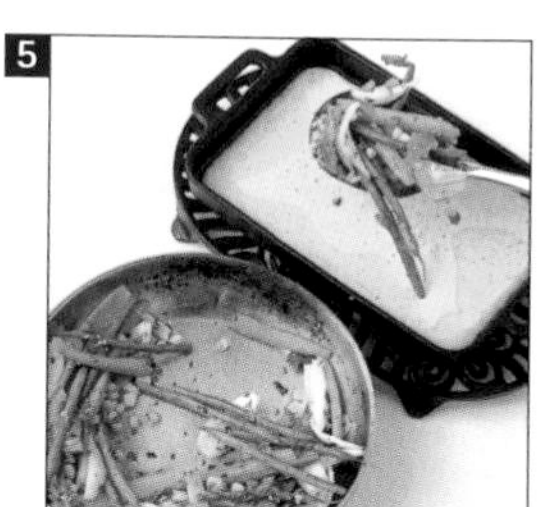

5

1 Tamiser la farine et une pincée de sel au-dessus d'une jatte. Ajouter les œufs et le lait en battant, jusqu'à obtention d'une pâte. Ajouter la moutarde, remuer et laisser reposer.

2 Verser l'huile dans un plat à gratin peu profond et mettre au four préchauffé, à 210 °C (th. 7) pendant 10 minutes.

3 Pour faire la garniture : faire fondre le beurre dans une poêle et faire revenir l'oignon et l'ail pendant 2 minutes, sans cesser de remuer. Faire cuire les carottes et les haricots à l'eau bouillante 7 minutes, jusqu'à ce qu'ils soient tendres. Bien égoutter.

4 Verser le maïs et les tomates dans la poêle, ainsi que la moutarde et les herbes. Bien saler et poivrer, puis ajouter les carottes et les haricots.

5 Retirer le plat du four, verser la pâte à crêpes au fond puis étaler la garniture de légumes par-dessus. Remettre au four et laisser cuire pendant 30 à 35 minutes. La pâte doit être levée et prise. Servir le gratin immédiatement.

Gâteau de crêpes aux épinards

Des crêpes à base de farine de sarrasin au léger goût de noix, empilées et fourrées d'un mélange d'épinards et de fromage blanc, le tout recouvert de fromage croustillant.

VALEURS NUTRITIONNELLES

Calories ....467 Glucides ......41 g
Protéines ......29 g Lipides ....26 g
Acides gras saturés ....7 g

 45 min  1 h 05

4 personnes

INGRÉDIENTS

- 125 g de farine de sarrasin
- 1 œuf, battu
- 1 cuil. à soupe d'huile de noix
- 300 ml de lait
- 2 cuil. à café d'huile

GARNITURE

- 1 kg de jeunes feuilles d'épinards
- 2 cuil. à soupe d'eau
- 1 botte d'oignons verts, partie verte et blanche, émincés
- 2 cuil. à café d'huile de noix
- 1 œuf, battu
- 1 jaune d'œuf
- 225 g de fromage blanc
- ½ cuil. à café de muscade râpée
- 25 g de cheddar fort ou d'emmental, râpé
- 25 g de cerneaux de noix
- sel et poivre

5

6

7

1 Tamiser la farine au-dessus d'une jatte et y verser les balles restant au fond du tamis.

2 Creuser un puits dans la farine et y mettre l'œuf et l'huile de noix, puis incorporer progressivement le lait en battant bien, jusqu'à obtention d'une pâte à crêpes homogène. Laisser reposer pendant 30 minutes.

3 Pour la garniture : laver les épinards et les tasser dans une casserole en ajoutant l'eau. Bien couvrir et cuire à feu vif 5 à 6 minutes pour les faire réduire. Égoutter et laisser refroidir.

4 Faire revenir les oignons verts à feu doux dans l'huile de noix pendant 2 à 3 minutes, pour les faire fondre, puis les laisser égoutter sur du papier absorbant.

5 Battre la pâte à crêpes. Enduire une crêpière d'huile, la faire chauffer et y verser assez de pâte pour recouvrir le fond. Laisser cuire pendant 1 à 2 minutes pour que la crêpe prenne, puis la retourner et laisser cuire encore 1 minute (le dessous doit être bien doré). Mettre la crêpe ainsi cuite sur une assiette chaude, et répéter l'opération de façon à obtenir entre 8 et 10 crêpes, séparées par des feuilles de papier sulfurisé.

6 Couper les épinards et enlever l'excédent d'eau à l'aide de papier absorbant. Les mélanger aux oignons verts. Ajouter l'œuf battu, le jaune d'œuf, le fromage blanc et la muscade. Saler et poivrer.

7 Sur une plaque de four chemisée de papier sulfurisé, empiler des couches de crêpe et de garniture aux épinards, en finissant par une crêpe. Parsemer de fromage râpé et faire cuire au four préchauffé, à 190 °C (th. 6-7), 20 à 25 minutes. Le gâteau doit être ferme et doré. Parsemer de noix et servir immédiatement.

Potée de légumes d'hiver

Une excellente idée de dîner copieux, à servir avec du pain frais et croustillant pour saucer le délicieux jus des légumes.

1

2

4

VALEURS NUTRITIONNELLES

Calories	211	Glucides	32 g
Protéines	11 g	Lipides	6 g
Acides gras saturés	0,8 g		

 10 min   40 min

4 personnes

INGRÉDIENTS

- 1 cuil. à soupe d'huile d'olive
- 1 oignon rouge, coupé en deux puis en rondelles
- 3 gousses d'ail, hachées
- 225 g d'épinards
- 1 bulbe de fenouil, coupé en huit
- 1 poivron rouge, épépiné et coupé en dés
- 1 cuil. à soupe de farine
- 450 ml de bouillon de légumes
- 6 cuil. à soupe de vin blanc sec
- 400 g de pois chiches en boîte, égouttés
- 1 feuille de laurier
- 1 cuil. à café de coriandre en poudre
- ½ cuil. à café de paprika
- sel et poivre
- frondes de fenouil, pour garnir

1 Faire chauffer l'huile d'olive dans une grande cocotte et faire revenir l'oignon et l'ail à feu doux pendant 1 minute, en remuant fréquemment. Ajouter les épinards et faire cuire pendant 4 minutes en remuant de temps en temps, jusqu'à ce qu'ils flétrissent.

2 Ajouter les morceaux de fenouil et de poivron et faire revenir pendant 2 minutes sans cesser de remuer.

3 Incorporer la farine et faire cuire sans cesser de remuer pendant 1 minute.

4 Ajouter le bouillon de légumes, le vin blanc, les pois chiches, la feuille de laurier, la coriandre en poudre et le paprika. Couvrir et laisser mijoter pendant 30 minutes. Lorsque la préparation est cuite, saler et poivrer. Garnir avec des frondes de fenouil et servir immédiatement directement dans la cocotte.

CONSEIL

Vous pouvez également utiliser d'autres légumineuses en boîte ou un assortiment de haricots pour cette recette.

Soufflé aux trois fromages

Un soufflé très facile à réussir et délicieusement savoureux et fondant, que l'on peut réaliser avec d'autres sortes de fromage, si l'on préfère.

VALEURS NUTRITIONNELLES

Calories ....447 Glucides ......42 g
Protéines ......22 g Lipides ....23 g
Acides gras saturés ......11 g

10 min 55 min

4 personnes

INGRÉDIENTS

25 g de beurre
2 cuil. à café de farine
900 g de pommes de terre farineuses
8 œufs, blancs et jaunes séparés
25 g de gruyère, râpé
25 g de bleu, émietté
25 g de cheddar fort ou de mimolette, râpé(e)
sel et poivre

1 Beurrer un moule à soufflé d'une contenance de 2,4 l et le saupoudrer de farine. Réserver.

2 Faire cuire les pommes de terre dans de l'eau bouillante (elles doivent être bien tendres), puis les réduire en purée homogène. Laisser la purée refroidir dans une jatte.

3 Incorporer les jaunes d'œufs à la purée en battant bien, puis ajouter le gruyère, le bleu et le cheddar. Bien amalgamer le tout, saler et poivrer.

4 Battre les blancs en neige et les incorporer à la préparation précédente en remuant délicatement à l'aide d'une cuillère en métal.

5 À l'aide d'une cuillère, verser la préparation obtenue dans le moule à soufflé.

6 Faire cuire au four préchauffé, à 220 °C (th. 7-8), pendant 35 à 40 minutes. Le soufflé doit être pris et bien levé. Servir immédiatement.

1

3

4

CONSEIL

Enfoncez un bâtonnet au centre du soufflé : s'il ressort sans trace de pâte, c'est que le soufflé est bien cuit.

Tourte aux légumes d'hiver

Une tourte préparée avec des légumes frais de saison cuits en ragoût avec des lentilles, et recouverts d'une couronne de scones frais au fromage.

VALEURS NUTRITIONNELLES

Calories ....734 Glucides .....118 g
Protéines ......27 g Lipides ....30 g
Acides gras saturés ......16 g

 20 min  40 min

4 personnes

INGRÉDIENTS

1 cuil. à soupe d'huile d'olive
1 gousse d'ail, hachée
8 petits oignons, coupés en deux
2 branches de céleri, coupées en rondelles
225 g de rutabagas, coupés en morceaux
2 carottes, coupées en rondelles
½ chou-fleur, en fleurettes
225 g de champignons, émincés
400 g de tomates concassées en boîte
60 g de lentilles rouges
2 cuil. à soupe de maïzena
3 à 4 cuil. à soupe d'eau
300 ml de bouillon de légumes
2 cuil. à café de sauce Tabasco
2 cuil. à café d'origan haché
brins d'origan, en garniture

COURONNE DE SCONES

225 g de farine levante
60 g de beurre
125 g de cheddar fort ou d'emmental, râpé
2 cuil. à café d'origan haché
1 œuf, battu
150 ml de lait
sel

1 Chauffer l'huile dans une casserole et faire revenir l'ail et les oignons 5 minutes. Ajouter céleri, rutabagas, carottes et chou-fleur, et cuire 2 à 3 minutes. Ajouter les champignons, les tomates concassées et les lentilles.

2 Délayer la maïzena dans l'eau et verser le mélange dans la casserole avec le bouillon, le Tabasco et l'origan. Porter à ébullition en remuant et verser dans un plat. Couvrir et faire cuire au four préchauffé, à 180 °C (th. 6), 20 minutes.

3 Pour la couronne : tamiser la farine avec le sel au-dessus d'une jatte et incorporer le beurre avec les doigts, puis presque tout le fromage et les herbes hachées. Battre l'œuf avec le lait et incorporer suffisamment du mélange obtenu dans la préparation précédente pour former une pâte souple. Pétrir doucement la pâte et l'étaler pour qu'elle fasse 1 cm d'épaisseur, puis y découper des ronds de 5 cm de diamètre à l'emporte-pièce.

4 Sortir du four et augmenter la température à 210 °C (th. 7). Disposer les ronds de pâte tout autour du plat, badigeonner avec le reste d'œuf battu au lait et parsemer le reste du fromage. Remettre à cuire 10 à 12 minutes (la couronne doit être levée et dorée). Servir.

2

3

4

Chaussons fourrés au curry

Des chaussons fourrés d'un succulent mélange de légumes et d'épices dont la composition convient aux végétaliens. À déguster chaud ou froid.

VALEURS NUTRITIONNELLES

Calories ....455 Glucides ......53 g
Protéines ....8 g Lipides ....27 g
Acides gras saturés ....5 g

 1 heure  1 heure

4 personnes

INGRÉDIENTS

- 225 g de farine complète
- 100 g de margarine, coupée en petits dés
- 4 cuil. à soupe d'eau
- 2 cuil. à soupe d'huile
- 225 g de légumes-racines (pommes de terre, carottes, panais, etc.), coupés en petits dés
- 1 petit oignon, émincé
- 2 gousses d'ail, émincées
- ½ cuil. à café de curry en poudre
- ½ cuil. à café de curcuma en poudre
- ½ cuil. à café de cumin en poudre
- ½ cuil. à café de moutarde à l'ancienne
- 5 cuil. à soupe de bouillon de légumes
- lait de soja, pour dorer

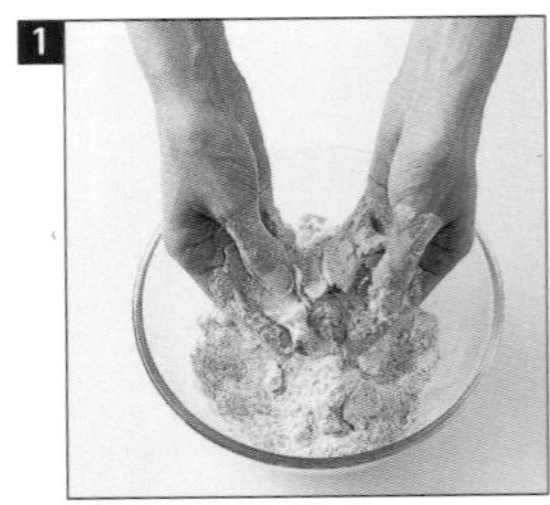
1

2

5

1 Mettre la farine dans une jatte et y incorporer la margarine avec les doigts, jusqu'à obtention d'une consistance de chapelure. Ajouter l'eau et mélanger pour obtenir une pâte souple. L'envelopper et la mettre au réfrigérateur pendant 30 minutes.

2 Pour faire la garniture : faire chauffer l'huile dans une grande casserole. Y faire sauter les dés de légumes, l'oignon et l'ail émincés pendant 2 minutes avant d'ajouter toutes les épices et la moutarde en remuant. Après avoir remué les légumes pour qu'ils s'imprègnent bien des épices, les faire sauter pendant 1 minute.

3 Ajouter le bouillon dans la casserole et porter à ébullition. Recouvrir et laisser réduire pendant 20 minutes, sans cesser de remuer. Les légumes doivent être bien tendres et le bouillon entièrement absorbé. Laisser refroidir complètement.

4 Diviser la pâte en 4 ronds de 15 cm de diamètre et étaler la garniture sur leur partie centrale.

5 Badigeonner les bords de lait de soja, puis replier vers le haut en appuyant pour bien souder les bords. Disposer les 4 chaussons sur une plaque de four et les cuire au four préchauffé à 210 °C (th. 7), pendant 25 à 30 minutes. La pâte doit être bien levée. Servir chaud ou tiède.

Fenouil à la crème

Une recette qui met en valeur le fenouil, dans une sauce à la crème relevée avec des graines de carvi, le tout recouvert de chapelure donnant à ce plat une consistance originale.

VALEURS NUTRITIONNELLES

Calories ....292 Glucides ......17 g
Protéines ......10 g Lipides ....23 g
Acides gras saturés ......14 g

 10 min  45 min

4 personnes

INGRÉDIENTS

- 2 cuil. à soupe de jus de citron
- 2 bulbes de fenouil, coupés en fines tranches
- 60 g de beurre, un peu plus pour beurrer le plat
- 125 g de fromage frais allégé
- 150 ml de crème liquide (allégée)
- 150 ml de lait
- 1 œuf, battu
- 2 cuil. à café de graines de carvi
- 60 g de chapelure blanche
- sel et poivre
- brins de persil, en garniture

1 Porter une casserole d'eau à ébullition, verser le jus de citron et y plonger le fenouil. Blanchir pendant 2 à 3 minutes, égoutter et disposer le fenouil dans un plat à gratin beurré.

2 Battre le fromage frais dans une jatte pour l'homogénéiser puis ajouter la crème, le lait et l'œuf battu. Battre le tout pour bien amalgamer. Saler, poivrer et verser la préparation sur le fenouil.

3 Faire fondre 15 g de beurre dans une petite poêle et faire revenir les graines de carvi à feu doux pendant 1 à 2 minutes, pour qu'elles libèrent leur arôme. Verser la préparation obtenue sur le fenouil.

4 Faire fondre le reste du beurre dans une poêle et faire revenir la chapelure à feu doux, en remuant fréquemment pour la faire dorer. Parsemer de fenouil.

5 Mettre au four préchauffé, à 180 °C (th. 6), et laisser cuire 25 à 30 minutes (le fenouil doit être tendre). Garnir avec des brins de persil et servir immédiatement.

Feuilletés champignons-épinards

De petits feuilletés farcis avec de l'ail, des champignons et des épinards, faciles à préparer et délicieusement fondants.

VALEURS NUTRITIONNELLES

Calories ....467 Glucides ......28 g
Protéines ....8 g Lipides ....38 g
Acides gras saturés ......18 g

 20 min  30 min

4 personnes

INGRÉDIENTS

- 25 g de beurre
- 1 oignon rouge, coupé en deux puis en rondelles
- 2 gousses d'ail, hachées
- 225 g de champignons de couche, émincés
- 175 g de jeunes épinards
- 1 pincée de muscade
- 4 cuil. à soupe de crème fraîche épaisse
- 225 g de pâte feuilletée
- 1 œuf, battu
- sel et poivre
- 2 cuil. à café de graines de pavot

1 Faire fondre le beurre dans une poêle et faire revenir l'oignon et l'ail à feu doux pendant 3 à 4 minutes, sans cesser de remuer (l'oignon doit être ramolli).

CONSEIL

On humecte la plaque de four de façon à ce que de la vapeur se forme au contact de la chaleur du four, aidant ainsi la pâte à lever et à prendre.

2 Ajouter les champignons, les épinards et la muscade et les laisser cuire à feu moyen pendant 2 à 3 minutes, en remuant de temps en temps.

3 Ajouter la crème épaisse en remuant bien, puis saler et poivrer. Retirer la poêle du feu.

4 Sur un plan de travail fariné, étaler la pâte et la découper en 4 ronds de 15 cm de diamètre.

5 Répartir la garniture sur les 4 ronds de pâte, en l'étalant seulement sur la moitié de chaque rond. Replier chaque rond sur lui-même, en appuyant bien sur les bords pour les souder. Dorer à l'œuf battu avant de parsemer de graines de pavot.

6 Disposer les petits feuilletés sur une plaque de four humectée, et faire cuire au four préchauffé, à 210 °C (th. 7), pendant 20 minutes. Les feuilletés doivent être levés et bien dorés.

7 Disposer les feuilletés ainsi cuits dans des assiettes chaudes et servir immédiatement.

3

4
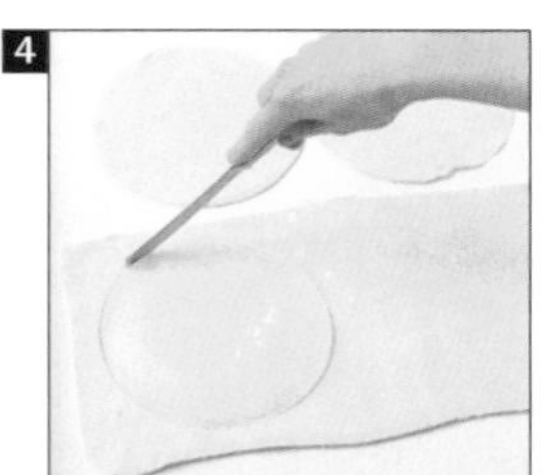

5

Friand aux légumes

Un plat plein de couleurs et de saveurs grâce au mélange de légumes et qui, bien que d'une extrême simplicité à réaliser, a beaucoup d'allure.

VALEURS NUTRITIONNELLES

Calories ....660 Glucides ......60 g
Protéines ......11 g Lipides ....45 g
Acides gras saturés ......15 g

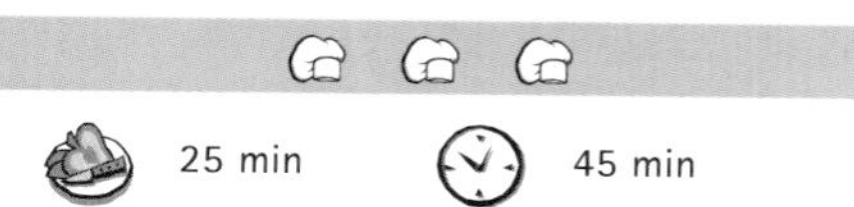

25 min 45 min

4 personnes

INGRÉDIENTS

500 g de pâte feuilletée
1 œuf, battu

GARNITURE

2 cuil. à soupe de beurre ou de margarine
1 poireau, coupé en fines lamelles
2 gousses d'ail, hachées
1 poivron rouge, épépiné et coupé en lamelles
1 poivron jaune, épépiné et coupé en lamelles
50 g de champignons, émincés
75 g de pointes d'asperges
2 cuil. à soupe de farine
6 cuil. à soupe de bouillon de légumes
6 cuil. à soupe de lait
4 cuil. à soupe de vin blanc sec
1 cuil. à soupe d'origan haché
sel et poivre

1 Faire fondre le beurre ou la margarine dans une poêle et faire revenir le poireau avec l'ail pendant 2 minutes, en remuant fréquemment. Ajouter le reste des légumes et faire revenir sans cesser de remuer pendant 3 à 4 minutes.

2 Ajouter la farine et faire cuire pendant 1 minute sans cesser de remuer. Retirer la poêle du feu, ajouter le bouillon de légumes, le lait et le vin blanc. Remettre la poêle sur le feu et porter à ébullition sans cesser de remuer pour faire épaissir. Ajouter l'origan, saler et poivrer.

3 Sur un plan de travail fariné, abaisser la moitié de la pâte de façon à former un rectangle de 38 cm sur 15 cm.

4 Étaler l'autre moitié de la pâte de façon à former un rectangle un peu plus grand que le premier. Disposer le petit rectangle sur une plaque de four chemisée avec du papier sulfurisé humidifié.

5 Étaler la garniture en couche régulière sur le petit rectangle en laissant 1 cm au bord.

6 Découper des entailles parallèles en diagonale sur le grand rectangle, en laissant une marge de 2,5 cm sur les bords.

7 Dorer les bords du petit rectangle à l'œuf battu avant de disposer le grand rectangle par-dessus, en appuyant bien sur les bords pour les souder.

8 Badigeonner toute la surface du friand d'œuf pour qu'il dore, et faire cuire au four préchauffé, à 210 °C (th. 7), pendant environ 30 à 35 minutes. Le friand doit avoir levé et être bien doré. Le disposer sur un plat chaud et servir immédiatement.

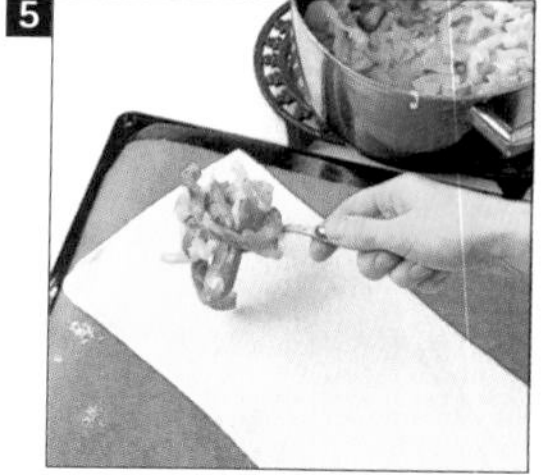

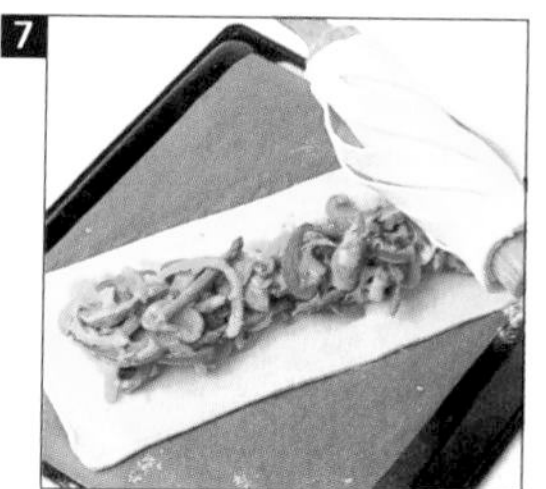

Aubergines farcies aux lentilles

Des aubergines farcies, à déguster chaudes ou froides et à servir avec du yaourt ou du raita au concombre.

VALEURS NUTRITIONNELLES

Calories ....386 Glucides ......39 g
Protéines ......14 g Lipides ....24 g
Acides gras saturés ....3 g

 25 min — 1 heure

6 personnes

INGRÉDIENTS

- 225 g de lentilles vertes
- 850 ml d'eau
- 2 gousses d'ail, hachées
- 3 belles aubergines
- 150 ml d'huile, un peu plus pour badigeonner
- 2 oignons, émincés
- 4 tomates, coupées en morceaux
- 2 cuil. à café de graines de cumin
- 1 cuil. à café de cannelle en poudre
- 2 cuil. à soupe de pâte de curry moyennement épicée
- 1 cuil. à café de poudre de piment
- 2 cuil. à soupe de menthe hachée
- sel et poivre
- yaourt nature et feuilles de menthe, en accompagnement

1 Rincer les lentilles à l'eau froide, les égoutter et les mettre dans une casserole avec l'eau et l'ail. Couvrir et laisser mijoter pendant 30 minutes.

2 Faire cuire les aubergines dans une casserole d'eau bouillante pendant 5 minutes. Égoutter et plonger dans l'eau froide pendant 5 minutes. Égoutter les aubergines à nouveau, les couper en deux dans le sens de la longueur et retirer la chair à l'aide d'une cuillère, en laissant une marge de 1 cm aux bords de façon à former une coquille. Réserver la chair.

3 Mettre les aubergines dans un plat peu profond. Badigeonner d'huile et saupoudrer de sel et de poivre. Faire cuire au four préchauffé, à 190 °C (th. 6-7), pendant 10 minutes. Pendant ce temps, faire chauffer la moitié de l'huile restante dans une poêle et faire revenir les oignons et les tomates pendant 5 minutes à feu doux. Couper la chair des aubergines en morceaux avant de les verser dans la poêle avec les épices, et faire cuire pendant 5 minutes à feu doux. Saler.

4 Ajouter les lentilles, presque toute l'huile restante et la menthe, bien mélanger le tout et répartir la garniture entre les aubergines. Arroser d'un filet d'huile et remettre au four pendant 15 minutes. Servir chaud ou froid, avec une cuillerée de yaourt nature et quelques brins de menthe.

CONSEIL

Choisissez des aubergines bien charnues plutôt que des aubergines toutes fines, car elles garderont mieux leur forme une fois farcies et cuites au four.

Soufflé au poireau et aux herbes

Les soufflés chauds sont des plats qui ont beaucoup d'allure servis dès la sortie du four, car ils retombent très vite.

VALEURS NUTRITIONNELLES

Calories ....182 Glucides ....9 g
Protéines ....8 g Lipides ....15 g
Acides gras saturés ....2 g

 15 min  50 min

4 personnes

INGRÉDIENTS

- 350 g de petits poireaux
- 1 cuil. à soupe d'huile d'olive
- 125 ml de bouillon de légumes
- 50 g de noix
- 2 œufs, blancs et jaunes séparés
- 2 cuil. à soupe de fines herbes hachées
- 2 cuil. à soupe de yaourt nature
- sel et poivre

1

4

6

1 Découper les poireaux finement. Faire chauffer l'huile dans une poêle et faire revenir les poireaux à feu moyen pendant 2 à 3 minutes, en remuant de temps en temps.

2 Verser le bouillon de légumes dans la poêle, puis baisser le feu et laisser mijoter à feu doux pendant 5 minutes.

3 Mettre les noix dans un robot de cuisine et les concasser grossièrement. Ajouter la préparation à base de poireaux dans le robot et mixer le tout quelques secondes, de façon à obtenir une purée. Verser cette purée dans une jatte.

4 Bien mélanger les jaunes d'œufs avec les fines herbes et le yaourt, puis verser la préparation dans la purée de poireaux. Saler et poivrer. Bien amalgamer le tout.

5 Dans une jatte à part, battre les blancs d'œufs en neige ferme.

6 Incorporer délicatement les blancs en neige à la préparation précédente puis, à l'aide d'une cuillère, mettre le mélange obtenu dans un moule à soufflé d'une contenance de 900 ml légèrement beurré. Disposer le moule sur une plaque de four chaude.

7 Mettre à cuire au four préchauffé, à 180 °C (th. 6), 35 à 40 minutes (le soufflé doit être levé et pris). Servir immédiatement.

CONSEIL

La plaque de four chaude que l'on place sous le moule permet au soufflé de bien cuire au fond, de façon uniforme, ce qui le rendra plus léger.

Gratin de légumes au yaourt

Semblable à une moussaka traditionnelle, une recette faite de couches d'aubergine, de tomate et de pomme de terre, cuites dans une sauce au yaourt.

VALEURS NUTRITIONNELLES

Calories ....409 Glucides ......62 g
Protéines ......28 g Lipides ....14 g
Acides gras saturés ....3 g

 25 min  1 h 15

4 personnes

INGRÉDIENTS

- 500 g de pommes de terre à chair ferme, coupées en rondelles
- 1 cuil. à soupe d'huile
- 1 oignon, émincé
- 2 gousses d'ail, hachées
- 500 g de tofu, coupé en dés
- 2 cuil. à soupe de concentré de tomates
- 2 cuil. à soupe de farine
- 300 ml de bouillon de légumes
- 2 grosses tomates, coupées en rondelles
- 1 aubergine, coupée en rondelles
- 2 cuil. à soupe de thym frais haché
- 450 ml de yaourt nature
- 2 œufs, battus
- sel et poivre
- salade verte, en accompagnement

VARIANTE

Vous pouvez, si vous voulez, utiliser du tofu mariné ou fumé pour plus de goût.

3 

4 

5 

1 Faire cuire les rondelles de pomme de terre dans une casserole d'eau bouillante 10 minutes (elles doivent être tendres sans se casser). Égoutter et réserver.

2 Faire chauffer l'huile dans une poêle et faire revenir l'oignon et l'ail pendant 2 à 3 minutes, en remuant de temps en temps.

3 Ajouter les dés de tofu, le concentré de tomates et la farine, et faire revenir 1 minute. Incorporer peu à peu le bouillon et porter à ébullition sans cesser de remuer. Baisser le feu et laisser mijoter 10 minutes.

4 Disposer une couche de rondelles de pomme de terre au fond d'un plat à gratin, puis étaler par-dessus la préparation à base de tofu en couche régulière. Disposer les rondelles de tomate, puis par-dessus l'aubergine et enfin le reste des rondelles de pomme de terre de façon à recouvrir complètement la préparation au tofu. Parsemer de thym.

5 Mélanger le yaourt avec les œufs battus dans une jatte, en salant et en poivrant. Verser le mélange obtenu sur les pommes de terre, de façon à les recouvrir complètement.

6 Mettre à cuire au four préchauffé, à 190 °C (th. 6-7), pendant 35 à 45 minutes. Le gratin doit être bien doré. Servir avec une salade verte.

Tarte italienne aux légumes

Une tarte alléchante pleine de saveurs méditerranéennes : épinards, poivrons rouges, ricotta et pignons.

VALEURS NUTRITIONNELLES

Calories ....488 Glucides ......28 g
Protéines ......13 g Lipides ....40 g
Acides gras saturés ......19 g

30 min 30 min

6 personnes

INGRÉDIENTS

225 g de pâte filo surgelée, décongelée
125 g de beurre, fondu
350 g d'épinards surgelés, décongelés
2 œufs
150 ml de crème fraîche liquide (allégée)
225 g de ricotta
1 poivron rouge, épépiné et coupé en lamelles
60 g de pignons
sel et poivre

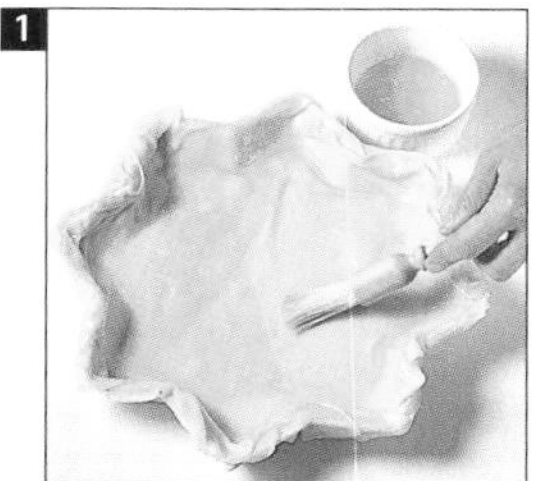

1

4

5

1 Chemiser un moule à tarte de 20 cm de diamètre avec des feuilles de pâte filo, en badigeonnant chaque couche de beurre fondu.

2 Mettre les épinards dans une passoire et les presser avec le dos d'une cuillère ou avec la main pour enlever l'excédent d'eau. Former 8 ou 9 petites boules et les disposer dans le fond de tarte.

3 Battre les œufs avec la crème et la ricotta, de façon à bien les amalgamer. Saler et poivrer. Verser le mélange sur les épinards.

4 Mettre le reste du beurre dans une casserole et faire revenir les lamelles de poivron 4 à 5 minutes à feu doux, en remuant fréquemment pour les faire ramollir. Disposer ensuite les lamelles sur la tarte.

5 Parsemer les pignons sur la tarte et faire cuire au four préchauffé, à 190 °C (th. 6-7), pendant 20 à 25 minutes. La garniture doit être prise et la pâte doit être bien dorée. Servir immédiatement ou laisser refroidir complètement et servir à température ambiante.

VARIANTE

Vous pouvez remplacer les poivrons par des champignons sauvages, en particulier, qui conviendraient bien à cette recette. On peut aussi ajouter des rondelles de tomate séchée pour ajouter de la couleur et du goût.

Hachis aux lentilles

Un plat très nourrissant fait d'un délicieux mélange de lentilles rouges, de tofu et de légumes sous une couche dorée et croustillante de purée de pommes de terre.

VALEURS NUTRITIONNELLES

Calories ....627 Glucides ......73 g
Protéines ......26 g Lipides ....30 g
Acides gras saturés ......13 g

 10 min  1 h 30

4 personnes

INGRÉDIENTS

COUCHE SUPÉRIEURE

- 675 g de pommes de terre farineuses, coupées en dés
- 25 g de beurre
- 1 cuil. à soupe de lait
- 50 g de noix de pécan, pilées
- 2 cuil. à soupe de thym haché
- brins de thym, en garniture

GARNITURE

- 225 g de masoor dhaal (lentilles rouges)
- 60 g de beurre
- 1 poireau, coupé en rondelles
- 2 gousses d'ail, hachées
- 1 branche de céleri, coupée en morceaux
- 125 g de brocoli, en fleurettes
- 175 g de tofu fumé, coupé en dés
- 2 cuil. à café de concentré de tomates
- sel et poivre

1 Pour faire la couche supérieure : faire cuire les pommes de terre dans une casserole d'eau bouillante pendant 10 à 15 minutes (elles doivent bien cuites). Bien égoutter puis ajouter le beurre et le lait et bien réduire le tout en purée. Incorporer les noix de pécan puis le thym haché, et réserver.

2 Faire cuire les lentilles à l'eau bouillante pendant 20 à 30 minute, jusqu'à ce qu'elles soient tendres. Égoutter et réserver.

3 Faire fondre le beurre dans une poêle et faire revenir le poireau, l'ail, le céleri et le brocoli pendant 5 minutes à feu moyen, en remuant fréquemment. Les légumes doivent être ramollis. Ajouter les dés de tofu et les lentilles en remuant, puis le concentré de tomates. Saler et poivrer, puis verser la préparation dans le fond d'un plat à gratin peu profond.

4 Étaler la purée de pommes de terre en couche régulière par-dessus les légumes, de façon à bien les recouvrir.

5 Faire cuire au four préchauffé, à 210 °C (th. 7), pendant 30 à 35 minutes (le dessus doit être bien doré). Garnir de brins de thym frais avant de servir.

1

3

3

VARIANTE

Vous pouvez, pour cette recette, utiliser à peu près tous les légumes de votre choix.

Curry à la noix de coco

Un plat à l'indienne, très parfumé mais assez doux. Un beau mariage de consistances et de couleurs, à servir avec du naan pour ne rien perdre de la sauce exquise.

VALEURS NUTRITIONNELLES

Calories ....159 Glucides ......27 g
Protéines ....8 g Lipides ....6 g
Acides gras saturés ....1 g

45 min 35 min

6 personnes

INGRÉDIENTS

- 1 grosse aubergine, coupée en cubes de 2,5 cm
- 2 cuil. à soupe de sel
- 2 cuil. à soupe d'huile
- 2 gousses d'ail, hachées
- 1 piment vert frais, épépiné et haché finement
- 1 cuil. à café de gingembre frais râpé
- 1 oignon, émincé
- 2 cuil. à café de garam masala
- 8 gousses de cardamome
- 1 cuil. à café de curcuma en poudre
- 1 cuil. à soupe de concentré de tomates
- 700 ml de bouillon de légumes
- 1 cuil. à soupe de jus de citron
- 225 g de pommes de terre, coupées en dés
- 225 g de chou-fleur, en fleurettes
- 225 g de gombos, équeutés
- 225 g de petits pois surgelés
- 150 ml de lait de coco
- sel et poivre
- noix de coco, en copeaux, en garniture
- naan (pain indien), en accompagnement

1 Disposer les cubes d'aubergine en couches successives dans une jatte, en saupoudrant chaque couche de sel. Laisser dégorger pendant 30 minutes.

2 Bien rincer sous l'eau pour enlever le sel. Égoutter et essuyer les cubes avec du papier absorbant puis réserver.

3 Faire chauffer l'huile dans une grande casserole et faire revenir l'ail, le piment, le gingembre, l'oignon et les épices pendant 4 à 5 minutes à feu moyen, en remuant de temps en temps. La préparation doit être légèrement dorée.

4 Ajouter le concentré de tomates, le bouillon de légumes, le jus de citron, les pommes de terre et le chou-fleur. Bien remuer et porter à ébullition. Baisser le feu, couvrir et laisser mijoter pendant 15 minutes.

5 Ajouter l'aubergine, les gombos, les petits pois et le lait de coco. Saler et poivrer. Porter de nouveau à ébullition et remettre à mijoter pendant 10 minutes, cette fois sans couvrir (les légumes doivent être tendres), puis retirer et jeter les gousses de cardamome.

6 Verser la préparation obtenue dans un plat chaud et servir immédiatement, décoré avec les copeaux de noix de coco et accompagné de naan.

Tarte aux artichauts et au fromage

Une tarte garnie de cœurs d'artichaut, légumes au goût délicat, à l'apparence raffinée et à la saveur délicieuse, délicieux dans les tartes à base de fromage.

VALEURS NUTRITIONNELLES

Calories ....276 Glucides ......21 g
Protéines ......10 g Lipides ....19 g
Acides gras saturés ......10 g

 15 min   30 min

8 personnes

INGRÉDIENTS

175 g de farine complète
2 gousses d'ail, hachées
75 g de beurre ou de margarine
3 cuil. à soupe d'eau
sel et poivre

GARNITURE

2 cuil. à soupe d'huile d'olive
1 oignon rouge, coupé en deux puis en tranches
10 cœurs d'artichauts frais ou en boîte
100 g de cheddar ou d'emmental, râpé
50 g de gorgonzola, émietté
2 œufs, battus
1 cuil. à soupe de romarin haché
150 ml de lait

CONSEIL

Il faut étaler la pâte en la roulant toujours dans le même sens, pour obtenir une épaisseur régulière et uniforme. N'appuyez pas sur la pâte : laisser plutôt le poids d'un rouleau à pâtisserie lourd faire le travail.

2

1 Pour faire la pâte : tamiser la farine au-dessus d'une jatte, puis ajouter une pincée de sel et l'ail. Incorporer le beurre ou la margarine avec les doigts pour obtenir une consistance de chapelure. Incorporer l'eau et amalgamer le tout pour obtenir une pâte.

2 Étaler la pâte sur un plan de travail fariné, pour foncer un moule à tarte de 20 cm de diamètre, puis piquer le fond.

3 Faire chauffer l'huile dans une poêle, faire revenir l'oignon à feu moyen 3 minutes et ajouter les cœurs d'artichaut. Cuire pendant 2 minutes, en remuant fréquemment.

4 Mélanger les fromages avec les œufs battus, le romarin et le lait, puis mélanger la préparation à base d'artichauts au mélange obtenu. Saler et poivrer.

5 Verser la garniture obtenue sur le fond de tarte à l'aide d'une cuillère et faire cuire au four préchauffé, à 210 °C (th. 7), 25 minutes, jusqu'à ce qu'elle soit cuite et bien prise. Servir chaud ou froid.

Tofu au piment

Un délicieux plat à la mexicaine, fait d'un mélange fondant de tofu et d'avocat, accompagné d'une sauce tomate pour dynamiser le tout.

VALEURS NUTRITIONNELLES

Calories ....806 Glucides ......65 g
Protéines ......37 g Lipides ....54 g
Acides gras saturés ......19 g

 30 min  35 min

4 personnes

INGRÉDIENTS

½ cuil. à café de poudre de piment
1 cuil. à café de paprika
2 cuil. à soupe de farine
225 g de tofu, coupé en morceaux de 1 cm
2 cuil. à soupe d'huile
1 oignon, émincé finement
1 gousse d'ail, hachée
1 gros poivron rouge, épépiné et coupé fin
1 gros avocat mûr
1 cuil. à soupe de jus de citron vert
4 tomates, pelées, épépinées et coupées en morceaux
125 g de cheddar ou d'emmental, râpé
8 tortillas mexicaines
150 ml de crème aigre ou de crème épaisse
sel et poivre
feuilles de coriandre, en garniture
piments jalapeño marinés, en accompagnement

SAUCE

850 ml de coulis de tomates
3 cuil. à soupe de persil haché
3 cuil. à soupe de coriandre hachée

1

5

6

1 Mélanger le piment, le paprika, la farine, le sel et le poivre dans une assiette et enrober les morceaux de tofu avec le mélange obtenu.

2 Faire chauffer l'huile dans une poêle et faire revenir le tofu à feu doux 3 à 4 minutes pour le faire dorer. Retirer les morceaux à l'aide d'une écumoire et réserver en laissant égoutter sur du papier absorbant.

3 Mettre l'oignon, l'ail et le poivron dans la poêle et les faire revenir pendant 2 à 3 minutes pour les ramollir. Égoutter et réserver.

4 Couper l'avocat en deux, le peler, le dénoyauter et le couper en tranches dans la longueur. Mettre les tranches dans une jatte avec le jus de citron vert. Remuer le tout pour enrober les tranches de jus.

5 Ajouter le tofu et le mélange à base d'oignons et remuer avec soin. Incorporer les tomates et la moitié du fromage. Disposer la garniture au centre des 8 tortillas. Recouvrir de crème aigre ou épaisse et rouler les tortillas. Les disposer dans un plat à gratin.

6 Pour faire la sauce, mélanger tous les ingrédients et verser sur les tortillas. Parsemer du reste de fromage râpé. Mettre au four préchauffé, à 190 °C (th. 6-7), pendant 25 minutes. Le dessus doit être doré et des bulles doivent se former. Garnir de coriandre et servir avec des piments jalapeño marinés.

Potée épicée aux pommes de terre

Une recette inspirée d'un plat marocain, à base de pommes de terre parfumées au cumin et à la coriandre et cuites dans une sauce au citron.

VALEURS NUTRITIONNELLES

Calories ....338 Glucides .....37 g
Protéines ....5 g Lipides ....23 g
Acides gras saturés ....2 g

 15 min  35 min

4 personnes

INGRÉDIENTS

- 100 ml d'huile d'olive
- 2 oignons rouges, coupés en huit
- 3 gousses d'ail, hachées
- 2 cuil. à café de cumin en poudre
- 2 cuil. à café de coriandre en poudre
- 1 pincée de poivre de Cayenne
- 1 carotte, coupée en grosses rondelles
- 2 petits navets, coupés en quatre
- 1 courgette, coupée en rondelles
- 500 g de pommes de terre, coupées en grosses rondelles
- jus et zeste de 2 gros citrons
- 300 ml de bouillon de légumes
- 2 cuil. à soupe de coriandre hachée
- sel et poivre

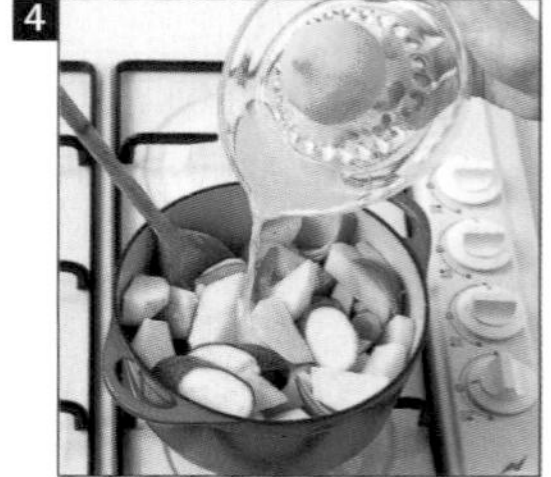

1 Faire chauffer l'huile dans une cocotte et faire revenir les oignons pendant 3 minutes à feu moyen, en remuant fréquemment.

2 Ajouter l'ail et faire revenir 30 secondes. Ajouter ensuite les épices et faire cuire pendant 1 minute sans cesser de remuer.

3 Mettre la carotte, les navets, la courgette et les pommes de terre dans la cocotte et remuer pour enrober les légumes d'huile.

4 Verser le jus de citron, le bouillon de légumes et le zeste de citron. Saler et poivrer, puis couvrir la cocotte et laisser cuire à feu moyen pendant 20 à 30 minutes, en remuant de temps en temps, jusqu'à ce que les légumes soient tendres.

5 Retirer le couvercle, parsemer les légumes de coriandre hachée et bien mélanger le tout. Servir immédiatement.

CONSEIL

Vérifiez la cuisson des légumes régulièrement pour éviter qu'ils n'attachent, en versant un peu plus d'eau bouillante ou de bouillon dans le fond de la cocotte, si nécessaire.

Tartelettes aux champignons

Une grande variété de champignons est aujourd'hui disponible en supermarché. Cette recette en tire parti.

VALEURS NUTRITIONNELLES

Calories ....494 Glucides ......40 g
Protéines ....9 g Lipides ....35 g
Acides gras saturés ......18 g

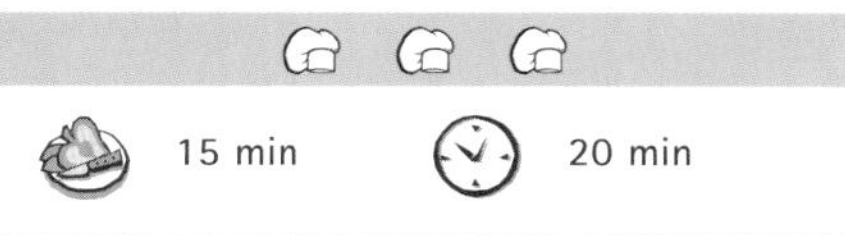

15 min 20 min

4 personnes

INGRÉDIENTS

500 g de pâte filo
125 g de beurre, fondu
1 cuil. à soupe d'huile de noisette
25 g de pignons
350 g de champignons variés (de Paris, crème, pleurotes, shiitake, etc.)
2 cuil. à café de persil haché
225 g de fromage de chèvre frais
sel et poivre
brins de persil, en garniture
salade verte, tomates, concombres et oignons verts, en accompagnement

1

4

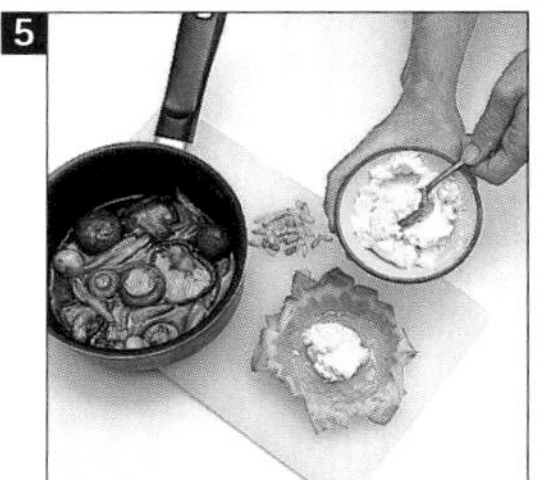

5

1 Couper les feuilles de pâte filo en carrés d'environ 10 cm de côté pour chemiser 4 moules à tartelette. Badigeonner chaque couche de pâte de beurre fondu. Chemiser les fonds de tartelette avec du papier aluminium ou sulfurisé et disposer des haricots secs par-dessus. Faire cuire à blanc au four préchauffé, à 210 °C (th. 7), pendant 6 à 8 minutes. La pâte doit être légèrement dorée.

2 Sortir les tartelettes du four et retirer délicatement le papier aluminium ou sulfurisé et les haricots secs. Baisser ensuite la température du four à 180 °C (th. 6).

3 Mettre le beurre restant, s'il y a lieu, dans une grande casserole avec l'huile de noisette et faire revenir les pignons à feu doux pour les faire dorer. Les retirer à l'aide d'une écumoire et les laisser égoutter sur du papier absorbant.

4 Mettre les champignons dans la casserole et les faire revenir à feu doux pendant 4 à 5 minutes, en remuant régulièrement. Ajouter le persil haché. Saler et poivrer.

5 Répartir le fromage frais entre les 4 fonds de tartelette, puis faire de même avec les champignons et parsemer chaque petit moule de pignons.

6 Remettre les tartelettes au four pendant 5 minutes, pour qu'elles chauffent bien. Les servir décorées de brins de persil et accompagnées de salade verte, de tomates, de concombre et d'oignons verts.

Tartelettes aux légumes

De petites tartes individuelles, qui peuvent être préparées à l'avance, à base de couches de pomme de terre, d'aubergine et de courgette, cuites dans une sauce tomate.

VALEURS NUTRITIONNELLES

Calories	427	Glucides	49 g
Protéines	22 g	Lipides	21 g

Acides gras saturés .... 8 g

40 min  1 h 20

4 personnes

INGRÉDIENTS

- 3 grosses pommes de terre à chair ferme, coupées en fines rondelles
- 1 petite aubergine, coupée en fines rondelles
- 1 courgette, coupée en rondelles
- 3 cuil. à soupe d'huile
- 1 oignon, coupé en dés
- 1 poivron vert, épépiné et coupé en dés
- 1 cuil. à café de graines de cumin
- 2 cuil. à soupe de basilic haché
- 200 g de tomates concassées en boîte
- 175 g de mozzarella, coupée en rondelles
- 225 g de tofu, coupé en tranches
- 60 g de chapelure blanche
- 2 cuil. à soupe de parmesan râpé
- sel et poivre
- feuilles de basilic, en garniture

1 Faire cuire les rondelles de pomme de terre dans une casserole d'eau bouillante pendant 5 minutes, puis les égoutter et les réserver.

2 Mettre les rondelles d'aubergine dans une assiette, les saupoudrer de sel et les laisser dégorger pendant 20 minutes. Blanchir la courgette à l'eau bouillante pendant 2 à 3 minutes. Égoutter et réserver.

3 Faire chauffer 2 cuillerées à soupe d'huile dans une poêle et faire revenir l'oignon pendant 2 à 3 minutes à feu doux pour le faire fondre, en remuant de temps en temps. Mettre le poivron, les graines de cumin, le basilic et les tomates concassées dans la poêle, saler et poivrer à son goût et laisser mijoter pendant 30 minutes.

4 Rincer les rondelles d'aubergine et les essuyer en les tapotant. Faire chauffer le reste de l'huile dans une grande poêle et faire revenir les rondelles d'aubergine pendant 3 à 5 minutes, en les retournant pour faire dorer les deux côtés. Égoutter et réserver.

5 Disposer la moitié des rondelles de pomme de terre dans 4 moules à tartelette à fond amovible, puis la moitié des rondelles de courgette, la moitié des rondelles d'aubergine et la moitié des tranches de mozzarella. Disposer une couche de tofu par-dessus, puis une couche de sauce tomate, et continuer d'alterner les couches de légumes et de fromage.

6 Mélanger la chapelure avec le parmesan et parsemer les tartelettes du mélange. Mettre les tartelettes au four préchauffé, à 190 °C (th. 6-7), pendant 25 à 30 minutes (elles doivent être bien dorées). Garnir de feuilles de basilic et servir.

3

5

6

Gougère aux légumes verts

Une idée de recette pour un dîner simple : des légumes verts croquants au centre d'une couronne de pâte à choux.

VALEURS NUTRITIONNELLES

Calories ....672 Glucides ......42 g
Protéines ......19 g Lipides ....51 g
Acides gras saturés ......14 g

30 min  40 min

4 personnes

INGRÉDIENTS

150 g de farine
125 g de beurre
300 ml d'eau
4 œufs, battus
90 g de gruyère, râpé
1 cuil. à soupe de lait
sel et poivre

GARNITURE

2 cuil. à soupe de margarine ou de beurre à l'ail et aux fines herbes
2 cuil. à café d'huile d'olive
2 poireaux, coupés en fines lamelles
225 g de chou, finement râpé
125 g de germes de soja
½ cuil. à café de zeste de citron vert râpé
1 cuil. à soupe de jus de citron vert
sel au céleri et poivre
rondelles de citron vert, en garniture

2

3

4

1 Tamiser la farine au-dessus d'une feuille de papier sulfurisé. Couper le beurre en dés, le mettre dans une casserole avec l'eau et le faire fondre.

2 Porter à ébullition et verser la farine d'un trait dans la casserole. Battre le mélange pour le faire épaissir, retirer la casserole du feu et continuer de battre le mélange jusqu'à ce qu'il brille et se détache des parois de la casserole.

3 Verser la préparation dans une jatte et laisser refroidir pendant 10 minutes. Incorporer progressivement les œufs, en battant après chaque ajout. Incorporer ensuite 60 g de fromage, puis saler et poivrer.

4 À l'aide d'une cuillère, disposer de petites boules de la préparation en un cercle de 23 cm environ sur une plaque de four humide. Badigeonner de lait et parsemer du reste de fromage. Faire cuire la couronne au four préchauffé, à 220 °C (th. 7-8), 30 à 35 minutes (la pâte à choux doit être dorée et croustillante). Disposer la couronne sur un plat chaud.

5 Pendant ce temps, préparer la garniture : faire chauffer le beurre ou la margarine et l'huile dans une grande poêle, et poêler les poireaux et le chou à feu vif pendant 2 minutes. Ajouter les germes de soja, le zeste et le jus de citron vert, et faire cuire pendant encore 1 minute. Saler et poivrer.

6 Disposer la garniture au centre de la couronne de pâte, garnir de tranches de citron vert et servir.

Pommes de terre fourrées

Des pommes de terre en robe des champs fourrées d'un mélange savoureux de haricots cuisinés dans une sauce épicée : un plat riche en fibres et agréablement copieux.

VALEURS NUTRITIONNELLES

Calories ....378 Glucides ......73 g
Protéines ......15 g Lipides ....9 g
Acides gras saturés ....1 g

 15 min  1 h 15

6 personnes

INGRÉDIENTS

- 6 grosses pommes de terre
- 4 cuil. à soupe de ghee (beurre clarifié) ou d'huile
- 1 gros oignon, émincé
- 2 gousses d'ail, hachées
- 1 cuil. à café de curcuma en poudre
- 1 cuil. à soupe de graines de cumin
- 2 cuil. à soupe de pâte de curry peu épicée
- 350 g de tomates cerises
- 400 g de haricots cornilles en boîte, égouttés et rincés
- 400 g de haricots rouges en boîte, égouttés et rincés
- 1 cuil. à soupe de jus de citron
- 2 cuil. à soupe de concentré de tomates
- 150 ml d'eau
- 2 cuil. à soupe de menthe ou de coriandre fraîche hachée

2

4

4

1 Brosser les pommes de terre, les piquer en plusieurs endroits à l'aide d'une fourchette, puis les faire cuire au four préchauffé, à 180 °C (th. 6), 1 heure à 1 heure ½. Elles doivent céder sous une légère pression des doigts.

2 Environ 20 minutes avant la fin de la cuisson, préparer la garniture : faire chauffer le ghee ou l'huile dans une casserole et faire revenir l'oignon 5 minutes à feu doux, en remuant souvent. Mettre ail, curcuma, graines de cumin et pâte de curry dans la casserole et laisser cuire à feu doux 1 minute.

3 Ajouter les tomates, les haricots rouges et les haricots cornilles, le jus de citron, le concentré de tomates, l'eau et la menthe ou la coriandre. Saler et poivrer à son goût avant de couvrir, et laisser mijoter à feu doux 10 minutes, en remuant fréquemment.

4 Une fois les pommes de terre cuites, les couper en deux, écraser légèrement la chair à l'aide d'une fourchette, puis disposer la garniture dessus à l'aide d'une cuillère. Transférer les pommes de terre farcies dans des assiettes chaudes et servir immédiatement.

VARIANTE

Au lieu de couper les pommes de terre en deux, vous pouvez tracer une croix sur le dessus au couteau, les ouvrir en appuyant légèrement sur les côtés et disposer un peu de garniture dans la croix, en mettant le reste de garniture à côté.

Strudels aux légumes et au tofu

Des strudels qui ont beaucoup d'allure, parfaits pour servir dans un dîner entre amis, ou même dans les grandes occasions.

VALEURS NUTRITIONNELLES

Calories ....485 Glucides ......52 g
Protéines ......16 g Lipides ....27 g
Acides gras saturés ....5 g

 25 min  30 min

4 personnes

INGRÉDIENTS

- 2 cuil. à soupe d'huile
- 2 cuil. à soupe de beurre
- 150 g de pommes de terre, coupés en petits dés
- 1 poireau, coupé en fines lamelles
- 2 gousses d'ail, hachées
- 1 cuil. à café de garam masala
- ½ cuil. à café de poudre de piment
- ½ cuil. à café de curcuma
- 50 g de gombos, coupés en rondelles
- 100 g de champignons de Paris, émincés
- 2 tomates, coupées en dés
- 225 g de tofu ferme, coupé en dés
- 12 feuilles de pâte filo
- 2 cuil. à soupe de beurre, fondu
- sel et poivre

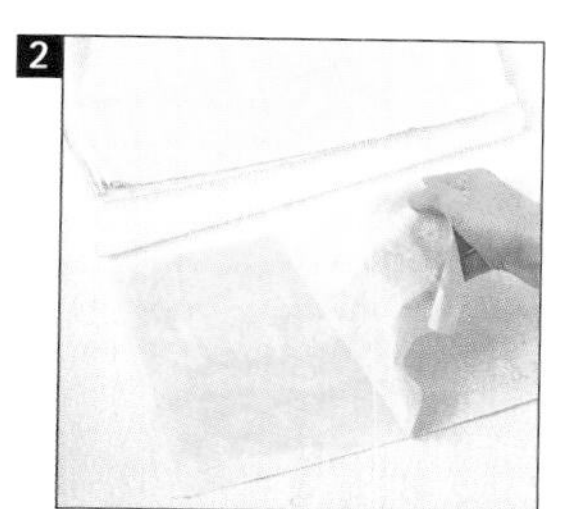
2

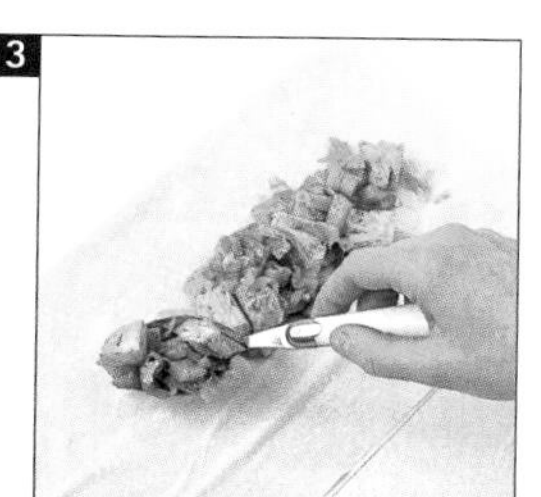
3

3

1 Pour faire la garniture, faire chauffer l'huile et le beurre dans une poêle et faire revenir les pommes de terre et le poireau 2 à 3 minutes sans cesser de remuer. Mettre ail, épices, gombos, champignons, tomates et tofu dans la poêle. Saler et poivrer et faire cuire 5 à 7 minutes sans cesser de remuer. Les légumes doivent être tendres.

2 Étaler la pâte sur une planche à découper et badigeonner chaque feuille de beurre fondu. Faire ensuite 4 piles de 3 feuilles.

3 Répartir la garniture au centre des 4 piles de pâte, puis badigeonner les bords de beurre fondu. Pour chaque pile de pâte, replier le petit côté sur lui-même et rouler dans le sens de la longueur de façon à obtenir une forme de cigare. Badigeonner l'extérieur de beurre fondu, puis disposer les strudels sur une plaque de four beurrée.

4 Mettre à cuire au four préchauffé, à 190 °C (th. 6-7), pendant 20 minutes (la pâte doit être bien dorée et croustillante à l'extérieur). Mettre les strudels dans un plat chaud et servir immédiatement.

Gratin de chou-fleur

Une recette qui ravira les yeux autant que le palais, grâce au joli contraste de couleurs qu'offre le rouge de la tomate par rapport au chou-fleur et aux herbes.

VALEURS NUTRITIONNELLES

Calories	305	Glucides	40 g
Protéines	15 g	Lipides	14 g

Acides gras saturés ....6 g

 10 min  40 min

4 personnes

INGRÉDIENTS

500 g de chou-fleur, en fleurettes
2 grosses pommes de terre, coupées en dés
100 g de tomates cerises

SAUCE

25 g de beurre ou de margarine
1 poireau, coupé en rondelles
1 gousse d'ail, écrasée
25 g de farine
300 ml de lait
75 g de fromages râpés variés, par exemple du parmesan, du cheddar et du gruyère
½ cuil. à café de paprika
2 cuil. à soupe de persil plat haché
sel et poivre
un peu de persil haché, pour garnir

1 Faire cuire le chou-fleur dans une casserole d'eau bouillante pendant 10 minutes, bien égoutter et réserver. Répéter la même opération avec les pommes de terre.

2 Pour faire la sauce : faire fondre le beurre ou la margarine dans une casserole et y faire revenir les rondelles de poireau et l'ail pendant 1 minute. Incorporer ensuite la farine et faire cuire pendant 1 minute, sans cesser de remuer. Retirer la casserole du feu le temps d'incorporer le lait progressivement, puis 50 g de fromage, le paprika et le persil. Remettre la casserole sur le feu et porter la préparation à ébullition sans cesser de remuer. Saler et poivrer à son goût.

3 Disposer le chou-fleur au fond d'un plat à gratin profond. Ajouter les tomates cerises et recouvrir avec les dés de pomme de terre. Verser la sauce et parsemer du reste de fromage râpé.

4 Mettre le gratin au four préchauffé, à 180 °C (th. 6), pendant 20 minutes (les légumes doivent être bien cuits, le fromage doré et des bulles doivent se former à la surface). garnir et servir immédiatement.

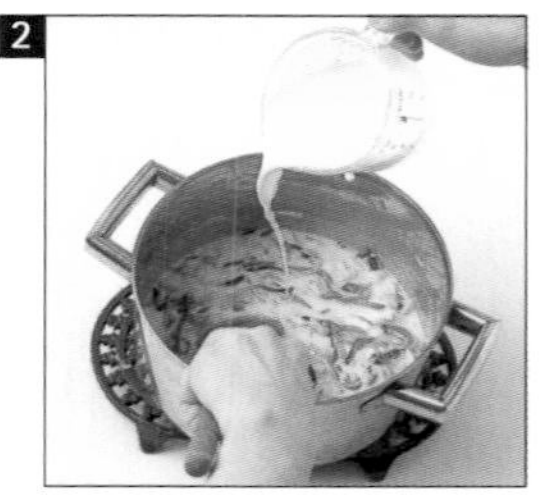
2

3

3

VARIANTE

Vous pouvez, dans cette recette, remplacer le chou-fleur par du brocoli.

Chaussons au pistou

Ces petits chaussons de pâte croustillants au bon goût de beurre, farcis de pistou et de fruits à écale, apporteront une touche d'originalité au traditionnel repas dominical.

VALEURS NUTRITIONNELLES

Calories ......1 100 Glucides ......82 g
Protéines ......29 g Lipides ....80 g
Acides gras saturés ......15 g

15 min  25 min

4 personnes

INGRÉDIENTS

- 40 g de beurre ou de margarine
- 1 gros oignon, émincé
- 275 g d'assortiment de fruits à écale, (par exemple des pignons, des noix de cajou non salées, des amandes mondées et des cacahuètes non salées), concassés
- 90 g de chapelure blanche
- ½ cuil. à café de macis en poudre
- 1 œuf, battu
- 1 jaune d'œuf
- 3 cuil. à soupe de sauce au pistou
- 2 cuil. à soupe de basilic haché
- 125 g de beurre ou de margarine, fondu(e)
- 16 feuilles de pâte filo
- sel et poivre
- brins de basilic, en garniture

ACCOMPAGNEMENT

- sauce aux groseilles
- légumes vapeur

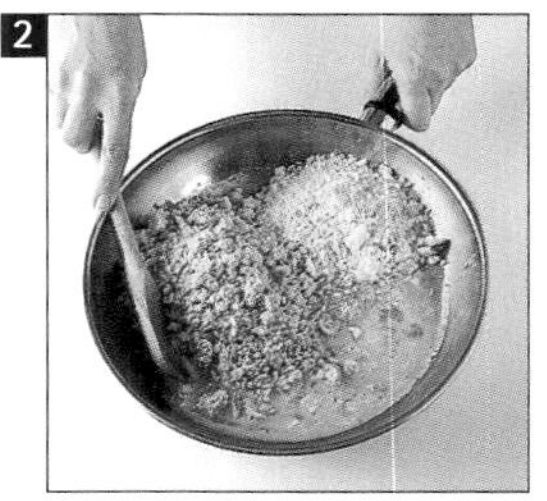
2

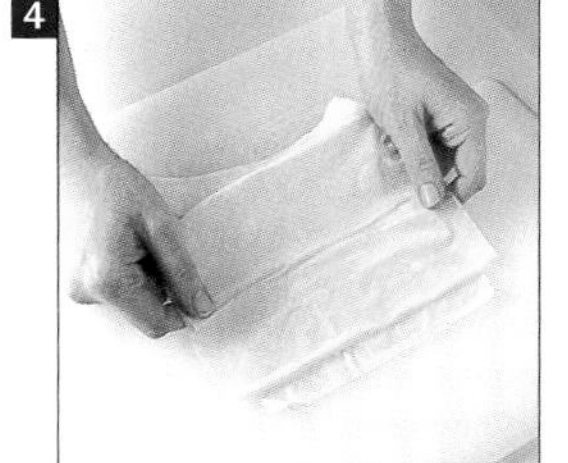
4

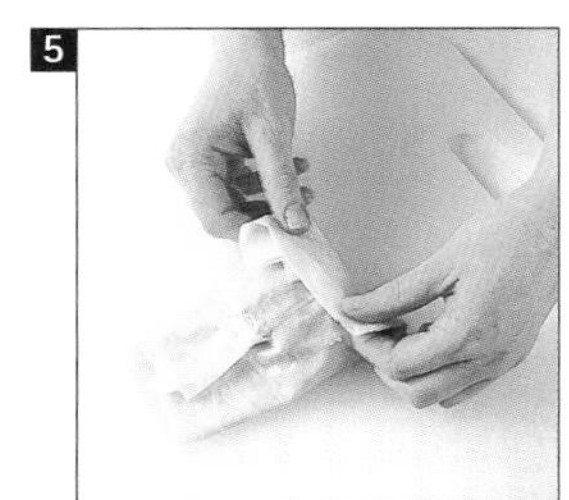
5

1 Faire fondre le beurre ou la margarine dans une poêle et faire revenir l'oignon pendant 2 à 3 minutes à feu doux. Il doit être ramolli et non grillé.

2 Retirer la poêle du feu et y mettre l'assortiment de fruits à écale, les deux tiers de la chapelure, le macis et l'œuf battu. Bien remuer, saler, poivrer et réserver.

3 Mettre le reste de chapelure dans une jatte et mélanger avec le jaune d'œuf, la sauce au pistou, le basilic et 1 cuillerée à soupe de beurre ou de margarine fondu(e). Bien mélanger.

4 Badigeonner une feuille de pâte filo avec du beurre ou de la margarine fondu(e), puis la plier en deux et la badigeonner à nouveau. Répéter l'opération avec une deuxième feuille, puis la disposer sur la première, de façon à former une croix.

5 Mettre un huitième de la garniture aux noix au centre de la croix de pâte et un huitième de la préparation au pistou par-dessus. Replier les bords, badigeonner de beurre ou de margarine et disposer le chausson obtenu sur une plaque de four. Faire sept autres chaussons.

6 Les mettre au four préchauffé, à 220 °C (th. 7-8), pendant 15 à 20 minutes (ils doivent être dorés). Disposer sur des assiettes chaudes, garnir de basilic et servir avec une sauce aux groseilles et des légumes vapeur.

Pommes de terre fourrées au pistou

Une recette facile, un plat nourrissant : des pommes de terre cuites au four, légères, dont la chair est ensuite mélangée à une délicieuse garniture au pistou, puis remises au four.

VALEURS NUTRITIONNELLES

Calories ....444 Glucides ......43 g
Protéines ......10 g Lipides ....28 g
Acides gras saturés ......13 g

10 min 1 h 30

4 personnes

INGRÉDIENTS

- 4 grosses pommes de terre d'environ 225 g chacune
- 150 ml de crème fraîche épaisse
- 75 ml de bouillon de légumes
- 1 cuil. à soupe de jus de citron
- 2 gousses d'ail, hachées
- 3 cuil. à soupe de basilic haché
- 2 cuil. à soupe de pignons
- 2 cuil. à soupe de parmesan râpé
- sel et poivre

1 Brosser les pommes de terre et piquer la peau à l'aide d'une fourchette. Frotter du sel sur la peau et les disposer sur une plaque de four.

2 Cuire les pommes de terre au four préchauffé, à 190 °C (th. 6-7) pendant 1 heure. Elles doivent être bien cuites et leur peau croustillante.

3 Sortir les pommes de terre du four et les couper en deux dans la longueur. Évider leur chair à l'aide d'une cuillère en laissant une petite marge autour de la peau. Réduire la chair en purée dans une jatte.

4 Mélanger la crème avec le bouillon dans une casserole et laisser mijoter à feu doux pendant 8 à 10 minutes, de façon à faire réduire le liquide de moitié.

5 Mettre le jus de citron, l'ail et le basilic dans la casserole, saler et poivrer. Incorporer aux pommes de terre avec les pignons.

6 Répartir le tout dans les coquilles de pomme de terre, et saupoudrer de parmesan. Faire gratiner 10 minutes au four (le fromage doit être doré).

3

4

6

VARIANTE

Vous pouvez, éventuellement, incorporer du fromage frais ou des champignons finement émincés à la chair de pommes de terre à l'étape 5.

Terrine de pommes de terre aux noix

Une délicieuse terrine cuite au four, faite à base de purée de pommes de terre aromatisée avec des noix de cajou et de pécan, du fromage, des herbes et des épices.

VALEURS NUTRITIONNELLES

Calories ......1 100 Glucides ......44 g
Protéines ......34 g Lipides ....93 g
Acides gras saturés ......22 g

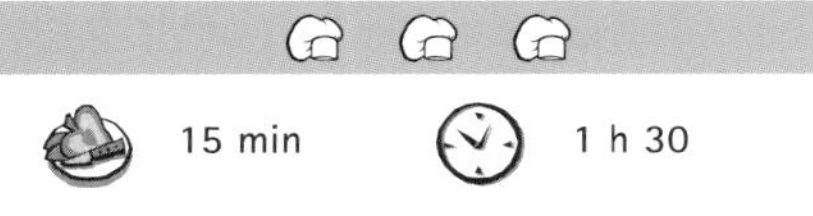

15 min 1 h 30

4 personnes

INGRÉDIENTS

- 225 g de pommes de terre farineuses, coupées en dés
- 225 g de noix de pécan
- 225 g de noix de cajou non salées
- 1 oignon, émincé
- 2 gousses d'ail, hachées
- 125 g de champignons de couche, coupés en dés
- 25 g de beurre
- 2 cuil. à soupe de fines herbes hachées
- 1 cuil. à café de paprika
- 1 cuil. à café de cumin en poudre
- 1 cuil. à café de coriandre en poudre
- 4 œufs, battus
- 125 g de fromage frais
- 60 g de parmesan, râpé
- sel et poivre

COULIS

- 3 grosses tomates pelées, épépinées et coupées en morceaux
- 2 cuil. à soupe de concentré de tomates
- 75 ml de vin rouge
- 1 cuil. à soupe de vinaigre de vin rouge
- 1 pincée de sucre en poudre

1 Beurrer légèrement un moule à cake d'une contenance de 1 litre et le chemiser avec du papier sulfurisé.

2 Faire cuire les pommes de terre dans une grande casserole d'eau bouillante légèrement salée pendant 10 minutes (elles doivent être bien cuites). Égoutter et réduire en purée.

3 Hacher les noix de cajou et de pécan ou les passer au mixeur. Les mélanger avec l'oignon, l'ail et les champignons. Faire fondre le beurre dans une poêle et y faire revenir le mélange obtenu pendant 5 à 7 minutes. Ajouter les herbes, les épices, les œufs, les fromages et les dés de pomme de terre. Bien remuer. Saler et poivrer.

4 Garnir le moule beurré de la préparation obtenue en tassant bien, puis mettre la terrine à cuire au four préchauffé, à 190 °C (th. 6-7), pendant 1 heure (elle doit être prise).

5 Pour préparer le coulis, mélanger les tomates, le concentré de tomates, le vin, le vinaigre de vin et le sucre dans une casserole et porter à ébullition sans cesser de remuer. Laisser cuire pendant 10 minutes pour faire réduire les tomates, puis passer la sauce à travers une passoire en l'écrasant avec le dos d'une cuillère, ou la passer au mixeur 30 secondes. Démouler la terrine sur un plat, la couper en tranches et servir avec le coulis de tomates.

3

3

4

Tourte mexicaine

Du maïs et des haricots rouges relevés avec du piment et de la coriandre, recouverts d'une pâte à base de semoule de maïs et de fromage, le tout cuit au four.

VALEURS NUTRITIONNELLES

Calories . . . . .519 Glucides . . . . . .78 g
Protéines . . . . . .22 g Lipides . . . . . . .22 g
Acides gras saturés . . . . . .9 g

 25 min  20 min

4 personnes

INGRÉDIENTS

- 1 cuil. à soupe d'huile de maïs
- 2 gousses d'ail, hachées
- 1 poivron rouge, épépiné et coupé en dés
- 1 poivron vert, épépiné et coupé en dés
- 1 branche de céleri, coupée en dés
- 1 cuil. à café de poudre de piment forte
- 400 g de tomates concassées en boîte
- 325 g de maïs en boîte, égoutté
- 215 g de haricots rouges en boîte, égouttés et rincés
- 2 cuil. à soupe de coriandre hachée
- sel et poivre
- brins de coriandre, en garniture
- salade de tomates et d'avocat, en accompagnement

PÂTE

- 125 g de semoule de maïs
- 1 cuil. à soupe de farine
- ½ cuil. à café de sel
- 2 cuil. à café de levure chimique
- 1 œuf, battu
- 6 cuil. à soupe de lait
- 1 cuil. à soupe d'huile de maïs
- 125 g de cheddar fort ou d'emmental, râpé

1 Faire chauffer l'huile dans une poêle et faire revenir l'ail, les poivrons et le céleri à feu doux 5 à 6 minutes, pour les ramollir.

2 Ajouter la poudre de piment, les tomates concassées, le maïs, les haricots, du sel et du poivre et porter à ébullition. Laisser mijoter 10 minutes. Incorporer la coriandre et mettre la préparation obtenue dans un plat à gratin.

3 Pour la pâte : mélanger semoule de maïs, farine, sel et levure chimique. Creuser un puits au centre du mélange et y mettre l'œuf, le lait et l'huile, puis battre jusqu'à obtention d'une pâte lisse et onctueuse.

4 Verser la pâte par-dessus la préparation à base de haricots et parsemer de fromage râpé. Mettre la tourte à cuire au four préchauffé, à 220 °C (th. 7-8), pendant 25 à 30 minutes. Le dessus doit être bien doré et ferme au toucher.

5 Garnir avec des brins de coriandre et servir immédiatement accompagné d'une salade de tomates et d'avocat.

2

3

4

Cake de pommes de terre

Un plat séduisant, nourrissant et tout simplement délicieux, surtout servi avec une sauce tomate fraîche. À déguster chaud ou froid, accompagné d'une salade verte.

VALEURS NUTRITIONNELLES

Calories ....554 Glucides ......55 g
Protéines ......16 g Lipides ....37 g
Acides gras saturés ......16 g

 20 min 1 h 20

4 personnes

INGRÉDIENTS

- 25 g de beurre, un peu plus pour beurrer le moule
- 450 g de pommes de terre farineuses, coupées en dés
- 1 oignon, émincé
- 2 gousses d'ail, hachées
- 125 g de cacahuètes non salées
- 75 g de chapelure
- 1 œuf, battu
- 2 cuil. à soupe de coriandre hachée
- 150 ml de bouillon de légumes
- 75 g de champignons, émincés
- 50 g de tomates séchées, coupées en rondelles
- sel et poivre

SAUCE

- 150 ml de crème fraîche
- 2 cuil. à café de concentré de tomates
- 2 cuil. à café de miel liquide
- 2 cuil. à soupe de coriandre hachée

1 Beurrer un moule à cake d'une contenance de 450 ml. Faire cuire les pommes de terre dans une casserole d'eau bouillante pendant 10 minute, jusqu'à ce qu'elles soient bien cuites. Bien égoutter, réduire en purée et réserver.

2 Faire fondre la moitié du beurre dans une poêle et faire revenir ail et oignon 2 à 3 minutes à feu doux pour les ramollir. Piler ou mixer les cacahuètes 30 secondes avec la chapelure.

3 Incorporer les cacahuètes, la chapelure, l'œuf, la coriandre et enfin le bouillon de légumes à la purée de pommes de terre. Ajouter l'oignon et l'ail et bien amalgamer le tout.

4 Faire fondre le reste de beurre dans la poêle et faire revenir les champignons émincés pendant 2 à 3 minutes.

5 Tasser la moitié de la préparation aux pommes de terre au fond du moule à cake. Disposer les petits champignons par-dessus, ainsi que les rondelles de tomate séchée, puis recouvrir le tout avec le reste de la purée. Égaliser la surface, puis couvrir le moule avec du papier aluminium et faire cuire au four préchauffé, à 190 °C (th. 6-7), pendant 1 heure (le dessus doit être ferme au toucher).

6 Pendant ce temps, mélanger tous les ingrédients de la sauce. Couper le cake de pommes de terre en tranches à sa sortie du four et le servir avec la sauce.

3

5

5

Tarte aux poivrons

Une recette absolument délicieuse, les légumes ayant vraiment un goût très différent car ils sont cuits au four et non à l'eau ou à la poêle.

VALEURS NUTRITIONNELLES

Calories	237	Glucides	23 g
Protéines	6 g	Lipides	15 g
Acides gras saturés	4 g		

25 min — 40 min

8 personnes

INGRÉDIENTS

PÂTE

175 g de farine
1 pincée de sel
75 g de beurre ou de margarine
2 cuil. à soupe d'olives vertes, dénoyautées et hachées
3 cuil. à soupe d'eau froide

GARNITURE

1 poivron rouge
1 poivron vert
1 poivron jaune
2 gousses d'ail, hachées
2 cuil. à soupe d'huile d'olive
100 g de mozzarella, coupée en petits morceaux
2 œufs
150 ml de lait
1 cuil. à soupe de basilic haché
sel et poivre

1 Pour faire la pâte : tamiser la farine et le sel au-dessus d'une jatte et y faire pénétrer le beurre avec les doigts pour obtenir une consistance de chapelure. Puis incorporer les olives et l'eau froide, en malaxant bien de façon à obtenir une pâte homogène.

2 Étaler la pâte et foncer un moule à tarte à fond amovible de 20 cm de diamètre. Piquer le fond et mettre au frais.

3 Couper les poivrons en deux dans la longueur, les épépiner et les mettre sur une plaque de four, côté peau vers le haut. Mélanger l'ail avec l'huile et badigeonner les poivrons de ce mélange avant de les mettre au four préchauffé, à 210 °C (th. 7), pendant 20 minutes (ils doivent commencer à noircir légèrement). Laisser refroidir quelques instants et les couper en fines lamelles. Déposer ces lamelles au fond de la tarte, en couche alternée avec la mozzarella.

4 Battre les œufs avec le lait et ajouter le basilic. Saler, poivrer et verser le mélange sur les poivrons. Poser la tarte sur une plaque de four et la faire cuire pendant 20 minutes (la garniture doit être prise). Servir chaud ou froid.

3

3

4
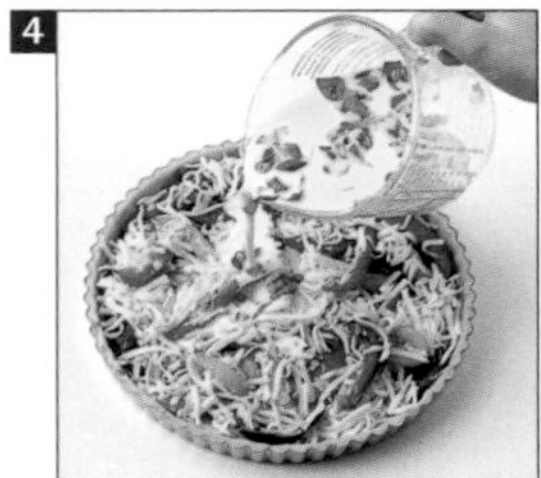

Roulé aux épinards

Un délicieux gâteau roulé salé, fourré à la mozzarella et au brocoli, que l'on peut servir en plat principal ou en apéritif, auquel cas il conviendra largement pour six personnes.

VALEURS NUTRITIONNELLES

Calories ....287 Glucides ......16 g
Protéines ......23 g Lipides ....12 g
Acides gras saturés ....6 g

 15 min  25 min

4 personnes

INGRÉDIENTS

- 500 g de jeunes feuilles d'épinards
- 2 cuil. à soupe d'eau
- 4 œufs, blancs et jaunes séparés
- ½ cuil. à café de muscade en poudre
- sel et poivre
- 300 ml de coulis de tomates, en accompagnement

GARNITURE

- 175 g de brocoli, en fleurettes
- 25 g de parmesan frais, râpé
- 175 g de mozzarella, coupée en petits morceaux

2

5

6

1 Laver les épinards, les tasser encore mouillés dans une casserole et ajouter l'eau. Couvrir la casserole hermétiquement et cuire à feu vif pendant 4 à 5 minutes, jusqu'à ce que les épinards aient réduit et ramolli. Égoutter les épinards en les pressant dans une passoire puis les hacher et les sécher en tapotant avec du papier absorbant.

2 Mélanger les épinards avec les jaunes d'œufs puis ajouter du sel, du poivre et la muscade. Battre les blancs en neige, pas trop ferme, pour les incorporer délicatement à la préparation précédente.

3 Beurrer un moule à bords bas de 23 cm sur 32 cm et le chemiser de papier sulfurisé. Y étaler la préparation en égalisant et mettre au four préchauffé, à 220 °C (th. 7-8), 12 à 15 minutes. Le dessus doit être ferme et doré.

4 Cuire le brocoli à l'eau bouillante légèrement salée pendant 4 à 5 minutes (il doit être juste tendre). Égoutter et réserver.

5 Saupoudrer une feuille de papier sulfurisé de parmesan râpé, retourner la « pâte » du roulé dessus puis décoller la feuille ayant servi à chemiser le moule. Parsemer le roulé de mozzarella et disposer le brocoli par-dessus.

6 Tout en tenant un côté du papier, enrouler la pâte aux épinards comme un biscuit roulé. Faire chauffer la sauce tomate et en disposer dans chaque assiette, puis couper le roulé en tranches et mettre chaque tranche dans une assiette, sur la sauce tomate.

Flan au brocoli et au chou-fleur

Un flan vraiment savoureux, dont la pâte peut être préparée à l'avance et congelée jusqu'à son utilisation.

VALEURS NUTRITIONNELLES

Calories ....252 Glucides ......25 g
Protéines ....7 g Lipides ....16 g
Acides gras saturés ....5 g

15 min — 50 min

8 personnes

INGRÉDIENTS

PÂTE

175 g de farine
1 pincée de sel
½ cuil. à café de paprika
1 cuil. à café de thym séché
75 g de margarine
3 cuil. à soupe d'eau

GARNITURE

100 g de chou-fleur, en fleurettes
100 g de brocoli, en fleurettes
1 oignon, coupé en huit
25 g de beurre ou de margarine
1 cuil. à soupe de farine
6 cuil. à soupe de bouillon de légumes
125 ml de lait
75 g de cheddar ou d'emmental, râpé
sel et poivre
paprika, en garniture

1 Pour faire la pâte : tamiser la farine et le sel au-dessus d'une jatte, ajouter le paprika et le thym et faire pénétrer la margarine dans le mélange sec avec les doigts. Incorporer l'eau et malaxer le tout de façon à obtenir une pâte.

2 Sur un plan de travail fariné, étaler la pâte et foncer un moule à tarte à fond amovible de 18 cm de diamètre. Piquer la pâte, la couvrir de papier sulfurisé et disposer des haricots secs par-dessus. Faire cuire au four préchauffé, à 190 °C (th. 6-7) 15 minutes. Retirer les haricots secs et le papier sulfurisé et remettre le fond de tarte au four pendant 5 minutes.

3 Pour faire la garniture : cuire les légumes dans une casserole d'eau bouillante légèrement salée pendant 10 à 12 minutes (ils doivent être tendres). Égoutter et réserver.

4 Faire fondre le beurre dans une casserole à part, puis incorporer la farine en laissant sur le feu sans cesser de remuer pendant 1 minute. Retirer du feu le temps d'incorporer le lait et le bouillon, et remettre sur le feu. Porter à ébullition sans cesser de remuer. Ajouter 50 g de fromage, saler et poivrer.

5 Garnir le fond de tarte avec les légumes cuits, les napper de sauce et parsemer du reste du fromage. Remettre au four 10 minutes (des bulles doivent se former à la surface) puis décorer avec du paprika avant de servir.

2

4

5

Pain tressé à la pomme de terre

Un pain au délicieux goût de fromage et d'ail, à déguster de préférence à la sortie du four, dès qu'il a atteint une température idéale.

VALEURS NUTRITIONNELLES

Calories ....387 Glucides ......71 g
Protéines ......13 g Lipides ....8 g
Acides gras saturés ....4 g

 2 h 30  55 min

8 personnes

INGRÉDIENTS

- 175 g de pommes de terre farineuses, coupées en dés
- 14 g de levure de boulanger
- 675 g de farine
- 450 ml de bouillon de légumes
- 2 gousses d'ail, hachées
- 2 cuil. à soupe de romarin haché
- 125 g de gruyère, râpé
- 1 cuil. à soupe d'huile
- 1 cuil. à soupe de sel

1 Beurrer et fariner légèrement une plaque de four. Cuire les pommes de terre à l'eau bouillante pendant 10 minutes (elles doivent être tendres). Égoutter et réduire en purée.

2 Mettre la purée dans une jatte et y incorporer levure, farine et bouillon. Mélanger jusqu'à obtention d'une pâte homogène, puis ajouter l'ail, le romarin et 75 g de fromage râpé. Pétrir la pâte 5 minutes, creuser un puits au centre et y verser l'huile. Recommencer à pétrir.

3 Couvrir la pâte et la laisser lever près d'une source de chaleur 1 heure ½ pour la faire doubler de volume.

4 Pétrir à nouveau la pâte, puis la diviser en trois morceaux de taille égale. Rouler chaque morceau de façon à former 3 longs boudins de pâte d'environ 35 cm.

2

4

5

5 Assembler les trois morceaux de pâte par l'une des extrémités en appuyant bien fort, puis tresser délicatement la pâte sans la casser. Une fois arrivé au bout, replier les extrémités ensemble en appuyant bien pour les coller.

6 Disposer le pain tressé sur la plaque de four, couvrir et laisser lever pendant environ 30 minutes.

7 Parsemer du reste de fromage sur le pain et faire cuire au four préchauffé, à 190 °C (th. 6-7), pendant 40 minutes (ou tapoter le fond de la plaque : on doit entendre un son creux). Servir chaud.

Pain à l'ail et à la sauge

Un bon pain frais dont la composition convient aux végétaliens, et qui sera l'accompagnement idéal de vos salades et soupes.

VALEURS NUTRITIONNELLES

Calories ....141 Glucides ......32 g
Protéines ....6 g Lipides ....0,8 g
Acides gras saturés ......0,1 g

2 h 15  30 min

6 personnes

INGRÉDIENTS

- 225 g de farine complète
- 1 sachet de levure de boulanger
- 3 cuil. à soupe de sauge fraîche hachée
- 2 cuil. à café de sel de mer
- 3 gousses d'ail, finement émincées
- 1 cuil. à café de miel
- 150 ml d'eau tiède

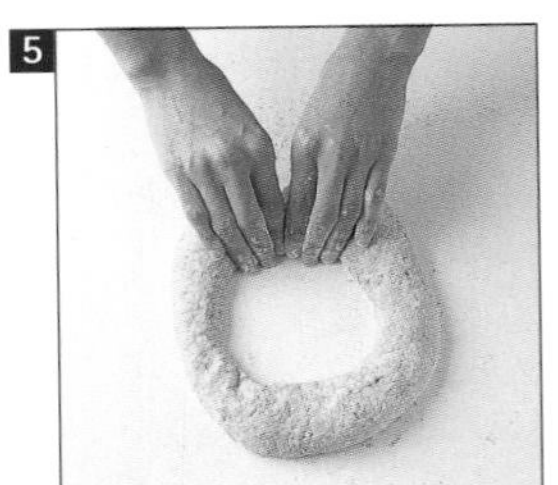

1 Beurrer une plaque à pâtisserie. Tamiser la farine au-dessus d'une jatte.

2 Ajouter la levure de boulanger, la sauge et la moitié du sel de mer. Réserver 1 cuillerée à soupe d'ail émincé pour parsemer le pain avant de le mettre au four, et incorporer le reste dans la jatte. Ajouter le miel et l'eau tiède. Bien mélanger le tout jusqu'à obtention d'une pâte.

3 Mettre la pâte sur un plan fariné et pétrir 5 minutes (éventuellement à l'aide d'un mixeur équipé d'un couteau pétrisseur).

4 Placer la pâte dans une jatte beurrée, la couvrir et la laisser lever pendant environ 1 heure près d'une source de chaleur pour la faire doubler de volume.

5 Pétrir la pâte à nouveau quelques minutes avant de lui donner la forme d'une couronne et de disposer celle-ci sur la plaque à pâtisserie.

6 Couvrir et laisser lever pendant encore 30 minutes jusqu'à obtention d'une texture élastique au toucher. Parsemer du reste de sel et d'ail.

7 Cuire au four préchauffé, à 210 °C (th. 7), pendant 25 à 30 minutes. Laisser refroidir sur une grille avant de servir.

CONSEIL

Commencez par former un très long boudin de pâte, puis façonnez-le en forme de couronne.

Pain à la patate douce

Un pain exquis qui, grâce à la patate douce, prend une jolie couleur orangée, et dont le goût sucré du miel est dynamisé par le zeste d'orange.

VALEURS NUTRITIONNELLES

Calories ....267 Glucides ......52 g
Protéines ....4 g Lipides ....9 g
Acides gras saturés ....4 g

 1 h 30  1 h 15

8 personnes

INGRÉDIENTS

- 225 g de patates douces, coupées en dés
- 150 ml d'eau tiède
- 2 cuil. à soupe de miel liquide
- 2 cuil. à soupe d'huile
- 3 cuil. à soupe de jus d'orange
- 75 g de semoule
- 225 g de farine
- 1 sachet de levure de boulanger
- 1 cuil. à café de cannelle en poudre
- zeste râpé d'une orange
- 60 g de beurre

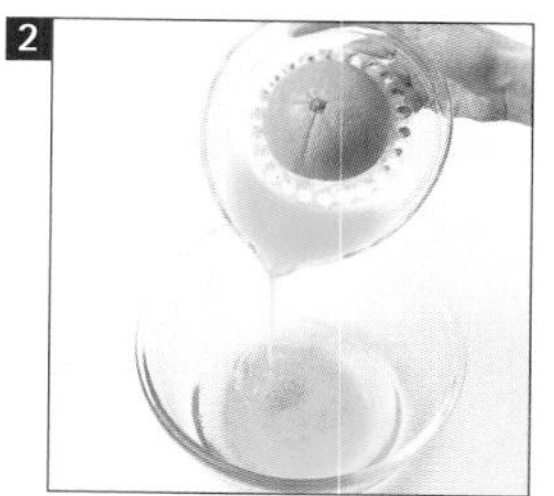

2

3

4

1 Beurrer légèrement un moule à cake d'une contenance de 675 ml. Cuire les patates douces dans une casserole d'eau chaude pendant 10 minutes (elles doivent être ramollies). Égoutter et réduire en purée.

2 Pendant ce temps, mélanger l'eau avec le miel, l'huile et le jus d'orange dans une grande jatte.

3 Ajouter la purée dans la jatte avec la semoule, trois quarts de la farine, la levure, la cannelle en poudre et le zeste d'orange râpé. Mélanger énergiquement jusqu'à obtention d'une pâte, puis laisser reposer pendant environ 10 minutes.

4 Couper le beurre en petits dés et l'incorporer à la pâte en pétrissant, suivi du reste de farine. Pétrir pendant environ 5 minutes jusqu'à obtention d'une pâte homogène.

5 Mettre la pâte dans le moule beurré, couvrir et laisser lever près d'une source de chaleur pendant 1 heure jusqu'à ce qu'elle ait doublé de volume.

6 Mettre le pain à cuire au four préchauffé, à 190 °C (th. 6-7), pendant 45 minutes à 1 heure (ou tapoter le fond du moule : on doit entendre un son creux). Servir le pain chaud coupé en tranches.

Barbecue

La cuisine au barbecue n'est pas réservée aux carnivores invétérés, un végétarien peut également y trouver son bonheur. Tout au long de ce chapitre, vous trouverez des recettes à la fois créatives et savoureuses pour égayer un barbecue. Ces recettes sont riches en protéines, grâce au fromage, aux haricots et au tofu qu'elles contiennent, et

en même temps leur grande proportion de légumes les rend riches en vitamines, en minéraux et en glucides, éléments nutritifs essentiels. La cuisine au barbecue nécessite quelques étapes préalables, comme faire mariner certains ingrédients ou les piquer sur les brochettes mais avec un peu d'organisation, vous trouverez tout le temps de vous détendre avec vos invités et de profiter pleinement du barbecue.

Sauce barbecue

La petite touche en plus, une sauce facile et rapide pour accompagner brochettes et galettes de légumes.

VALEURS NUTRITIONNELLES

Calories ....100 Glucides ......19 g
Protéines ....1 g Lipides ....6 g
Acides gras saturés ....1 g

 5 min  40 min

4 personnes

INGRÉDIENTS

- 25 g de beurre ou de margarine
- 1 gousse d'ail, écrasée
- 1 oignon, émincé
- 400 g de tomates concassées en boîte
- 1 cuil. à soupe de sucre de canne brun
- 1 cuil. à café de sauce au piment forte
- 1 ou 2 cornichons
- 1 cuil. à soupe de câpres, égouttées
- sel et poivre

1 Faire fondre le beurre ou la margarine dans une poêle et faire revenir l'ail et l'oignon pendant 8 à 10 minutes pour bien les faire dorer.

2 Ajouter les tomates, le sucre et la sauce au piment dans la casserole. Porter à ébullition, puis baisser le feu et laisser mijoter pendant 20 à 25 minutes à feu doux. Le mélange doit être bien épais et crémeux.

3 Hacher finement les cornichons et les câpres et les incorporer à la sauce. Bien remuer, puis faire chauffer à feu doux pendant 2 minutes.

4 Goûter et rectifier l'assaisonnement. Utiliser la sauce pour accompagner des brochettes et galettes de légumes.

CONSEIL

Pour donner une jolie couleur à la sauce, il est important de bien faire dorer les oignons. En été, quand les tomates sont bien mûres, elles peuvent remplacer les tomates en boîte. Utilisez alors 500 g de tomates fraîches, pelées et coupées en morceaux.

Marinades aux agrumes

Un choix de plusieurs marinades pour donner un merveilleux parfum aux grillades. Les valeurs nutritionnelles concernent la marinade à l'orange et à la marjolaine.

VALEURS NUTRITIONNELLES

Calories	269	Glucides	6 g
Protéines	0,4 g	Lipides	6 g

Acides gras saturés .... 1 g

 20 min  0 min

4 personnes

INGRÉDIENTS

MARINADE ORANGE-MARJOLAINE

1 orange

125 ml d'huile d'olive

4 cuil. à soupe de vin blanc sec

4 cuil. à soupe de vinaigre de vin blanc

1 cuil. à soupe de ciboulette ciselée

1 cuil. à soupe de marjolaine hachée

sel et poivre

MARINADE THAÏE AU CITRON VERT

1 tige de lemon-grass

zeste finement râpé et jus d'un citron vert

4 cuil. à soupe d'huile de sésame

2 cuil. à soupe de sauce de soja claire

1 pincée de gingembre moulu

1 cuil. à soupe de coriandre hachée

sel et poivre

MARINADE CITRON-BASILIC

zeste finement râpé d'un citron

4 cuil. à soupe de jus de citron

1 cuil. à soupe de vinaigre balsamique

2 cuil. à soupe de vinaigre de vin rouge

2 cuil. à soupe d'huile d'olive vierge

1 cuil. à soupe d'origan haché

1 cuil. à soupe de basilic haché

sel et poivre

1 Pour la marinade orange-marjolaine, enlever le zeste de l'orange à l'aide d'un zesteur ou bien le râper finement. Puis presser le jus de l'orange.

2 Mélanger le zeste et le jus d'orange avec le reste des ingrédients dans un petit bol, en fouettant pour bien mélanger. Saler et poivrer à son goût.

3 Pour la marinade thaïe au citron vert, broyer le lemon-grass en l'écrasant avec un rouleau à pâtisserie. Mélanger ensuite les autres ingrédients dans un petit bol et ajouter le lemon-grass.

4 Pour la marinade citron-basilic, battre tous les ingrédients ensemble dans un petit bol. Saler et poivrer à son goût.

5 Couvrir les marinades avec du film alimentaire ou les conserver dans des shakers à sauce, prêtes à l'emploi pour faire mariner ou badigeonner des brochettes.

2

3

4

Le must des sauces de salade

Trois sauces imbattables pour relever vos salades. Les valeurs nutritionnelles concernent uniquement la vinaigrette à la moutarde.

VALEURS NUTRITIONNELLES

Calories ....245 Glucides ......1 g
Protéines ......0 g Lipides ......27 g
Acides gras saturés ......4 g

 45 min  0 min

4 personnes

INGRÉDIENTS

VINAIGRETTE À LA MOUTARDE À L'ANCIENNE ET AU VINAIGRE DE CIDRE

- 125 ml d'huile d'olive
- 4 cuil. à soupe de vinaigre de cidre
- 2 cuil. à café de moutarde à l'ancienne
- ½ cuil. à café de sucre en poudre
- sel et poivre

CRÈME AIL ET PERSIL

- 1 petite gousse d'ail
- 1 cuil. à soupe de persil
- 150 ml de crème liquide
- 4 cuil. à soupe de yaourt nature
- 1 cuil. à café de jus de citron
- 1 pincée de sucre en poudre
- sel et poivre

VINAIGRETTE FRAMBOISE-NOISETTE

- 4 cuil. à soupe de vinaigre de framboise
- 4 cuil. à soupe d'huile d'olive
- 4 cuil. à soupe d'huile de noisette
- ½ cuil. à café de sucre en poudre
- 2 cuil. à café de ciboulette hachée
- sel et poivre

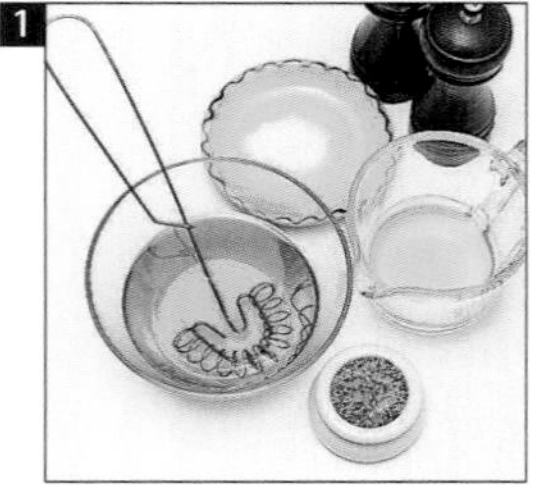
1

2

4

1 Pour la vinaigrette à la moutarde à l'ancienne et au vinaigre de cidre, battre tous les ingrédients dans un petit bol.

2 Pour la crème à l'ail et au persil, écraser la gousse d'ail et hacher finement le persil. Mélanger l'ail et le persil avec le reste des ingrédients, puis battre le tout pour bien amalgamer. Couvrir et mettre au frais pendant 30 minutes.

3 Pour la vinaigrette framboise-noisette, battre tous les ingrédients de façon à bien amalgamer le tout.

4 Conserver ces sauces au frais en les couvrant avec du film plastique ou en les mettant dans des shakers à sauce.

Assortiment de légumes au barbecue

La saveur incomparable des légumes grillés sur les braises, voici de quoi exciter les papilles.

VALEURS NUTRITIONNELLES

Calories ....155 Glucides ......13 g
Protéines ....2 g Lipides ....12 g
Acides gras saturés ....7 g

 10 min  25 min

6 personnes

INGRÉDIENTS

- 8 jeunes aubergines
- 4 courgettes
- 2 oignons rouges
- 4 tomates
- sel et poivre
- 1 cuil. à café de vinaigre balsamique, en accompagnement

POUR ARROSER

- 75 g de beurre
- 2 cuil. à café d'huile de noix
- 2 gousses d'ail, émincées
- 4 cuil. à soupe de vin blanc sec ou de cidre

1 Commencer par préparer les légumes : couper les aubergines et les tomates en deux, ébouter les courgettes et les couper en deux dans la longueur et couper l'oignon en grosses rondelles

2 Saler et poivrer tous les légumes à son goût.

3 Pour faire la sauce : faire fondre le beurre et l'huile dans une casserole et faire revenir l'ail pendant 1 à 2 minutes à feu doux. Retirer la casserole du feu et incorporer le vin ou le cidre.

4 Mettre les légumes dans la casserole et bien les remuer pour qu'ils s'enrobent de la sauce. Si nécessaire, effectuer cette opération en plusieurs fournées pour que tous les légumes soient bien arrosés.

5 Sortir les légumes de la casserole, réserver le reste de sauce. Disposer les légumes sur une grille huilée posée sur des braises à chaleur moyenne et les faire griller pendant 15 à 20 minutes, en les arrosant à nouveau avec le reste de sauce et en les retournant une ou deux fois pendant la cuisson.

6 Disposer les légumes dans des assiettes chaudes et arroser d'un peu de vinaigre balsamique avant de servir.

1

2

4

Brochettes de légumes

On peut utiliser des brins de romarin comme pinceaux pour badigeonner ou comme piques à brochettes. Faire tremper les brins de romarin à l'avance.

VALEURS NUTRITIONNELLES

Calories ....16 Glucides ......6 g
Protéines ......1 g Lipides ......0,3 g
Acides gras saturés ......0 g

 8 h 30  10 min

6 personnes

INGRÉDIENTS

- 1 petit chou rouge
- 1 bulbe de fenouil
- 1 poivron orange, coupé en dés de 3,5 cm
- 1 aubergine coupée, en deux puis en morceaux de 1 cm
- 2 courgettes, coupées en rondelles diagonales épaisses
- huile d'olive, pour arroser
- 6 brins de romarin d'environ 15 cm de long, trempés dans l'eau pendant 8 heures
- sel et poivre

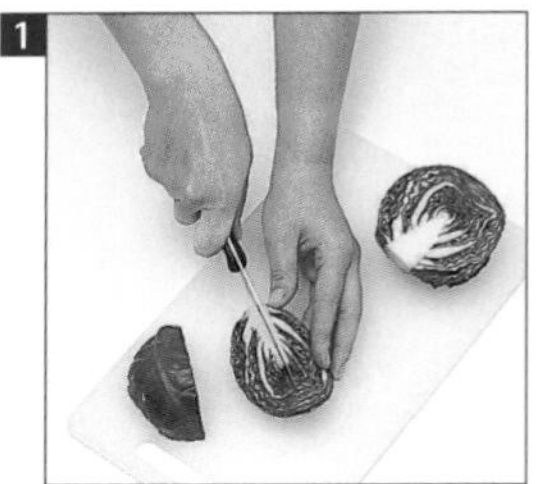

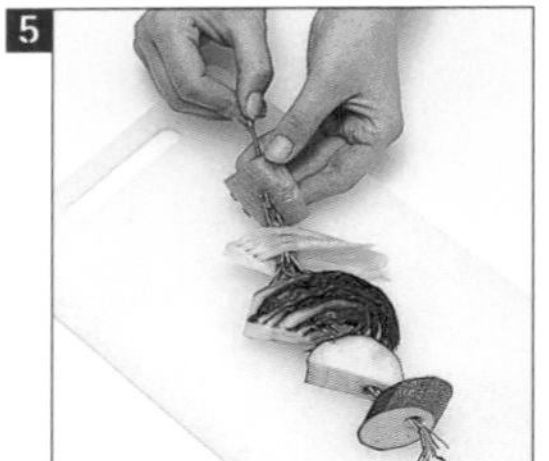

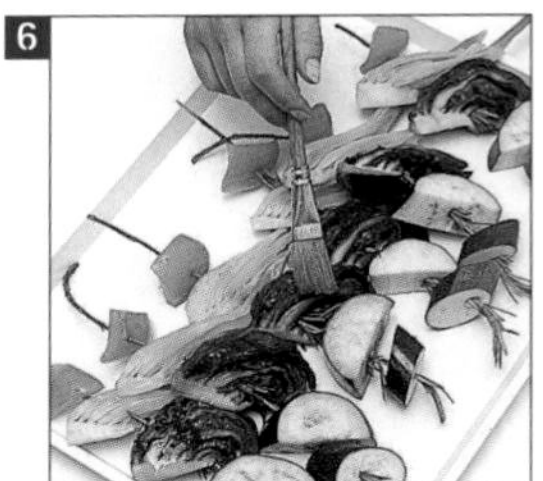

1 Poser le chou rouge de côté sur une planche à découper et le couper en deux dans la hauteur. Diviser chaque moitié en quatre, en faisant en sorte que chaque morceau ait à la fois un peu du cœur et du pied, pour que le tout tienne ensemble.

2 Découper le fenouil de la même façon que le chou rouge.

3 Blanchir le chou rouge et le fenouil dans l'eau bouillante 3 minutes. Bien égoutter.

4 À l'aide d'un bâtonnet en bois, trouer les morceaux de légumes en leur centre.

5 Enfiler un morceau de poivron, de fenouil, de chou rouge, d'aubergine et de courgette sur chaque brin de romarin, en les poussant bien sur le brin.

6 Arroser généreusement les brochettes d'huile d'olive. Bien saler et poivrer.

7 Faire cuire les brochettes au barbecue chaud pendant 8 à 10 minutes, en les retournant de temps en temps. Servir immédiatement.

VARIANTE

Les brochettes de fruits sont aussi excellentes, faciles et rapides à préparer : enfilez des morceaux de banane, de mangue, de pêche, de fraise et de pomme sur des piques en bois mises à tremper au préalable et faites-les cuire sur les tisons, en les arrosant de sirop de sucre en fin de cuisson.

Épis de maïs au beurre persillé

Il existe une multitude de façons de faire cuire des épis de maïs au barbecue. On laisse les feuilles sur l'épi pour protéger les grains de maïs.

VALEURS NUTRITIONNELLES

Calories ....178 Glucides ......26 g
Protéines ....2 g Lipides ....11 g
Acides gras saturés ....7 g

 10 min  30 min

4 personnes

INGRÉDIENTS

- 4 épis de maïs avec les feuilles
- 100 g de beurre
- 1 cuil. à soupe de persil haché
- 1 cuil. à café de ciboulette hachée
- 1 cuil. à café de thym haché
- zeste râpé d'un citron
- sel et poivre

1

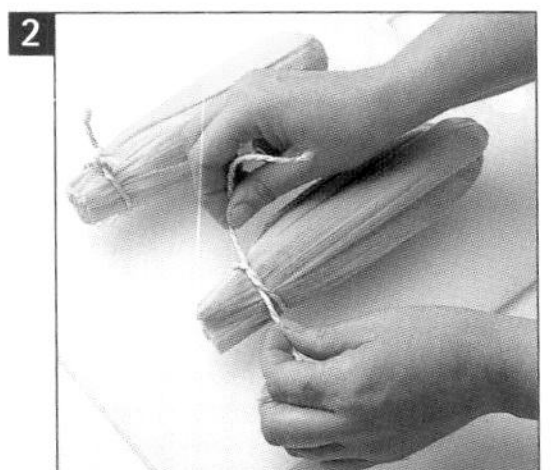
2

5

1 Pour préparer les épis de maïs, écarter les feuilles et retirer les barbes.

2 Rabattre ensuite les feuilles sur les grains et faire tenir le tout ensemble à l'aide d'une ficelle si nécessaire.

3 Blanchir les épis de maïs dans une grande casserole d'eau bouillante pendant environ 5 minutes, puis les retirer à l'aide d'une écumoire et bien les égoutter.

4 Faire cuire les épis de maïs au barbecue, sur des braises moyennement chaudes, pendant 20 à 30 minutes, en les retournant régulièrement.

5 Pendant ce temps, ramollir le beurre et y incorporer le persil, la ciboulette, le thym et le zeste de citron, puis saler et poivrer.

6 Disposer les épis de maïs dans des assiettes chaudes, retirer la ficelle s'il y a lieu et déplier les feuilles. Servir accompagné d'une belle noix de beurre persillé. Manger les épis à l'aide de deux fourchettes ou de pinces spéciales pour épis de maïs, et prévoir beaucoup de serviettes en papier.

CONSEIL

Vous pouvez aussi faire cuire des épis de maïs surgelés au barbecue : il suffit d'étaler du beurre persillé sur une double épaisseur de papier aluminium, d'envelopper les épis de maïs dedans et de les faire cuire dans les braises pendant 20 à 30 minutes.

Steaks de riz aux noix

Servir ces steaks dans de petits pains grillés aux graines de sésame. On peut, si l'on veut, ajouter une tranche de fromage sur le steak en fin de cuisson.

VALEURS NUTRITIONNELLES

Calories ....517 Glucides ......64 g
Protéines ......16 g Lipides ....26 g
Acides gras saturés ....6 g

 1 h 15  30 min

6 personnes

INGRÉDIENTS

- 1 cuil. à soupe d'huile de tournesol
- 1 petit oignon, émincé
- 100 g de champignons, émincés
- 350 g de riz complet, cuit
- 100 g de chapelure
- 75 g de noix, pilées
- 1 œuf
- 1 cuil. à soupe de sauce Worcester
- 1 trait de sauce Tabasco
- sel et poivre
- huile, pour arroser
- 6 tranches de fromage, fondu (facultatif)

ACCOMPAGNEMENT

- 6 petits pains ronds aux graines de sésame
- rondelles d'oignon
- rondelles de tomate

1 Faire chauffer l'huile dans une casserole et faire revenir l'oignon pendant 3 à 4 minutes pour le ramollir. Ajouter les champignons et faire revenir pendant 2 minutes.

2 Retirer la casserole du feu et mettre le riz cuit, la chapelure, les noix, l'œuf et les deux sauces, en remuant bien. Saler et poivrer et bien mélanger.

3 Diviser la préparation obtenue en 6 portions et les modeler en steaks, en tassant bien avec les doigts pour faire tenir. Les réfrigérer ensuite pendant au moins 30 minutes.

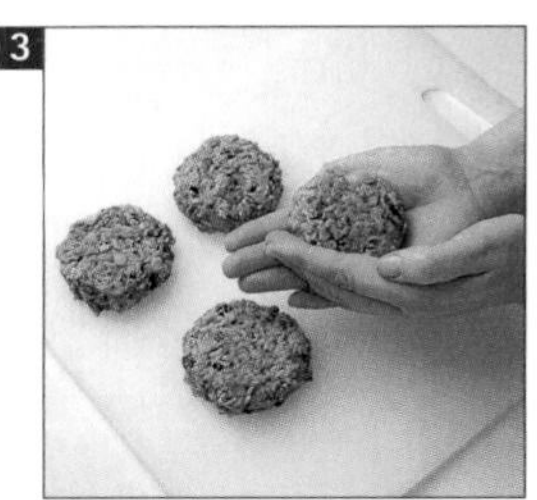

4 Faire cuire les steaks au barbecue sur une grille huilée posée sur des braises moyennement chaudes, en les laissant 5 à 6 minutes de chaque côté. Les retourner une fois et les arroser d'huile régulièrement.

5 Surmonter éventuellement chaque steak d'une tranche de fromage pendant 2 minutes avant la fin de la cuisson. Faire cuire les rondelles d'oignon et de tomate pendant 3 à 4 minutes sur le barbecue, pour les faire dorer.

6 Faire griller les petits pains aux graines de sésame sur le côté du barbecue puis servir les steaks dans les petits pains, accompagnés des oignons et des tomates grillés.

CONSEIL

L'utilisation de restes de riz rend ces steaks plus économiques et plus rapides à préparer. Cependant, en cas d'utilisation de riz cru que l'on fait cuire spécialement pour cette recette, il vous en faudra 175 g.

Brochettes au curry

Des brochettes de légumes enrobées d'une sauce au yaourt et au curry, servies accompagnées de pain indien chaud.

VALEURS NUTRITIONNELLES

Calories ....396 Glucides ......71 g
Protéines ......13 g Lipides ....13 g
Acides gras saturés ......0,3 g

 30 min   25 à 30 min

4 personnes

INGRÉDIENTS

naan (pain indien), en accompagnement

brins de menthe, en garniture

SAUCE AU YAOURT

150 ml de yaourt nature

1 cuil. à soupe de menthe hachée ou 1 cuil. à café de menthe séchée

1 cuil. à café de cumin en poudre

1 cuil. à café de coriandre en poudre

½ cuil. à café de poudre de piment

1 pincée de curcuma

1 pincée de gingembre moulu

sel et poivre

BROCHETTES

8 petites pommes de terre nouvelles

1 petite aubergine

1 courgette, coupée en gros morceaux

8 champignons crème ou champignons fermés

8 petites tomates

1 Pour faire la sauce : mélanger le yaourt avec la menthe, le cumin, la coriandre, la poudre de piment, le curcuma et le gingembre. Saler et poivrer, couvrir et mettre au frais.

2 Faire cuire les pommes de terre à l'eau bouillante (elles doivent être juste tendres).

3 Pendant ce temps, couper l'aubergine en gros morceaux et bien les saupoudrer de sel. Réserver pendant 10 à 15 minutes pour les débarrasser de leur amertume puis bien les rincer et les égoutter. Égoutter les pommes de terre.

4 Enfiler les morceaux de pomme de terre, d'aubergine, de courgette, de champignon et de tomate en alternance sur 4 bâtonnets.

5 Disposer les brochettes dans un plat peu profond et les badigeonner de sauce au yaourt, en les enrobant bien sur toute la surface. Couvrir et mettre au frais jusqu'au moment de la cuisson.

6 Envelopper le naan dans du papier aluminium et le disposer sur un côté du barbecue pour le réchauffer.

7 Faire cuire les brochettes au barbecue, en les arrosant à nouveau de sauce au yaourt. Elles doivent commencer à noircir légèrement. Servir avec le naan chaud, décoré de brins de menthe.

3

4

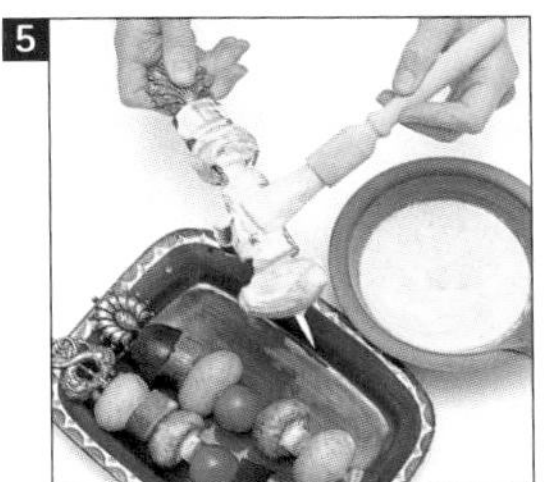

5

Patates douces grillées

Un excellent accompagnement pour d'autres plats cuits au barbecue, que l'on peut aussi servir en en-cas avec une sauce épicée, le temps que le plat principal cuise.

VALEURS NUTRITIONNELLES

Calories	178	Glucides	32,8 g
Protéines	2 g	Lipides	6 g

Acides gras saturés ......0,7 g

 10 min  25 min

4 personnes

INGRÉDIENTS

- 450 g de patates douces
- 2 cuil. à soupe d'huile de tournesol
- 1 cuil. à café de sauce au piment
- sel et poivre

1 Porter une grande casserole d'eau à ébullition, y plonger les patates douces et les faire cuire à demi pendant 10 minutes. Bien les égoutter et les mettre sur une planche à découper.

2 Éplucher les patates avant de les couper en rondelles épaisses.

3 Dans un petit bol, mélanger l'huile de tournesol avec la sauce pimentée, puis saler et poivrer.

4 Badigeonner généreusement une face des rondelles de patate douce avec le mélange d'huile et de sauce pimentée, puis mettre les rondelles au barbecue sur des braises moyennement chaudes, côté huilé vers le bas. Laisser cuire pendant environ 5 à 6 minutes.

5 Badigeonner la face supérieure des rondelles puis les retourner et laisser cuire au barbecue encore 5 minutes (elles doivent être bien dorées et croustillantes).

6 Disposer les patates douces dans un plat chaud et servir immédiatement.

CONSEIL

Une idée de sauce facile pour accompagner : mélanger 150 ml de crème aigre ou de crème fraîche avec ½ cuillerée à café de sucre, ½ cuillerée à café de moutarde de Dijon, saler et poivrer et mettre au frais jusqu'à utilisation.

Steaks de haricots grillés

De petits pâtés de haricots qui conviennent idéalement à un barbecue d'été, mais que l'on déguste avec autant de plaisir à l'intérieur à n'importe quel moment de l'année.

VALEURS NUTRITIONNELLES

Calories ....443 Glucides ......80 g
Protéines ......17 g Lipides ....14 g
Acides gras saturés ....2 g

15 min 1 h 05

6 personnes

INGRÉDIENTS

125 g de haricots adzuki secs
125 g de haricots cornilles secs
6 cuil. à soupe d'huile
1 gros oignon, émincé
1 cuil. à café d'extrait de levure
125 g de carottes, râpées
90 g de chapelure blonde
2 cuil. à soupe de farine complète
sel et poivre

SAUCE BARBECUE

½ cuil. à café de poudre de piment
1 cuil. à café de sel au céleri
2 cuil. à soupe de sucre de canne non raffiné
2 cuil. à soupe de vinaigre de vin rouge
2 cuil. à soupe de sauce Worcester
3 cuil. à soupe de concentré de tomates
1 trait de sauce Tabasco

ACCOMPAGNEMENT

6 petits pains ronds complets, grillés
mesclun
pommes de terre, frites avec la peau

1 Mettre les haricots dans deux casseroles, les immerger dans l'eau et porter à ébullition. Couvrir et laisser mijoter les haricots adzuki pendant 40 minutes, et les haricots cornilles pendant 50 minutes (ils doivent être bien tendres). Égoutter et rincer.

2 Mettre les deux sortes de haricots dans une jatte et les écraser à l'aide d'un presse-purée ou d'une fourchette, sans trop appuyer. Réserver.

2

3 Faire chauffer 1 cuillerée à soupe d'huile dans une poêle et faire revenir l'oignon 3 à 4 minutes pour le faire ramollir. Incorporer les oignons aux haricots, l'extrait de levure, les carottes râpées, la chapelure, du sel et du poivre. Bien amalgamer le tout.

3

4 Les mains mouillées, diviser la préparation en 6 morceaux et les modeler en forme de steaks de 8 cm de diamètre. Étaler ensuite la farine dans une assiette et en enduire les steaks.

4

5 Pour faire la sauce, mélanger tous les ingrédients et bien remuer pour homogénéiser le tout.

6 Faire cuire les steaks au barbecue moyennement chaud en les laissant 3 à 4 minutes de chaque côté et en les arrosant de temps en temps avec le reste d'huile. Disposer les steaks dans les petits pains grillés et servir avec du mesclun, les pommes de terre cuites et une cuillère de sauce barbecue.

Brochettes turques

Des brochettes de légumes pleines de couleurs, grillées au barbecue et servies accompagnées d'une sauce épicée aux pois chiches.

VALEURS NUTRITIONNELLES

Calories ....303 Glucides ......43 g
Protéines ......13 g Lipides ....15 g
Acides gras saturés ....2 g

20 min 20 min

4 personnes

INGRÉDIENTS

SAUCE

- 4 cuil. à soupe d'huile d'olive
- 3 gousses d'ail, hachées
- 1 petit oignon, émincé
- 425 g de pois chiches en boîte, rincés et égouttés
- 300 ml de yaourt nature
- 1 cuil. à café de cumin en poudre
- ½ cuil. à café de poudre de piment
- jus de citron
- sel et poivre

BROCHETTES

- 1 aubergine
- 1 poivron rouge, épépiné
- 1 poivron vert, épépiné
- 4 tomates olivettes
- 1 citron, coupé en tranches
- 8 petites feuilles de laurier fraîches
- huile d'olive, pour badigeonner

1 Pour préparer la sauce, faire chauffer l'huile dans une poêle et faire revenir l'ail et l'oignon 5 minutes à feu moyen, en remuant de temps en temps. L'oignon doit être bien doré.

2 Mettre les pois chiches et le yaourt dans un mixeur et ajouter le cumin, la poudre de piment, l'oignon et l'ail. Mixer pendant environ 15 secondes jusqu'à obtention d'un mélange homogène. À défaut, écraser les pois chiches à l'aide d'un presse-purée et y incorporer ensuite le yaourt, le cumin en poudre, la poudre de piment et l'oignon.

3 Mettre la purée obtenue dans une jatte, assaisonner à son goût avec du jus de citron, du sel et du poivre, puis couvrir et mettre au frais jusqu'au moment de servir.

4 Pour faire les brochettes, couper les poivrons, les tomates et l'aubergine (sans la peler) en gros morceaux et les enfiler en alternant les légumes sur 4 brochettes, puis piquer une feuille de laurier à une extrémité et une tranche de citron à l'autre extrémité de chaque brochette.

5 Badigeonner les brochettes d'huile d'olive et les faire cuire sur un barbecue pendant 5 à 8 minutes, en les retournant fréquemment. Faire réchauffer la sauce aux pois chiches et la servir en accompagnement des brochettes.

2

3

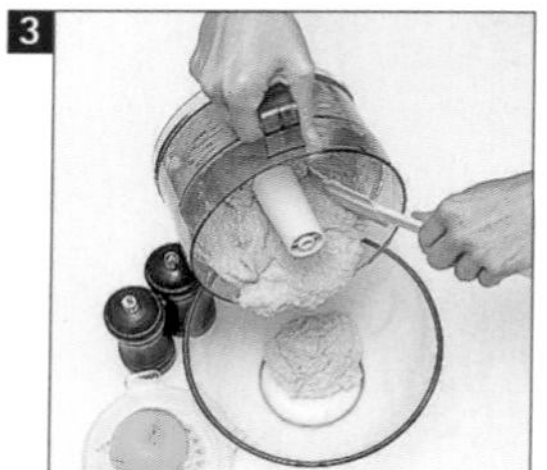

4

Poireaux grillés

Il est recommandé d'utiliser une huile d'olive de Provence ou d'Italie de bonne qualité pour réaliser ce délicieux accompagnement.

VALEURS NUTRITIONNELLES

Calories . . . . .71 Glucides . . . . . . .5 g
Protéines . . . . . . .2 g Lipides . . . . .6 g
Acides gras saturés . . . . . . .1 g

 5 min  7 min

6 personnes

INGRÉDIENTS

4 poireaux

3 cuil. à soupe d'huile d'olive

2 cuil. à café de vinaigre balsamique

sel marin et poivre

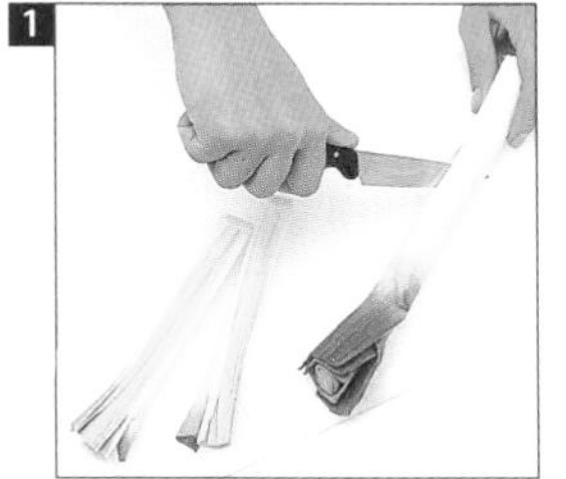

1 Couper les poireaux en deux dans la longueur, en maintenant le couteau bien droit pour que les deux morceaux restent attachés par la base. Badigeonner ensuite chaque morceau généreusement avec de l'huile d'olive.

2 Faire cuire les poireaux sur le barbecue chaud pendant 6 à 7 minutes, en les retournant une fois.

3 Retirer les poireaux du barbecue et les badigeonner d'un peu de vinaigre balsamique.

4 Saler et poivrer à son goût. Servir chaud ou froid.

Sandwichs au fromage et à l'oignon

Des baguettes de pain précuites coupées en deux et fourrées d'un mélange succulent de fromage et d'oignon, puis enveloppées dans du papier aluminium et cuites au barbecue.

VALEURS NUTRITIONNELLES

Calories . . . . .715 Glucides . . . . . .75 g
Protéines . . . . . .21 g Lipides . . . . . . .41 g
Acides gras saturés . . . . . .25 g

 15 min  20 min

4 personnes

INGRÉDIENTS

- 4 mini-baguettes de pain précuites
- 2 cuil. à soupe de condiment à la tomate ou de sauce tomate
- 60 g de beurre
- 8 oignons verts, émincés
- 125 g de fromage frais
- 125 g de cheddar ou d'emmental, râpé
- 1 cuil. à café de ciboulette ciselée
- sel et poivre

ACCOMPAGNEMENT

- mesclun
- fines herbes

1 Couper les baguettes précuites en deux dans la longueur, sans complètement les séparer en deux, et tartiner un peu de condiment à la tomate ou de sauce tomate sur les faces intérieures de chaque baguette.

2 Faire fondre le beurre dans une poêle et faire revenir les oignons verts pendant 5 minutes à feu moyen, en remuant régulièrement (ils doivent être ramollis et dorés). Retirer du feu et laisser refroidir quelques instants.

3 Battre le fromage frais dans une jatte pour l'homogénéiser. Y incorporer les oignons verts avec le beurre restant dans la poêle. Ajouter le fromage râpé et la ciboulette ciselée et bien remuer. Saler et poivrer.

4 Répartir la garniture au fromage entre les 4 baguettes en l'étalant sur les faces intérieures, puis bien refermer les deux faces l'une sur l'autre. Envelopper hermétiquement chaque baguette dans du papier aluminium.

5 Faire chauffer les baguettes sur le barbecue pendant environ 10 à 15 minutes en les retournant de temps en temps, puis déplier le papier aluminium pour s'assurer qu'elles sont cuites et que le fromage est bien fondu. Décorer avec des fines herbes et servir accompagné de salade.

1
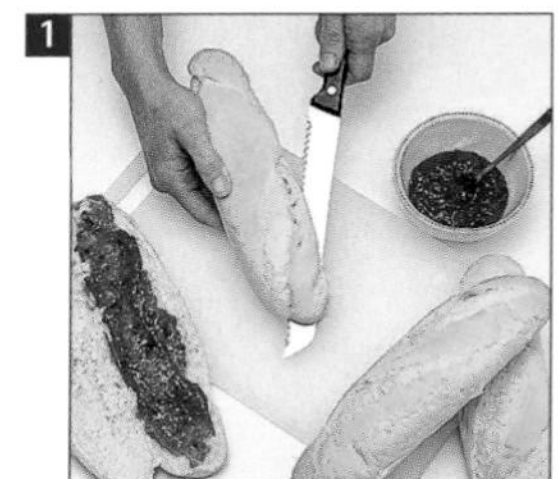

3

4

CONSEIL

S'il n'y a pas de place sur le barbecue et que vous voulez manger ces baguettes en même temps que le reste du repas, vous pouvez les faire cuire au four préchauffé, à 210 °C (th. 7), pendant 15 minutes.

Saucisses végétariennes

Des saucisses à l'excellent goût de fromage, pour la plus grande joie des végétariens qui se sentent trop souvent mis à l'écart lors des soirées barbecue.

VALEURS NUTRITIONNELLES

Calories . . . . .213 Glucides . . . . . .23 g
Protéines . . . . . . .8 g Lipides . . . . . . .12 g
Acides gras saturés . . . . . . .4 g

 50 min  25 min

8 saucisses

INGRÉDIENTS

- 1 cuil. à soupe d'huile de tournesol
- 1 petit oignon, émincé
- 50 g de champignons, émincés
- ½ poivron rouge, épépiné et coupé en petits morceaux
- 400 g de haricots cannellini en boîte, rincés et égouttés
- 100 g de chapelure blanche
- 100 g de cheddar ou d'emmental, râpé
- 1 cuil. à café de fines herbes séchées
- 1 jaune d'œuf
- farine, salée et poivrée
- huile, pour badigeonner

ACCOMPAGNEMENT

- petits pains ronds
- rondelles d'oignon, frites

2

3

3

1 Faire chauffer l'huile dans une casserole et faire revenir l'oignon, les champignons et le poivron pendant 5 minutes à feu doux en remuant fréquemment, pour les ramollir.

2 Écraser les haricots en purée dans une grande jatte à l'aide d'un presse-purée, puis y incorporer l'oignon, les champignons, le poivron, la chapelure, le fromage râpé, les fines herbes et le jaune d'œuf. Bien mélanger.

3 Tasser la préparation avec les doigts puis la séparer en 8 et modeler les morceaux en forme de saucisse. Rouler ces saucisses dans la farine pour bien les enrober, puis mettre au réfrigérateur au moins 30 minutes.

4 Mettre les saucisses à cuire au barbecue sur une feuille de papier aluminium huilé posée sur des braises moyennement chaudes. Les faire cuire pendant 15 à 20 minutes (elles doivent être bien dorées), en les retournant fréquemment pour les badigeonner d'huile.

5 Insérer des rondelles d'oignon frites et la saucisse au centre des petits pains et servir.

Salade de légumes grillés

Des légumes aux couleurs contrastées que l'on fait cuire sur des braises brûlantes pour ensuite les servir en salade chaude avec une sauce pimentée.

VALEURS NUTRITIONNELLES

Calories ....224 Glucides ......35 g
Protéines ....4 g Lipides ....15 g
Acides gras saturés ....2 g

 15 min  30 min

4 personnes

INGRÉDIENTS

- 1 poivron rouge, épépiné
- 1 poivron orange ou jaune, épépiné
- 2 courgettes
- 2 épis de maïs
- 1 aubergine
- huile d'olive, pour badigeonner
- thym, romarin et persil, hachés
- sel et poivre
- quelques tranches de citron ou de citron vert, en accompagnement

SAUCE

- 2 cuil. à soupe d'huile d'olive
- 1 cuil. à soupe d'huile de sésame
- 1 gousse d'ail, écrasée
- 1 petit oignon, émincé
- 1 branche de céleri, coupée en petits morceaux
- 1 petit piment vert, épépiné et coupé en morceaux
- 4 tomates, coupées en morceaux
- 1 tronçon de concombre de 5 cm, coupé en morceaux
- 1 cuil. à soupe de concentré de tomates
- 1 cuil. à soupe de jus de citron ou de citron vert

1

2

4

1 Pour faire la sauce, faire chauffer les huiles d'olive et de sésame dans une casserole ou une poêle et faire cuire l'ail et l'oignon pendant 3 minutes à feu doux, pour les faire fondre.

2 Ajouter le céleri, le piment et les tomates dans la casserole ou la poêle et faire revenir 5 minutes en remuant fréquemment.

3 Ajouter le concombre, le concentré de tomates et le jus de citron, et laisser mijoter à feu doux pendant 8 à 10 minutes (la sauce doit être épaisse et crémeuse). Saler et poivrer à son goût.

4 Couper les légumes en grosses rondelles et les badigeonner d'un peu d'huile d'olive.

5 Faire cuire les légumes sur des braises chaudes environ 5 à 8 minutes, en les retournant une fois et en les saupoudrant de sel, de poivre et de fines herbes pendant la cuisson.

6 Répartir les légumes entre 4 assiettes et verser un peu de sauce à côté. Servir immédiatement, parsemé de fines herbes et garni de tranches de citron ou de citron vert.

Frites à l'ail

Un savoureux accompagnement pour brochettes grillées, steaks de haricots ou saucisses végétariennes.

VALEURS NUTRITIONNELLES

Calories ....257 Glucides ......27 g
Protéines ....3 g Lipides ....16 g
Acides gras saturés ....5 g

 10 min  30 à 35 min

4 personnes

INGRÉDIENTS

- 3 grosses pommes de terre, brossées
- 4 cuil. à soupe d'huile d'olive
- 25 g de beurre
- 2 gousses d'ail, émincées
- 1 cuil. à soupe de romarin haché
- 1 cuil. à soupe de persil haché
- 1 cuil. à soupe de thym haché
- sel et poivre

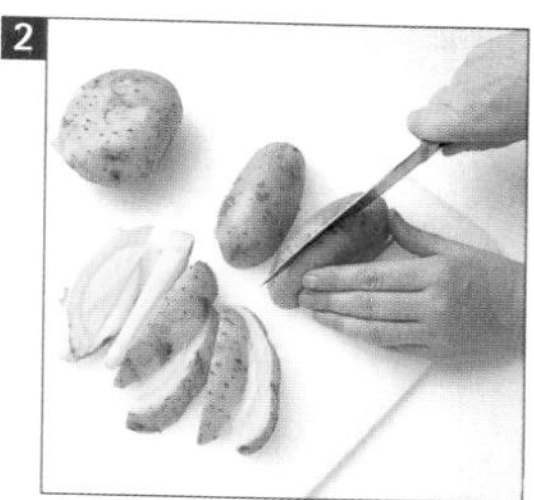

1 Porter une grande casserole d'eau à ébullition et y mettre les pommes de terre à cuire à demi pendant 10 minutes. Égoutter les pommes de terre, les passer sous l'eau froide et bien égoutter à nouveau.

2 Mettre les pommes de terre sur une planche à découper. Une fois qu'elles ont suffisamment refroidi pour être manipulées, les couper en frites épaisses, sans les peler.

3 Faire chauffer l'huile et le beurre dans une petite casserole et faire revenir l'ail jusqu'à ce qu'il commence à dorer. Retirer la casserole du feu.

4 Incorporer les herbes dans la casserole puis saler et poivrer.

5 Badigeonner les frites de la préparation obtenue.

6 Faire ensuite cuire les frites au barbecue sur des braises chaudes pendant 10 à 15 minutes (elles doivent être juste tendres), en les arrosant généreusement du reste de beurre à l'ail et aux fines herbes.

7 Mettre les frites dans un plat chaud pour les servir en entrée ou en accompagnement d'un plat principal.

CONSEIL

Il sera peut-être plus facile de faire cuire ces frites dans une grille articulée ou sur une plaque spéciale pour barbecue.

Brochettes marinées

Des brochettes au tofu et aux champignons marinées dans une sauce au citron, à l'ail et aux fines herbes de façon à ce qu'elles absorbent ces délicieuses saveurs.

VALEURS NUTRITIONNELLES	
Calories 192	Glucides .....1,5 g
Protéines ......11 g	Lipides ....16 g
Acides gras saturés ....2 g	

2 h 15 — 6 min

4 personnes

INGRÉDIENTS

- 1 citron
- 1 gousse d'ail, hachée
- 4 cuil. à soupe d'huile d'olive
- 4 cuil. à soupe de vinaigre de vin blanc
- 1 cuil. à soupe de fines herbes, par exemple du romarin, du persil et du thym
- 300 g de tofu fumé
- 350 g de champignons
- sel et poivre
- fines herbes, en garniture

ACCOMPAGNEMENT

- mesclun
- tomates cerises, coupées en deux

1 Râper finement le zeste du citron et presser le jus.

2 Ajouter l'ail, l'huile d'olive, le vinaigre et les fines herbes au zeste et au jus de citron, en mélangeant bien. Saler et poivrer.

3 Couper le tofu en gros morceaux, puis enfiler les morceaux sur des brochettes en bois ou en métal, en alternance avec les morceaux de champignon.

4 Mettre les brochettes dans un plat peu profond et verser la marinade par-dessus, puis couvrir le plat et mettre au réfrigérateur pendant 1 à 2 heures, en retournant les brochettes dans la marinade plusieurs fois.

5 Faire cuire les brochettes pendant environ 6 minutes sur des braises moyennement chaudes, en les arrosant régulièrement avec la marinade et en les retournant fréquemment. Le tofu et les champignons doivent être bien cuits et bien dorés.

6 Mettre les brochettes dans des assiettes chaudes, les décorer de fines herbes et les servir accompagnées de salade verte et de tomates cerises.

1

2

3

Aubergines grillées

La saveur imbattable des aubergines grillées au barbecue, mise en valeur par une irrésistible sauce au pistou (qui est la sauce incluse dans les valeurs nutritionnelles).

VALEURS NUTRITIONNELLES

Calories ....318 Glucides ....2 g
Protéines ....4 g Lipides ....33 g
Acides gras saturés ....6 g

 20 min  10 min

4 personnes

INGRÉDIENTS

1 grosse aubergine
3 cuil. à soupe d'huile d'olive
1 cuil. à café d'huile de sésame
sel et poivre

PISTOU

1 gousse d'ail
25 g de pignons
15 g de feuilles de basilic frais
2 cuil. à soupe de parmesan râpé
6 cuil. à soupe d'huile d'olive
sel et poivre

SAUCE AU CONCOMBRE

150 ml de yaourt nature
1 morceau de concombre de 5 cm
½ cuil. à café de sauce à la menthe

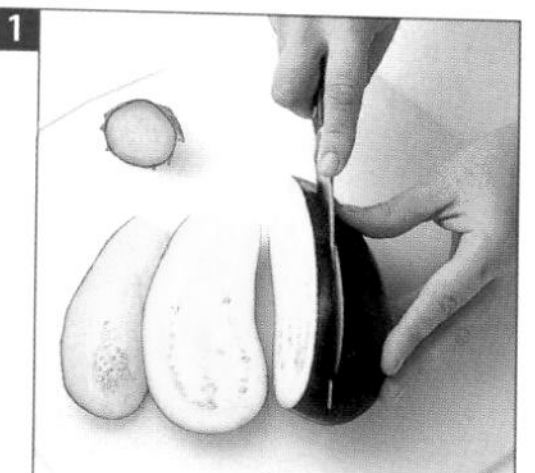

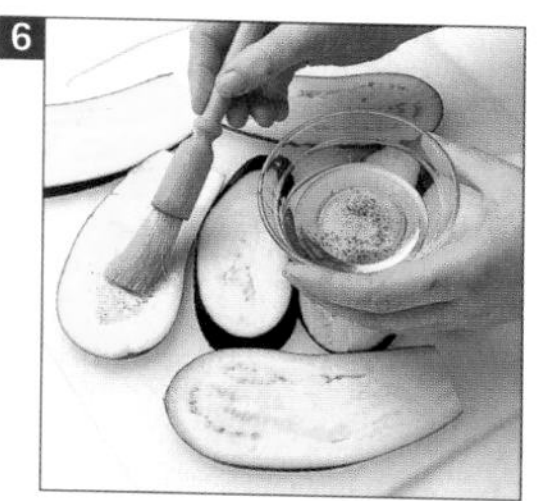

1 Retirer la queue de l'aubergine avant de couper 8 tranches dans la longueur.

2 Disposer les tranches en une seule couche dans une assiette ou sur une planche et les saupoudrer généreusement de sel pour les débarrasser de leur amertume. Laisser reposer.

3 Pendant ce temps, préparer la sauce pour badigeonner : mélanger l'huile d'olive et de sésame, saler et poivrer et réserver.

4 Pour faire le pistou, passer l'ail, les pignons, le basilic et le fromage dans un mixeur. Laisser tourner le mixeur et incorporer progressivement l'huile d'olive, en la faisant couler en mince filet. Saler.

5 Pour faire la sauce au concombre, mettre le yaourt dans une jatte. Évider le concombre, couper la chair en petits dés et les incorporer au yaourt, ainsi que la sauce à la menthe.

6 Rincer les tranches d'aubergine et les tapoter avec du papier absorbant pour les sécher. Les badigeonner avec le mélange d'huiles et les faire cuire sur des braises chaudes pendant environ 10 minutes, en les retournant une fois. Elles doivent être bien dorées et tendres.

7 Mettre les tranches d'aubergine dans des assiettes chaudes et les servir avec de la sauce au concombre ou de la sauce au pistou.

Feuilles de vigne farcies

Un fabuleux mélange de fromage frais, de dattes coupées en morceaux, d'amandes en poudre et d'amandes légèrement grillées, le tout dans un écrin de feuilles de vigne.

VALEURS NUTRITIONNELLES

Calories	459	Glucides	17 g
Protéines	12 g	Lipides	42 g

Acides gras saturés ......20 g

25 min — 15 min

4 personnes

INGRÉDIENTS

- 300 g de fromage frais
- 60 g d'amandes en poudre
- 25 g de dattes, dénoyautées et coupées en morceaux
- 25 g de beurre
- 25 g d'amandes effilées
- 12 à 16 feuilles de vigne
- sel et poivre
- épis de maïs nains, grillés, en accompagnement

GARNITURE

- brins de romarin
- rondelles de tomate

1

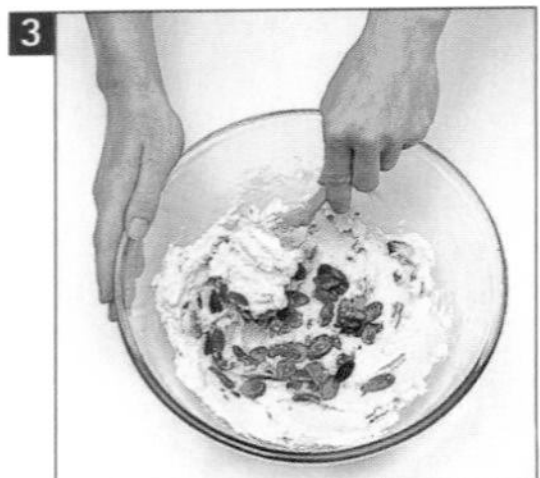
3

4

1 Battre le fromage frais dans une grande jatte pour l'homogénéiser et y incorporer les amandes en poudre et les morceaux de datte. Mélanger énergiquement, puis saler et poivrer.

2 Faire fondre le beurre dans une petite poêle et faire revenir les amandes effilées pendant 2 à 3 minutes à feu très doux, sans cesser de remuer (elles doivent être bien dorées). Les retirer du feu et laisser refroidir quelques instants.

3 Incorporer les amandes grillées à la préparation précédente, en mélangeant bien pour amalgamer.

4 Si les instructions du paquet le précisent, mettre les feuilles de vigne à tremper pour les débarrasser d'une partie de leur sel. Les égoutter soigneusement, les disposer sur un plan de travail et disposer la même quantité de garniture sur chacune des feuilles. Replier soigneusement les feuilles pour enfermer la garniture.

5 Envelopper les feuilles de vigne dans du papier aluminium une par une ou deux par deux, et les mettre sur le barbecue pendant 8 à 10 minutes pour bien les faire chauffer, en les retournant une fois. Servir accompagné de jeunes épis de maïs grillés au barbecue et décoré de brins de romarin et de tranches de tomate.

Pitas fourrés

Des pitas réchauffés sur les braises chaudes puis coupés en deux et garnies d'une salade grecque assaisonnée d'une vinaigrette parfumée au romarin.

VALEURS NUTRITIONNELLES

Calories ....456 Glucides ......53 g
Protéines ......13 g Lipides ....25 g
Acides gras saturés ....7 g

 15 min  10 min

4 personnes

INGRÉDIENTS

- ½ laitue iceberg, coupée grossièrement
- 2 grosses tomates, coupées en tranches
- 1 morceau de concombre de 7,5 cm, coupé en morceaux
- 25 g d'olives noires, dénoyautées
- 125 g de feta
- 4 pitas

VINAIGRETTE

- 6 cuil. à soupe d'huile d'olive
- 3 cuil. à soupe de vinaigre de vin rouge
- 1 cuil. à soupe de romarin écrasé
- ½ cuil. à café de sucre en poudre
- sel et poivre

1 Pour faire la salade : mélanger ensemble la laitue, les tomates, le concombre et les olives noires.

2 Couper la feta en morceaux et l'ajouter dans la salade. Bien remuer.

3 Pour faire la vinaigrette : battre ensemble l'huile d'olive, le vinaigre de vin rouge, le romarin et le sucre. Saler et poivrer. Mettre ensuite la vinaigrette dans une petite casserole ou dans une jatte résistant à la chaleur et la faire chauffer à feu doux (ou bien la mettre sur le barbecue pour la faire réchauffer).

4 Bien envelopper les pitas dans du papier aluminium et les mettre sur le barbecue chaud pendant 2 à 3 minutes pour bien les réchauffer, en les retournant une fois.

5 Enlever l'aluminium et ouvrir les pitas en deux pour les garnir de la salade grecque. Verser la vinaigrette sur le dessus et servir immédiatement.

CONSEIL

Vous pouvez remplacer le romarin par d'autres fines herbes : l'origan ou le basilic offrent une variante agréable. Garnissez généreusement les pitas de salade, ils sont encore meilleurs quand ils sont si remplis qu'ils en débordent !

Salades

Les salades sont des garnitures très agréables, mais peuvent également constituer un plat principal conséquent. Excellente source de vitamines et de minéraux, les salades doivent être préparées avec les ingrédients le plus frais possible. C'est ainsi qu'elles auront le plus de saveur et de qualités nutritives, ainsi que la consistance la plus agréable. Faciles à composer,

elles conviennent parfaitement pour manger tout de suite ou pour utiliser des ingrédients que l'on a en réserve dans ses placards. Une touche de créativité culinaire et vous verrez que votre cuisine recèle de trésors insoupçonnés qui n'attendaient que vous pour s'allier en une merveilleuse salade ! Tentez également des expériences inédites avec de nouveaux ingrédients afin de donner du goût et de l'originalité à des salades simples. Les possibilités sont aussi infinies que votre imagination !

Salade mexicaine

Une salade aux accents mexicains pleine de couleurs, à base de haricots, de tomates et d'avocat, le tout relevé d'une vinaigrette au piment.

VALEURS NUTRITIONNELLES

Calories . . . . .307 Glucides . . . . . .20 g
Protéines . . . . . . .5 g Lipides . . . . . . .26 g
Acides gras saturés . . . . . . .5 g

 10 à 15 min  0 min

4 personnes

INGRÉDIENTS

- 1 salade lolla rossa
- 2 avocats mûrs
- 2 cuil. à café de jus de citron
- 4 tomates moyennes
- 1 oignon
- 175 g de haricots variés en boîte, égouttés

VINAIGRETTE

- 4 cuil. à soupe d'huile d'olive
- 1 trait d'huile pimentée
- 2 cuil. à soupe de vinaigre de vin aillé
- 1 pincée de sucre en poudre
- 1 pincée de poudre de piment
- 1 cuil. à soupe de persil haché

1

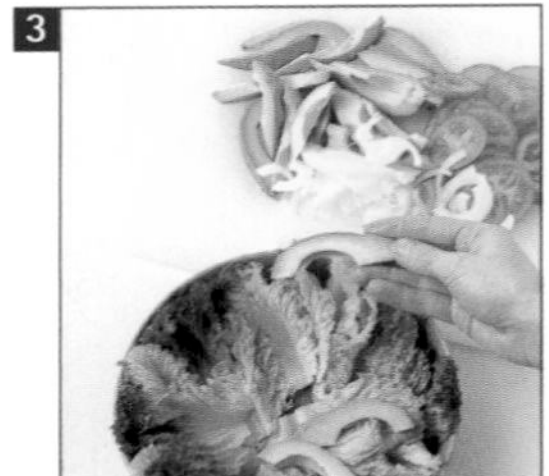
3

4

1 Disposer les feuilles de salade dans un grand saladier.

2 À l'aide d'un couteau tranchant, couper les avocats en deux et les dénoyauter. Couper la chair en tranches fines et arroser de jus de citron.

3 Couper les tomates et l'oignon en fines rondelles. Disposer les tranches d'avocat, les rondelles de tomates et d'oignon sur les feuilles de salade dans le saladier, en laissant un espace libre au centre.

4 Mettre les haricots au centre de la salade, puis battre tous les ingrédients de la vinaigrette et verser la vinaigrette sur la salade avant de servir.

CONSEIL

On arrose les tranches d'avocat de jus de citron pour éviter qu'elles ne s'oxydent et ne se tachent au contact de l'air. C'est pourquoi il est conseillé de préparer cette salade assez rapidement.

Toasts au chèvre

Un délice de salade chaude à base de fromage de chèvre fondant posé sur des rondelles de tomate et des feuilles de basilic, le tout sur une tranche de ciabatta chaude.

VALEURS NUTRITIONNELLES

Calories ....379 Glucides ......33 g
Protéines ......15 g Lipides ....23 g
Acides gras saturés ......10 g

 10 min  6 min

4 personnes

INGRÉDIENTS

3 cuil. à soupe d'huile d'olive
1 cuil. à soupe de vinaigre de vin blanc
1 cuil. à café de tapenade noire
1 gousse d'ail, hachée
1 cuil. à café de thym frais haché
1 ciabatta (pain italien)
4 petites tomates
12 feuilles de basilic frais
2 bûches de 125 g de fromage de chèvre

ACCOMPAGNEMENT

mesclun, dont un peu de roquette et de chicorée rouge

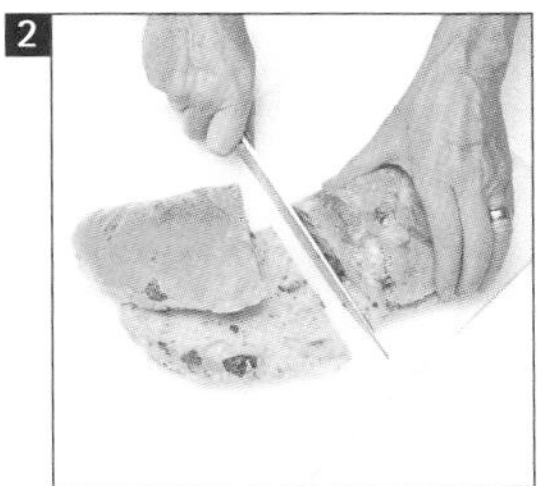

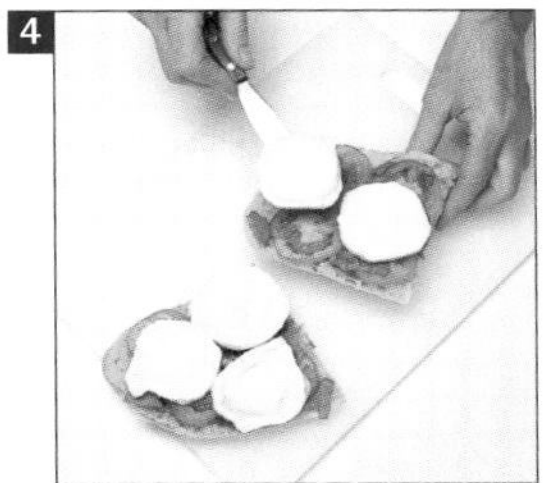

1 Mélanger l'huile, le vinaigre, la tapenade, l'ail et le thym dans un shaker à sauce, et secouer énergiquement.

2 Couper la ciabatta en deux dans l'épaisseur, puis encore en deux dans la largeur, pour faire 4 morceaux de taille égale.

3 Verser un filet de vinaigrette sur chaque tranche de pain puis disposer quelques rondelles de tomate et quelques feuilles de basilic par-dessus.

4 Couper chaque bûche de fromage de chèvre en 6 tranches et disposer 3 tranches sur chaque morceau de pain.

5 Arroser le fromage d'un peu de vinaigrette et faire cuire au four préchauffé, à 240 °C (th. 8), pendant 5 à 6 minutes, jusqu'à ce que le pain soit bien doré sur les bords.

6 Verser le reste de vinaigrette sur le mesclun et le servir en accompagnement des toasts au chèvre.

INFORMATION

Il existe de nombreuses sortes de fromage de chèvre : ceux étiquetés chèvre ou pur chèvre sont faits à partir de lait de chèvre. Les fromages appelés mi-chèvre peuvent être faits avec jusqu'à 75 % de lait de vache.

Salade de chèvre aux pommes

Une salade de pommes de terre, de roquette et de pommes parfumée grâce à du fromage de chèvre fondant et savoureux et arrosée d'une subtile vinaigrette au miel.

VALEURS NUTRITIONNELLES

Calories ....282 Glucides ......36 g
Protéines ....8 g Lipides ....17 g
Acides gras saturés ....5 g

 15 min  20 min

4 personnes

INGRÉDIENTS

2 grosses pommes de terre non épluchées, coupées en rondelles

2 pommes vertes à couteau, coupées en dés

1 cuil. à café de jus de citron

25 g de cerneaux de noix

125 g de fromage de chèvre, coupé en dés

150 g de roquette

sel et poivre

VINAIGRETTE

2 cuil. à soupe d'huile d'olive

1 cuil. à soupe de vinaigre de vin rouge

1 cuil. à café de miel liquide

1 cuil. à café de graines de fenouil

2

3

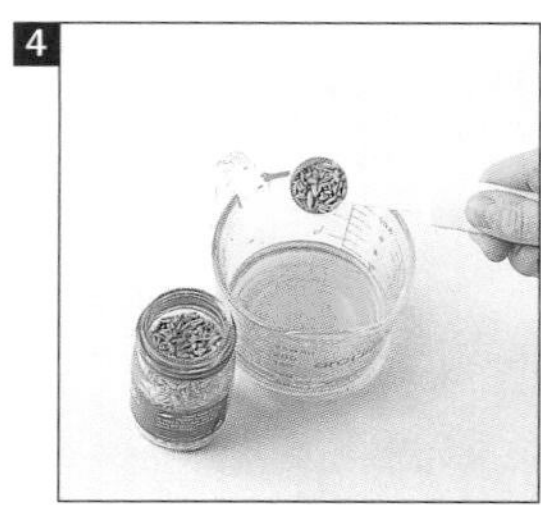

4

1 Faire cuire les pommes de terre dans une casserole d'eau bouillante pendant 15 minutes, jusqu'à ce qu'elles soient tendres. Égoutter et réserver dans un saladier.

2 Mélanger les dés de pomme avec le jus de citron et les égoutter, puis les mélanger aux pommes de terre dans la jatte.

3 Ajouter les cerneaux de noix, les dés de fromage et la roquette et bien remuer la salade.

4 Dans une petite jatte, battre tous les ingrédients de la vinaigrette et verser celle-ci sur la salade. Servir immédiatement.

CONSEIL

Servez cette salade tout de suite pour éviter que les pommes ne s'oxydent. Sinon, préparez tous les autres ingrédients à l'avance et n'ajoutez les pommes qu'à la dernière minute.

Salade marocaine

On connaît la semoule de blé utilisée pour la préparation du couscous. Elle est aussi délicieuse dans les salades, car elle s'imprègne de l'arôme de la sauce qui l'accompagne.

VALEURS NUTRITIONNELLES

Calories ....195 Glucides ......55 g
Protéines ....8 g Lipides ....2 g
Acides gras saturés ......0,3 g

 30 à 35 min  0 min

6 personnes

INGRÉDIENTS

- 175 g de semoule de blé
- 1 botte d'oignons verts, émincés
- 1 petit poivron vert, épépiné et coupé en morceaux
- 1 tronçon de concombre de 10 cm, coupé en morceaux
- 175 g de pois chiches en boîte, rincés et égouttés
- 60 g de raisins de Smyrne
- 2 oranges
- sel et poivre
- brins de menthe, en garniture
- feuilles de salade, en accompagnement

SAUCE AU YAOURT

- zeste finement râpé d'une orange
- 1 cuil. à soupe de menthe fraîche ciselée
- 150 ml de yaourt nature

1

2

4

1 Mettre la semoule dans une jatte, couvrir d'eau bouillante et laisser tremper pendant environ 15 minutes pour bien faire gonfler les grains. Dissocier ensuite les grains à l'aide d'une fourchette.

2 Ajouter les oignons verts, le poivron, le concombre, les pois chiches et les raisins secs dans la jatte en remuant bien pour mélanger. Bien saler et poivrer.

3 Pour faire la sauce, mettre le zeste d'orange, la menthe et le yaourt dans une jatte et bien mélanger. Verser le mélange obtenu sur la salade et bien remuer.

4 À l'aide d'un couteau à dents tranchant, éplucher les oranges puis couper la chair en quartiers en retirant bien toutes les membranes. Réserver.

5 Disposer les feuilles de salade dans 4 assiettes, répartir la salade de semoule dans les assiettes puis garnir avec les quartiers d'orange. Décorer avec la menthe fraîche et servir.

Salade de légumes verts

Une salade qui contient beaucoup d'ingrédients de couleur verte : un vrai plaisir pour les yeux et le palais, dans une sauce au yaourt et à la menthe.

VALEURS NUTRITIONNELLES

Calories ....50 Glucides ......12 g
Protéines ....4 g Lipides ....1 g
Acides gras saturés ......0,4 g

 10 à 15 min  10 min

4 personnes

INGRÉDIENTS

- 2 courgettes, coupées en julienne
- 100 g de haricots verts, coupés en trois
- 1 poivron vert, épépiné et coupé en lanières
- 2 branches de céleri, coupées en tranches
- 1 botte de cresson

SAUCE AU YAOURT

- 200 ml de yaourt nature
- 1 gousse d'ail, hachée
- 2 cuil. à soupe de menthe hachée
- poivre

1

2

3

1 Faire cuire les courgettes et les haricots verts dans une casserole d'eau bouillante salée pendant 7 à 8 minutes, puis égoutter et laisser refroidir complètement.

2 Dans un grand saladier, mélanger les courgettes et les haricots verts avec le poivron, le céleri et le cresson.

3 Pour faire la sauce au yaourt, mélanger le yaourt nature avec l'ail et la menthe hachée dans une jatte. Saler et poivrer.

4 Verser la sauce à l'aide d'une cuillère sur la salade et servir.

CONSEIL

Il est recommandé de servir la salade tout de suite après avoir versé la sauce au yaourt par-dessus, car celle-ci commencera à se délier si l'on attend trop longtemps.

Salade du Moyen-Orient

Cette salade est un régal pour les yeux. Vous pourrez la servir pour un déjeuner léger ou un dîner entre amis en accompagnement de quelques brochettes de légumes.

VALEURS NUTRITIONNELLES

Calories ....163 Glucides ......39 g
Protéines ....8 g Lipides ....3 g
Acides gras saturés ......0,4 g

 15 min  0 min

4 personnes

INGRÉDIENTS

- 400 g de pois chiches en boîte
- 4 carottes
- 1 botte d'oignons verts
- 1 concombre moyen
- ½ cuil. à café de sel
- ½ cuil. à café de poivre
- 3 cuil. à soupe de jus de citron
- 1 poivron rouge, coupé en lanières

1 Égoutter les pois chiches et les mettre dans un grand saladier.

2 Couper les carottes en fines rondelles et les oignons verts en petits morceaux et couper de grosses rondelles de concombre pour ensuite les recouper en quatre.

2

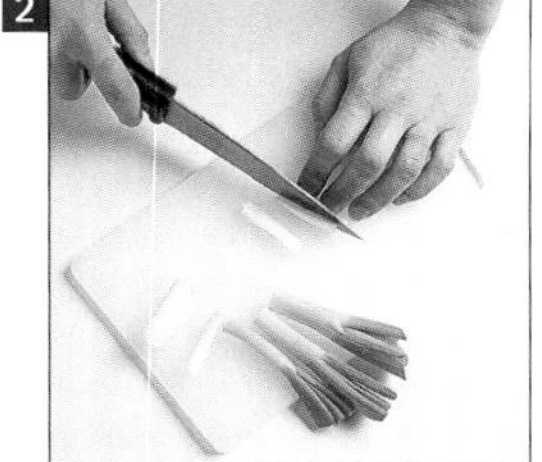
2

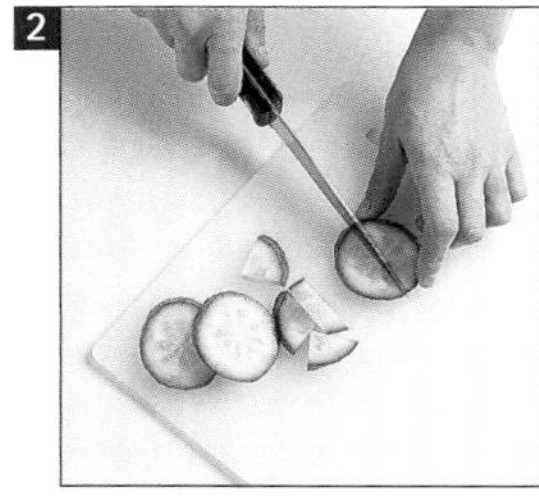
2

3 Mettre ensuite les carottes, les oignons verts et le concombre dans le saladier avec les pois chiches et bien mélanger.

4 Saler et poivrer à son goût, puis arroser de jus de citron. Tourner la salade délicatement avec des couverts à salade.

5 Couper le poivron en fines lanières et les disposer sur la salade de pois chiches pour garnir. Servir immédiatement ou mettre au frais jusqu'au moment de servir.

VARIANTE

Cette salade peut aussi être très bonne avec des fèves. Utilisez 150 g de fèves sèches, faites-les tremper 5 heures et faites-les cuire 2 h 30. Vous pouvez aussi utiliser des haricots cornilles (à œil noir).

Salade tiède au chèvre frais

Une délicieuse salade qui associie du chèvre frais à des cerneaux de noix croquants, sur un lit de salade verte.

VALEURS NUTRITIONNELLES

Calories ....408 Glucides ......16 g
Protéines ....9 g Lipides ....38 g
Acides gras saturés ....8 g

 5 min  5 min

4 personnes

INGRÉDIENTS

- 90 g de cerneaux de noix
- mesclun
- 125 g de fromage de chèvre frais
- un peu de ciboulette ciselée, pour garnir

VINAIGRETTE

- 6 cuil. à soupe d'huile de noix
- 3 cuil. à soupe de vinaigre de vin blanc
- 1 cuil. à soupe de miel liquide
- 1 cuil. à café de moutarde de Dijon
- 1 pincée de gingembre moulu
- sel et poivre

1 Pour faire la vinaigrette, battre l'huile de noix avec le vinaigre, le miel, la moutarde et le gingembre dans une petite casserole. Saler et poivrer à son goût.

2 Faire chauffer la vinaigrette à feu doux, en remuant de temps en temps, puis ajouter les cerneaux de noix et faire chauffer pendant encore 3 à 4 minutes.

3 Répartir les feuilles de salade dans 4 assiettes et disposer des cuillerées de fromage frais sur le dessus. Retirer les cerneaux de noix de la vinaigrette à l'aide d'une écumoire et les répartir dans les assiettes de salade.

4 Verser la vinaigrette chaude dans une saucière chaude et garnir avec de la ciboulette ciselée. Servir avec la vinaigrette.

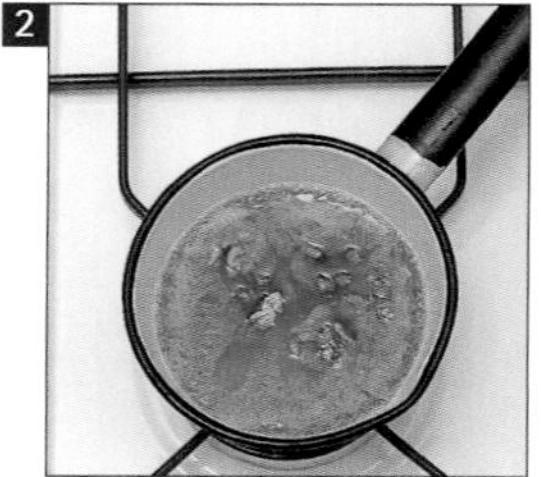

VARIANTE

Si vous souhaitez donner un goût plus prononcé à ce plat, vous pouvez utiliser du fromage au lait de brebis, comme de la feta.

Gado gado

Une salade indonésienne bien connue et appréciée, faite de petits morceaux de légumes agrémentés d'une sauce aux cacahuètes.

VALEURS NUTRITIONNELLES

Calories ....392 Glucides ......19 g
Protéines ....9 g Lipides ....35 g
Acides gras saturés ....5 g

 10 min  25 min

4 personnes

INGRÉDIENTS

100 g de chou blanc, râpé
100 g de haricots verts, coupés en trois
100 g de carottes, coupées en julienne
100 g de chou-fleur, en fleurettes
100 g de germes de soja

SAUCE AUX CACAHUÈTES

100 ml d'huile
2 gousses d'ail, hachées
1 petit oignon, émincé
½ cuil. à café de poudre de piment
½ cuil. à café de sucre roux
425 ml d'eau
100 g de cacahuètes non salées
jus d'un demi-citron
sel
oignons verts, émincés, en garniture

3

5

6

1 Faire cuire les légumes séparément dans une casserole d'eau bouillante salée pendant 4 à 5 minutes, puis égoutter et mettre au frais.

2 Pour faire la sauce : faire chauffer l'huile dans une poêle et faire revenir les cacahuètes pendant 3 à 4 minutes en les retournant régulièrement.

3 Retirer les cacahuètes de la poêle à l'aide d'une écumoire et les laisser égoutter sur du papier absorbant. Passer au mixeur ou écraser finement avec un rouleau à pâtisserie.

4 Laisser environ 1 cuillerée à soupe d'huile dans la poêle et faire revenir l'ail et l'oignon pendant 1 minute. Ajouter la poudre de piment, le sucre, une pincée de sel et l'eau, et porter à ébullition.

5 Ajouter les cacahuètes, baisser le feu et laisser mijoter 4 à 5 minutes pour faire épaissir. Verser le jus de citron dans la poêle et réserver.

6 Disposer les légumes dans un plat avec la sauce au centre. Garnir et servir.

Salade aux trois haricots

Une savoureuse salade composée de haricots nains, de haricots de soja et de haricots rouges dans une sauce à base de tomate et de ciboulette.

VALEURS NUTRITIONNELLES

Calories ....276 Glucides ......25 g
Protéines ......18 g Lipides ....15 g
Acides gras saturés ....4 g

 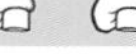

 15 min  10 min

6 personnes

INGRÉDIENTS

- 3 cuil. à soupe d'huile d'olive
- 1 cuil. à soupe de jus de citron
- 1 cuil. à soupe de concentré de tomates
- 1 cuil. à soupe de vinaigre de malt
- 1 cuil. à soupe de ciboulette hachée
- 175 g de haricots nains
- 400 g de haricots de soja en boîte, rincés et égouttés
- 400 g de haricots rouges en boîte, rincés et égouttés
- 2 tomates, coupées en morceaux
- 4 oignons verts, émincés
- 125 g de feta, coupée en dés
- sel et poivre
- mesclun, en accompagnement
- ciboulette hachée, en garniture

1

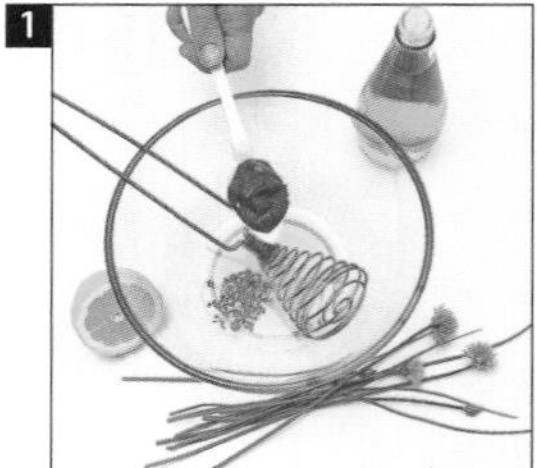

3

4

1 Mettre l'huile d'olive, le jus de citron, le concentré de tomates, le vinaigre et la ciboulette hachée dans un grand saladier et battre énergiquement pour bien lier la sauce. Réserver.

2 Faire cuire les haricots nains dans de l'eau bouillante salée pendant 4 à 5 minutes (ils doivent être juste cuits) puis les égoutter, les passer sous l'eau froide et égoutter à nouveau. Les tapoter à l'aide de papier absorbant pour les sécher un peu.

3 Mettre les haricots nains, les haricots de soja et les haricots rouges dans le saladier, en remuant bien pour les mélanger à la vinaigrette.

4 Ajouter les tomates, les oignons verts et la feta en remuant délicatement pour enrober les légumes. Bien saler et poivrer.

5 Disposer les feuilles de salade dans 6 assiettes, mettre la salade de haricots par-dessus et décorer de ciboulette hachée.

Salade de pommes de terre aux radis

Une salade pleine de couleurs, dans laquelle la saveur douce des radis et de la vinaigrette à la moutarde et aux fines herbes complète très bien les pommes de terre.

VALEURS NUTRITIONNELLES

Calories ....140 Glucides ......23 g
Protéines ....3 g Lipides ....6 g
Acides gras saturés ....1 g

50 min 20 min

4 personnes

INGRÉDIENTS

500 g de pommes de terre nouvelles, brossées et coupées en deux

½ concombre, coupé en fines rondelles

2 cuil. à café de sel

1 botte de radis, coupés en rondelles

VINAIGRETTE

1 cuil. à soupe de moutarde de Dijon

2 cuil. à soupe d'huile d'olive

1 cuil. à soupe de vinaigre de vin blanc

2 cuil. à soupe de fines herbes hachées

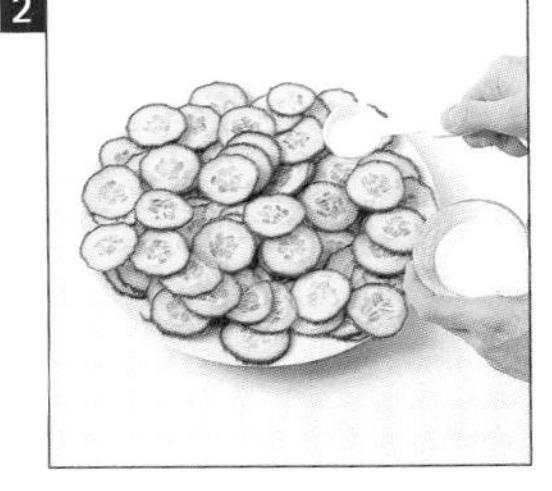

2

2

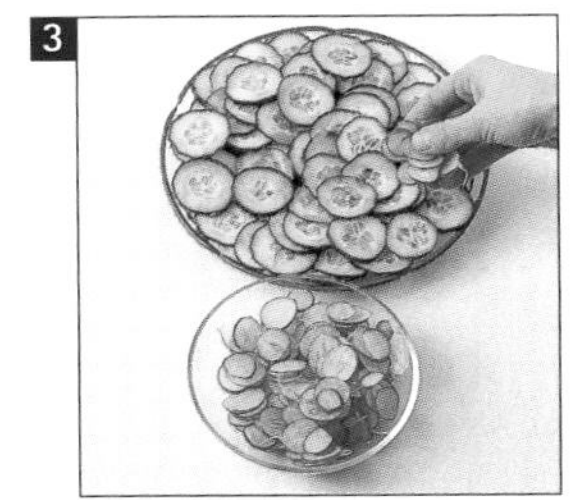

3

1 Faire cuire les pommes de terre dans une casserole d'eau bouillante salée pendant 10 à 15 minutes (elles doivent être tendres) puis les égoutter et laisser refroidir. Réserver.

2 Pendant ce temps, étaler les rondelles de concombre dans une assiette, les saupoudrer de sel et laisser reposer pendant 30 minutes. Rincer le concombre à l'eau froide et sécher les rondelles en les tapotant avec du papier absorbant.

3 Disposer les rondelles de concombre et de radis dans un plat de façon décorative puis mettre les pommes de terre par-dessus, au centre du plat.

4 Dans une petite jatte, mélanger tous les ingrédients de la vinaigrette, en battant bien pour lier le tout puis verser la vinaigrette obtenue sur la salade, en remuant pour enrober tous les légumes. Mettre au frais avant de servir.

CONSEIL

Le concombre ajoute de la couleur et de la fraîcheur à cette salade. On le laisse reposer avec du sel pour le faire dégorger, sinon la salade serait un peu trop aqueuse. Lavez bien le concombre ensuite pour le débarrasser du sel avant de l'incorporer dans la salade.

Salades de pommes de terre

De petites pommes de terre nouvelles servies dans trois irrésistibles sauces au choix (les valeurs nutritionnelles ne concernent que la salade de pommes de terre à la sauce au curry).

VALEURS NUTRITIONNELLES

Calories	310	Glucides	43 g
Protéines	6 g	Lipides	19 g

Acides gras saturés .... 4 g

 15 à 20 min  20 min

4 personnes

INGRÉDIENTS

500 g de pommes de terre nouvelles (pour une sauce)

fines herbes, en garniture

SAUCE AU CURRY DOUX

1 cuil. à soupe d'huile

1 cuil. à soupe de pâte de curry moyennement épicée

1 petit oignon, émincé

1 cuil. à soupe de chutney à la mangue, coupé en morceaux

6 cuil. à soupe de yaourt nature

3 cuil. à soupe de crème fraîche liquide (allégée)

2 cuil. à soupe de mayonnaise

sel et poivre

1 cuil. à soupe de crème liquide, en garniture

VINAIGRETTE

6 cuil. à soupe d'huile de noisette

3 cuil. à soupe de vinaigre de cidre

1 cuil. à café de moutarde à l'ancienne

1 cuil. à café de sucre en poudre

quelques feuilles de basilic, ciselées

CRÈME PERSILLÉE

150 ml de crème aigre ou de crème fraîche

3 cuil. à soupe de mayonnaise

4 oignons verts, émincés

1 cuil. à soupe de persil frais haché

1

2

4

1 Pour préparer la sauce au curry doux, faire chauffer l'huile dans une casserole et faire revenir la pâte de curry et l'oignon en remuant fréquemment, jusqu'à ce que l'oignon ait fondu. Retirer du feu et laisser tiédir.

2 Mélanger le chutney à la mangue avec le yaourt, la crème et la mayonnaise. Ajouter le mélange à la préparation précédente. Bien remuer, saler et poivrer à son goût.

3 Pour faire la vinaigrette, battre l'huile avec le vinaigre, la moutarde, le sucre et le basilic dans une petite jatte, saler et poivrer à son goût.

4 Pour faire la crème persillée, mélanger la mayonnaise avec la crème aigre ou la crème fraîche, les oignons verts et le persil. Bien remuer, saler et poivrer à son goût.

5 Faire cuire les pommes de terre à l'eau bouillante légèrement salée jusqu'à ce qu'elles soient tendres. Égoutter soigneusement et laisser refroidir pendant 5 minutes. Ajouter ensuite la sauce choisie, en remuant pour bien enrober les pommes de terre. Garnir avec des fines herbes et, si l'on a choisi la sauce au curry, verser un soupçon de crème liquide sur les pommes de terre avant de servir.

Salade de légumes marinés

Une délicieuse salade de légumes croquants, servie tiède dans une marinade à l'huile d'olive, au vin blanc, au vinaigre et aux fines herbes.

VALEURS NUTRITIONNELLES

Calories . . . . .114 Glucides . . . . . . .9 g
Protéines . . . . . . .3 g Lipides . . . . .9 g
Acides gras saturés . . . . . . .1 g

 10 min 10 min

6 personnes

INGRÉDIENTS

175 g de jeunes carottes

2 cœurs de céleri, coupés en quatre

125 g de pois mange-tout

1 bulbe de fenouil, coupé en rondelles

175 g de pointes de petites asperges

1 cuil. à soupe ½ de graines de tournesol

quelques brins d'aneth, pour garnir

MARINADE

4 cuil. à soupe d'huile d'olive

4 cuil. à soupe de vin blanc sec

2 cuil. à soupe de vinaigre de vin blanc

1 cuil. à soupe d'aneth haché

1 cuil. à soupe de persil haché

sel et poivre

1 Mettre les carottes, le céleri, les pois mange-tout, le fenouil et les asperges dans une cocotte minute et les faire cuire au-dessus d'un fond d'eau bouillante jusqu'à ce qu'ils soient tendres. Il est important qu'ils gardent leur croquant.

2 Pendant ce temps, préparer la vinaigrette : mélanger l'huile d'olive, le vin, le vinaigre et les herbes hachées, en battant bien pour que la sauce ait une consistance homogène. Saler et poivrer à son goût.

3 Une fois les légumes cuits, les mettre dans un plat et arroser de vinaigrette. Ainsi, les légumes chauds absorberont la saveur de la sauce tout en refroidissant.

4 Étaler les graines de tournesol sur une plaque de four et les faire griller au gril préchauffé pendant 3 à 4 minutes, jusqu'à ce qu'elles soient légèrement dorées. En parsemer les légumes.

5 Servir la salade tant que les légumes sont encore tièdes, en garnissant avec quelques brins d'aneth frais.

Salade au melon et aux fraises

Une salade rafraîchissante à base de fruits, idéale en été, et qui conviendrait très bien en accompagnement de grillades au barbecue.

VALEURS NUTRITIONNELLES

Calories	112	Glucides	44 g
Protéines	5 g	Lipides	1 g

Acides gras saturés ......0,3 g

 15 min  0 min

4 personnes

INGRÉDIENTS

- ½ laitue iceberg, râpée
- 1 petit melon vert
- 225 g de fraises, coupées en tranches
- 1 tronçon de concombre de 5 cm, coupé en fines rondelles
- brins de menthe, en garniture

SAUCE

- 200 g de yaourt nature
- 1 tronçon de concombre de 5 cm, épluché
- feuilles de menthe
- ½ cuil. à café de zeste de citron ou de citron vert finement râpée
- 1 pincée de sucre en poudre
- 3 ou 4 glaçons

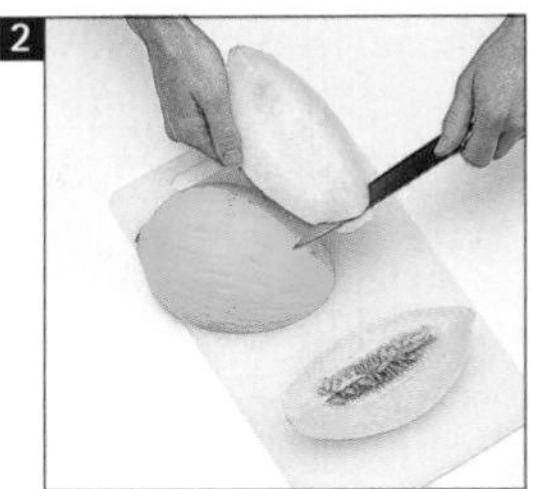

1 Disposer la laitue iceberg râpée dans 4 assiettes.

2 Couper le melon en quatre et enlever les graines. Découper la pulpe en cubes de 2,5 cm, en en laissant le moins possible sur la peau.

3 Mettre les morceaux de melon sur les 4 lits de laitue puis ajouter les morceaux de fraise et les rondelles de concombre.

4 Pour préparer la sauce : mettre le yaourt, le concombre, les feuilles de menthe, le zeste de citron ou de citron vert, le sucre en poudre et les glaçons dans un mixeur ou un robot de cuisine. Mixer pendant environ 15 secondes, jusqu'à obtention d'une consistance homogène. À défaut, hacher très fin le concombre et la menthe et piler les glaçons pour les mélanger aux autres ingrédients.

5 Arroser la salade de sauce, garnir de brins de menthe fraîche et servir.

VARIANTE

Pour que la sauce soit bien frappée, vous pouvez ne pas mettre de glaçons dans la sauce à condition que les ingrédients soient bien froids.

Salade multicolore

Une salade où la betterave crée un contraste saisissant de couleurs et teinte la pomme de terre d'un joli rose. Avec du concombre en plus, elle gagne encore en éclat.

VALEURS NUTRITIONNELLES

Calories ....174 Glucides ......35 g
Protéines ......4 g Lipides ....6 g
Acides gras saturés ....1 g

 15 à 20 min  20 min

4 personnes

INGRÉDIENTS

500 g de pommes de terre à chair ferme, coupées en cubes

4 petites betteraves cuites, coupées en rondelles

½ concombre, coupé en fines rondelles

2 gros pickles à l'aneth, coupés en tranches

1 oignon rouge, coupé en deux puis en rondelles

quelques brins d'aneth, pour garnir

VINAIGRETTE

1 gousse d'ail, écrasée

2 cuil. à soupe d'huile d'olive

2 cuil. à soupe de vinaigre de vin rouge

2 cuil. à soupe d'aneth frais haché

sel et poivre

2

4

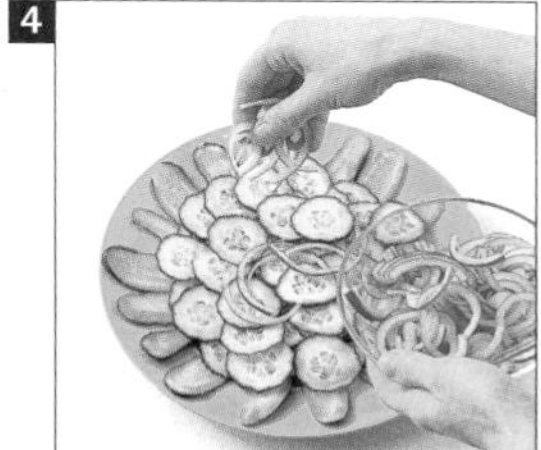

5

1 Faire cuire les pommes de terre dans une casserole d'eau bouillante pendant environ 15 minutes, jusqu'à ce qu'elles soient juste tendres, puis les égoutter et les laisser refroidir.

2 Une fois refroidies, les mélanger aux betteraves dans un saladier, puis réserver.

3 Pour préparer la vinaigrette, battre l'ail avec l'huile d'olive, le vinaigre et l'aneth. Saler et poivrer à son goût.

4 Juste avant de servir, disposer les rondelles de concombre, de pickles à l'aneth et d'oignon rouge dans un grand plat, puis mettre au centre du plat le mélange de pommes de terre et de betterave.

5 Verser la vinaigrette sur la salade et garnir de quelques brins d'aneth frais. Servir immédiatement.

VARIANTE

Faites un lit de salade avec les feuilles de deux endives, puis disposez le concombre, les pickles à l'aneth et l'oignon rouge par-dessus.

Coleslaw aux noix de cajou

Une variante du coleslaw anglais traditionnel avec une sauce aux graines de pavot poêlées dans de l'huile de sésame, ce qui permet de libérer leur arôme et leur saveur.

VALEURS NUTRITIONNELLES

Calories	220	Glucides	17 g
Protéines	4 g	Lipides	19 g
Acides gras saturés	3 g		

 15 min  5 à 10 min

4 personnes

INGRÉDIENTS

- 1 grosse carotte, râpée
- 1 petit oignon, émincé
- 2 branches de céleri, coupées en morceaux
- ¼ de chou blanc ferme, râpé
- 1 cuil. à soupe de persil haché
- 4 cuil. à soupe d'huile de sésame
- ½ cuil. à café de graines de pavot
- 60 g de noix de cajou
- 2 cuil. à soupe de vinaigre de vin blanc ou de vinaigre de cidre
- sel et poivre
- brins de persil, en garniture

1 Dans une grande jatte, mélanger la carotte, l'oignon, le céleri et le chou, puis ajouter le persil. Saler et poivrer.

2 Faire chauffer l'huile de sésame dans une casserole et faire revenir les graines de pavot en couvrant la casserole. Laisser cuire à feu plutôt vif et, dès que les graines commencent à sauter dans la casserole, retirer du feu et laisser refroidir. Réserver.

3 Étaler les noix de cajou sur une plaque de four et les mettre sous un gril assez chaud. Bien les faire griller en faisant attention à ne pas les faire brûler. Les laisser refroidir.

2

3

4

4 Ajouter le vinaigre dans la casserole avec l'huile de sésame et les graines de pavot. Saler, poivrer et bien mélanger. Verser la vinaigrette obtenue sur le mélange de légumes. Ajouter les noix de cajou et bien remuer pour que tout s'imprègne de vinaigrette.

5 Décorer la salade avec des brins de persil frais et servir immédiatement.

Salade de légumes cuits au gril

Il est conseillé pour cette recette de préparer les légumes très à l'avance et de les conserver au réfrigérateur jusqu'au moment de servir.

VALEURS NUTRITIONNELLES

Calories ....230 Glucides ......21 g
Protéines ....2 g Lipides ....20 g
Acides gras saturés ....3 g

 1 h 15  10 min

4 personnes

INGRÉDIENTS

- 1 courgette, coupée en rondelles
- 1 poivron jaune, épépiné et coupé en lamelles
- 1 aubergine, coupée en rondelles
- 1 bulbe de fenouil, coupé en huit
- 1 oignon rouge, coupé en huit
- 16 tomates cerises
- 3 cuil. à soupe d'huile d'olive
- 1 gousse d'ail, hachée
- brins de romarin, en garniture

VINAIGRETTE

- 4 cuil. à soupe d'huile d'olive
- 2 cuil. à soupe de vinaigre balsamique
- 2 cuil. à café de romarin haché
- 1 cuil. à café de moutarde de Dijon
- 1 cuil. à café de miel liquide
- 2 cuil. à café de jus de citron

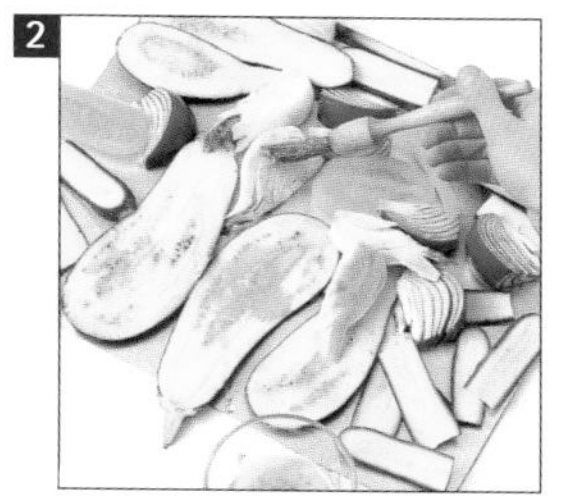
2

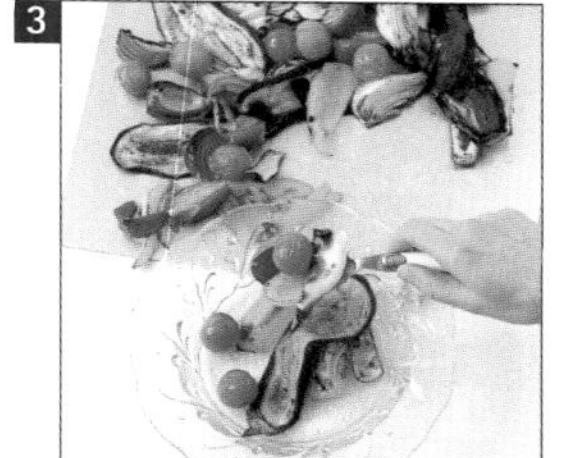
3

4

1 Étaler les rondelles de courgette et d'aubergine, les lamelles de poivron, le fenouil, l'oignon et les tomates sur une plaque de four.

2 Mélanger l'huile avec l'ail et en badigeonner les légumes. Mettre sous un gril chaud pendant 10 minutes (les légumes doivent juste commencer à noircir). Retirer du gril et laisser refroidir. Réserver.

3 Une fois que les légumes sont froids, les mettre dans un saladier et les mélanger délicatement.

4 Bien battre les ingrédients de la vinaigrette puis verser celle-ci sur les légumes, couvrir et mettre au frais pendant 1 heure.

5 Décorer la salade de brins de romarin et servir.

VARIANTE

Vous pouvez aussi servir cette salade chaude, en faisant chauffer la vinaigrette dans une casserole à feu doux et en la versant sur les légumes chauds.

Salade au melon et à la mangue

Une sauce crémeuse à base de yaourt, de miel et de gingembre frais râpé accompagne merveilleusement cette salade rafraîchissante au melon.

VALEURS NUTRITIONNELLES

Calories ....189 Glucides ......60 g
Protéines ....5 g Lipides ....7 g
Acides gras saturés ....1 g

 15 à 20 min  0 min

4 personnes

INGRÉDIENTS

- 1 melon
- 60 g de raisins noirs, coupés en deux et épépinés
- 60 g de raisins blancs, épépinés
- 1 grosse mangue
- 1 botte de cresson
- feuilles de laitue iceberg, râpées
- 2 cuil. à soupe d'huile d'olive
- 1 cuil. à soupe de vinaigre de cidre
- 1 fruit de la passion
- sel et poivre

SAUCE AU GINGEMBRE

- 150 ml de yaourt bulgare nature
- 1 cuil. à soupe de miel liquide
- 1 cuil. à café de gingembre frais, râpé

1 Commencer par préparer la sauce : mélanger le yaourt, le miel et le gingembre dans une petite jatte en remuant bien pour lier le tout.

2 Couper le melon en deux, retirer les graines et le couper en tranches, puis enlever la peau et couper la chair en morceaux. Mélanger les morceaux avec les raisins.

3 Couper la mangue en deux autour du noyau. Sur chaque moitié, dessiner un quadrillage dans la chair sans percer la peau. Retourner les moitiés en appuyant dessus et séparer les dés de chair de la peau pour les mettre avec le melon et le raisin.

4 Disposer le cresson et la laitue dans 4 assiettes. Préparer la vinaigrette : battre l'huile d'olive avec le vinaigre de cidre, saler et poivrer, puis verser la vinaigrette sur la salade verte.

5 Répartir le mélange de fruits entre les 4 assiettes et ajouter des pointes de sauce au gingembre. Évider le fruit de la passion et parsemer les 4 salades des graines. Servir immédiatement.

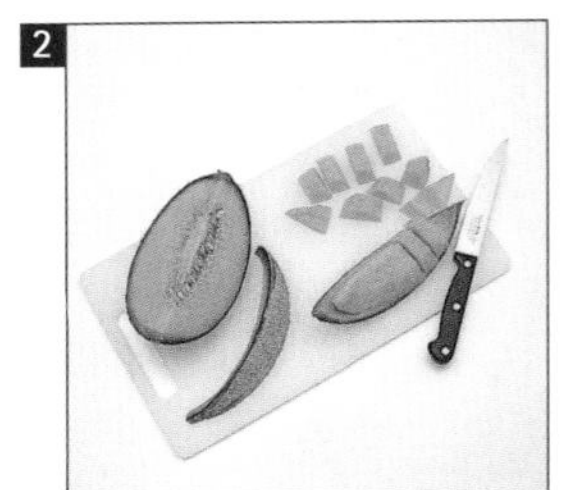

2

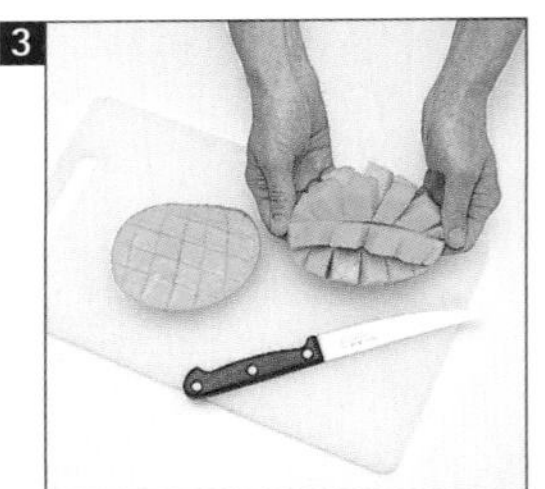

3

5

CONSEIL

Le gingembre frais râpé donne un goût divin à cette recette, mais à défaut vous pouvez utiliser ½ cuillerée à café de gingembre moulu.

Salade de luzerne aux épinards

Une salade au goût frais, qu'il est conseillé de composer à la dernière minute pour éviter que la betterave ne déteigne trop sur les autres ingrédients.

1

2

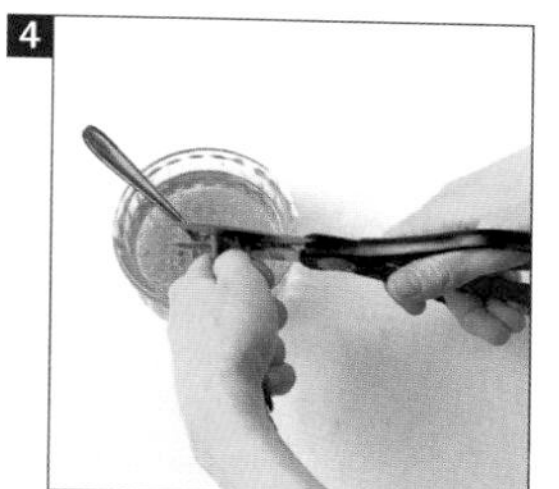
4

VALEURS NUTRITIONNELLES

Calories ....139 Glucides ......15 g
Protéines ....2 g Lipides ....11 g
Acides gras saturés ....2 g

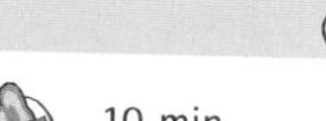 10 min 0 min

4 personnes

INGRÉDIENTS

100 g de jeunes épinards

75 g de germes de luzerne

2 branches de céleri, coupées en tranches

4 betteraves, cuites et coupées en huit

VINAIGRETTE

4 cuil. à soupe d'huile d'olive

4 cuil. à café ½ de vinaigre de vin aillé

1 gousse d'ail, écrasée

2 cuil. à café de miel liquide

1 cuil. à soupe de ciboulette hachée

1 Mettre les épinards et les germes de luzerne dans un grand saladier et les mélanger.

2 Ajouter le céleri et bien mélanger.

3 Mettre la betterave dans le saladier et bien remuer pour mélanger tous les ingrédients.

4 Pour préparer la vinaigrette, mélanger l'huile avec le vinaigre de vin, l'ail, le miel et la ciboulette hachée.

5 Verser la vinaigrette sur la salade, bien remuer et servir immédiatement.

VARIANTE

Vous pouvez ajouter une orange en quartiers à la salade pour la rendre plus colorée et fraîche. Vous pouvez également remplacer le vinaigre de vin aillé par une huile parfumée, par exemple au piment ou aux herbes.

Méli-mélo sucré-salé

On peut mettre dans cette salade toutes les sortes de haricots en boîte dont on dispose, sachant que plus il y en aura de différentes, plus la salade sera colorée.

VALEURS NUTRITIONNELLES

Calories ....183 Glucides ......34 g
Protéines ....6 g Lipides ....7 g
Acides gras saturés ....1 g

 20 min  20 min

4 personnes

INGRÉDIENTS

225 g de pommes de terre nouvelles, brossées et coupées en quatre

225 g de haricots variés en boîte (haricots rouges, flageolets, borlotti...), rincés et égouttés

1 pomme à couteau rouge, coupée en dés et arrosée de 1 cuil. à soupe de jus de citron

1 poivron jaune, épépiné et coupé en dés

1 échalote, coupée en rondelles

½ bulbe de fenouil, coupé en tranches

feuilles de laitue (feuille de chêne)

VINAIGRETTE

1 cuil. à soupe de vinaigre de vin rouge

2 cuil. à soupe d'huile d'olive

½ cuil. à soupe de moutarde américaine (*voir* « variante »)

1 gousse d'ail, hachée

2 cuil. à café de thym frais haché

2

3

4

1 Faire cuire les pommes de terre dans une casserole d'eau bouillante pendant 15 minutes (elles doivent être tendres), puis les égoutter et les mettre dans une jatte.

2 Ajouter les haricots ainsi que la pomme, le poivron, l'échalote et le fenouil. Bien mélanger en veillant à ne pas casser les pommes de terre.

3 Pour préparer la vinaigrette : battre tous les ingrédients pour bien lier le tout et verser la vinaigrette sur la salade de pommes de terre.

4 Chemiser un plat ou un saladier avec la feuille de chêne puis disposer la salade de pommes de terre par-dessus, au centre du saladier. Servir immédiatement.

VARIANTE

La moutarde américaine est à base de graines de moutarde noires et blanches, de vinaigre, de sucre et d'épices dont le curcuma. Pour un goût différent, vous pouvez utiliser de la moutarde de Dijon.

Salade maraîchère

Une salade de légumes croquants et de petites pommes de terre nouvelles dans une vinaigrette à la menthe, servie avec une crème à la moutarde.

VALEURS NUTRITIONNELLES

Calories ....227 Glucides ......22 g
Protéines ....4 g Lipides ....17 g
Acides gras saturés ....4 g

 15 à 20 min 20 min

8 personnes

INGRÉDIENTS

- 500 g de petites pommes de terre nouvelles ou de pommes de terre à salade
- 225 g de brocoli, en fleurettes
- 125 g de pois mange-tout
- 2 grosses carottes
- 4 branches de céleri
- 1 poivron jaune ou orange, épépiné
- 1 botte d'oignons verts
- 1 tête d'endive

VINAIGRETTE

- 3 cuil. à soupe d'huile d'olive
- 1 cuil. à soupe de vinaigre de vin blanc
- 1 cuil. à café de moutarde de Dijon
- 2 cuil. à soupe de menthe hachée

CRÈME À LA MOUTARDE

- 6 cuil. à soupe de crème aigre ou de crème fraîche
- 3 cuil. à soupe de mayonnaise onctueuse
- 2 cuil. à café de vinaigre balsamique
- 1 cuil. à café ½ de moutarde à l'ancienne
- ½ cuil. à café de crème de raifort
- 1 pincée de sucre roux
- sel et poivre

1 Faire cuire les pommes de terre dans de l'eau bouillante salée 10 minutes (elles doivent être juste tendres). Pendant ce temps, mélanger les ingrédients de la vinaigrette.

2 Égoutter les pommes de terre et les mélanger avec la vinaigrette tant qu'elles sont chaudes. Bien remuer puis laisser refroidir, en remuant de temps en temps.

3 Pour préparer la crème à la moutarde, mélanger la crème, la mayonnaise, le vinaigre, la moutarde, la crème de raifort et le sucre en salant et en poivrant à son goût. Mettre la préparation dans un saladier, la couvrir et la garder au frais jusqu'au moment de servir.

4 Séparer le brocoli en fleurettes, les blanchir pendant 2 minutes à l'eau bouillante, puis les égoutter et les passer sous l'eau froide. Une fois froides, bien les égoutter à nouveau.

5 Faire blanchir ensuite les pois mange-tout à l'eau bouillante pendant 1 minute puis les égoutter, les passer sous l'eau froide et les égoutter à nouveau.

6 Couper les carottes et le céleri en julienne (bâtonnets d'environ 6 cm sur 1 cm). Couper le poivron en petits dés, enlever un peu de la partie verte des oignons verts et effeuiller l'endive.

7 Disposer les légumes de façon décorative dans un saladier peu profond, en mettant les pommes de terre au centre. Servir avec la crème à la moutarde.

2

3

7

Garnitures

L'objectif de ce chapitre est d'offrir des plats complémentaires des plats principaux présentés dans le reste du livre. Parmi ces garnitures, vous trouverez toute une palette de plats de légumes, dont la variété vous étonnera ! Laissez-vous tenter par l'exotisme avec les pommes de terre parfumées au safran et à la moutarde ou les légumes à l'aigre-douce d'origine persane. Quel que soit le plat principal que vous choisirez, vous êtes assuré de trouver, parmi la multitude de recettes de ce chapitre, une garniture adaptée. À la fois parfaites pour les grandes occasions ou simplement pour les repas en famille, ces recettes peuvent également se suffire à elles-mêmes pour un en-cas ou un repas léger. C'est à vous de choisir !

Pommes de terre épicées aux oignons

Le massal alu est un plat composé de pommes de terre cuites avec des épices et des oignons. Ce plat relativement sec est donc parfait pour accompagner les currys.

VALEURS NUTRITIONNELLES	
Calories 313	Glucides ......26 g
Protéines ....2 g	Lipides ....25 g
Acides gras saturés ....3 g	

 10 à 15 min  10 min

4 personnes

INGRÉDIENTS

- 6 cuil. à soupe d'huile
- 2 oignons moyens, émincés
- 1 cuil. à café de gingembre frais, émincé
- 1 cuil. à café d'ail haché
- 1 cuil. à café de poudre de piment
- 1 cuil. à café ½ de cumin en poudre
- 1 cuil. à café ½ de coriandre en poudre
- 1 cuil. à café de sel
- 400 g de pommes de terre nouvelles précuites
- 1 cuil. à soupe de jus de citron

BAGHAAR

- 3 cuil. à soupe d'huile
- 3 piments rouges séchés
- ½ cuil. à café de graines de nigelle (kalongi)
- ½ cuil. à café de graines de moutarde
- ½ cuil. à café de graines de fenugrec

GARNITURE

- feuilles de coriandre fraîche
- 1 piment vert haché

1

2

3

1 Faire chauffer l'huile dans une grande casserole à fond épais et faire revenir les oignons sans cesser de remuer pour les faire dorer. Baisser le feu, ajouter le gingembre, l'ail, la poudre de piment, le cumin, la coriandre en poudre et le sel. Poêler à feu vif pendant environ 1 minute puis retirer la casserole du feu et réserver.

2 Égoutter les pommes de terre, les mettre dans la casserole avec l'oignon et les épices. Faire chauffer, arroser de jus de citron et bien remuer.

3 Pour préparer le baghaar : faire chauffer l'huile dans une casserole à part et faire revenir les piments rouges et les graines de nigelle, de moutarde et de fenugrec, jusqu'à ce que les graines commencent à noircir. Retirer la casserole du feu et verser le baghaar sur les pommes de terre.

4 Garnir avec des feuilles de coriandre et du piment haché et servir.

Légumes de saison

Un assortiment de légumes, parfait pour les grandes occasions comme le repas de Noël. Ne pas commencer à les faire cuire trop tôt, car ils sont prêts en très peu de temps.

VALEURS NUTRITIONNELLES

Calories ....434 Glucides ......82 g
Protéines ....7 g Lipides ....19 g
Acides gras saturés ....5 g

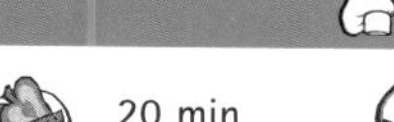

20 min 1 h 40

8 personnes

INGRÉDIENTS

POMMES DE TERRE RÔTIES

2 kg de pommes de terre
huile, pour faire rôtir
sel

CAROTTES AU MIEL

1 kg de carottes
1 cuil. à soupe de miel liquide
25 g de beurre
2 cuil. à café de graines de sésame, grillées

CHOU BLANC ÉPICÉ

1 chou blanc ferme
2 pommes à couteau épluchées, évidées et coupées en morceaux
gouttes de jus de citron
25 g de beurre
muscade, fraîchement râpée
sel et poivre

1 Pour préparer les pommes de terre rôties : éplucher les pommes de terre, les couper en gros morceaux de taille égale et les mettre dans une grande casserole remplie d'eau froide avec ½ cuillerée à café de sel. Porter à ébullition puis réduire le feu, couvrir et laisser mijoter pendant 8 à 10 minutes pour les faire cuire à demi. Bien égoutter.

2 Faire chauffer environ 150 ml d'huile dans un plat à rôti jusqu'à ce qu'elle soit très chaude. Y disposer les pommes de terre en les enrobant bien d'huile puis faire rôtir au four préchauffé, à 210 °C (th. 7), pendant environ 1 heure, en les arrosant de temps en temps. Elles doivent être bien croustillantes et dorées.

3 Pour faire les carottes au miel : couper les carottes au-dessus d'une casserole et les immerger à peine dans l'eau. Ajouter le miel et le beurre et faire cuire environ 15 minutes sans couvrir (le liquide doit s'évaporer complètement et les carottes doivent avoir une apparence nacrée). Mettre les carottes dans un plat chaud et parsemer de graines de sésame avant de servir.

4 Pour préparer le chou blanc épicé : râper le chou juste avant de le faire cuire pour qu'il garde bien ses vitamines. Faire cuire avec les morceaux de pomme et le jus de citron dans une casserole avec un peu d'eau au fond, pendant environ 6 minutes à feu doux, en couvrant. Bien égoutter, saler et poivrer, puis ajouter le beurre, en remuant bien pour le faire fondre. Mettre le chou cuit dans un plat chaud, parsemer d'un peu de muscade fraîchement râpée et servir immédiatement.

2

3

4

Pommes Anna

Un gratin de pommes de terre classique, que l'on peut laisser à cuire pendant que l'on prépare le reste du repas, ce qui le rend idéal pour cuisiner un ragoût en parallèle.

VALEURS NUTRITIONNELLES

Calories ....237 Glucides ......30 g
Protéines ....4 g Lipides ....13 g
Acides gras saturés ....8 g

 15 min  2 heures

4 personnes

INGRÉDIENTS

60 g de beurre, fondu

675 g de pommes de terre à chair ferme

4 cuil. à soupe de fines herbes hachées

sel et poivre

fines herbes fraîches hachées, en garniture

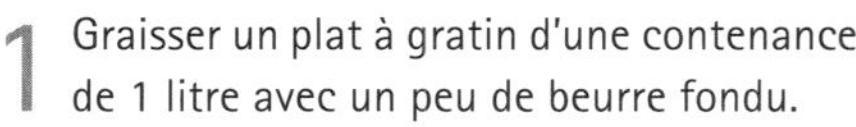

1 Graisser un plat à gratin d'une contenance de 1 litre avec un peu de beurre fondu.

2 Couper les pommes de terre en fines rondelles et les sécher un peu en les tapotant avec du papier absorbant.

3 Disposer une couche de pomme de terre dans le plat pour en recouvrir le fond. Badigeonner légèrement de beurre et parsemer d'un quart des fines herbes sur le dessus. Saler.

4 Finir de disposer les pommes de terre en couches, en mettant du beurre fondu et des fines herbes sur chaque couche.

5 Badigeonner la dernière couche de pommes de terre de beurre fondu, couvrir le plat et faire cuire au four préchauffé, à 190 °C (th. 6-7), pendant 1 heure 30.

6 Démouler le gâteau de pommes de terre obtenu dans un autre plat à gratin et remettre au four 25 à 30 minutes (le dessus doit être bien doré). Garnir de fines herbes fraîches et servir immédiatement.

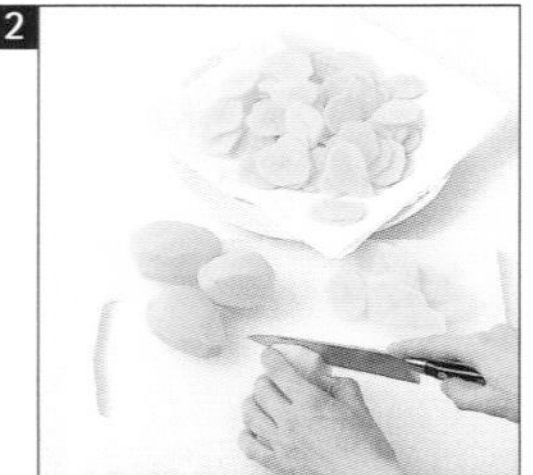

2

3

6

CONSEIL

Il est recommandé de couper de très fines rondelles de pomme de terre, presque translucides, de façon à ce qu'elles cuisent mieux.

Épinards du Cachemire

Une manière originale de préparer les épinards, qui les rend plus attrayants. Ce plat, très facile à préparer, est le complément idéal de tous les currys.

VALEURS NUTRITIONNELLES

Calories ....81 Glucides ....4 g
Protéines ....4 g Lipides ....7 g
Acides gras saturés ....1 g

 5 min  25 min

4 personnes

INGRÉDIENTS

- 500 g d'épinards ou de bettes ou de jeunes feuilles d'épinards
- 2 cuil. à soupe d'huile de moutarde
- ¼ de cuil. à café de garam masala
- 1 cuil. à café de graines de moutarde blanche
- 2 oignons verts, coupés en rondelles

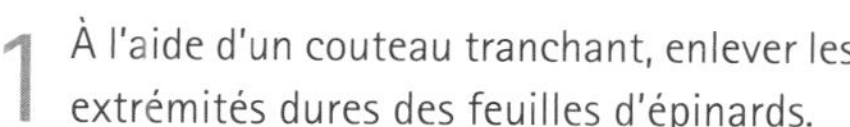

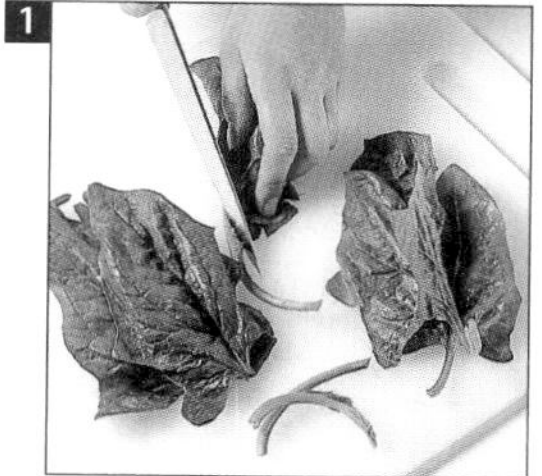

1 À l'aide d'un couteau tranchant, enlever les extrémités dures des feuilles d'épinards.

2 Faire chauffer l'huile de moutarde dans un wok préchauffé ou une grande sauteuse, jusqu'à ce qu'elle fume. Faire revenir le garam masala et les graines de moutarde. Ensuite, couvrir rapidement le wok ou la sauteuse (on doit entendre les graines de moutarde sauter sous le couvercle).

3 Une fois que les graines ont arrêté de sauter, enlever le couvercle et ajouter les oignons verts et les épinards. Faire cuire sans cesser de remuer pour faire flétrir les épinards.

4 Continuer de faire cuire les épinards à découvert pendant 10 à 15 minutes à feu moyen. La plus grande partie de l'eau doit s'être évaporée. En cas d'utilisation d'épinards surgelés, le temps de cuisson sera moins long : laisser cuire jusqu'à évaporation presque complète de l'eau.

5 Retirer les épinards et les oignons verts à l'aide d'une écumoire, en les égouttant pour enlever l'excédent d'eau (ce plat est meilleur s'il est le moins aqueux possible).

6 Mettre les épinards dans un plat et servir immédiatement, très chaud.

CONSEIL

L'huile de moutarde est faite à partir de graines de moutarde et, consommée crue, elle a un goût très fort. Cependant, une fois cuite jusqu'à produire de la fumée comme ici, elle perd beaucoup de son piquant pour devenir une huile délicieusement douce.

Légumes à l'aigre-douce

Un plat d'origine persane, et non chinoise comme on pourrait le penser : des aubergines poêlées et mélangées avec des tomates, de la menthe, du sucre et du vinaigre.

VALEURS NUTRITIONNELLES

Calories ....218 Glucides ......26 g
Protéines ....3 g Lipides ....17 g
Acides gras saturés ....3 g

45 min — 30 min

4 personnes

INGRÉDIENTS

- 2 grosses aubergines
- 6 cuil. à soupe d'huile d'olive
- 4 gousses d'ail, hachées
- 1 oignon, coupé en huit
- 4 grosses tomates, épépinées et coupées en morceaux
- 3 cuil. à soupe de menthe hachée
- 150 ml de bouillon de légumes
- 4 cuil. à café de sucre roux
- 2 cuil. à soupe de vinaigre de vin rouge
- 1 cuil. à café de flocons de piment
- sel et poivre

1 À l'aide d'un couteau tranchant, couper les aubergines en dés, les mettre dans une passoire et les saupoudrer généreusement de sel. Laisser reposer pendant 30 minutes, puis les rincer à l'eau froide pour les débarrasser du sel et bien égoutter (cette opération permet de débarrasser les aubergines de leur amertume). Sécher les dés d'aubergine en les tapotant à l'aide de papier absorbant.

2 Faire chauffer l'huile dans une grande poêle à fond épais.

3 Faire revenir les dés d'aubergines dans la poêle pendant 1 à 2 minutes à feu moyen, sans cesser de remuer. Ils doivent commencer à dorer.

4 Ajouter l'ail et l'oignon et faire revenir pendant 2 à 3 minutes, sans cesser de remuer.

5 Ajouter les tomates, la menthe et le bouillon de légumes, baisser le feu, couvrir la poêle et laisser mijoter pendant 15 à 20 minutes. Les aubergines doivent être tendres.

6 Mettre sucre roux, vinaigre de vin rouge et flocons de piment dans la poêle avec le reste de la préparation, saler et poivrer. Cuire pendant 2 à 3 minutes sans cesser de remuer.

7 Transférer la préparation obtenue dans un plat chaud, garnir avec des brins de menthe et servir.

Curry de courgettes

Un curry irrésistible relevé avec des graines de fenugrec à la merveilleuse saveur incomparable.

VALEURS NUTRITIONNELLES

Calories ....188 Glucides ......11 g
Protéines ....3 g Lipides ....17 g
Acides gras saturés ....2 g

20 min — 15 min

4 personnes

INGRÉDIENTS

- 6 cuil. à soupe d'huile
- 1 oignon moyen, émincé
- 3 piments verts frais, hachés
- 1 cuil. à café de gingembre frais, finement râpé
- 1 cuil. à café d'ail écrasé
- 1 cuil. à café de poudre de piment
- 500 g de courgettes, coupées en fines rondelles
- 2 tomates, coupées en rondelles
- feuilles de coriandre fraîche, quelques-unes en plus pour garnir
- 2 cuil. à café de graines de fenugrec
- chapati, en accompagnement

2

3

3

1 Faire chauffer l'huile dans une grande poêle à fond épais.

2 Faire revenir l'oignon, les piments verts frais, le gingembre, l'ail et la poudre de piment dans la poêle, en remuant bien pour mélanger le tout.

3 Ajouter les rondelles de courgettes et les tomates en rondelles et faire sauter pendant 5 à 7 minutes à feu moyen.

4 Mettre les feuilles de coriandre et les graines de fenugrec dans la poêle et faire sauter pendant 5 minutes à feu moyen, jusqu'à ce que les légumes soient tendres.

5 Retirer la poêle du feu et mettre la préparation obtenue dans des assiettes. Garnir et servir chaud avec des chapati.

VARIANTE

Vous pouvez remplacer les graines de fenugrec par des graines de coriandre.

Pommes de terre rôties au piment

De petites pommes de terre nouvelles brossées et cuites à l'eau avec la peau, puis enrobées d'une sauce au piment et rôties au four à la perfection.

VALEURS NUTRITIONNELLES

Calories ....178 Glucides ......20 g
Protéines ....2 g Lipides ....11 g
Acides gras saturés ....1 g

 5 à 10 min  30 min

4 personnes

INGRÉDIENTS

- 500 g de petites pommes de terre nouvelles, brossées
- 150 ml d'huile
- 1 cuil. à café de poudre de piment
- ½ cuil. à café de graines de carvi
- 1 cuil. à café de sel
- 1 cuil. à soupe de basilic haché

1 Faire cuire les pommes de terre dans une casserole d'eau bouillante 10 minutes, puis bien égoutter.

2 Verser un peu d'huile dans un plat à rôti peu profond et bien la répartir. Faire chauffer l'huile au four préchauffé, à 210 °C (th. 7), pendant 10 minutes. Mettre les pommes de terre dans le plat et les arroser avec l'huile chaude.

3 Dans une petite jatte, mélanger la poudre de piment avec les graines de carvi et le sel, puis parsemer les pommes de terre du mélange obtenu en les retournant pour bien les enrober.

4 Verser le reste d'huile dans le plat et remettre au four pendant environ 15 minutes jusqu'à ce que les pommes de terre soient dorées et bien cuites.

5 À l'aide d'une écumoire, retirer les pommes de terre de l'huile en les égouttant bien et les disposer dans un plat chaud. Parsemer de basilic haché et servir immédiatement.

2

3

5

VARIANTE

Vous pouvez adapter cette recette avec les épices de votre choix, par exemple de la poudre de curry ou du paprika, pour changer un peu le goût.

Gratin dauphinois

Un grand classique : des couches successives de pommes de terre, de crème fraîche, d'ail, d'oignon et de fromage. À servir avec vos tourtes, plats au four et ragoûts.

VALEURS NUTRITIONNELLES

Calories ....580 Glucides ......39 g
Protéines ......10 g Lipides ....46 g
Acides gras saturés ......28 g

25 min 1 h 30

4 personnes

INGRÉDIENTS

- 15 g de beurre
- 675 g de pommes de terre à chair ferme, coupées en rondelles
- 2 gousses d'ail, hachées
- 1 oignon rouge, coupé en rondelles
- 90 g de gruyère, râpé
- 300 ml de crème épaisse
- sel et poivre

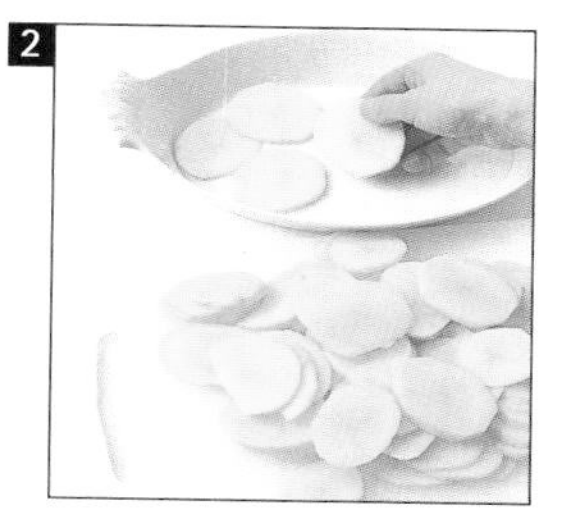

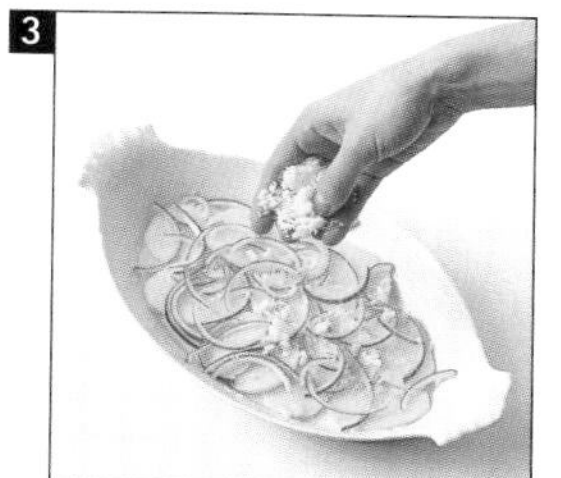

1 Beurrer légèrement un plat à gratin peu profond d'une contenance de 1 litre.

2 Disposer une couche de pommes de terre dans le fond du plat à gratin.

3 Disposer par-dessus la moitié de l'ail, la moitié des rondelles d'oignon rouge et un tiers du gruyère râpé puis saler et poivrer.

4 Répéter l'opération dans le même ordre en terminant par une couche de pommes de terre parsemée de fromage râpé.

5 Verser la crème fraîche sur les pommes de terre et faire cuire au four préchauffé, à 180 °C (th. 6), pendant 1 h 30, jusqu'à ce que les pommes de terre soient bien cuites et le dessus gratiné. Servir immédiatement, dans le plat de cuisson.

CONSEIL

Il existe de nombreuses versions de ce plat classique, mais elles ont toutes en commun la crème fraîche qui rend le tout bien consistant. Il est conseillé d'utiliser un plat à gratin très peu profond, de façon à ce que la surface de fromage râpé gratiné soit la plus grande possible.

Pois cassés et épinards aux épices

Un accompagnement assez consistant, à servir plutôt avec un plat principal léger.

VALEURS NUTRITIONNELLES

Calories ....340 Glucides ......40 g
Protéines ......21 g Lipides ....14 g
Acides gras saturés ....2 g

 2 h 05  25 min

4 personnes

INGRÉDIENTS

- 225 g de pois cassés verts
- 900 g d'épinards
- 4 cuil. à soupe d'huile
- 1 oignon, coupé en deux puis en rondelles
- 1 cuil. à café de gingembre frais, râpé
- 1 cuil. à café de cumin en poudre
- ½ cuil. à café de poudre de piment
- ½ cuil. à café de coriandre en poudre
- 2 gousses d'ail, hachées
- 300 ml de bouillon de légumes
- sel et poivre
- brins de coriandre fraîche et tranches de citron, en garniture

1

3

4

1 Rincer les pois à l'eau froide puis les mettre dans une jatte, les immerger dans l'eau froide et les laisser à tremper pendant 2 heures. Bien égoutter.

2 Pendant ce temps, faire cuire les épinards pendant 5 minutes dans une grande casserole avec l'eau restant sur les feuilles après les avoir rincés. Ils doivent avoir juste réduit. Les égoutter et les couper grossièrement.

3 Faire chauffer l'huile dans une grande casserole et faire revenir l'oignon avec les épices et l'ail pendant 2 à 3 minutes, sans cesser de remuer.

4 Mettre les pois cassés, les épinards et le bouillon dans la casserole, couvrir et laisser mijoter pendant 10 à 15 minute, jusqu'à ce que les pois soient cuits et le liquide absorbé. Saler, poivrer, garnir et servir.

CONSEIL

Une fois les pois cassés ajoutés dans la casserole, remuez de temps en temps pour empêcher qu'ils n'attachent au fond de la casserole.

Bhaji brinjal

L'un des meilleurs bhaji indiens, avec un merveilleux goût sucré et épicé.

VALEURS NUTRITIONNELLES

Calories ....117 Glucides ......17 g
Protéines ....3 g Lipides ....8 g
Acides gras saturés ....5 g

 20 min  20 min

4 personnes

INGRÉDIENTS

- 500 g d'aubergines, coupées en rondelles
- 2 cuil. à soupe de ghee (beurre clarifié)
- 1 oignon, coupé en fines rondelles
- 2 gousses d'ail, coupées en rondelles
- 1 morceau de gingembre frais de 2,5 cm, râpé
- ½ cuil. à café de curcuma en poudre
- 1 piment rouge séché
- ½ cuil. à café de sel
- 400 g tomates entières en boîte
- 1 cuil. à café de garam masala
- brins de coriandre, en garniture

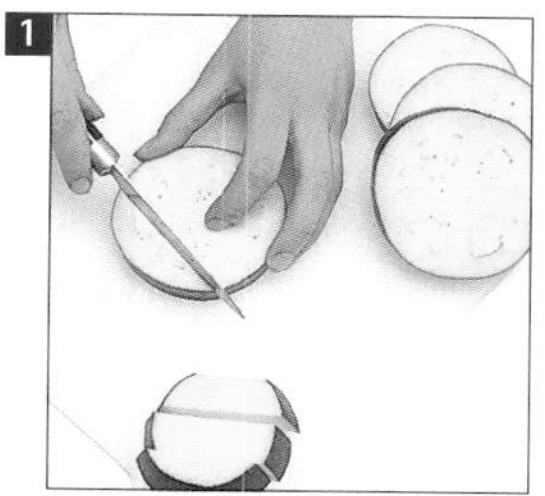

1 Couper les rondelles d'aubergine en bandes de l'épaisseur d'un doigt.

2 Faire chauffer le ghee dans une casserole et faire revenir l'oignon pendant 7 à 8 minutes à feu moyen, sans cesser de remuer. Il doit être bien ramolli.

3 Ajouter l'ail et les bandes d'aubergine, augmenter le feu et faire revenir pendant 2 minutes.

4 Incorporer à la préparation le gingembre, le curcuma, le piment, le sel et les tomates avec leur jus. Écraser les tomates avec le dos d'une cuillère en bois puis laisser mijoter pendant 15 à 20 minutes à découvert, jusqu'à ce que l'aubergine soit bien ramollie.

5 Incorporer le garam masala et laisser mijoter pendant encore 4 à 5 minutes.

6 Disposer le bhaji brinjal dans un plat chaud, garnir de brins de coriandre et servir.

VARIANTE

Vous pouvez remplacer les aubergines par d'autres légumes, par exemple des courgettes, des pommes de terre ou des poivrons, ou encore un mélange, en les cuisinant dans la même sauce.

Haricots blancs à la grecque

Un plat vraiment savoureux aux accents grecs prononcés, avec du citron, de l'ail, de l'origan et des olives.

VALEURS NUTRITIONNELLES

Calories ....115 Glucides ......19 g
Protéines ....6 g Lipides ....4 g
Acides gras saturés ......0,6 g

5 min

1 h 05

4 personnes

INGRÉDIENTS

- 400 g de haricots blancs en boîte, égouttés
- 1 cuil. à soupe d'huile d'olive
- 3 gousses d'ail, hachées
- 425 ml de bouillon de légumes
- 1 feuille de laurier
- 2 brins d'origan
- 1 cuil. à soupe de concentré de tomates
- jus d'un citron
- 1 petit oignon rouge, émincé
- 25 g d'olives noires, dénoyautées et coupées en deux
- sel et poivre

1 Mettre les haricots dans un grand fait-tout. Ajouter l'huile d'olive et l'ail haché et faire cuire 4 à 5 minutes à feu moyen, en remuant de temps en temps (l'ail doit commencer à dorer).

2 Ajouter le bouillon de légumes, la feuille de laurier, l'origan, le concentré de tomates, le jus de citron et l'oignon rouge, couvrir le fait-tout et laisser mijoter pendant environ 1 heure pour bien faire réduire.

3 Ajouter les olives en remuant, saler, poivrer et servir.

1

2

3

CONSEIL

Vous pouvez également préparer ce plat à l'avance et le servir frais, mais pas trop froid, accompagné de pain frais.

Pommes de terre au gingembre

Les noix de cajou et le céleri donnent du croquant à ce plat très facile à réaliser, qui convient très bien pour accompagner un plat principal simple.

VALEURS NUTRITIONNELLES

Calories ....325 Glucides ......31 g
Protéines ....5 g Lipides ....21 g
Acides gras saturés ....9 g

20 min 30 min

4 personnes

INGRÉDIENTS

- 675 g de pommes de terre à chair ferme, coupées en cubes
- 2 cuil. à soupe d'huile
- 1 morceau de gingembre frais de 5 cm, râpé
- 1 piment vert frais haché
- 1 branche de céleri, coupée en morceaux
- 25 g de noix de cajou
- filaments de safran
- 3 cuil. à soupe d'eau, bouillante
- 60 g de beurre
- feuilles de céleri, en garniture

1 Faire cuire les pommes de terre dans une casserole d'eau bouillante 10 minutes puis bien les égoutter.

2 Faire chauffer l'huile dans une poêle à fond épais et faire revenir les pommes de terre pendant 3 à 4 minutes à feu moyen, sans cesser de remuer.

3 Ajouter le gingembre râpé, le piment, le céleri et les noix de cajou et faire revenir pendant 1 minute.

4 Pendant ce temps, mettre les filaments de safran dans une petite jatte, verser l'eau bouillante par-dessus et laisser tremper pendant 5 minutes.

5 Ajouter le beurre dans la poêle et baisser le feu. Incorporer le mélange à base de safran et réchauffer à feu doux pendant 10 minutes (les pommes de terre doivent être tendres).

6 Disposer la préparation obtenue dans un plat chaud, garnir avec des feuilles de céleri et servir.

CONSEIL

Utilisez une poêle antiadhésive à fond épais, car la préparation est assez sèche et risque d'attacher dans une poêle normale.

Crumble aux pommes de terre

Une façon étonnante d'égayer la purée de pommes de terre : la recouvrir d'une couche de chapelure parfumée avec du persil, de la moutarde et de l'oignon.

VALEURS NUTRITIONNELLES

Calories . . . . .451 Glucides . . . . . .65 g
Protéines . . . . . .13 g Lipides . . . . . . .19 g
Acides gras saturés . . . . . .12 g

 25 min  30 min

4 personnes

INGRÉDIENTS

900 g de pommes de terre farineuses, coupées en dés

25 g de beurre

2 cuil. à soupe de lait

50 g de cheddar ou d'emmental fort ou de bleu, râpé

CHAPELURE PERSILLÉE

40 g de beurre

1 oignon, coupé en gros morceaux

1 gousse d'ail, hachée

1 cuil. à soupe de moutarde à l'ancienne

175 g de chapelure blonde

2 cuil. à soupe de persil haché

sel et poivre

1 Faire cuire les pommes de terre dans une casserole d'eau bouillante légèrement salée pendant 10 minutes (elles doivent être bien cuites).

2 Pendant ce temps, préparer le crumble : faire fondre le beurre dans une poêle et faire revenir l'oignon, l'ail et la moutarde pendant 5 minutes à feu moyen, sans cesser de remuer. L'oignon doit être ramolli.

3 Mettre la chapelure dans une jatte et y incorporer la préparation précédente, suivie du persil haché. Saler et poivrer.

4 Bien égoutter les pommes de terre, les mettre dans une jatte, ajouter le lait et le beurre puis réduire en purée jusqu'à obtention d'une consistance homogène. Incorporer le fromage râpé tant que les pommes de terre sont chaudes.

5 Mettre la purée de pommes de terre dans un plat à gratin peu profond et parsemer de chapelure persillée.

6 Faire cuire au four préchauffé, à 210 °C (th. 7), pendant 10 à 15 minutes, jusqu'à ce que le crumble soit bien doré et croustillant. Servir immédiatement.

2

4

5

CONSEIL

Pour plus de croustillant, vous pouvez ajouter à la purée à l'étape 4 des légumes déjà cuits, comme du céleri et des poivrons.

Curry de gombos

Les gombos, également appelés bhindi ou okras, font partie des légumes les plus appréciés en Inde. On les trouve aujourd'hui dans les grands supermarchés.

VALEURS NUTRITIONNELLES

Calories ....156 Glucides ......11 g
Protéines ....5 g Lipides ....12 g
Acides gras saturés ....2 g

 10 min  20 min

4 personnes

INGRÉDIENTS

- 500 g de gombos frais
- 4 cuil. à soupe de ghee (beurre clarifié) ou d'huile
- 1 botte d'oignons verts, coupés en rondelles
- 2 gousses d'ail, hachées
- 1 morceau de gingembre frais de 5 cm, émincé
- 1 cuil. à café de piment, haché
- 1 cuil. à café ½ de cumin en poudre
- 1 cuil. à café de coriandre en poudre
- 1 cuil. à café de curcuma en poudre
- 225 g de tomates concassées en boîte
- 150 ml de bouillon de légumes
- sel et poivre
- 1 cuil. à café de garam masala
- coriandre hachée, en garniture

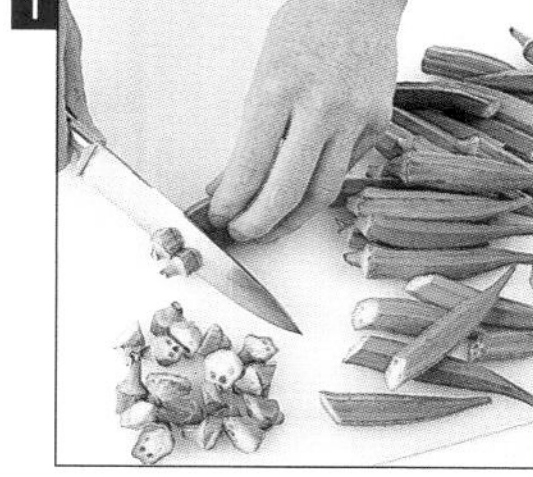

1

2

3

1 Laver les gombos, les ébouter et les sécher un peu. Faire chauffer le ghee ou l'huile dans une grande casserole et faire revenir les oignons verts, l'ail, le gingembre et le piment pendant 1 minute à feu doux, en remuant régulièrement.

2 Ajouter les épices et faire revenir à feu doux pendant 30 secondes avant d'ajouter les tomates concassées, le bouillon et les gombos. Saler et poivrer puis laisser mijoter pendant environ 15 minutes, en remuant de temps en temps. Les gombos doivent être cuits mais garder leur croquant.

3 Saupoudrer de garam masala, goûter et rectifier l'assaisonnement si nécessaire. Disposer la préparation obtenue dans un plat chaud, garnir avec la coriandre hachée et servir.

CONSEIL

Vous pouvez couper les gombos en morceaux, les mettre dans la casserole à l'étape 2 puis couvrir et laisser mijoter, en remuant de temps en temps, jusqu'à ce qu'ils soient cuits mais croquants. Faire bien attention à ce que les gousses ne soient ni flétries ni couvertes de taches brunes.

Gratin de chou-fleur et de brocoli

À défaut de jeunes choux-fleurs entiers, on peut dans cette recette utiliser un chou-fleur plus gros, en fleurettes.

VALEURS NUTRITIONNELLES

Calories	433	Glucides	5 g
Protéines	8 g	Lipides	44 g
Acides gras saturés	9 g		

 10 min  20 min

4 personnes

INGRÉDIENTS

- 2 jeunes choux-fleurs
- 225 g de brocoli
- sel et poivre

SAUCE

- 8 cuil. à soupe d'huile d'olive
- 4 cuil. à soupe de beurre ou de margarine
- 2 cuil. à café de gingembre frais râpé
- jus et zeste de 2 citrons
- 5 cuil. à soupe de coriandre hachée
- 5 cuil. à soupe de cheddar ou d'emmental râpé

1 À l'aide d'un couteau tranchant, couper les choux-fleurs en deux et le brocoli en très grosses fleurettes.

2 Faire cuire le chou-fleur et le brocoli dans une casserole d'eau bouillante salée pendant 10 minutes, bien les égoutter puis les mettre dans le fond d'un plat à gratin peu profond. Réserver au chaud.

3 Pour préparer la sauce : mettre l'huile et le beurre ou la margarine dans une casserole, faire chauffer à feu doux jusqu'à ce que la matière grasse soit fondue. Faire revenir le gingembre râpé, le jus de citron, le zeste de citron et la coriandre. Laisser mijoter pendant 2 à 3 minutes en remuant de temps en temps.

4 Saler et poivrer la sauce avant de la verser sur les légumes dans le plat. Parsemer de fromage.

5 Faire gratiner sous le gril préchauffé pendant 2 à 3 minutes, jusqu'à ce que le fromage soit doré et frémissant. Laisser tiédir pendant 1 à 2 minutes et servir.

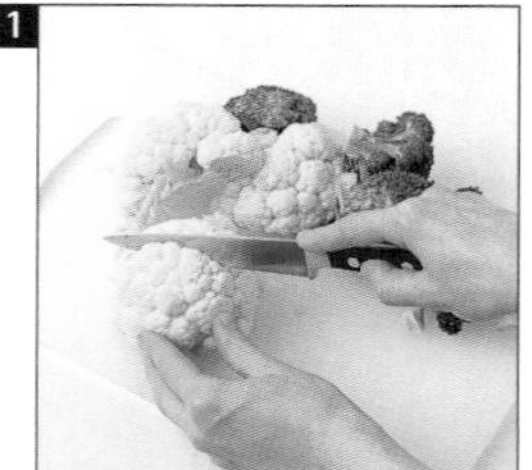
1

3

4

CONSEIL

Vous pouvez remplacer le citron par du citron vert ou de l'orange, pour donner une touche plus fruitée et fraîche à la sauce.

Pommes de terre à l'espagnole

Un plat que l'on sert traditionnellement parmi un assortiment de tapas espagnoles, mais qui est tout aussi délicieux accompagné d'une salade ou simplement en plat principal.

VALEURS NUTRITIONNELLES

Calories ....176 Glucides ......36 g
Protéines ....5 g Lipides ....6 g
Acides gras saturés ....1 g

20 min 35 min

4 personnes

INGRÉDIENTS

- 2 cuil. à soupe d'huile d'olive
- 500 g de petites pommes de terre nouvelles, coupées en deux
- 1 oignon, coupé en deux puis en rondelles
- 1 poivron vert, épépiné et coupé en lamelles
- 1 cuil. à café de poudre de piment
- 1 cuil. à café de moutarde
- 300 ml de coulis de tomates
- 300 ml de bouillon de légumes
- sel et poivre
- persil haché, en garniture

1

2

3

1 Faire chauffer l'huile dans une grande poêle à fond épais et faire revenir les pommes de terre et l'oignon pendant 4 à 5 minutes en remuant fréquemment. Les rondelles d'oignon doivent être ramollies et translucides.

2 Ajouter les lamelles de poivron vert, la poudre de piment et la moutarde dans la casserole et faire revenir encore 2 à 3 minutes.

3 Verser le coulis de tomates et le bouillon de légumes dans la casserole, porter à ébullition puis baisser le feu et laisser mijoter pendant 25 minutes (les pommes de terre doivent être tendres).

4 Mettre la préparation obtenue dans un plat chaud, parsemer de persil haché et servir immédiatement. On peut aussi laisser refroidir complètement ces pommes de terre à l'espagnole et les servir à température ambiante.

CONSEIL

En Espagne, les tapas sont généralement servies avec un vert de xérès bien frais ou tout autre alcool apéritif.

Palak pannir

Le pannir, sorte de fromage caillé, est très souvent à l'honneur dans la cuisine indienne. On le mélange à toutes sortes d'ingrédients, le plus fréquemment à des épinards.

VALEURS NUTRITIONNELLES

Calories ....287 Glucides ......29 g
Protéines ......12 g Lipides ....18 g
Acides gras saturés ......11 g

 20 min  40 min

6 personnes

INGRÉDIENTS

- 2 cuil. à soupe de ghee (beurre clarifié)
- 1 oignon, coupé en rondelles
- 1 gousse d'ail, hachée
- 1 piment rouge séché
- 1 cuil. à café de curcuma en poudre
- 500 g de pommes de terre à chair ferme, coupées en cubes de 2,5 cm
- 400 g de tomates entières en boîte, égouttées
- 150 ml d'eau
- 225 g d'épinards frais
- 500 g de fromage caillé indien, coupé en dés de 2,5 cm
- 1 cuil. à café de garam masala
- 1 cuil. à soupe de coriandre hachée
- 1 cuil. à soupe de persil haché
- sel et poivre
- naan (pain indien), en accompagnement

CONSEIL

Vous pouvez remplacer le fromage caillé indien par du pecorino frais, un fromage italien.

1 Faire chauffer le ghee dans une casserole et faire revenir l'oignon pendant 10 minutes à feu doux, en remuant régulièrement. Il doit être bien ramolli. Ajouter l'ail et le piment et faire revenir pendant 5 minutes.

2 Ajouter le curcuma, le sel, les pommes de terre, les tomates concassées en boîte et l'eau, puis porter à ébullition.

3 Laisser mijoter 10 à 15 minutes, jusqu'à ce que les pommes de terre soient cuites.

4 Mettre les épinards, les dés de fromage, le garam masala, la coriandre et le persil dans la casserole et bien mélanger.

5 Laisser mijoter encore pendant 5 minutes. Saler et poivrer. Servir avec du naan.

1

3

4

Julienne de carottes à l'orange

Les graines de pavot donnent de la consistance et du goût à cette recette, et neutralisent un peu le goût légèrement sucré des carottes.

VALEURS NUTRITIONNELLES

Calories ....138 Glucides ......63 g
Protéines ....2 g Lipides ....1 g
Acides gras saturés ......0,2 g

20 min 40 min

4 personnes

INGRÉDIENTS

- 675 g de carottes, coupées en julienne
- 1 poireau, coupé en rondelles
- 300 ml de jus d'orange, fraîchement pressé
- 2 cuil. à soupe de miel liquide
- 1 gousse d'ail, hachée
- 1 cuil. à café de mélange d'épices
- 2 cuil. à café de thym haché
- 1 cuil. à soupe de graines de pavot
- sel et poivre
- brins de thym et zeste d'orange, en garniture

1

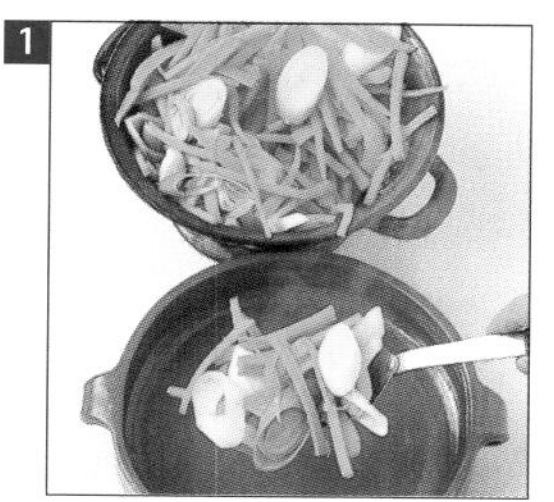

2

4

1 Faire cuire les carottes et le poireau dans une casserole d'eau bouillante légèrement salée pendant 5 à 6 minutes, bien les égoutter et les mettre dans un plat peu profond, puis réserver.

2 Mélanger le jus d'orange avec le miel, l'ail, le mélange d'épices et le thym puis verser le mélange obtenu sur les légumes. Saler et poivrer.

3 Couvrir le plat et faire cuire au four préchauffé, à 180 °C (th. 6), pendant environ 30 minutes. Les légumes doivent être tendres.

4 Découvrir le plat et parsemer de graines de pavot. Disposer ensuite la julienne dans un plat chaud, garnir avec du thym frais et du zeste d'orange et servir.

CONSEIL

Vous pouvez remplacer le jus d'orange par du jus de citron ou de citron vert et décorer avec du zeste de citron ou de citron vert.

Gratin aux trois fromages

Un plat d'accompagnement fantastique, particulièrement bien assorti à des plats principaux cuits au four.

VALEURS NUTRITIONNELLES

Calories	295	Glucides	29 g
Protéines	13 g	Lipides	17 g
Acides gras saturés	11 g		

20 min — 1 h 30

4 personnes

INGRÉDIENTS

500 g de pommes de terre

1 poireau, coupé en rondelles

3 gousses d'ail, hachées

50 g de cheddar ou d'emmental, râpé

50 g de mozzarella, émiettée

25 g de parmesan, râpé

2 cuil. à soupe de persil haché

150 ml de crème liquide

150 ml de lait

sel et poivre

persil plat, haché, en garniture

1 Faire cuire les pommes de terre dans une casserole d'eau bouillante salée pendant 10 minutes, puis bien égoutter.

2 Couper les pommes de terre en fines rondelles, en disposer une couche au fond d'un plat à gratin puis mettre un peu de poireau, d'ail, de fromage et de persil par-dessus. Saler et poivrer.

3 Répéter la disposition en couches jusqu'à épuisement des ingrédients, en terminant par une couche de fromage. Mélanger la crème avec le lait, saler et poivrer puis verser le mélange sur les pommes de terre.

4 Faire cuire au four préchauffé, à 160 °C (th. 5-6), pendant 1 heure à 1 h 30, jusqu'à ce que le fromage soit bien doré et frémissant et les pommes de terre bien cuites et tendres).

5 Garnir de persil plat haché et servir.

2

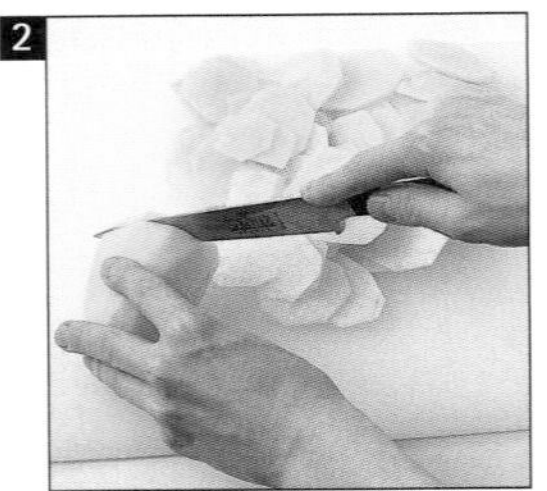

2

3

CONSEIL

Les pommes de terre sont une excellente base de plat d'accompagnement. Elles sont source de glucides complexes et pleines de vitamines, et leur goût se marie bien avec de très nombreux ingrédients.

Bhaji aux épinards et au chou-fleur

Un plat de légumes irrésistible, facile à préparer et rapide à faire cuire, qui accompagnera à merveille la plupart des plats indiens.

VALEURS NUTRITIONNELLES

Calories . . . . 212 Glucides . . . . . . 26 g
Protéines . . . . . . 10 g Lipides . . . . 13 g
Acides gras saturés . . . . 2 g

 10 min 25 min

4 personnes

INGRÉDIENTS

1 chou-fleur

500 g d'épinards frais, lavés ou 225 g d'épinards surgelés, décongelés

4 cuil. à soupe de ghee (beurre clarifié) ou d'huile

2 gros oignons, coupés grossièrement

2 gousses d'ail, hachées

1 morceau de gingembre frais de 2,5 cm, émincé

1 cuil. à café ½ de poivre de Cayenne, un peu plus à son goût

1 cuil. à café de cumin en poudre

1 cuil. à café de curcuma en poudre

2 cuil. à café de coriandre en poudre

400 g de tomates concassées en boîte

300 ml de bouillon de légumes

sel et poivre

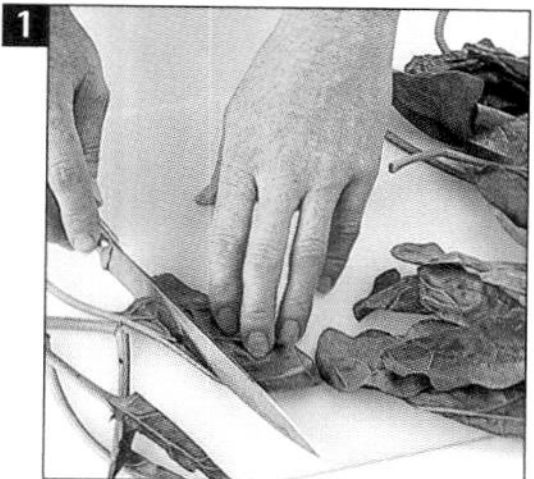

1 Séparer le chou-fleur en fleurettes et jeter la partie dure centrale. Équeuter les épinards. Faire chauffer le ghee ou l'huile dans une grande casserole et faire revenir l'oignon et les fleurettes de chou-fleur environ 3 minutes à feu doux, en remuant fréquemment.

2 Ajouter l'ail, le gingembre et les épices et faire revenir à feu doux pendant 1 minute en remuant de temps en temps. Verser les tomates concassées et le bouillon de légumes dans la casserole, saler et poivrer à son goût puis porter à ébullition, couvrir, baisser le feu et laisser mijoter à feu doux pendant 8 minutes.

3 Ajouter les épinards en remuant bien pour faire réduire les feuilles. Couvrir à nouveau la casserole et laisser mijoter à feu doux pendant 8 à 10 minutes, en remuant fréquemment. Les épinards et le chou-fleur doivent être tendres. Disposer dans un plat chaud et servir chaud.

CONSEIL

Lors de l'achat de chou-fleur, choisissez de beaux pieds blancs et fermes, qui ne soient pas flétris ni ramollis, et ne portent aucune trace d'oxydation.

Haricots verts à la tomate

Les repas indiens s'accompagnent très bien de légumes verts qui complètent la saveur épicée des plats et mettent en valeur leurs sauces onctueuses.

VALEURS NUTRITIONNELLES

Calories ....76 Glucides ....7 g
Protéines ....2 g Lipides ....6 g
Acides gras saturés ....3 g

 15 min  25 min

6 personnes

INGRÉDIENTS

- 500 g de haricots verts, coupés en morceaux de 5 cm de long
- 2 cuil. à soupe de ghee (beurre clarifié)
- 1 morceau de gingembre de 2,5 cm, râpé
- 1 gousse d'ail, hachée
- 1 cuil. à café de curcuma
- ½ cuil. à café de poivre de Cayenne
- 1 cuil. à café de coriandre en poudre
- 4 tomates pelées, épépinées et coupées en dés
- 150 ml de bouillon de légumes

1

2

3

1 Blanchir les haricots quelques instants dans l'eau bouillante puis les égoutter, les passer sous l'eau froide et égoutter à nouveau.

2 Faire fondre le ghee dans une casserole à feu moyen et faire revenir le gingembre râpé et l'ail écrasé. Remuer puis ajouter le curcuma, le poivre de Cayenne et la coriandre en poudre et faire revenir 1 minute à feu doux, sans cesser de remuer, pour que les arômes se libèrent.

3 Ajouter les dés de tomate en les incorporant bien au mélange pour les imprégner d'épices.

4 Verser le bouillon de légumes dans la casserole, porter à ébullition et laisser réduire à feu assez vif pendant 10 minutes, pour faire épaissir le mélange, en remuant de temps en temps.

5 Ajouter les haricots, baisser le feu et bien faire chauffer à feu moyen pendant 5 minutes, sans cesser de remuer.

6 Mettre la préparation obtenue dans un plat chaud et servir immédiatement.

CONSEIL

Une râpe à gingembre est un outil précieux lorsque l'on fait de la cuisine indienne. C'est une petite râpe plate, faite en bambou ou en porcelaine, et avec laquelle on peut râper directement les ingrédients au-dessus d'une casserole.

Poêlée de chou-fleur

Un accompagnement sec pour currys et plats à base de riz, parfumé grâce à des épices et que l'on peut adapter selon son goût personnel.

VALEURS NUTRITIONNELLES

Calories ....135 Glucides ....7 g
Protéines ....4 g Lipides ....12 g
Acides gras saturés ....1 g

 5 min  20 min

4 personnes

INGRÉDIENTS

- 4 cuil. à soupe d'huile
- ½ cuil. à café de graines de nigelle (kalongi)
- ½ cuil. à café de graines de moutarde
- ½ cuil. à café de graines de fenugrec
- 4 piments rouges séchés
- 1 petit chou-fleur, en fleurettes
- 1 cuil. à café de sel
- 1 poivron vert, épépiné et coupé en dés

1 Faire chauffer l'huile à feu moyen dans une grande casserole à fond épais.

2 Faire revenir les graines de nigelle, de moutarde et de fenugrec ainsi que les piments rouges sans cesser de remuer pour bien mélanger.

3 Baisser le feu et ajouter progressivement le chou-fleur et le sel. Poêler à feu vif pendant 7 à 10 minutes, en enrobant bien le chou-fleur des épices.

4 Ajouter les dés de poivron vert et poêler pendant 3 à 5 minutes à feu doux.

5 Mettre la préparation obtenue dans un plat chaud et servir chaud.

Galette de légumes

Un plat à base d'aubergines et de courgettes disposées en couches et recouvertes de sauce tomate et de fromage fondu.

VALEURS NUTRITIONNELLES	
Calories 412	Glucides ......25 g
Protéines ......13 g	Lipides ....34 g
Acides gras saturés ......11 g	

 40 min   1 h 15

4 personnes

INGRÉDIENTS

- 2 grosses aubergines, coupées en rondelles
- 4 courgettes, coupées en rondelles
- 800 g de tomates concassées en boîte, égouttée
- 2 cuil. à soupe de concentré de tomates
- 2 gousses d'ail, hachées
- 4 cuil. à soupe d'huile d'olive
- 1 cuil. à café de sucre en poudre
- 2 cuil. à soupe de basilic haché
- huile d'olive, pour la friture
- 225 g de mozzarella, coupée en rondelles
- sel et poivre
- feuilles de basilic, en garniture

2

3

5

1 Mettre les rondelles d'aubergine dans une passoire, les saupoudrer de sel et laisser reposer pendant 30 minutes. Les rincer à l'eau froide et égoutter. Couper les courgettes en fines rondelles.

2 Pendant ce temps, mettre les tomates concassées, le concentré de tomates, l'ail, l'huile d'olive, le sucre et le basilic haché dans une casserole et laisser mijoter pendant 20 minutes pour faire réduire de moitié. Saler et poivrer.

3 Faire chauffer 2 cuillerées à soupe d'huile d'olive dans une grande poêle et faire revenir les rondelles d'aubergine 2 à 3 minutes (elles doivent commencer à brunir), puis retirer du feu.

4 Ajouter ensuite 2 cuillerées à soupe d'huile dans la poêle et faire revenir les courgettes (elles doivent être bien dorées).

5 Disposer la moitié des rondelles d'aubergine dans le fond d'un plat à gratin et les recouvrir avec la moitié de la sauce tomate, puis avec les courgettes, suivies de la moitié de la mozzarella.

6 Répéter l'opération avec la moitié restante des ingrédients et faire cuire au four préchauffé, à 180 °C (th. 6), pendant 45 à 50 minutes, jusqu'à ce que les légumes soient tendres. Garnir avec des feuilles de basilic et servir.

Patates douces confites

Une recette aux accents des Caraïbes : des patates douces cuites dans du sucre et du citron vert, arrosées d'une goutte de cognac.

VALEURS NUTRITIONNELLES

Calories ....348 Glucides ......88 g
Protéines ....3 g Lipides ....9 g
Acides gras saturés ....6 g

15 min 25 min

4 personnes

INGRÉDIENTS

- 675 g de patates douces, coupées en rondelles
- 40 g de beurre
- 1 cuil. à soupe de jus de citron vert
- 75 g de sucre de canne
- 1 cuil. à soupe de cognac
- zeste râpé d'un citron vert
- rondelles de citron vert, en garniture

1 Faire cuire les patates douces à l'eau bouillante pendant environ 5 minutes et vérifier qu'elles sont bien cuites en les piquant à l'aide d'une fourchette. Les retirer de l'eau à l'aide d'une écumoire et bien les égoutter.

2 Faire fondre le beurre dans une grande poêle et faire revenir le jus de citron vert et le sucre à feu doux, de façon à faire fondre le sucre.

3 Mettre les patates douces dans la poêle ainsi que le cognac avec la préparation précédente et laisser cuire à feu doux pendant environ 10 minutes (les rondelles de patate douce doivent être bien cuites).

4 Parsemer de zeste de citron vert et bien mélanger.

5 Mettre les patates douces confites dans un plat, garnir avec des rondelles de citron vert et servir.

INFORMATION

Les patates douces ont une peau rosâtre et une chair qui peut être blanche, jaune ou orange. Vous pouvez utiliser n'importe quelle variété pour cette recette.

Maïs aux épices

Un accompagnement idéal pour de nombreux plats indiens, mais qui convient également très bien aux ragoûts à la mode occidentale.

VALEURS NUTRITIONNELLES

Calories ....162 Glucides ......21 g
Protéines ....2 g Lipides ....11 g
Acides gras saturés ....7 g

10 min 10 min

4 personnes

INGRÉDIENTS

- 200 g de maïs en boîte ou surgelé
- 1 cuil. à café de cumin en poudre
- 1 cuil. à café d'ail, écrasé
- 1 cuil. à café de coriandre en poudre
- 1 cuil. à café de sel
- 2 piments verts frais
- 1 oignon moyen, émincé
- 3 cuil. à soupe de beurre
- 4 piments rouges, hachés
- ½ cuil. à café de jus de citron
- feuilles de coriandre fraîche

1 Décongeler ou égoutter le maïs selon le cas, puis réserver. Mettre le cumin en poudre, l'ail, la coriandre en poudre, le sel, un piment vert et l'oignon dans un mortier ou un robot de cuisine et broyer le tout de façon à obtenir une pâte homogène.

2 Faire chauffer le beurre dans une grande poêle et faire revenir la pâte aux épices et à l'oignon pendant 5 à 7 minutes à feu moyen, en remuant de temps en temps.

3 Mettre les piments rouges écrasés dans la poêle et bien mélanger.

4 Ajouter le maïs et poêler la préparation à feu vif pendant 2 minutes.

5 Ajouter le piment vert restant, le jus de citron et les feuilles de coriandre fraîche, en remuant pour bien mélanger tous les ingrédients.

6 Mettre la préparation obtenue dans un plat chaud, garnir avec de la coriandre fraîche et servir.

1
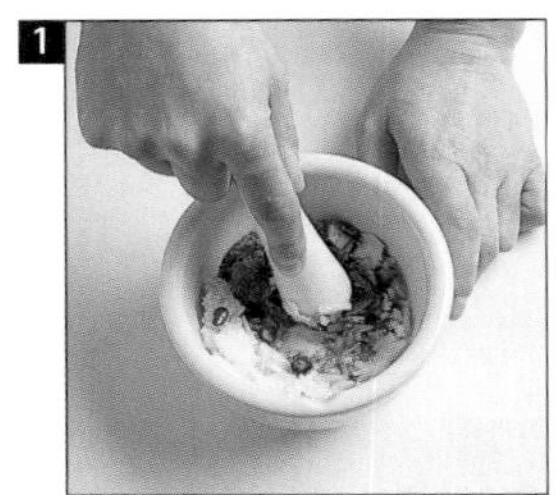

2

3

CONSEIL

La coriandre, vendue sous forme moulue ou en graines, est l'un des éléments essentiels de la cuisine indienne. On grille généralement les graines de coriandre à sec avant utilisation pour en libérer l'arôme.

Pommes de terre et épinards épicés

Un plat indien traditionnel facile à préparer, qui accompagne fréquemment les currys ou encore des plats végétariens moins élaborés.

VALEURS NUTRITIONNELLES

Calories ....176 Glucides ......22 g
Protéines ....6 g Lipides ....9 g
Acides gras saturés ....1 g

 10 min  20 à 25 min

4 personnes

INGRÉDIENTS

- 3 cuil. à soupe d'huile
- 1 oignon rouge, coupé en rondelles
- 2 gousses d'ail, hachées
- ½ cuil. à café de poudre de piment
- 2 cuil. à café de coriandre en poudre
- 1 cuil. à café de cumin en poudre
- 150 ml de bouillon de légumes
- 300 g de pommes de terre, coupées en cubes
- 500 g de jeunes épinards
- 1 piment rouge, coupé en rondelles
- sel et poivre

2

3

4

1 Faire chauffer l'huile dans une poêle à fond épais ou une sauteuse et faire revenir l'oignon et l'ail pendant 2 à 3 minutes à feu moyen, en remuant de temps en temps.

2 Ajouter ensuite la poudre de piment, la coriandre en poudre et le cumin et faire revenir pendant 30 secondes sans cesser de remuer.

3 Verser le bouillon de légumes dans la poêle ou la sauteuse, puis ajouter les cubes de pommes de terre et les épinards. Porter à ébullition puis baisser le feu, couvrir la poêle et laisser mijoter pendant environ 10 minutes (les pommes de terre doivent être bien cuites et tendres).

4 Découvrir la poêle, saler et poivrer à son goût puis ajouter le piment émincé et laisser cuire pendant 2 à 3 minutes. Verser la préparation obtenue dans un plat chaud et servir immédiatement.

CONSEIL

En plus d'ajouter de la couleur aux plats qu'il agrémente, l'oignon rouge a un goût plus doux, moins prononcé que les autres variétés d'oignons.

Chutney au tamarin

Un chutney séduisant, extrêmement apprécié dans toute l'Inde, et que l'on sert en accompagnement de divers en-cas végétariens, en particulier avec des samosas.

VALEURS NUTRITIONNELLES

Calories ....8 Glucides ....2 g
Protéines ......0,3 g Lipides ....0,3 g
Acides gras saturés ....0 g

 10 min  0 min

6 personnes

INGRÉDIENTS

- 2 cuil. à soupe de pâte de tamarin
- 1 cuil. à café de poudre de piment
- 5 cuil. à soupe d'eau
- ½ cuil. à café de gingembre moulu
- ½ cuil. à café de sel
- 1 cuil. à soupe de sucre
- feuilles de coriandre fraîche, ciselées, pour garnir

2

2

3

1 Mettre la pâte de tamarin dans une grande jatte.

2 La délayer progressivement avec l'eau, en remuant à l'aide d'une fourchette jusqu'à obtention d'une pâte lisse et liquide.

3 Ajouter la poudre de piment et le gingembre, puis mélanger soigneusement.

4 Incorporer à la préparation obtenue le sel et le sucre.

5 Verser le chutney dans un petit saladier et garnir de coriandre ciselée.

CONSEIL

Le tamarin apporte une touche aigrelette aux currys végétariens. Il provient de la pulpe pressée et à demi séchée du fruit d'un arbre tropical. Vous trouverez des sachets de pulpe séchée dans les épiceries orientales ; elle se conserve à l'abri de l'air.

Pommes de terre rôties au curry

Voici un plat d'inspiration indienne que l'on peut facilement intégrer dans un repas occidental. Pourquoi ne pas essayer de le servir au lieu du riz avec un curry ?

VALEURS NUTRITIONNELLES

Calories ....297 Glucides ......32 g
Protéines ....3 g Lipides ....19 g
Acides gras saturés ......12 g

5 min 30 à 35 min

4 personnes

INGRÉDIENTS

- 2 cuil. à café de graines de cumin
- 2 cuil. à café de graines de coriandre
- 90 g de beurre
- 1 cuil. à café de curcuma en poudre
- 1 cuil. à café de graines de moutarde noires
- 2 gousses d'ail, hachées
- 2 piments rouges séchés
- 750 g de petites pommes de terre nouvelles

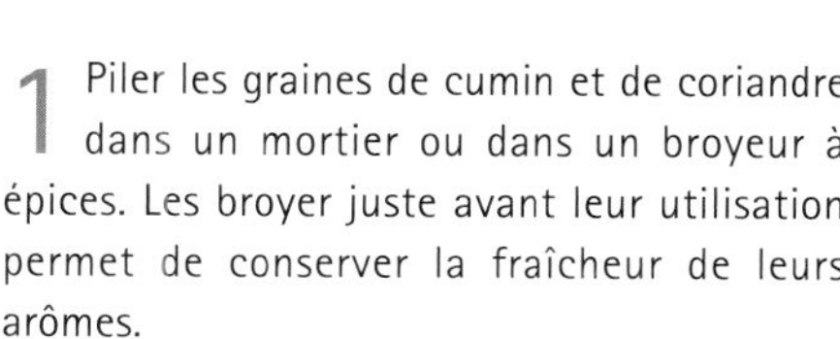

1 Piler les graines de cumin et de coriandre dans un mortier ou dans un broyeur à épices. Les broyer juste avant leur utilisation permet de conserver la fraîcheur de leurs arômes.

2 Faire fondre le beurre à feu doux dans un plat à rôtir et y mettre le curcuma, les graines de moutarde, l'ail et les piments, ainsi que les graines de cumin et de coriandre fraîchement moulues. Bien mélanger et mettre au four préchauffé, à 210 °C (th. 7), pendant 5 minutes.

3 Sortir le plat du four (les épices doivent exhaler une odeur prononcée) et y mettre les pommes de terre. Bien remuer pour enrober complètement les pommes de terre de beurre et d'épices.

4 Remettre au four et laisser cuire pendant 20 à 25 minutes, en remuant de temps en temps de façon à ce que les pommes de terre soient enrobées sur toute la surface. Vérifier qu'elles sont cuites en les soulevant à l'aide d'une brochette (si elles tombent de la brochette, c'est qu'elles sont cuites). Les disposer dans un plat chaud et servir immédiatement.

CONSEIL

Les pommes de terre nouvelles se trouvent désormais toute l'année. Mais, vous pouvez les remplacer par des pommes de terre vieilles à chair blanche ou rose, coupées en cubes de 2,5 cm de côté. Vous pouvez également essayer cette recette avec des panais, des carottes ou des navets coupés en cubes de 2,5 cm.

Colcannon

Une très vieille recette irlandaise que l'on sert généralement avec du bacon, mais qui est tout aussi délectable en accompagnement d'un plat principal à base de légumes.

VALEURS NUTRITIONNELLES

Calories . . . . 102 Glucides . . . . . . 18 g
Protéines . . . . 4 g Lipides . . . . 4 g
Acides gras saturés . . . . 2 g

20 min 20 min

4 personnes

INGRÉDIENTS

- 225 g de chou vert, râpé
- 5 cuil. à soupe de lait
- 225 g de pommes de terre farineuses, coupées en cubes
- 1 gros poireau, coupé en morceaux
- 1 pincée de muscade râpée
- 15 g de beurre, fondu
- sel et poivre

1 Faire cuire le chou râpé dans une casserole d'eau bouillante salée pendant 7 à 10 minutes. Égoutter et réserver.

2 Pendant ce temps, porter le lait à ébullition dans une casserole à part et y plonger les pommes de terre et le poireau. Baisser le feu et laisser mijoter pendant 15 à 20 minutes (les légumes doivent être bien cuits).

3 Incorporer la muscade râpée avant de réduire les pommes de terre et le poireau en purée.

4 Ajouter le chou râpé à la purée de pommes de terre et de poireau et bien mélanger.

5 Garnir un plat chaud avec la préparation obtenue et creuser un puits au centre avec le dos d'une cuillère.

6 Verser le beurre fondu dans le puits et servir le colcannon immédiatement.

2

4

5

CONSEIL

Il existe de nombreuses variétés de choux qui sont cultivées à différents moments de l'année. Ainsi, vous êtes sûr de pouvoir réaliser cette délicieuse recette à base de chou à longueur d'année.

Pommes de terre au safran

Le safran, originaire d'Asie Mineure, s'obtient à partir des stigmates orangés du crocus. Il est très onéreux, mais on ne l'utilise qu'en infime quantité.

VALEURS NUTRITIONNELLES

Calories ....197 Glucides ......34 g
Protéines ....4 g Lipides ....6 g
Acides gras saturés ....1 g

 25 min  40 min

4 personnes

INGRÉDIENTS

- 1 cuil. à café de filaments de safran
- 6 cuil. à soupe d'eau bouillante
- 675 g de pommes de terre à chair ferme avec la peau, coupées en quartiers
- 1 oignon rouge, coupé en huit
- 2 gousses d'ail, hachées
- 1 cuil. à soupe de vinaigre de vin blanc
- 2 cuil. à soupe d'huile d'olive
- 1 cuil. à soupe de moutarde à l'ancienne
- 5 cuil. à soupe de bouillon de légumes
- 5 cuil. à soupe de vin blanc sec
- 2 cuil. à café de romarin haché
- sel et poivre

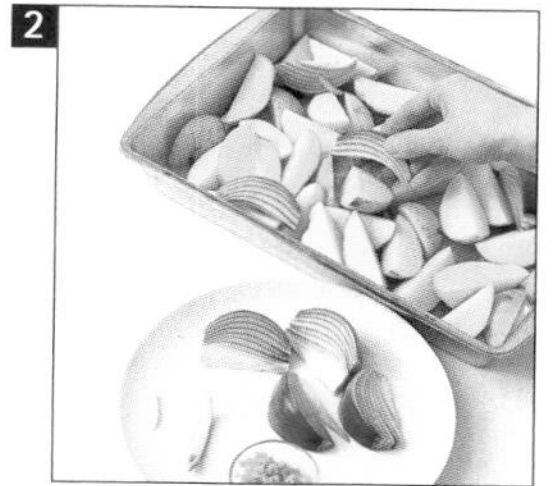

1 Mettre les filaments de safran dans une petite jatte, verser l'eau bouillante par-dessus et laisser tremper environ 10 minutes.

2 Mettre les pommes de terre dans un plat à rôti avec l'oignon rouge et l'ail haché.

3 Verser dans le plat le vinaigre, l'huile, la moutarde, le bouillon de légumes, le vin blanc, l'eau au safran et ajouter le romarin. Saler et poivrer.

4 Couvrir le plat avec du papier aluminium et faire cuire au four préchauffé, à 210 °C (th. 7), pendant 30 minutes.

5 Retirer l'aluminium et remettre à cuire pendant 10 minutes. Les pommes de terre doivent être croustillantes, dorées et bien cuites. Servir chaud.

CONSEIL

Vous pouvez remplacer le safran par du curcuma, pour donner une jolie couleur jaune à ce plat. Cependant, l'utilisation du safran vaut la peine car il donne un délicieux petit goût de noisette à cette recette.

Pommes de terre Bombay

Un plat pratiquement inconnu en Inde, mais que l'on trouve fréquemment sur les menus des restaurants indiens partout dans le monde.

VALEURS NUTRITIONNELLES

Calories	307	Glucides	60 g
Protéines	9 g	Lipides	9 g
Acides gras saturés	5 g		

 5 min  1 h 10

4 personnes

INGRÉDIENTS

- 1 kg de pommes de terre à chair ferme
- 2 cuil. à soupe de ghee (beurre clarifié)
- 1 cuil. à café de panch poran (mélange d'épices)
- 3 cuil. à café de curcuma en poudre
- 2 cuil. à soupe de concentré de tomates
- 300 ml de yaourt nature
- sel
- coriandre hachée, en garniture

1 Mettre les pommes de terre entières dans une grande casserole d'eau froide salée, porter à ébullition et laisser mijoter jusqu'à ce qu'elles soient tout juste cuites et toujours fermes. Le temps de cuisson dépend de la taille des pommes de terre, mais compter environ 15 minutes pour une pomme de terre moyenne.

2

2

3

2 Faire chauffer le ghee à feu moyen dans une casserole puis ajouter le panch poran, le curcuma, le concentré de tomates, le yaourt et le sel. Porter à ébullition puis laisser mijoter pendant 5 minutes sans couvrir.

3 Égoutter les pommes de terre et les couper en quatre, puis les mettre dans la casserole, couvrir et laisser cuire quelques instants. Mettre ensuite la préparation obtenue dans un fait-tout allant au four, couvrir et faire cuire au four préchauffé, à 180 °C (th. 6), pendant environ 40 minutes (les pommes de terre doivent être tendres et la sauce avoir épaissi).

4 Parsemer le plat de coriandre hachée et servir immédiatement.

CONSEIL

Le panch poran s'achète dans les épiceries indiennes. Vous pouvez aussi le réaliser vous-même en pilant la même quantité de graines de cumin, de fenouil, de moutarde, de nigelle et de fenugrec.

Chair d'aubergine au yaourt

Un plat original dans la mesure où l'aubergine est cuite d'abord au four puis à la casserole.

VALEURS NUTRITIONNELLES

Calories ....140 Glucides ......11 g
Protéines ....3 g Lipides ....12 g
Acides gras saturés ....1 g

 10 min  55 min

4 personnes

INGRÉDIENTS

- 2 aubergines moyennes
- 4 cuil. à soupe d'huile
- 1 oignon, moyen coupé en rondelles
- 1 cuil. à café de graines de cumin blanc
- 1 cuil. à café de poudre de piment
- 1 cuil. à café de sel
- 3 cuil. à soupe de yaourt nature
- ½ cuil. à café de sauce à la menthe
- feuilles de menthe, en garniture

3

4

5

1 Rincer les aubergines à l'eau froide et bien les sécher en les tapotant à l'aide de papier absorbant.

2 Disposer les aubergines côte à côte dans un plat à rôti ou à gratin et les faire cuire au four préchauffé, à 160 °C (th. 5-6), pendant 45 minutes. Les sortir du four et les laisser refroidir. Réserver.

3 À l'aide d'une petite cuillère, évider les aubergines de leur chair. Réserver la chair.

4 Faire chauffer l'huile à feu doux dans une casserole à fond épais et faire revenir l'oignon et les graines de cumin pendant 1 à 2 minutes sans cesser de remuer.

5 Ajouter la poudre de piment, le sel, le yaourt nature et la sauce à la menthe. Bien mélanger.

6 Ajouter la chair d'aubergine au mélange et faire revenir pendant 5 à 7 minutes à feu moyen, sans cesser de remuer. Le liquide doit être absorbé et le mélange doit être assez sec.

7 Mettre la préparation dans un plat, garnir avec des feuilles de menthe fraîche et servir.

Pommes de terre lyonnaises

Une recette traditionnelle faite à partir de pommes de terre coupées en rondelles et cuites avec des oignons : un merveilleux accompagnement pour tous les plats.

VALEURS NUTRITIONNELLES

Calories	277	Glucides	44 g
Protéines	5 g	Lipides	12 g

Acides gras saturés ....4 g

 10 min  25 min

6 personnes

INGRÉDIENTS

- 1,250 kg de pommes de terre
- 4 cuil. à soupe d'huile d'olive
- 25 g de beurre
- 2 oignons, coupés en rondelles
- 2 ou 3 gousses d'ail, hachées (facultatif)
- sel et poivre
- persil haché, en garniture

1 Couper les pommes de terre en rondelles de 5 mm d'épaisseur, les mettre dans une grande casserole d'eau légèrement salée et porter à ébullition. Ensuite, couvrir la casserole et laisser mijoter à feu doux pendant 10 à 12 minutes (elles doivent être tout juste tendres). Veiller à ne pas faire bouillir trop vite, car les pommes de terre se craquelleraient et perdraient leur forme. Une fois cuites, bien égoutter les pommes de terre.

2 Faire chauffer l'huile et le beurre dans une grande poêle et faire revenir les oignons et l'ail s'il y a lieu, à feu moyen, en remuant régulièrement. Les oignons doivent être ramollis.

3 Ajouter ensuite les pommes de terre cuites dans la poêle et les faire revenir avec les oignons pendant 5 à 8 minutes, en remuant doucement de temps en temps. Les pommes de terre doivent être bien dorées.

4 Saler et poivrer à son goût et parsemer de persil haché. On peut, si l'on veut, mettre la préparation obtenue dans un grand plat à gratin et la réserver au chaud dans un four tiède jusqu'au moment de servir.

CONSEIL

Si les pommes de terre noircissent légèrement à la cuisson à l'eau, versez une cuillerée de jus de citron dans l'eau de cuisson

Curry de chou-fleur et d'épinards

Une recette visuellement très attrayante grâce au beau contraste de couleurs, accentué par le curcuma qui donne une belle couleur jaune au chou-fleur.

VALEURS NUTRITIONNELLES

Calories ....228 Glucides ......14 g
Protéines ....8 g Lipides ....18 g
Acides gras saturés ....2 g

 10 min  25 min

4 personnes

INGRÉDIENTS

- 1 chou-fleur de taille moyenne
- 6 cuil. à soupe d'huile
- 1 cuil. à café de graines de moutarde
- 1 cuil. à café de cumin en poudre
- 1 cuil. à café de garam masala
- 1 cuil. à café de curcuma
- 2 gousses d'ail, hachées
- 1 oignon, coupé en deux puis en rondelles
- 1 piment vert, coupé en rondelles
- 500 g d'épinards
- 5 cuil. à soupe de bouillon de légumes
- 1 cuil. à soupe de coriandre hachée
- sel et poivre
- brins de coriandre, en garniture

1

2

3

1 Séparer le chou-fleur en petites fleurettes. Faire chauffer l'huile dans un fait-tout profond et faire revenir les graines de moutarde jusqu'à ce qu'elles commencent à sauter.

2 Ajouter le reste des épices, l'ail, l'oignon et le piment et faire revenir pendant 2 à 3 minutes sans cesser de remuer.

3 Ajouter le chou-fleur, les épinards, le bouillon de légumes, la coriandre hachée, du sel et du poivre. Laisser cuire à feu doux pendant 15 minutes (le chou-fleur doit être tendre). Découvrir et laisser frémir pendant 1 minute pour faire épaissir.

4 Disposer la préparation obtenue dans un plat chaud, garnir avec des brins de coriandre et servir immédiatement.

CONSEIL

Les graines de moutarde s'utilisent dans toute l'Inde et sont très appréciées dans la cuisine végétarienne du Sud. On commence par les faire revenir dans l'huile pour libérer leur arôme avant d'ajouter les autres ingrédients.

Pommes de terre sautées aux épices

Parfait pour accompagner à peu près n'importe quel plat principal, voici un plat absolument délicieux, quoique plutôt calorique !

VALEURS NUTRITIONNELLES

Calories ....430 Glucides ......33 g
Protéines ....4 g Lipides ....35 g
Acides gras saturés ......11 g

 15 min  30 min

6 personnes

INGRÉDIENTS

- 2 oignons, coupés en quatre
- 1 morceau de gingembre frais de 5 cm, émincé
- 2 gousses d'ail
- 2 ou 3 cuil. à soupe de pâte de curry doux ou moyennement épicé
- 4 cuil. à soupe d'eau
- 750 g de pommes de terre nouvelles
- huile, pour la friture
- 3 cuil. à soupe de ghee (beurre clarifié) ou d'huile
- 150 ml de yaourt grec
- 150 ml de crème épaisse
- 3 cuil. à soupe de menthe hachée
- sel et poivre
- ½ botte d'oignons verts, émincés, en garniture

1 Mettre les oignons, le gingembre, l'ail, la pâte de curry et l'eau dans un mixeur ou un robot de cuisine et bien mixer pour homogénéiser le tout, en raclant les bords de l'appareil et en mixant de nouveau si nécessaire.

2 Couper les pommes de terre en quatre (il faut des morceaux d'environ 2,5 cm) et les sécher un peu en les tapotant avec du papier absorbant. Faire chauffer l'huile dans une friteuse à 180 °C (un dé de pain plongé dedans doit y dorer en 30 secondes). Y faire frire les pommes de terre pendant 5 minutes, en plusieurs fournées et en les retournant fréquemment. Elles doivent être bien dorées. Ensuite, les retirer de la friture et les laisser égoutter sur du papier absorbant.

3 Faire chauffer le ghee ou l'huile dans une grande poêle et faire revenir la préparation épicée pendant 2 minutes à feu doux, sans cesser de remuer. Ajouter ensuite le yaourt, la crème et 2 cuillerées à soupe de menthe. Bien mélanger.

4 Mettre dans la poêle les pommes de terre frites et les rouler dans la préparation pour bien les enrober d'épices. Laisser cuire pendant 5 à 7 minutes, en remuant fréquemment (la préparation doit être bien chaude et la sauce épaisse). Saler et poivrer à son goût puis parsemer le plat du reste de menthe et des oignons verts émincés. Servir immédiatement.

1

3

4

CONSEIL

Lors de l'achat de pommes de terre nouvelles, il est conseillé de les prendre aussi fraîches que possible (la peau doit commencer à s'enlever toute seule). Faites-les cuire le plus vite possible après l'achat, mais si vous voulez les conserver un peu, il faut les stocker dans un endroit frais, sombre et aéré.

Chutney à la mangue

Le chutney est de loin le plus apprécié pour son goût aigre-doux. Il est conseillé de le préparer très à l'avance et de le conserver au moins 2 semaines avant de le consommer.

VALEURS NUTRITIONNELLES

Calories . . . . . .2 819 Glucides . . .1 465 g
Protéines . . . . . .12 g Lipides . . . . .2 g
Acides gras saturés . . . . . . .1 g

 10 à 15 min  1 h 05

1 quantité

INGRÉDIENTS

- 1 kg de mangues fraîches
- 4 cuil. à soupe de sel
- 600 ml d'eau
- 500 g de sucre
- 450 ml de vinaigre
- 2 cuil. à café de gingembre frais, haché finement
- 2 cuil. à café d'ail haché
- 2 cuil. à café de poudre de piment
- 2 bâtonnets de cannelle
- 75 g de raisins secs
- 100 g de dattes, dénoyautées

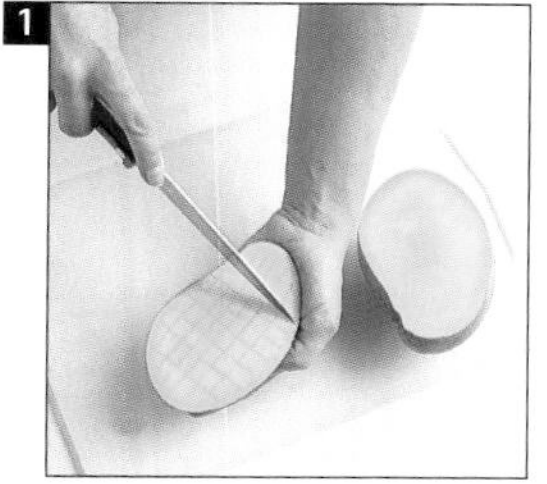
1

2

3

1 Éplucher, fendre et épépiner les mangues. Découper la chair en dés et la mettre dans une jatte. Ajouter le sel et l'eau, puis laisser reposer une nuit. Égoutter et réserver.

2 Dans une grande casserole, à feu doux, porter le vinaigre et le sucre à ébullition, sans cesser de remuer.

3 Ajouter progressivement les dés de mangue, et les enrober de vinaigre sucré.

4 Incorporer le gingembre, l'ail, la poudre de piment, la cannelle, les raisins et les dattes, puis porter de nouveau à ébullition, en remuant de temps en temps. Réduire la flamme à feu doux et cuire pendant 1 heure environ, jusqu'à ce que le mélange épaississe. Retirer du feu et laisser refroidir.

5 Retirer les bâtonnets de cannelle. Puis transvaser le chutney dans des bocaux propres et secs et fermer hermétiquement. Conserver dans un endroit frais : les saveurs s'épanouiront.

CONSEIL

Choisissez des mangues à peau brillante et sans taches. Vérifiez leur maturité en les pressant doucement entre les doigts : si la peau n'est pas dure, elles sont prêtes à être dégustées.

Pommes sautées aux herbes

Les pommes de terre frites font toujours l'unanimité. Ici, on leur donne en plus une saveur supplémentaire en les faisant frire dans du beurre à l'oignon, à l'ail et aux herbes.

VALEURS NUTRITIONNELLES

Calories	413	Glucides	46 g
Protéines	5 g	Lipides	26 g
Acides gras saturés	17 g		

 10 min  50 min

4 personnes

INGRÉDIENTS

- 900 g de pommes de terre à chair ferme, coupées en cubes
- 125 g de beurre
- 1 oignon rouge coupé en huit
- 2 gousses d'ail, hachées
- 1 cuil. à café de jus de citron
- 2 cuil. à soupe de thym haché
- sel et poivre

1 Faire cuire les cubes de pommes de terre dans une casserole d'eau bouillante pendant 10 minutes, puis bien égoutter.

2 Faire fondre le beurre dans une grande poêle à fond épais et faire revenir les morceaux d'oignon rouge, l'ail et le jus de citron pendant 2 à 3 minutes, sans cesser de remuer.

3 Ajouter les pommes de terre et les rouler dans le beurre pour bien les enrober.

4 Baisser le feu, couvrir et laisser cuire pendant 25 à 30 minutes (les pommes de terre doivent être bien dorées et tendres).

5 Parsemer la poêle de thym haché puis saler et poivrer.

6 Mettre la préparation obtenue dans un plat chaud et servir immédiatement.

CONSEIL

Vérifiez bien la cuisson des pommes de terre régulièrement et remuez-les en cours de cuisson, de façon qu'elles n'attachent pas au fond ou qu'elles ne brûlent pas.

Naan

Il existe de nombreuses méthodes de préparation du naan (pain indien), mais voici une recette très facile à suivre. Servir le naan dès la sortie du four.

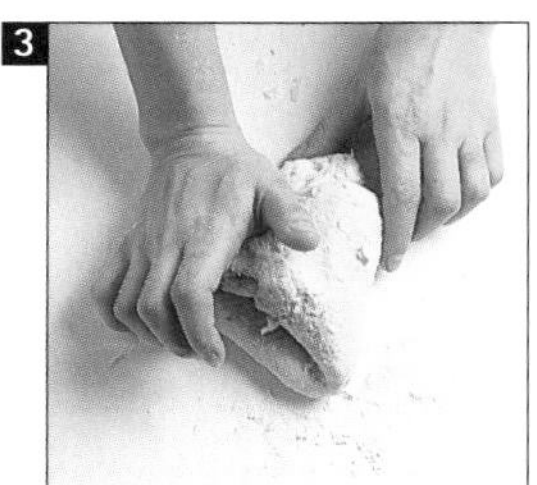

VALEURS NUTRITIONNELLES

Calories ....152 Glucides ......21 g
Protéines ......3 g Lipides ....7 g
Acides gras saturés ....4 g

 2 h 15 — 10 min

8 personnes

INGRÉDIENTS

- 1 cuil. à café de sucre
- 1 cuil. à café de levure fraîche
- 150 ml d'eau tiède
- 200 g de farine de froment
- 1 cuil. à soupe de ghee (beurre clarifié)
- 1 cuil. à café de sel
- 50 g de beurre
- 1 cuil. à café de graines de pavot

1 Délayer le sucre et la levure dans l'eau. Mélanger avec soin pour dissoudre la levure. Réserver jusqu'à ce que le mélange devienne écumeux, soit environ 10 minutes .

2 Verser la farine dans une grande jatte. Creuser un puits au centre et ajouter le ghee et le sel, puis la levure. Travailler à la main jusqu'à obtention d'une pâte, en ajoutant de l'eau si besoin.

3 Renverser la pâte sur un plan de travail fariné et pétrir pendant 5 minutes environ, afin de bien l'assouplir.

4 Remettre la pâte dans la jatte, couvrir et laisser lever 1 h 30, jusqu'à ce que la pâte ait doublé de volume.

5 Déposer à nouveau la pâte sur le plan de travail et pétrir 2 minutes. La fragmenter en boules et façonner les galettes de 12 cm de diamètre et de 1 cm d'épaisseur.

6 Poser les galettes sur une feuille de papier d'aluminium huilée et faire cuire pendant 7 à 10 minutes sous le gril du four très chaud. Retourner les naans à deux reprises, en les badigeonnant de beurre et en les saupoudrant de graines de pavot.

7 Servir les naans immédiatement ou les garder au chaud, enveloppés dans la feuille de cuisson.

Poori

Bien qu'ils soient frits, les poori sont des accompagnements très légers. Les valeurs nutritionnelles sont calculées pour un poori.

VALEURS NUTRITIONNELLES

Calories ....165 Glucides ....17,7 g
Protéines ....3 g Lipides ....10 g
Acides gras saturés ....1 g

35 min — 15 à 20 min

10 poori

INGRÉDIENTS

- 225 g de farine complète ou farine ata (farine complète moulue très finement)
- ½ cuil. à café de sel
- 150 ml d'eau
- 600 ml d'huile

1 Dans une grande jatte, mélanger la farine et le sel.

2 Creuser un puits dans la farine. Verser l'eau progressivement, en travaillant jusqu'à obtention d'une pâte. Ajouter un peu d'eau si nécessaire.

3 Pétrir la pâte jusqu'à obtenir une consistance souple et élastique, puis laisser lever pendant 15 minutes dans un endroit chaud.

2

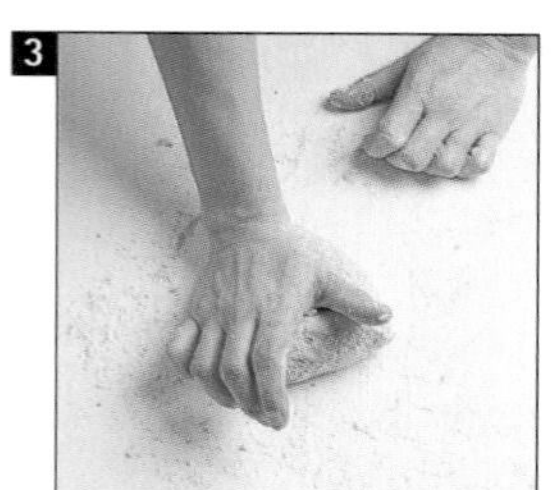

3

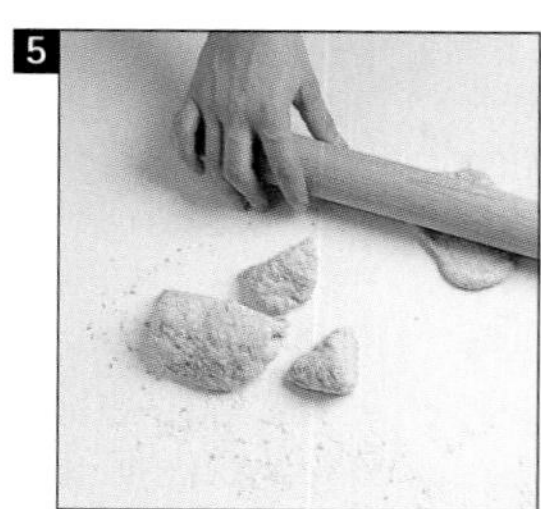

5

4 Diviser la pâte en 10 parts égales. Façonner de petites boulettes avec les mains huilées ou farinées.

5 Sur le plan de travail fariné ou légèrement huilé, abaisser chaque boulette en un disque assez fin.

6 Faire chauffer l'huile dans une sauteuse et y faire frire les poori par petites quantités, en les retournant une fois.

7 Lorsqu'ils sont bien dorés, retirer les poori du bain de friture et égoutter. Servir immédiatement, bien chaud.

CONSEIL

Présentez les poori empilés les uns sur les autres, ou disposés sur un plateau afin qu'il gardent leur gonflant.

Paratas

De petits pains de forme triangulaire, si faciles à réaliser qu'ils sont le complément idéal d'un repas indien. À servir chaud, tartiné d'un peu de beurre.

VALEURS NUTRITIONNELLES

Calories ....127 Glucides ....22,5 g
Protéines ....3 g Lipides ....4 g
Acides gras saturés ......0,4 g

 50 min  10 min

6 paratas

INGRÉDIENTS

90 g de farine complète

90 g de farine

1 pincée de sel

1 cuil. à soupe d'huile, un peu plus pour graisser la poêle

75 ml d'eau tiède

1 Mettre les farines et le sel dans une jatte, verser une cuillerée à soupe d'huile puis ajouter l'eau tiède et mélanger jusqu'à obtention d'une pâte souple, en ajoutant un peu d'eau si nécessaire. Pétrir la pâte sur une planche farinée, puis couvrir et laisser reposer 30 minutes.

2 Pétrir de nouveau la pâte avant de la séparer en 6 morceaux. Les rouler en boule, puis les étaler sur une planche farinée de façon à former six ronds de 15 cm de diamètre. Badigeonner légèrement chaque rond d'un peu d'huile.

3 Les replier en deux, puis encore en deux, de façon à obtenir un triangle. Les étaler de façon à obtenir des triangles de 18 cm (de la pointe au milieu du côté opposé), en les saupoudrant d'un peu de farine si nécessaire.

4 À l'aide d'un pinceau, graisser légèrement une grande poêle à fond épais et bien la faire chauffer. Mettre dedans une ou deux paratas et les faire cuire 1 minute à 1 minute ½, puis badigeonner très légèrement la surface d'huile. Retourner les paratas et laisser cuire de l'autre côté pendant 1 minute ½. Ils doivent être bien cuits.

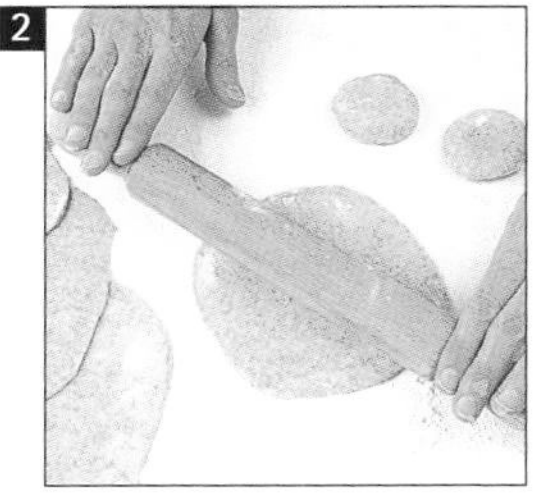
2

3

4

5 Mettre les paratas cuites dans une assiette et les recouvrir de papier aluminium. On peut aussi les disposer dans les plis d'un torchon propre pour les garder au chaud le temps de faire cuire le reste des paratas, en passant le pinceau d'huile dans la poêle entre chaque fournée de cuisson.

VARIANTE

Pour plus de goût, vous pouvez badigeonner les paratas d'huile aillée ou pimentée pendant la cuisson.

Naan peshwari

Un four tandoor dégage une chaleur extrême. Ce pain est généralement cuit sur le mur latéral du four, où la chaleur est légèrement moins intense.

VALEURS NUTRITIONNELLES

Calories	420	Glucides	90 g
Protéines	11 g	Lipides	9 g

Acides gras saturés .... 9 g

 3 h 45 — 30 min

6 personnes

INGRÉDIENTS

- 50 ml d'eau, chaude
- 1 pincée de sucre
- ½ cuil. à café de levure de boulanger
- 500 g de farine
- ½ cuil. à café de sel
- 50 ml de yaourt nature
- 2 pommes à couteau acidulées épluchées, évidées et coupées en dés
- 60 g de raisins de Smyrne
- 60 g d'amandes effilées
- 1 cuil. à soupe de feuilles de coriandre
- 2 cuil. à soupe de noix de coco râpée

5

5

7

1 Mélanger l'eau et le sucre dans une jatte, saupoudrer la levure et laisser reposer pendant 5 à 10 minutes. La levure doit être dissoute et le mélange mousseux.

2 Mettre la farine et le sel dans une jatte, creuser un puits au centre et y mettre le mélange à base de levure ainsi que le yaourt. Ramener la farine vers l'intérieur jusqu'à ce qu'elle soit complètement incorporée, puis mélanger en ajoutant suffisamment d'eau tiède pour obtenir une pâte souple. Mettre la pâte sur une planche farinée et la pétrir pendant 10 minutes pour l'homogénéiser, puis la mettre dans une jatte huilée. Couvrir et laisser reposer près d'une source de chaleur pendant 3 heures.

3 Chemiser une lèchefrite avec du papier aluminium, côté brillant vers le haut.

4 Mettre les pommes dans une casserole avec un peu d'eau, porter à ébullition puis écraser les pommes. Réduire le feu et laisser mijoter pendant 20 minutes, en écrasant le mélange de temps en temps.

5 Séparer la pâte en 4 morceaux et étaler chaque morceau de façon à obtenir un ovale de 20 cm de long. Étirer le grand côté pour obtenir une forme de grande larme d'environ 5 mm d'épaisseur, puis disposer les morceaux sur une planche farinée et piquer la pâte sur toute la surface à l'aide d'une fourchette.

6 Badigeonner un pain d'huile, le mettre dans la lèchefrite, sous le gril préchauffé à puissance maximale. Laisser cuire 3 minutes, retourner le pain et laisser cuire à nouveau 3 minutes. Le pain doit être tacheté de brun.

7 Tartiner une cuillerée à café de purée de pommes dessus, puis parsemer d'un quart des raisins secs, des amandes effilées, des feuilles de coriandre et de la noix de coco râpée. Répéter l'opération avec les trois autres pains.

Poori aux poivrons

Des poori faciles à préparer et tout à fait délicieux, garnis d'un succulent mélange de poivrons épicés et de yaourt.

VALEURS NUTRITIONNELLES

Calories	386	Glucides	27 g
Protéines	5 g	Lipides	32 g
Acides gras saturés	4 g		

 55 min  15 min

6 personnes

INGRÉDIENTS

POORI

- 125 g de farine complète
- 1 cuil. à soupe de ghee (beurre clarifié) ou d'huile
- 1 pincée de sel
- 5 cuil. à soupe d'eau chaude
- huile, pour la friture
- brins de coriandre, en garniture
- yaourt nature, en accompagnement

GARNITURE

- 4 cuil. à soupe de ghee ou d'huile
- 1 gros oignon, coupé en quatre puis en fines tranches
- ½ poivron rouge, épépiné et coupé en fines lamelles
- ½ poivron vert, épépiné et coupé en fines lamelles
- ¼ d'aubergine, coupée dans la longueur en six puis en fines tranches
- 1 gousse d'ail, hachée
- 1 morceau de gingembre frais de 2,5 cm, émincé
- ½ à 1 cuil. à café de purée de piment
- 2 cuil. à café de pâte de curry doux ou moyennement épicé
- 225 g de tomates concassées en boîte
- sel

1 Pour préparer les poori : mettre la farine dans une jatte avec le ghee ou l'huile et le sel. Verser l'eau chaude par-dessus et bien mélanger de façon à obtenir une pâte assez souple. Pétrir la pâte délicatement puis la recouvrir d'un torchon humide et laisser reposer pendant 30 minutes.

2 Pendant ce temps, préparer la garniture. Faire chauffer le ghee ou l'huile dans une grande casserole et faire revenir l'oignon, le poivron, l'aubergine, l'ail, le gingembre, le piment et la pâte de curry pendant 5 minutes à feu doux. Verser les tomates concassées, saler puis laisser mijoter pendant 5 minutes sans couvrir, en remuant de temps en temps pour faire épaissir la sauce. Retirer la casserole du feu.

3 Sur un plan de travail fariné, pétrir la pâte à nouveau et la diviser en six. Étaler chaque morceau de façon à former un rond de 15 cm de diamètre, puis couvrir chaque rond de pâte une fois étalé pour éviter qu'il ne se dessèche.

4 Faire chauffer 1 cm d'huile dans une poêle et y mettre les poori un à un. Les faire frire 15 secondes de chaque côté, en les retournant fréquemment (ils doivent être dorés et gonflés), puis les laisser égoutter sur du papier absorbant et les réserver au chaud le temps de cuire le reste.

5 Remettre la garniture à chauffer puis disposer un poori dans chaque assiette et le recouvrir de garniture, en ajoutant une cuillerée de yaourt et un brin de coriandre par-dessus.

Petits pains frits

Un bon accompagnement pour les plats à base d'œufs et les currys de légumes. Compter 2 petits pains par personne (les valeurs nutritionnelles sont calculées pour 1 petit pain).

VALEURS NUTRITIONNELLES

Calories	133	Glucides	18 g
Protéines	3 g	Lipides	7 g
Acides gras saturés	4 g		

35 min — 20 à 25 min

10 pains

INGRÉDIENTS

225 g de farine complète ou farine ata (farine complète moulue très finement)

½ cuil. à café de sel

1 cuil. à soupe de ghee (beurre clarifié)

300 ml d'eau

1 Dans une grande jatte, mélanger la farine et le sel.

2 Creuser un puits dans la farine, y verser le ghee et l'incorporer en frottant du bout des doigts. Ajouter progressivement de l'eau et travailler le tout afin d'obtenir une pâte souple. Laisser lever 10 à 15 minutes.

3 Pétrir délicatement la pâte levée pendant 5 à 7 minutes, puis la diviser en 10 boules.

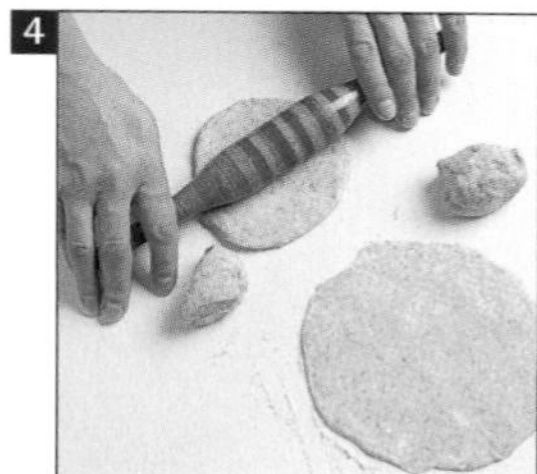

4 Sur le plan de travail légèrement fariné, abaisser les boules de pâte en forme de galettes plates.

5 Avec le tranchant d'un couteau, tracer des croisillons sur chaque galette.

6 Faire chauffer une poêle à fond épais et y faire cuire les galettes l'une après l'autre.

7 Faire cuire chaque galette pendant 1 minute puis la retourner et l'arroser d'une cuillerée à café de ghee. La retourner de nouveau et la laisser dorer, en lui imprimant des mouvements circulaires avec le dos d'une spatule. La retourner une dernière fois puis la retirer de la poêle. Réserver au chaud pendant la confection des autres galettes.

CONSEIL

Les Indiens font traditionnellement cuire le pain sur une grille plate ou *tava*. Une poêle fera l'affaire si elle est assez grande.

Pain épicé au four

Un pain d'inspiration occidentale avec une touche à l'indienne, très rapide à réaliser une fois la pâte faite. Un heureux mélange, fort savoureux.

VALEURS NUTRITIONNELLES

Calories ....445 Glucides ......50 g
Protéines ....6 g Lipides ....26 g
Acides gras saturés ......17 g

 1 h 30  10 min

8 personnes

INGRÉDIENTS

- ½ cuil. à café de levure de boulanger déshydratée
- 300 ml d'eau chaude
- 500 g de farine
- 1 cuil. à café de sel
- 225 g de beurre, fondu refroidi
- ½ cuil. à café de garam masala
- ½ cuil. à café de graines de coriandre moulues
- 1 cuil. à café de graines de cumin moulues

2

4

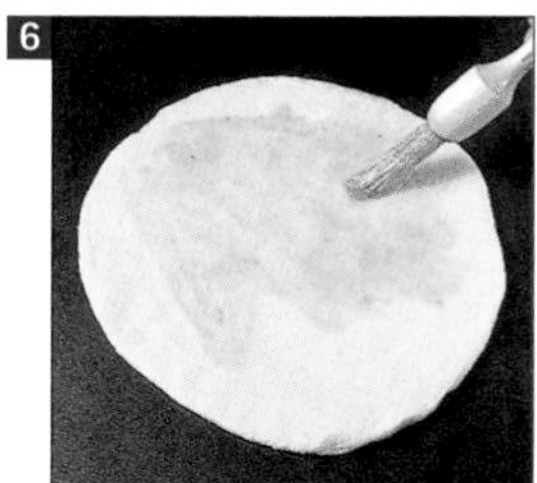
6

1 Mélanger la levure avec un peu d'eau chaude pour la dissoudre complètement et la faire mousser un peu.

2 Mettre la farine et le sel dans une grande jatte, creuser un puits au centre et y mettre la levure dissoute ainsi que 125 g du beurre fondu. Amalgamer le beurre et la levure puis ramener la farine vers l'intérieur et pétrir délicatement. Incorporer l'eau progressivement (toute l'eau ne sera pas forcément nécessaire), de façon à obtenir une pâte ferme.

3 Sur un plan de travail fariné, pétrir la pâte pendant environ 10 minutes (elle doit être bien homogène et élastique). La mettre ensuite dans une jatte huilée et la retourner pour bien l'enrober. Couvrir la jatte et laisser reposer près d'une source de chaleur pendant 30 minutes, pour la faire doubler de volume. On peut aussi la laisser une nuit au réfrigérateur.

4 Pétrir la pâte à nouveau puis la séparer en 8 boules. Étaler ces boules de façon à former des ronds de 15 cm et les disposer sur une plaque de four farinée, en les saupoudrant de farine. Laisser reposer pendant 20 minutes.

5 Mélanger les épices avec le reste du beurre fondu.

6 Badigeonner chaque pain de beurre aux épices puis recouvrir la plaque de papier aluminium. Mettre la plaque au milieu du four préchauffé, à 220 °C (th. 7-8), et laisser cuire pendant 5 minutes. Retirer le papier aluminium, badigeonner à nouveau de beurre et remettre au four pendant 5 minutes.

7 Sortir la plaque du four et envelopper les pains dans un torchon jusqu'au moment de servir.

Desserts

Végétariens ou non, tous les amateurs de desserts considèrent qu'un repas n'est pas complet s'il n'est pas conclu en beauté par un alléchant dessert. Mais les desserts sont souvent trop sucrés et trop gras ; ce chapitre vous propose des recettes à la fois légères et riches en goût, pour vous permettre de vous offrir un petit plaisir sucré sans, pour

autant, accumuler les calories. La plupart de ces recettes sont préparées à base de fruits, ingrédient idéal pour faire des desserts savoureux mais diététiques. Vous découvrirez également quelques recettes plus riches à base de chocolat, pour céder de temps en temps à son péché mignon ! Quelle que soit l'occasion, vous êtes assuré de trouver, parmi ces recettes, le dessert idéal pour assouvir toutes vos envies du moment ! Bon appétit !

Pudding au fudge

Un dessert qui vous fait la surprise, lorsque vous le découpez, de répandre une merveilleuse sauce au chocolat au fond du plat.

VALEURS NUTRITIONNELLES

Calories ....397 Glucides ......63 g
Protéines ......10 g Lipides ....25 g
Acides gras saturés ....5 g

 10 min  40 min

4 personnes

INGRÉDIENTS

- 50 g de margarine, un peu plus pour beurrer le plat
- 75 g de sucre roux
- 2 œufs, battus
- 350 ml de lait
- 50 g de cerneaux de noix, concassés
- 40 g de farine
- 2 cuil. à soupe de cacao en poudre
- sucre glace et cacao en poudre, pour décorer

1 Beurrer légèrement un plat à four d'une contenance de 1 litre.

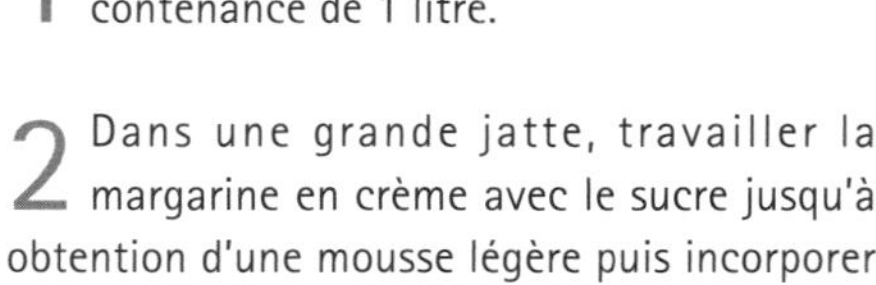

2 Dans une grande jatte, travailler la margarine en crème avec le sucre jusqu'à obtention d'une mousse légère puis incorporer les œufs en battant.

3 Incorporer le lait progressivement, puis les noix. Bien mélanger.

4 Tamiser la farine et le cacao au-dessus de la jatte et les incorporer délicatement à la préparation à l'aide d'une cuillère en métal, jusqu'à ce que le tout soit bien amalgamé.

5 Garnir le plat de la préparation obtenue et faire cuire au four préchauffé, à 180 °C (th. 6), pendant 35 à 40 minutes (le dessus doit être bien cuit).

6 Saupoudrer de sucre glace et de cacao avant de servir.

VARIANTE

Versez 1 à 2 cuillerées à soupe de cognac ou de rhum dans la préparation, ou 1 à 2 cuillerées à soupe de jus d'orange si vous cuisinez pour des enfants.

Mousse de framboise

Un dessert très facile à réaliser, que l'on peut préparer à l'avance et conserver au réfrigérateur jusqu'au moment de servir.

VALEURS NUTRITIONNELLES

Calories ....288 Glucides ......38 g
Protéines ....4 g Lipides ....22 g
Acides gras saturés ......14 g

1 h 15 — 0 min

4 personnes

INGRÉDIENTS

- 300 g de framboises fraîches
- 50 g de sucre glace
- 300 ml de crème fraîche, un peu plus pour décorer
- ½ cuil. à café d'extrait naturel de vanille
- 2 blancs d'œufs
- quelques framboises et quelques feuilles de mélisse, pour décorer

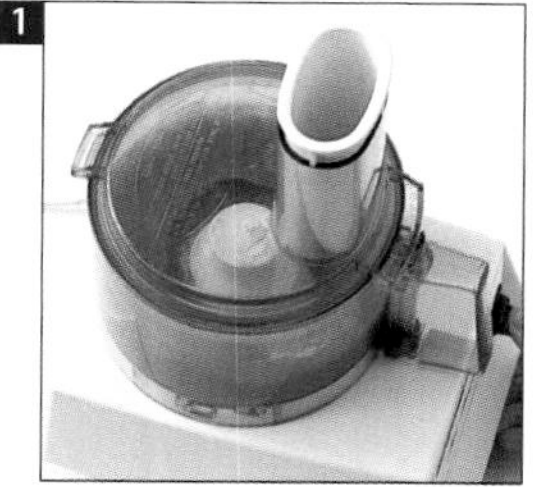

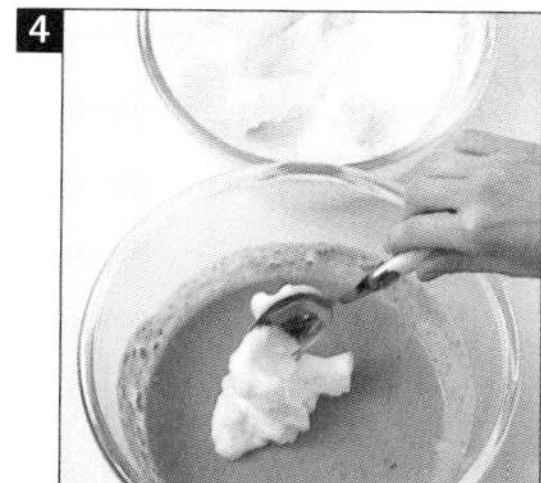

1 Mettre les framboises et le sucre glace dans un mixeur ou un robot de cuisine et mixer jusqu'à obtention d'une consistance homogène. À défaut, passer les fruits à travers une passoire en les écrasant avec le dos d'une cuillère.

2 Réserver 1 cuillerée à soupe de crème fraîche par personne pour décorer.

3 Mettre l'extrait de vanille et le reste de crème fraîche dans une jatte et y verser le coulis de framboises. Bien mélanger.

4 Battre les blancs d'œufs en neige ferme puis les incorporer délicatement à la préparation précédente à l'aide d'une cuillère en métal, jusqu'à ce qu'ils soient bien mélangés au reste.

5 Verser la mousse obtenue dans de petites coupelles individuelles et mettre au frais pendant au moins 1 heure. Décorer avec le reste de crème fraîche, quelques framboises et les feuilles de mélisse avant de servir.

CONSEIL

Même si ce dessert est bien meilleur en saison, préparé avec des framboises fraîches, on obtient également des résultats satisfaisants avec des framboises surgelées, que l'on peut acheter en supermarché.

Crème renversée à la noix de coco

De séduisants petits flans onctueux et frais, confectionnés à partir d'un mélange original de lait de coco, de crème fraîche et d'œufs.

VALEURS NUTRITIONNELLES

Calories ....288 Glucides ......49 g
Protéines ....4 g Lipides ....20 g
Acides gras saturés ......14 g

10 min 45 min

8 personnes

INGRÉDIENTS

CARAMEL

- 125 g de sucre semoule
- 150 ml d'eau

CRÈME RENVERSÉE

- 300 ml d'eau
- 90 g de morceaux de noix de coco déshydratée
- 2 œufs
- 2 jaunes d'œufs
- 1 cuil. à soupe ½ de sucre en poudre
- 300 ml de crème liquide
- rondelles de banane ou morceaux d'ananas frais
- 1 à 2 cuil. à soupe de noix de coco, fraîchement râpée ou déshydratée

1 Prévoir 8 ramequins allant au four d'une contenance de 150 ml. Pour faire le caramel, mettre le sucre semoule et l'eau dans une casserole, faire chauffer à feu doux pour faire fondre le sucre puis faire bouillir rapidement sans remuer, jusqu'à ce que le mélange prenne une couleur brun doré.

2 Retirer immédiatement la casserole du feu et en immerger le fond dans de l'eau froide pour stopper la cuisson. Rapidement mais délicatement, verser le caramel dans les ramequins pour bien napper les fonds.

3 Pour faire la crème renversée, mettre l'eau dans la même casserole, ajouter la noix de coco et chauffer sans cesser de remuer pour faire fondre le tout. Mettre les œufs, les jaunes d'œufs et le sucre en poudre dans une jatte, battre avec une fourchette puis verser le lait de coco chaud. Bien remuer pour dissoudre le sucre. Ajouter la crème liquide et passer le mélange obtenu dans une passoire au-dessus d'une autre jatte.

4 Mettre les ramequins dans une lèchefrite à moitié remplie d'eau froide. Verser la crème dans les ramequins garnis de caramel, les recouvrir de papier aluminium ou de papier sulfurisé et cuire au four préchauffé, à 150 °C (th. 5) pendant 40 minutes. Les crèmes doivent être prises.

5 Sortir les ramequins du four, les laisser refroidir et les réfrigérer toute une nuit. Avant de servir, passer un couteau pour décoller la crème des parois des ramequins et démouler sur une assiette. Servir avec des rondelles de bananes ou de morceaux d'ananas et saupoudré de noix de coco fraîche râpée.

1

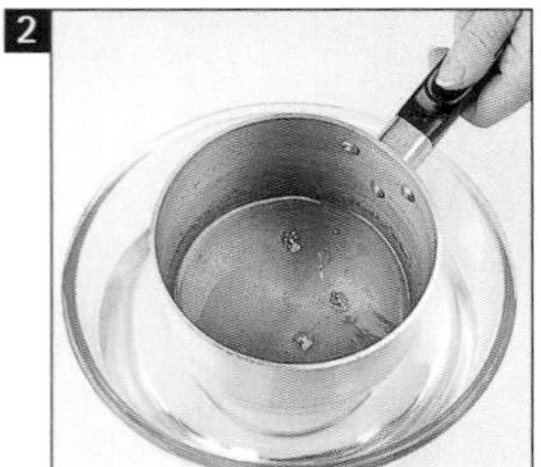
2

3

Friands aux amandes

Un dessert appétissant qui impressionnera vos convives, surtout si vous le servez avec de la crème chantilly.

VALEURS NUTRITIONNELLES

Calories . . . . .416 Glucides . . . . . .75 g
Protéines . . . . . .11 g Lipides . . . . . . .26 g
Acides gras saturés . . . . . .12 g

5 min 5 min

8 personnes

INGRÉDIENTS

3 œufs
75 g d'amandes en poudre
200 g de lait en poudre
200 g de sucre
½ cuil. à café de filaments de safran
100 g de beurre
25 g d'amandes effilées

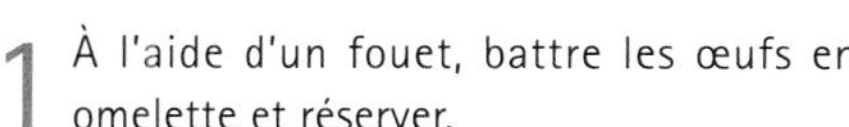

2

3

4

1 À l'aide d'un fouet, battre les œufs en omelette et réserver.

2 Bien mélanger les amandes et le lait en poudre, le sucre et le safran dans une grande jatte.

3 Faire fondre le beurre dans une petite casserole. Mélanger soigneusement le beurre à la poudre d'amandes et de lait. Puis incorporer les œufs battus.

4 Étaler la pâte ainsi obtenue dans un moule à tarte de 15 à 20 cm de diamètre. Mettre pendant 45 minutes au four préchauffé à 160 °C, jusqu'à ce que le gâteau soit cuit (la pointe d'un couteau plongée au centre doit ressortir sans trace de pâte).

5 Laisser refroidir et découper le gâteau en parts égales.

6 Parsemer les friands d'amandes effilées puis disposer sur un plat de service. Ils se dégustent chauds ou froids.

CONSEIL

Ces petits friands sont un délice à déguster chauds, mais vous pouvez aussi les servir froids ou les préparer un jour, voire une semaine à l'avance, et les faire réchauffer. Ils se congèlent aussi très bien.

Volcan au café

Une génoise moelleuse et très légère, qui gagne encore en goût lorsqu'on la sert avec une délicieuse sauce au chocolat.

VALEURS NUTRITIONNELLES

Calories ....300 Glucides ......61 g
Protéines ....8 g Lipides ....13 g
Acides gras saturés ....4 g

 10 min  1 h 15

4 personnes

INGRÉDIENTS

- 25 g de margarine
- 2 cuil. à soupe de sucre roux
- 2 œufs
- 50 g de farine
- ¾ de cuil. à café de levure chimique
- 6 cuil. à soupe de lait
- 1 cuil. à café d'extrait de café

SAUCE

- 300 ml de lait
- 1 cuil. à soupe de sucre roux
- 1 cuil. à café de cacao en poudre
- 2 cuil. à soupe de maïzena

1 Beurrer légèrement un moule à baba d'une contenance de 600 ml. Travailler la margarine en crème avec le sucre jusqu'à obtention d'une mousse légère, puis incorporer les œufs.

2 Incorporer ensuite progressivement la farine et la levure chimique, suivies du lait et de l'extrait de café, jusqu'à obtention d'une pâte légère et fluide.

3 Garnir le moule beurré avec la pâte obtenue, recouvrir avec une feuille de papier sulfurisé plissée puis disposer par-dessus une feuille de papier aluminium plissé, en faisant bien tenir le tout à l'aide d'une ficelle attachée autour du moule. Poser ensuite le moule dans un bain-marie ou dans une grande casserole à moitié remplie d'eau, couvrir et laisser cuire à la vapeur pendant 1 heure à 1 heure ½ (le gâteau doit être bien cuit).

4 Pour faire la sauce, mettre le lait, le sucre roux et le cacao en poudre dans une casserole et faire chauffer sans cesser de remuer jusqu'à ce que le sucre fonde. Mélanger la maïzena avec 4 cuillerées à soupe d'eau jusqu'à obtention d'une pâte homogène. Incorporer cette pâte à la préparation précédente dans la casserole. Porter à ébullition sans cesser de remuer pour faire épaissir, puis laisser cuire à feu doux pendant 1 minute.

5 Démouler le gâteau sur un plat chaud et la nappe de sauce par cuillerées avant de servir.

1

2

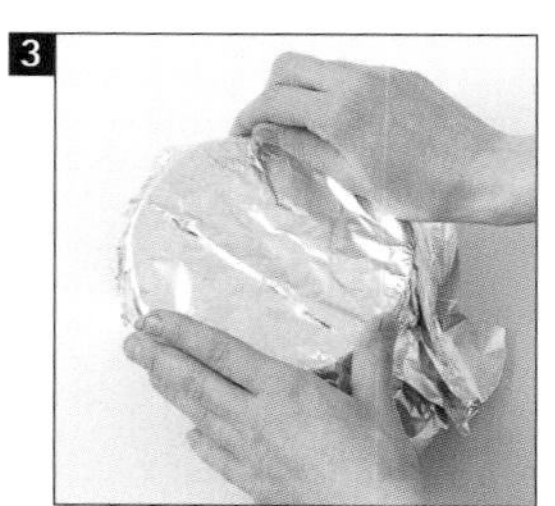
3

CONSEIL

On couvre la génoise avec du papier sulfurisé et du papier aluminium pour qu'elle puisse lever. L'aluminium réagit à la vapeur, c'est pourquoi il ne faut pas le mettre directement en contact avec la pâte.

Glace aux cookies

Une merveille de dessert glacé qui offre le meilleur de deux desserts : de délicieux cookies aux pépites de chocolat et une glace onctueuse au yaourt et au lait.

VALEURS NUTRITIONNELLES

Calories ....238 Glucides ......53 g
Protéines ....9 g Lipides ....10 g
Acides gras saturés ....4 g

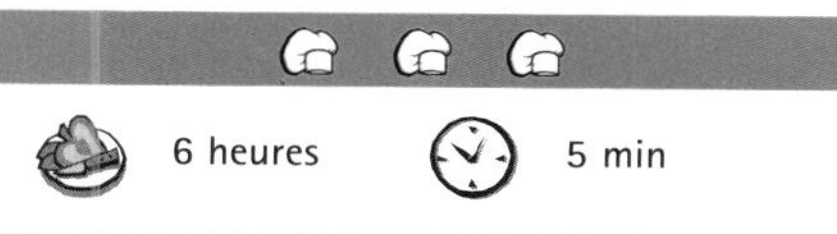

6 heures 5 min

6 personnes

INGRÉDIENTS

- 300 ml de lait
- 1 gousse de vanille
- 2 œufs
- 2 jaunes d'œufs
- 60 g de sucre en poudre
- 300 ml de yaourt nature
- 125 g de cookies aux pépites de chocolat, cassés en petits morceaux

1 Verser le lait dans une casserole, y plonger la gousse de vanille et porter à ébullition à feu doux, puis retirer du feu, couvrir la casserole et laisser refroidir.

2 Battre les œufs et les jaunes d'œufs dans une casserole à double fond ou dans une jatte posée au dessus d'une casserole d'eau frémissante, puis ajouter le sucre et continuer de battre jusqu'à obtention d'une crème pâle.

3 Remettre le lait à chauffer jusqu'à ce qu'il frémisse, puis le passer au-dessus du mélange aux œufs. Continuer de battre jusqu'à obtention d'une consistance qui nappe la cuillère, retirer la crème du feu et plonger le fond de la jatte ou de la casserole dans l'eau froide pour stopper la cuisson. Laver et essuyer la gousse de vanille pour un usage ultérieur.

4 Verser le yaourt dans la crème refroidie et battre jusqu'à incorporation complète. Une fois le mélange complètement refroidi, ajouter les morceaux de cookies. Bien remuer.

5 Mettre la préparation obtenue dans un moule à gâteau ou un récipient en plastique, couvrir et mettre au congélateur pendant 4 heures. Toutes les heures, sortir la glace du congélateur, la mettre dans une jatte froide et battre énergiquement pour empêcher la formation de cristaux puis remettre au congélateur. On peut aussi mettre la glace à congeler dans une sorbetière en suivant les instructions du fabriquant.

6 Avant de servir la glace, la mettre au réfrigérateur 1 heure. La servir en boules.

1

4

5

Tarte à la banane et à la mangue

Les bananes et les mangues se marient très bien, aussi bien au niveau visuel que gustatif, et encore plus si on les recouvre de copeaux de noix de coco grillés.

VALEURS NUTRITIONNELLES

Calories ....235 Glucides ......52 g
Protéines ....4 g Lipides ....10 g
Acides gras saturés ....5 g

1 h 15 5 min

8 personnes

INGRÉDIENTS

PÂTE

1 fond de tarte cuit de 20 cm de diamètre (*voir* page 34, étapes 1 et 2)

GARNITURE

2 petites bananes mûres

1 mangue, coupée en tranches

3 cuil. à soupe ½ de maïzena

50 g de sucre roux

300 ml de lait de soja

150 ml de lait de coco

1 cuil. à café d'extrait naturel de vanille

copeaux de noix de coco, grillés, pour décorer

CONSEIL

Les copeaux de noix de coco s'achètent dans certains supermarchés et dans les magasins de produits diététiques ou biologiques. Ils valent le coup d'être utilisés car ils sont bien plus attrayants visuellement et moins sucrés que la noix de coco déshydratée.

1 Couper les bananes en rondelles et en disposer la moitié sur le fond de tarte avec la moitié des tranches de mangue.

2 Mélanger la maïzena et le sucre dans une casserole puis incorporer progressivement le lait de soja et le lait de coco, en chauffant à feu doux. Battre le tout pour faire épaissir.

3 Incorporer ensuite l'extrait de vanille à la préparation puis verser le mélange obtenu sur les fruits.

4 Recouvrir le tout avec le reste des fruits puis parsemer de copeaux de noix de coco grillés. Mettre au réfrigérateur pendant 1 heure avant de servir.

Gâteau de riz brûlé à la banane

Prendre un gâteau de riz, le parfumer avec du zeste d'orange, du gingembre confit, des raisins secs et des rondelles de banane puis napper le tout de sucre roux caramélisé.

VALEURS NUTRITIONNELLES

Calories ....509 Glucides .....210 g
Protéines ....9 g Lipides ....6 g
Acides gras saturés ....4 g

5 min 5 min

2 personnes

INGRÉDIENTS

- 400 g de gâteau de riz en boîte
- zeste râpé d'une demi-orange
- 2 morceaux de gingembre confit, coupés en petits morceaux
- 2 cuil. à café de sirop de gingembre en bouteille
- 40 g de raisins secs
- 1 ou 2 bananes
- 1 ou 2 cuil. à café de jus de citron
- 4 ou 5 cuil. à soupe de sucre roux

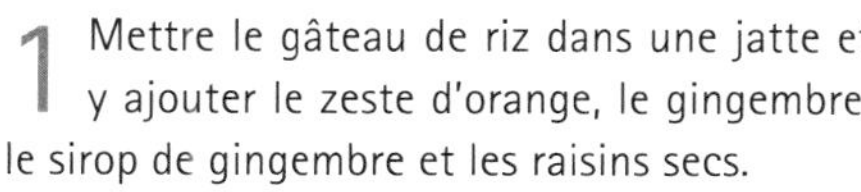

1 Mettre le gâteau de riz dans une jatte et y ajouter le zeste d'orange, le gingembre, le sirop de gingembre et les raisins secs.

2 Couper les bananes en biais en rondelles, les mélanger avec le jus de citron pour éviter qu'elles ne s'oxydent puis les égoutter et les répartir dans deux petits moules à baba résistant à la chaleur.

3 Recouvrir les bananes avec le gâteau de riz parfumé de façon à remplir presque entièrement les petits moules et égaliser la surface.

4 Saupoudrer le sucre roux en couche régulière sur le dessus de chaque moule.

5 Mettre les petits moules sous le gril préchauffé à puissance moyenne, jusqu'à ce que le sucre fonde, mais veiller à ce qu'il ne brûle pas.

6 Laisser refroidir les gâteaux de riz pour que le caramel se solidifie, puis mettre au réfrigérateur jusqu'au moment de servir. Taper sur la couche de caramel avec le dos d'une cuillère pour la briser.

CONSEIL

Le gâteau de riz en boîte est un dessert que l'on peut facilement adapter : délicieux chaud avec des écorces d'orange et des pommes râpées, il est également très bon froid avec du chocolat râpé et des cerneaux de noix.

Pudding de pain beurré à l'indienne

Le traditionnel pudding de pain beurré anglais dans une version aux accents indiens : un dessert original à réserver pour les grandes occasions.

VALEURS NUTRITIONNELLES	
Calories 445	Glucides .....103 g
Protéines ......10 g	Lipides ....20 g
Acides gras saturés ......11 g	

 20 min  25 min

6 personnes

INGRÉDIENTS

- 6 tranches de pain d'épaisseur moyenne
- 5 cuil. à soupe de ghee (beurre clarifié)
- 150 g de sucre
- 300 ml d'eau
- 3 cardamomes vertes, sans les cosses
- 600 ml de lait
- 175 ml de lait concentré ou de confiture de lait (*voir* « conseil »)
- ½ cuil. à café de filaments de safran
- crème épaisse, en accompagnement (facultatif)

GARNITURE

- 8 pistaches, mises à tremper puis épluchées et concassées
- amandes, pilées
- 2 feuilles d'argent comestible (*voir* page 357)

1 Couper les tranches de pain en quatre. Faire chauffer le beurre clarifié dans une grande poêle à fond épais et faire revenir les tranches de pain jusqu'à ce qu'elles soient bien dorées et croustillantes, en les retournant une fois. Mettre le pain ainsi cuit dans le fond d'un plat et réserver.

2 Pour faire le sirop : mettre le sucre, l'eau et les graines de cardamome dans une casserole et porter à ébullition à feu moyen sans cesser de remuer. Faire chauffer jusqu'à ce que le sucre fonde et laisser bouillir pour bien faire épaissir. Verser ensuite le sirop obtenu sur le pain.

3 Mettre le lait, le lait concentré ou la confiture de lait et le safran dans une casserole à part, porter à ébullition à feu doux puis laisser mijoter pour faire réduire de moitié. Verser la préparation sur le pain.

4 Décorer avec les pistaches, les amandes pilées et la feuille d'argent et accompagner éventuellement ce pudding de crème fraîche épaisse.

1

2

3

CONSEIL

Pour faire la confiture de lait, portez 900 ml de lait à ébullition dans une grande casserole à fond épais puis baissez le feu et laissez bouillir pendant 35 à 40 minutes en remuant de temps en temps, de façon à faire réduire le lait de moitié. Il doit ressembler à une pâte collante.

Glace aux amandes

Les amandes entières fraîchement broyées sont plus appropriées pour cette recette que les amandes en poudre, car elles offrent une meilleure consistance.

VALEURS NUTRITIONNELLES

Calories ....836 Glucides ......69 g
Protéines ......29 g Lipides ....65 g
Acides gras saturés ....7 g

 3 h 45  0 min

2 personnes

INGRÉDIENTS

225 g d'amandes entières

2 cuil. à soupe de sucre

300 ml de lait

300 ml d'eau

1 Mettre les amandes dans une jatte, les immerger dans l'eau et laisser tremper pendant au moins 3 heures (de préférence toute une nuit).

2 À l'aide d'un couteau tranchant, couper les amandes en petits morceaux puis les broyer de façon à obtenir une pâte fine, ou bien les passer dans un robot de cuisine ou encore les mettre dans un mortier et les broyer à l'aide d'un pilon.

3 Ajouter le sucre à la pâte d'amandes et broyer le tout de nouveau de façon à obtenir une pâte très fine.

4 Ajouter le lait et l'eau et mélanger énergiquement (mixer de préférence dans un robot de cuisine).

5 Mettre la préparation obtenue dans un grand plat.

6 Mettre au réfrigérateur pendant environ 30 minutes et bien mélanger avant de servir.

Fruits rouges à la crème de cassis

La crème de cassis est une liqueur qui parfume admirablement les desserts fruités.

VALEURS NUTRITIONNELLES

Calories ....202 Glucides ......70 g
Protéines ....2 g Lipides ....6 g
Acides gras saturés ....4 g

 10 min  10 min

4 personnes

INGRÉDIENTS

- 350 g de cassis
- 225 g de groseilles
- 4 cuil. à soupe de sucre en poudre
- zeste râpé et jus d'une orange
- 2 cuil. à café d'arrow-root
- 2 cuil. à soupe de crème de cassis
- crème chantilly, en accompagnement

1 À l'aide d'une fourchette, équeuter les cassis et les groseilles avant de les mettre dans une casserole.

2 Ajouter le sucre, le zeste et le jus d'orange et faire chauffer à feu doux pour faire fondre le sucre. Porter à ébullition et laisser mijoter à feu doux pendant 5 minutes.

3 Égoutter les fruits puis les mettre dans une jatte et reverser le jus dans la casserole. Mélanger l'arrow-root avec un peu d'eau de façon à former une pâte homogène, puis l'incorporer au jus des fruits. Porter à ébullition à feu moyen et laisser réduire.

4 Laisser refroidir la sauce obtenue et y incorporer la crème de cassis.

5 Servir dans des coupelles individuelles, accompagné de crème chantilly.

Tartelettes chocolatées au citron vert

Des tartelettes parfumées au citron vert et à la menthe, sur un fond sablé chocolaté croustillant.

VALEURS NUTRITIONNELLES

Calories ....696 Glucides .....114 g
Protéines ......18 g Lipides ....40 g
Acides gras saturés ......22 g

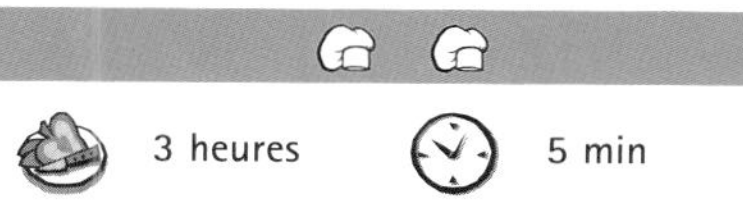

3 heures 5 min

2 personnes

INGRÉDIENTS

FOND SABLÉ

25 g de beurre

25 g de chocolat noir, en carrés

90 g de petits sablés, écrasés

GARNITURE

zeste finement râpé d'un citron vert

90 g de fromage blanc

90 g de fromage frais allégé en matières grasses

1 brin de menthe, haché très finement (facultatif)

1 cuil. à café de gélatine (végétale)

1 cuil. à soupe de jus de citron vert

1 jaune d'œuf

40 g de sucre en poudre

DÉCORATION

crème chantilly

rondelles de kiwi

brins de menthe

1 Beurrer 2 moules cannelés de 11 cm de diamètre, de préférence à fond amovible. Pour faire le fond, faire fondre le beurre et le chocolat au bain-marie ou au micro-ondes à puissance maximale 1 minute. Remuer pour bien homogénéiser.

2 Incorporer les miettes de sablés au mélange et répartir dans les deux moules, en appuyant bien pour tasser. Égaliser et mettre au frais jusqu'à ce que les fonds soient pris.

3 Pour préparer la garniture, mettre le zeste de citron vert et les fromages dans une jatte et battre le tout pour homogénéiser et amalgamer. Incorporer la menthe en battant.

4 Faire fondre la gélatine dans le jus de citron au bain-marie ou au micro-ondes à puissance maximale 30 secondes.

5 Battre le jaune d'œuf avec le sucre jusqu'à obtention d'une consistance crémeuse puis incorporer le mélange à la préparation aux fromages. Incorporer la gélatine fondue et verser la préparation obtenue dans les moules. Mettre au frais pour faire prendre.

6 Démouler délicatement les tartelettes et les décorer avant de servir avec de la crème chantilly, des rondelles de kiwi et des brins de menthe.

2

5

6

Mousse au chocolat

Une mousse légère et aérée, délicatement parfumée d'un soupçon d'orange, tout simplement délicieuse accompagnée d'un coulis de fruits.

VALEURS NUTRITIONNELLES

Calories ....164 Glucides ......49 g
Protéines ....5 g Lipides ....5 g
Acides gras saturés ....3 g

2 h 15 — 5 min

8 personnes

INGRÉDIENTS

- 100 g de carrés de chocolat noir, fondus
- 300 ml de yaourt nature
- 150 g de fromage blanc
- 4 cuil. à soupe de sucre en poudre
- 1 cuil. à soupe de jus d'orange
- 1 cuil. à soupe de cognac
- 1 cuil. à café ½ de gélatine
- 9 cuil. à soupe d'eau froide
- blancs de 2 gros œufs
- copeaux de chocolat noir et de chocolat blanc et zeste d'orange, pour décorer

3

4

5

1 Mettre le chocolat fondu, le yaourt, le fromage blanc, le sucre, le jus d'orange et le cognac dans un robot de cuisine, mixer pendant 30 secondes puis verser le mélange obtenu dans une grande jatte.

2 Verser la gélatine dans l'eau et remuer jusqu'à ce qu'elle soit dissoute.

3 Dans une casserole, porter la gélatine et l'eau à ébullition 2 minutes puis laisser refroidir quelques instants avant d'incorporer le mélange à la préparation au chocolat.

4 Battre les blancs d'œufs en neige ferme et les incorporer délicatement à la préparation précédente à l'aide d'une cuillère en métal.

5 Chemiser un moule à cake d'une contenance de 500 ml avec du film alimentaire, verser la mousse dans le moule puis mettre au réfrigérateur pendant 2 heures (la mousse doit être prise). Démouler ensuite la mousse sur un plat et décorer avant de servir.

CONSEIL

Pour faire rapidement un coulis de fruits, passez au mixeur des quartiers de mandarine en boîte avec leur jus, écrasez le mélange à travers une passoire. Ajoutez 1 cuillerée à soupe de miel liquide et servez avec la mousse.

Génoise au sirop

Vous n'en croirez pas vos yeux quand vous verrez à quelle vitesse cette génoise légère comme une plume cuit au four à micro-ondes !

VALEURS NUTRITIONNELLES

Calories ....650 Glucides .....149 g
Protéines ......10 g Lipides ....31 g
Acides gras saturés ....7 g

15 min 5 min

4 personnes

INGRÉDIENTS

- 125 g de beurre ou de margarine
- 4 cuil. à soupe de mélasse raffinée
- 90 g de sucre en poudre
- 2 œufs
- 125 g de farine levante
- 1 cuil. à café de levure chimique
- environ 2 cuil. à soupe d'eau chaude
- crème anglaise, en accompagnement

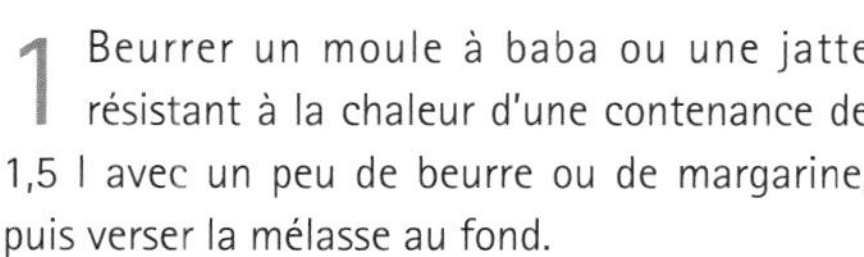

2

3

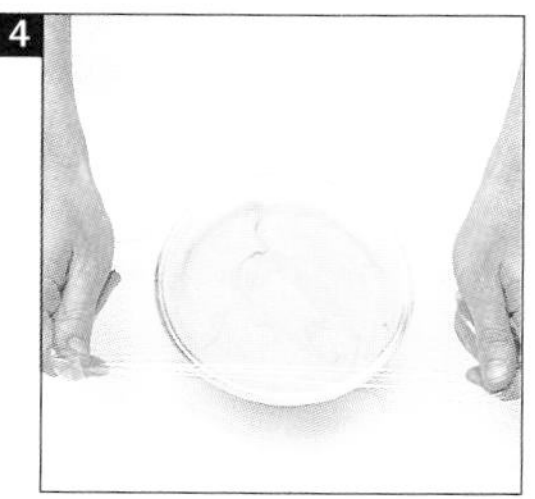

4

1 Beurrer un moule à baba ou une jatte résistant à la chaleur d'une contenance de 1,5 l avec un peu de beurre ou de margarine, puis verser la mélasse au fond.

2 Travailler le reste du beurre en crème avec le sucre jusqu'à obtention d'une mousse légère, puis incorporer progressivement les œufs en battant bien après chaque ajout.

3 Tamiser la farine et la levure chimique ensemble puis incorporer délicatement le mélange à la préparation précédente à l'aide d'une cuillère en métal. Ajouter suffisamment d'eau pour obtenir une pâte souple et fluide. Verser cette pâte dans le moule ou la jatte et lisser la surface.

4 Couvrir le moule ou la jatte avec du film alimentaire, en laissant une petite ouverture pour permettre à l'air de passer. Faire cuire au four à micro-ondes à puissance maximale pendant 4 minutes, puis sortir la génoise du four et laisser reposer pendant 5 minutes (elle continue à cuire).

5 Démouler sur un plat et servir avec de la crème anglaise.

CONSEIL

Vous pouvez aussi faire cuire cette génoise à la vapeur, en recouvrant le moule ou la jatte de papier sulfurisé puis de papier aluminium. Mettez la jatte dans une casserole, verser de l'eau bouillante au fond et laissez cuire 1 h 30.

Crumble aux fruits

Un crumble avec des fruits tropicaux parfumés au gingembre et à la noix de coco, pour un dessert original et savoureux.

VALEURS NUTRITIONNELLES

Calories ....602 Glucides .....135 g
Protéines ....6 g Lipides ....29 g
Acides gras saturés ......11 g

 10 min  50 min

4 personnes

INGRÉDIENTS

- 2 mangues, coupées en tranches
- 1 papaye, épépinée et coupée en rondelles
- 225 g d'ananas frais, coupé en dés
- 1 cuil. à café ½ de gingembre moulu
- 100 g de margarine
- 100 g de sucre roux
- 175 g de farine
- 50 g de noix de coco déshydratée, un peu plus pour décorer

1 Mettre les fruits dans une casserole avec ½ cuillerée à café de gingembre, 30 g de margarine et 50 g de sucre roux. Faire cuire à feu doux pendant 10 minutes, pour faire ramollir les fruits. Recouvrir le fond d'un plat à gratin peu profond avec les fruits.

1

2

2

2 Mélanger la farine avec le reste de gingembre puis faire pénétrer le beurre avec les doigts jusqu'à obtention d'une consistance de chapelure fine. Incorporer le reste de sucre ainsi que la noix de coco et recouvrir les fruits avec la préparation.

3 Mettre le crumble à cuire au four préchauffé, à 180 °C (th. 6) pendant environ 40 minutes jusqu'à ce que le dessus soit bien croustillant. Décorer avant de servir.

VARIANTE

Vous pouvez aussi faire ce crumble avec d'autres fruits, par exemple des prunes, des pommes ou des mûres, et remplacer la noix de coco par des morceaux de noix pour le dessus.

Gâteau de riz au safran

Un dessert onctueux, à base de riz que l'on fait cuire dans du lait aromatisé au safran, puis que l'on mélange avec des fruits secs, des amandes et de la crème.

VALEURS NUTRITIONNELLES

Calories ....339 Glucides ......69 g
Protéines ....9 g Lipides ....16 g
Acides gras saturés ....9 g

5 min | 1 heure

4 personnes

INGRÉDIENTS

- 600 ml de lait entier
- pincées de filaments de safran, broyées finement (*voir* « conseil »)
- 60 g de riz rond
- 1 bâton de cannelle ou de cannelle de Chine
- 40 g de sucre en poudre
- 25 g de raisins secs sans pépins, ou de raisins de Smyrne
- 25 g d'abricots secs, coupés en morceaux
- 1 œuf, battu
- 5 cuil. à soupe de crème liquide
- 15 g de beurre, coupé en dés
- 15 g d'amandes effilées
- muscade fraîchement râpée, pour saupoudrer
- crème fraîche, en accompagnement (facultatif)

1

2

3

1 Mettre le lait et le safran broyé dans une casserole antiadhésive et porter à ébullition. Ajouter ensuite le riz et le bâton de cannelle puis baisser le feu et laisser mijoter à feu très doux pendant 25 minutes sans couvrir, en remuant régulièrement (le riz doit être tendre).

2 Enlever la casserole du feu et retirer le bâton de cannelle. Ajouter le sucre, les raisins secs ou de Smyrne et les abricots secs en remuant bien. Incorporer ensuite l'œuf, la crème et les dés de beurre en battant bien.

3 Mettre le mélange dans un plat à tarte beurré, parsemer avec les amandes effilées et la muscade fraîchement râpée et faire cuire au four préchauffé, à 180 °C (th. 6), pendant 25 à 30 minutes. La préparation doit être prise et légèrement dorée. Servir chaud, éventuellement accompagné d'un peu de crème fraîche.

CONSEIL

Pour une saveur plus prononcée du safran, mettez les filaments dans un petit morceau de papier d'aluminium et faites-les griller quelques instants sous un gril chaud, puis broyez-les en les écrasant entre les doigts.

Sablés de Noël

De merveilleux sablés auxquels on ajoute une touche décorative pour Noël, en les découpant avec des emporte-pièces en forme de sapin, d'étoile, etc.

VALEURS NUTRITIONNELLES

Calories ....162 Glucides ......31 g
Protéines ....1 g Lipides ....9 g
Acides gras saturés ....6 g

45 min 15 min

24 sablés

INGRÉDIENTS

125 g de sucre en poudre
225 g de beurre
350 g de farine, tamisée
1 pincée de sel

GARNITURE

60 g de sucre glace
boules de sucre argentées
cerises confites
angélique confite en bâton

1 Battre le sucre avec le beurre dans une jatte (il est inutile de les travailler en crème complètement).

2 Tamiser la farine et le sel au-dessus de la jatte et travailler le mélange jusqu'à obtention d'une pâte ferme. Sur une surface farinée, pétrir la pâte pendant quelques instants pour l'homogénéiser, mais sans trop la travailler. Réfrigérer pendant 10 à 15 minutes.

3 Abaisser la pâte sur un plan de travail fariné et la découper à l'aide d'emporte-pièces en formes d'objets de Noël, par exemple des étoiles ou des anges. Disposer les petits sablés sur des plaques à pâtisserie beurrées.

4 Faire cuire les sablés au four préchauffé, à 180 °C (th. 6), pendant 10 à 15 minutes (ils doivent être légèrement dorés), puis les laisser sur les plaques à pâtisserie pendant 10 minutes avant de les laisser refroidir complètement sur des grilles.

5 Mélanger le sucre glace avec un peu d'eau pour réaliser un glaçage puis en napper les sablés. Décorer, à son goût, avec des boules de sucre argentées, de petits morceaux de cerises ou d'angélique confites. On peut conserver ces sablés dans un récipient hermétique ou les envelopper individuellement dans du papier cellophane, les attacher avec de la ficelle ou du ruban de couleur, puis les accrocher au sapin de Noël pour en faire de délicieuses décorations comestibles.

2

3

5

Gâteau de carottes

La décoration élégante de ce gâteau onctueux et moelleux avec des fleurs en sucre l'élève au rang de gâteau de fête. Un très bon choix pour un dessert de Pâques.

VALEURS NUTRITIONNELLES

Calories ....506 Glucides .....100 g
Protéines ......10 g Lipides ....27 g
Acides gras saturés ....4 g

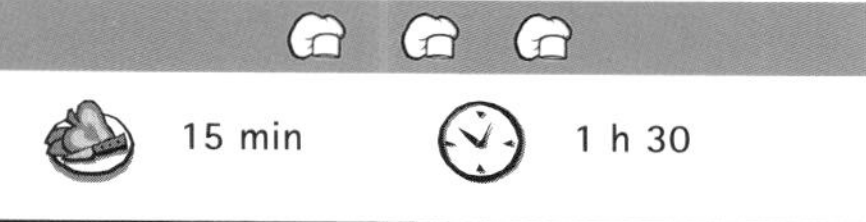

15 min 1 h 30

10 personnes

INGRÉDIENTS

150 ml d'huile de maïs
175 g de sucre blond en poudre
4 cuil. à soupe de yaourt nature
3 œufs, plus 1 jaune d'œuf
1 cuil. à café d'extrait naturel de vanille
125 g de cerneaux de noix, pilés
175 g de carottes, râpées
1 banane, écrasée
175 g de farine
90 g de flocons d'avoine fins
1 cuil. à café de bicarbonate de soude
1 cuil. à café de levure chimique
1 cuil. à café de cannelle en poudre
½ cuil. à café de sel

NAPPAGE

150 g de fromage blanc
4 cuil. à soupe de yaourt nature
90 g de sucre glace
1 cuil. à café de zeste de citron râpé
2 cuil. à café de jus de citron

DÉCORATION

petites violettes et primevères
1 blanc d'œuf, légèrement battu
40 g de sucre en poudre

1 Beurrer un moule à gâteau rond de 23 cm de diamètre et le chemiser avec du papier sulfurisé. Battre l'huile avec le sucre, le yaourt, les œufs, le jaune d'œuf et l'extrait de vanille puis incorporer les morceaux de noix, les carottes râpées et la banane.

2 Tamiser la farine et le reste des ingrédients ensemble avant de les incorporer progressivement à la préparation précédente.

3 Garnir le moule avec la préparation obtenue et égaliser la surface. Faire cuire au four préchauffé, à 180 °C (th. 6), pendant 1 h 30 (le gâteau doit être ferme). Vérifier la cuisson en enfonçant la pointe d'un couteau au centre du gâteau (elle doit ressortir sèche et sans trace de pâte). Laisser refroidir dans le moule pendant 15 minutes puis démouler le gâteau sur une grille.

4 Pour faire le nappage, battre le fromage blanc avec le yaourt puis tamiser le sucre glace au-dessus de la jatte et ajouter le zeste et le jus de citron. Bien remuer puis recouvrir le gâteau du nappage.

5 Pour faire la décoration, tremper rapidement les fleurs dans le blanc d'œuf battu et les saupoudrer de sucre en poudre sur toute la surface. Les disposer sur une feuille de papier sulfurisé en les espaçant bien et les laisser au chaud et au sec plusieurs heures (elles doivent être sèches et dures). Disposer les fleurs en motif sur le dessus du gâteau.

3

4

5

Clafoutis aux cerises

Un dessert chaud facile et assez rapide à préparer que l'on peut adapter à d'autres fruits, en particulier des abricots et des prunes avec lesquels ce dessert sera fameux.

VALEURS NUTRITIONNELLES

Calories . . . . .261 Glucides . . . . . .64 g
Protéines . . . . . .10 g Lipides . . . . .6 g
Acides gras saturés . . . . . . .3 g

10 min 40 min

6 personnes

INGRÉDIENTS

- 125 g de farine
- 4 œufs, légèrement battus
- 2 cuil. à soupe de sucre en poudre
- 1 pincée de sel
- 600 ml de lait
- beurre, pour graisser le plat
- 500 g de cerises à chair foncée, dénoyautées, fraîches ou en conserve
- 3 cuil. à soupe de cognac
- 1 cuil. à soupe de sucre, pour décorer

1 Tamiser la farine au-dessus d'une jatte, creuser un puits au centre et y mettre les œufs, le sucre et le sel. Battre en ramenant progressivement la farine vers le centre.

2 Verser ensuite le lait et battre énergiquement jusqu'à obtention d'une pâte très homogène.

3 Beurrer généreusement un plat d'une contenance de 1,75 l et y verser environ la moitié de la pâte.

4 Disposer les cerises par-dessus puis les recouvrir avec le reste de la pâte, avant d'arroser le clafoutis de cognac.

5 Faire cuire au four préchauffé, à 180 °C (th. 6), pendant 40 minutes. Le clafoutis doit être levé et doré.

6 Sortir le plat du four et saupoudrer le clafoutis de sucre juste avant de servir chaud.

Pain perdu à l'anglaise

Cette recette anglaise traditionnelle contient de la marmelade d'oranges et des pommes râpées qui lui donnent un goût unique et savoureux.

VALEURS NUTRITIONNELLES

Calories ....427 Glucides .....137 g
Protéines ....9 g Lipides ....13 g
Acides gras saturés ....7 g

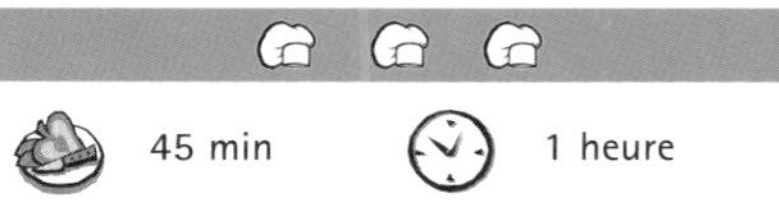

45 min 1 heure

6 personnes

INGRÉDIENTS

- 60 g de beurre, en pommade
- 4 ou 5 tranches de pain blanc ou complet
- 4 cuil. à soupe de marmelade d'oranges avec morceaux
- zeste râpé d'un citron
- 90 à 125 g de raisins secs
- 40 g d'écorces de fruits confites, coupées en morceaux
- 1 cuil. à café de cannelle en poudre ou de mélange d'épices
- 1 pomme à cuire, épluchée, évidée et râpée grossièrement
- 90 g de sucre roux
- 3 œufs
- 500 ml de lait
- 2 cuil. à soupe de sucre roux

1 Enduire un plat de beurre et beurrer les tranches de pain avant de les tartiner de marmelade.

2 Disposer une couche de tranches de pain au fond du plat et parsemer de zeste de citron, de la moitié des raisins secs, de la moitié des écorces et des épices, de la pomme râpée et de la moitié du sucre roux.

3 Ajouter une couche de pain par-dessus en découpant les tranches selon la forme du plat.

4 Répartir presque tout le reste de raisins secs et d'écorces de fruits confites, d'épices et de sucre roux sur le pain. Recouvrir avec une dernière couche de pain, en découpant les tranches selon la forme du plat.

5 Battre légèrement les œufs avec le lait et verser délicatement le mélange sur le pain pour qu'il pénètre bien toutes les couches. Il est conseillé de laisser reposer pendant 20 à 30 minutes.

6 Saupoudrer le plat de sucre roux puis ajouter les raisins secs restants et faire cuire au four préchauffé, à 210 °C (th. 7), pendant 50 minutes à 1 heure (le pain perdu doit être levé et bien doré). Servir immédiatement ou laisser refroidir pour servir froid.

Pain à l'abricot et aux noisettes

Un pain fruité que l'on peut servir chaud comme froid, éventuellement tartiné d'un peu de margarine, de beurre ou de confiture.

VALEURS NUTRITIONNELLES

Calories ....354 Glucides .....100 g
Protéines ....8 g Lipides ....9 g
Acides gras saturés ......1,2 g

 35 min 40 min

6 personnes

INGRÉDIENTS

- 225 g de farine, un peu plus pour saupoudrer
- ½ cuil. à café de sel
- 1 cuil. à soupe de margarine, un peu plus pour graisser la plaque
- 2 cuil. à soupe de sucre roux
- 100 g de raisins de Smyrne
- 50 g d'abricots secs, coupés en morceaux
- 50 g de noisettes, concassées
- 2 cuil. à café de levure de boulanger déshydratée
- 6 cuil. à soupe de jus d'orange
- 6 cuil. à soupe de yaourt nature
- 2 cuil. à soupe de confiture d'abricots, sans morceaux

1

3

4

1 Tamiser la farine et le sel au-dessus d'une jatte et faire pénétrer la margarine avec les doigts. Incorporer ensuite le sucre, les raisins secs, les abricots, les noisettes et la levure.

2 Faire chauffer le jus d'orange dans une casserole sans faire bouillir.

3 Incorporer le jus d'orange à la préparation précédente, suivi du yaourt nature, puis bien amalgamer le tout de façon à obtenir une pâte.

4 Sur un plan de travail fariné, pétrir la pâte pendant 5 minutes jusqu'à obtention d'une consistance homogène et élastique. La modeler en forme de boule, la déposer sur une plaque de four légèrement graissée puis couvrir et laisser reposer près d'une source de chaleur pour la faire doubler de volume.

5 Mettre le pain à cuire au four préchauffé, à 220 °C (th. 7-8), pendant 35 à 40 minutes (il doit être bien cuit). Laisser refroidir sur une grille et badigeonner de confiture d'abricots. Laisser refroidir et servir.

VARIANTE

Vous pouvez employer d'autres fruits à écale, selon ce dont vous disposez : essayez par exemple avec des noix ou des amandes.

Crème brûlée à l'abricot

Un dessert sublime et fondant, à servir accompagné de meringues croquantes pour les grandes occasions.

VALEURS NUTRITIONNELLES

Calories . . . . .307 Glucides . . . . . .76 g
Protéines . . . . . . .5 g Lipides . . . . . . .16 g
Acides gras saturés . . . . . . .9 g

2 h 15 — 35 min

6 personnes

INGRÉDIENTS

- 125 g d'abricots secs biologiques
- 150 ml de jus d'orange
- 4 jaunes d'œufs
- 2 cuil. à soupe de sucre en poudre
- 150 ml de yaourt nature
- 150 ml de crème fraîche épaisse
- 1 cuil. à café d'extrait naturel de vanille
- 90 g de sucre roux
- meringues, en accompagnement (facultatif)

1 Mettre les abricots et le jus d'orange dans une jatte et les laisser à tremper au moins 1 heure. Verser le mélange dans une casserole, porter à ébullition à feu doux et laisser mijoter pendant 20 minutes. Passer le tout dans un mixeur ou couper les abricots en petits morceaux et les passer à travers une passoire en les écrasant.

2 Battre les jaunes d'œufs et le sucre jusqu'à ce que le mélange blanchisse. Mettre le yaourt dans une casserole avec la crème et la vanille et porter à ébullition à feu doux.

3 Verser ce mélange sur les œufs en battant, puis mettre la crème obtenue dans une casserole à double fond ou dans une jatte posée sur une casserole d'eau frémissante. Faire chauffer au bain-marie en remuant pour faire épaissir. Répartir la préparation entre 6 ramequins et verser délicatement la crème par-dessus. Laisser refroidir puis mettre au réfrigérateur pendant au moins 1 heure.

4 Saupoudrer le sucre roux en couche régulière sur la crème dans les ramequins puis les mettre sous le gril préchauffé jusqu'à caramélisation du sucre. Laisser refroidir, puis casser ensuite le caramel dur avec le dos d'une petite cuillère.

2

3

4

Pudding à la vapeur

Les puddings cuits à la vapeur sont parfaits pour une journée d'hiver, mais cette recette est si légère qu'on peut servir ce dessert tout au long de l'année.

VALEURS NUTRITIONNELLES

Calories	488	Glucides	134 g
Protéines	5 g	Lipides	19 g
Acides gras saturés	4 g		

15 min — 1 h 30

6 personnes

INGRÉDIENTS

- 2 cuil. à soupe de mélasse raffinée, un peu plus pour accompagner
- 125 g de beurre ou de margarine
- 125 g de sucre blanc ou roux
- 2 œufs
- 175 g de farine levante
- ¾ de cuil. à café de cannelle en poudre ou de mélange d'épices
- zeste râpé d'une orange
- 1 cuil. à soupe de jus d'orange
- 90 g de raisins de Smyrne
- 40 g de gingembre confit, coupé en petits morceaux
- 1 pomme à couteau épluchée, évidée et râpée grossièrement

1 Beurrer généreusement un moule à baba ou une jatte résistant à la chaleur d'une contenance de 850 ml et verser la mélasse au fond.

2 Travailler le beurre ou la margarine en crème avec le sucre jusqu'à obtention d'une mousse légère de couleur pâle, puis y incorporer les œufs un par un, en ajoutant à chaque fois une cuillerée à soupe de farine entre les œufs.

3 Tamiser le reste de farine avec la cannelle ou le mélange d'épices puis incorporer le mélange à la préparation précédente, suivi du zeste et du jus d'orange. Incorporer délicatement les raisins secs, le gingembre confit et la pomme.

4 Verser la préparation obtenue dans le moule, égaliser la surface puis couvrir le moule avec une feuille de papier sulfurisé en repliant les extrémités sur les bords du moule.

5 Recouvrir le papier sulfurisé avec une feuille de papier aluminium et faire tenir le tout avec un morceau de ficelle attaché sous le moule qui servira de poignée pour retirer plus facilement le moule de la casserole.

6 Plonger le moule dans une casserole à moitié remplie d'eau bouillante, couvrir et laisser cuire à la vapeur pendant 1 h 30, en rajoutant autant d'eau bouillante que nécessaire pendant la cuisson.

7 Pour servir le pudding, retirer le papier aluminium puis le papier sulfurisé et démouler le pudding sur une assiette. Servir immédiatement.

3

4

6

Bouchées à la pistache

Un dessert flatteur pour l'œil, surtout lorsqu'on le décore avec des amandes effilées et des feuilles de menthe. Un autre de ces desserts que l'on peut préparer à l'avance.

VALEURS NUTRITIONNELLES

Calories ....676 Glucides .....196 g
Protéines ......15 g Lipides ....27 g
Acides gras saturés ....9 g

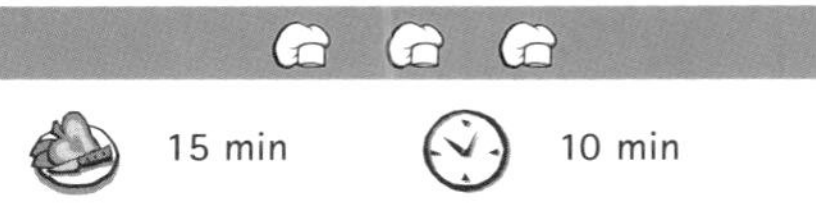

15 min 10 min

6 personnes

INGRÉDIENTS

850 ml d'eau
225 g de pistaches
225 g de lait entier en poudre
500 g de sucre
2 cardamomes, écrasées
2 cuil. à soupe d'eau de rose
filaments de safran

GARNITURE

25 g d'amandes effilées
feuilles de menthe

2

4

4

1 Mettre environ 600 ml d'eau dans une casserole et la porter à ébullition, puis retirer la casserole du feu et y mettre les pistaches à tremper pendant environ 5 minutes. Bien les égoutter et les éplucher.

2 Passer les pistaches au robot de cuisine ou les mettre dans un mortier et les broyer à l'aide d'un pilon.

3 Ajouter ensuite le lait en poudre et bien le mélanger aux pistaches.

4 Pour faire le sirop, mettre le reste de l'eau et le sucre dans une casserole et faire chauffer à feu doux. Quand le liquide commence à épaissir, ajouter les graines de cardamome, l'eau de rose et le safran.

5 Verser le sirop obtenu dans la préparation précédente et faire chauffer pendant environ 5 minutes sans cesser de remuer, pour faire épaissir. Laisser refroidir quelques instants.

6 Une fois que la préparation est assez refroidie pour être manipulée, en faire des boules avec la paume de la main. Décorer avec des amandes effilées et des feuilles de menthe fraîche et laisser prendre avant de servir.

CONSEIL

Il vaut mieux acheter des pistaches entières et les broyer soi-même. Les fruits à écale fraîchement broyés ont toujours plus de goût, car le broyage permet de libérer leurs huiles naturelles.

Gâteau renversé à l'ananas

Une recette qui montre que l'on peut très bien adapter un classique de la pâtisserie en une version végétalienne, en remplaçant le beurre et les œufs par de la margarine et de l'huile.

VALEURS NUTRITIONNELLES

Calories	354	Glucides	87 g
Protéines	3 g	Lipides	15 g
Acides gras saturés	2 g		

15 min — 50 min

6 personnes

INGRÉDIENTS

- 50 g de margarine, coupée en petits dés
- 425 g de tranches d'ananas au sirop, séparées de leur jus
- 4 cuil. à café de maïzena
- 50 g de sucre roux
- 125 ml d'eau
- zeste d'un citron

BISCUIT

- 50 ml d'huile de tournesol
- 75 g de sucre roux
- 150 ml d'eau
- 150 g de farine
- 2 cuil. à café de levure chimique
- 1 cuil. à café de cannelle en poudre

2

3

3

1 Beurrer un moule à manqué de 18 cm de diamètre. Mélanger le jus de l'ananas et la maïzena pour obtenir une pâte lisse. Mettre dans une casserole avec le sucre, la margarine et l'eau, à feu doux pour faire fondre le sucre. Porter à ébullition et laisser mijoter pendant 2 à 3 minutes pour faire épaissir. Laisser refroidir.

2 Pour faire le biscuit, faire chauffer l'huile, l'eau et le sucre dans une casserole à feu doux sans faire bouillir, pour dissoudre le sucre. Réserver et laisser refroidir. Tamiser la farine, la levure et la cannelle au-dessus d'une jatte. Verser le sirop de sucre et battre jusqu'à obtention d'une consistance de pâte à crêpes.

3 Mettre les morceaux d'ananas et le zeste de citron au fond du moule et verser 4 cuillerées à soupe du sirop d'ananas. Étaler la pâte par-dessus.

4 Faire cuire au four préchauffé, à 180 °C (th. 6), pendant 35 à 40 minutes. Le biscuit doit être ferme (enfoncer un couteau dans le biscuit : il doit ressortir sans trace de pâte). Renverser le moule sur une assiette et laisser reposer pendant 5 minutes avant de retirer le moule. Servir avec le reste du sirop.

Gâteau de semoule aux prunes

De délicieuses prunes mijotées dans un mélange de jus d'orange et d'épices, qui complètent à merveille ce gâteau de semoule onctueux.

VALEURS NUTRITIONNELLES

Calories	304	Glucides	75 g
Protéines	9 g	Lipides	12 g

Acides gras saturés .... 4 g

5 min — 45 min

4 personnes

INGRÉDIENTS

- 25 g de beurre ou de margarine
- 600 ml de lait
- zeste finement râpé et jus d'une orange
- 60 g de semoule
- 1 pincée de muscade râpée
- 25 g de sucre en poudre
- 1 œuf, battu

ACCOMPAGNEMENT

- 1 noisette de beurre
- noix de muscade, râpée

PRUNES AUX ÉPICES

- 225 g de prunes, coupées en deux et dénoyautées
- 150 ml de jus d'orange
- 25 g de sucre en poudre
- ½ cuil. à café de mélange d'épices

1

3

4

1 Beurrer un plat d'une contenance de 1 l avec un peu de beurre ou de margarine. Mettre le lait, le reste de beurre ou de margarine et le zeste d'orange dans une casserole, verser la semoule et faire chauffer jusqu'à ébullition, sans cesser de remuer. Laisser mijoter à feu doux pendant 2 à 3 minutes, puis retirer du feu.

2 Ajouter la muscade, le jus d'orange et le sucre à la semoule, en remuant bien, puis incorporer l'œuf. Bien mélanger.

3 Verser la préparation dans le plat et faire cuire au four préchauffé, à 190 °C (th. 6-7), pendant 30 minutes (le dessus doit être doré).

4 Pour préparer les prunes aux épices, mettre les prunes avec le jus d'orange, le sucre et le mélange d'épices dans une casserole et laisser mijoter à feu doux pendant 10 minutes (les prunes doivent être juste tendres). Laisser tiédir.

5 Mettre une noisette de beurre et un peu de muscade râpée sur le gâteau de semoule et servir avec les prunes.

Apple pie

La version anglaise de notre tarte aux pommes. On peut la servir chaude ou froide, et parfumer les pommes avec d'autres épices ou avec des écorces d'agrumes râpées.

VALEURS NUTRITIONNELLES

Calories ....577 Glucides .....116 g
Protéines ....6 g Lipides ....28 g
Acides gras saturés ....9 g

55 min 50 min

6 personnes

INGRÉDIENTS

750 g à 1 kg de pommes à cuire, épluchées, évidées et coupées en fines lamelles

environ 125 g de sucre blanc ou roux, un peu plus pour saupoudrer

½ à 1 cuil. à café de cannelle en poudre, de mélanges d'épices ou de gingembre moulu

1 à 2 cuil. à soupe d'eau (facultatif)

PÂTE BRISÉE

350 g de farine

1 pincée de sel

180 g de beurre ou de margarine

environ 6 cuil. à soupe d'eau froide

œuf battu ou lait, pour badigeonner

3

4

5

1 Pour faire la pâte, tamiser la farine et le sel au-dessus d'une jatte et incorporer le beurre ou la margarine avec les doigts jusqu'à obtention d'une consistance de chapelure fine. Ajouter l'eau et amalgamer le tout pour former une pâte ferme. L'envelopper et la mettre au frais pendant 30 minutes.

2 Abaisser environ les deux tiers de la pâte en une couche mince et foncer un plat à tarte de 20 à 23 cm de diamètre.

3 Mélanger les pommes avec le sucre et les épices, puis bien tasser le mélange sur le fond de tarte (la garniture peut dépasser la hauteur du moule). Ajouter éventuellement l'eau, en particulier si les pommes utilisées sont peu juteuses.

4 Abaisser ensuite le reste de la pâte de façon à recouvrir la tarte. Humecter les bords du fond de tarte avec de l'eau et disposer le couvercle de pâte par-dessus, en appuyant bien pour coller les bords ensemble. Retirer l'excédent de pâte tout autour du moule et cranter les bords.

5 Avec les chutes, réaliser de petites formes à disposer sur la pâte pour la décorer, puis les humecter et les coller dessus. Badigeonner d'œuf battu ou de lait pour faire dorer, puis faire 1 ou 2 fentes dans la couche supérieure de pâte avant de disposer la tarte sur une plaque de four.

6 Faire cuire au four préchauffé, à 220 °C (th. 7-8), pendant 20 minutes, puis baisser la température à 180 °C (th. 6) et laisser cuire pendant 30 minutes (la pâte doit être légèrement dorée). Saupoudrer de sucre et servir chaud ou froid.

Sabayons aux deux citrons

Un dessert un peu riche mais absolument succulent. Traqueurs de calories s'abstenir, car il contient une grosse proportion de crème.

VALEURS NUTRITIONNELLES

Calories ....403 Glucides ......32 g
Protéines ....2 g Lipides ......36 g
Acides gras saturés ......22 g

 4 h 15  0 min

4 personnes

INGRÉDIENTS

- 50 g de sucre en poudre
- zeste râpé et jus d'un petit citron
- zeste râpé et jus d'un petit citron vert
- 50 ml de marsala ou de xérès
- 300 ml de crème épaisse
- zeste de citron et de citron vert râpé, pour décorer

1 

2 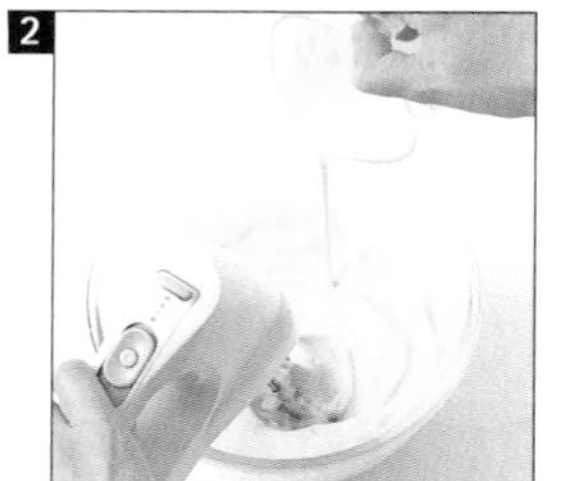

3 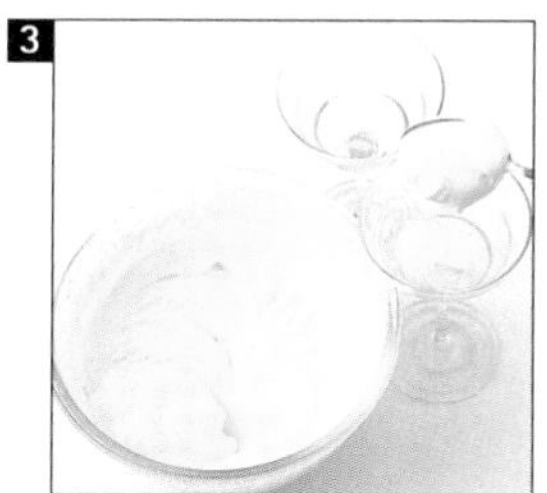

1 Mettre le sucre, le jus et le zeste des citrons et le marsala ou le xérès dans une jatte. Bien mélanger et laisser infuser pendant 2 heures.

2 Ajouter la crème à la préparation et fouetter jusqu'à ce que le mélange prenne une consistance ferme.

3 Répartir la préparation obtenue entre 4 grandes coupes et mettre au frais pendant 2 heures.

4 Décorer avec du zeste de citron avant de servir.

Scones à la pomme de terre

Des scones à base de purée de pomme de terre qui ont, par conséquent, une consistance légèrement différente des scones traditionnels, mais qui sont tout aussi irrésistibles.

VALEURS NUTRITIONNELLES

Calories ....178 Glucides ......38 g
Protéines ....4 g Lipides ....5 g
Acides gras saturés ....3 g

15 min 30 min

6 scones

INGRÉDIENTS

- 250 g de pommes de terre farineuses, coupées en cubes
- 125 g de farine
- 1 cuil. à café ½ de levure chimique
- ½ cuil. à café de muscade râpée
- 50 g de raisins de Smyrne
- 1 œuf, battu
- 50 ml de crème épaisse
- 2 cuil. à café de sucre roux

1 Chemiser une plaque de four avec du papier sulfurisé et la beurrer légèrement.

2 Faire cuire les cubes de pomme de terre dans une casserole d'eau bouillante pendant 10 minutes pour les ramollir, puis bien les égoutter et les réduire en purée.

3 Mettre la purée obtenue dans une grande jatte et y incorporer la farine, la levure chimique et la muscade râpée, en remuant bien pour amalgamer.

4 Incorporer les raisins secs, l'œuf battu et la crème. Battre énergiquement à l'aide d'une cuillère jusqu'à obtention d'une consistance complètement homogène.

5 Séparer la pâte obtenue en 8 boules de 2 cm d'épaisseur et les disposer sur la plaque de four.

6 Faire cuire au four préchauffé, à 210 °C (th. 7), pendant environ 15 minutes (les scones doivent être levés et dorés). Saupoudrer de sucre et servir les scones chauds, tartinés de beurre.

CONSEIL

Pour gagner du temps, vous pouvez préparer ces scones à l'avance et les congeler. Il suffira de les sortir et de les décongeler, puis de les réchauffer au four à température moyenne avant de servir.

Riz au lait

Le riz au lait à l'indienne se cuit à la casserole à feu doux plutôt qu'au four comme dans la version occidentale, qui est aussi beaucoup moins sucrée.

VALEURS NUTRITIONNELLES

Calories ....152 Glucides ......52 g
Protéines ....5 g Lipides ....3 g
Acides gras saturés ....1 g

10 min 30 min

10 personnes

INGRÉDIENTS

75 g de riz basmati

1,2 l de lait

8 cuil. à soupe de sucre

varq (*voir* « conseil ») ou pistaches, concassées, pour décorer

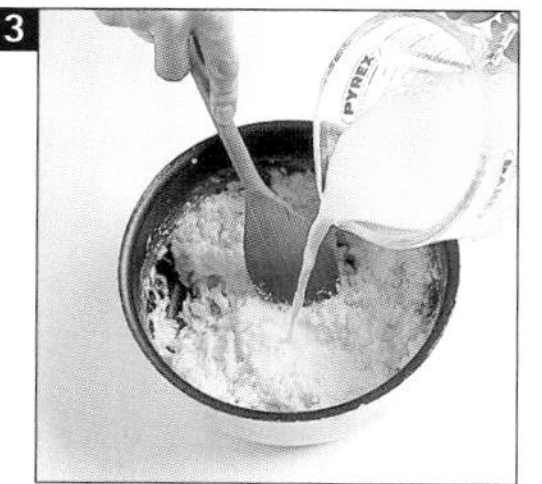

1 Rincer le riz, le mettre dans une grande casserole avec 600 ml de lait et porter à ébullition à feu très doux. Laisser cuire en remuant de temps en temps, jusqu'à absorption complète du lait par le riz.

2 Retirer la casserole du feu et écraser le riz en exécutant des mouvements circulaires rapides dans la casserole pendant 5 minutes. Il ne doit plus rester de grumeaux.

3 Incorporer progressivement le reste du lait, puis porter de nouveau à ébullition à feu doux en remuant de temps en temps.

4 Ajouter le sucre et continuer de faire cuire pendant 7 à 10 minutes sans cesser de remuer. La préparation doit être bien épaisse.

5 Verser le riz au lait dans un plat et décorer avec des feuilles d'argent comestible ou des morceaux de pistache.

CONSEIL

Le varq est de l'argent comestible, utilisé pour décorer des plats de fête en Inde. Il s'agit d'argent pur qui a été frappé jusqu'à devenir extrêmement fin. Il s'achète collé sur du papier. On en décore les plats une fois cuits.

Gâteau au chocolat et au tofu

Ce gâteau nécessite une préparation un peu longue mais mérite cet effort. Dessert consistant, il se déguste très bien avec quelques fruits frais.

VALEURS NUTRITIONNELLES

Calories . . . . .471 Glucides . . . . . .48 g
Protéines . . . . . .10 g Lipides . . . . . . .33 g
Acides gras saturés . . . . . . .5 g

15 min 1 h 15

12 personnes

INGRÉDIENTS

- 100 g de farine
- 100 g d'amandes en poudre
- 200 g de sucre roux
- 150 g de margarine
- 675 g de tofu ferme
- 175 ml d'huile
- 125 ml de jus d'orange
- 175 ml de cognac
- 50 g de cacao en poudre, un peu plus pour décorer
- 2 cuil. à café d'extrait naturel d'amande
- sucre glace et physalis, pour décorer

1 Mettre la farine, les amandes en poudre et 1 cuillerée à soupe de sucre dans une jatte et bien mélanger. Faire pénétrer la margarine dans le mélange de façon à obtenir une pâte.

2 Beurrer légèrement et chemiser le fond d'un moule à manqué de 23 cm de diamètre avec du papier sulfurisé. Tasser la pâte dans le fond du moule de façon à le recouvrir complètement.

3 Couper le tofu en gros morceaux et le mettre dans un robot de cuisine avec l'huile, le jus d'orange, le cognac, le cacao en poudre, l'extrait naturel d'amande et le reste de sucre. Mixer jusqu'à obtention d'une consistance homogène et crémeuse, puis verser la préparation obtenue dans le moule. Mettre ensuite à cuire au four préchauffé, à 160 °C (th. 5-6), pendant 1 heure à 1 h 30, jusqu'à ce que le gâteau soit pris.

4 Laisser tiédir le gâteau dans le moule pendant 5 minutes, puis le démouler et le mettre au frais. Saupoudrer de sucre glace et de cacao en poudre et décorer avec des physalis avant de servir.

1

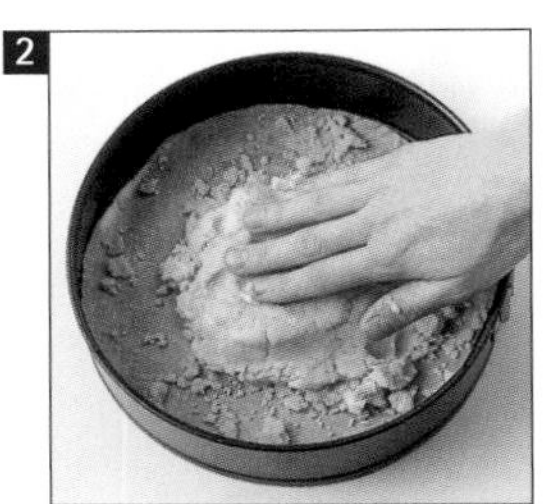
2

3

CONSEIL

Le physalis est une très jolie décoration pour de nombreux desserts. Il suffit d'ouvrir les feuilles du calice pour découvrir son fruit orange vif.

Pudding au chocolat

Un pudding chocolaté que l'on sert avec une sauce chaude au chocolat : la meilleure façon de ne pas laisser perdre du pain légèrement rassis.

VALEURS NUTRITIONNELLES

Calories ....633 Glucides .....129 g
Protéines ......18 g Lipides ....29 g
Acides gras saturés ......11 g

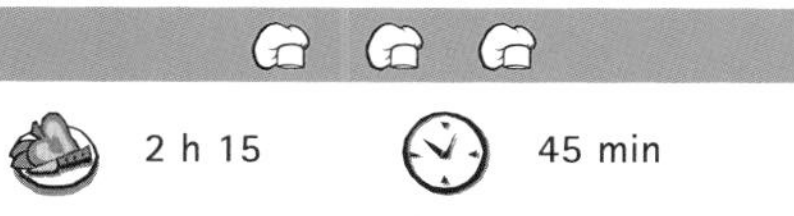

2 h 15 — 45 min

4 personnes

INGRÉDIENTS

- 6 tranches épaisses de pain blanc, sans la croûte
- 450 ml de lait
- 175 g de lait concentré non sucré
- 2 cuil. à soupe de cacao en poudre
- 2 œufs
- 25 g de sucre de canne non raffiné
- 1 cuil. à café d'extrait naturel de vanille
- sucre glace, pour saupoudrer

SAUCE AU CHOCOLAT

- 60 g de chocolat noir en carrés, cassé en morceaux
- 1 cuil. à soupe de cacao en poudre
- 2 cuil. à soupe de mélasse raffinée
- 60 g de beurre ou de margarine
- 25 g de sucre de canne non raffiné
- 150 ml de lait
- 1 cuil. à soupe de maïzena

2

3

4

1 Beurrer un plat peu profond. Couper le pain en carrés et disposer ces carrés en couches dans le fond du plat.

2 Mettre lait, lait concentré et cacao dans une casserole et faire chauffer à feu doux sans cesser de remuer. Le mélange doit être tiède.

3 Battre les œufs avec le sucre et l'extrait de vanille, puis ajouter le lait tiède au mélange obtenu. Bien battre le tout.

4 Verser la préparation obtenue dans le plat, en veillant à ce que le pain soit complètement arrosé. Couvrir ensuite le plat avec du film alimentaire et réserver au frais pendant 1 à 2 heures.

5 Mettre le pudding à cuire au four préchauffé, à 180 °C (th. 6), pendant 35 à 40 minutes (il doit être pris). Laisser reposer pendant 5 minutes.

6 Pour faire la sauce, mettre le chocolat, le cacao en poudre, la mélasse, le beurre ou la margarine, le sucre, le lait et la maïzena dans une casserole et faire chauffer à feu doux, sans cesser de remuer pour homogénéiser.

7 Saupoudrer le pudding avec du sucre glace et le servir accompagné de la sauce chaude.

Crème d'amandes

Un petit déjeuner à base d'amandes traditionnel en Inde, réputé pour affiner l'esprit ! On le sert également en dessert.

VALEURS NUTRITIONNELLES

Calories . . . . .314 Glucides . . . . . .41 g
Protéines . . . . . . .8 g Lipides . . . . . . .21 g
Acides gras saturés . . . . . . .3 g

 5 min  10 min

4 personnes

INGRÉDIENTS

- 2 cuil. à soupe de ghee (beurre clarifié)
- 25 g de farine
- 100 g d'amandes en poudre
- 300 ml de lait
- 50 g de sucre
- feuilles de menthe, pour décorer

1 Mettre le ghee dans une petite casserole à fond épais et le faire fondre sans cesser de remuer pour ne pas laisser attacher.

2 Baisser le feu et ajouter la farine sans cesser de remuer pour éviter la formation de grumeaux.

3 Ajouter les amandes en poudre sans cesser de remuer.

4 Incorporer peu à peu le lait et le sucre dans la casserole. Porter à ébullition et faire cuire pendant 3 à 5 minutes (le liquide doit être homogène et avoir une consistance épaisse).

5 Verser dans un plat, décorer et servir chaud.

CONSEIL

Pour les végétaliens, il est possible de confectionner du ghee végétal avec de la margarine. Placez la quantité désirée dans une petite casserole et faites fondre le plus doucement possible 1 heure ½ à 2 heures. Retirez du feu et passez dans une mousseline fine. Conservez au réfrigérateur.

Petits puddings d'été

Un fabuleux mélange de fruits d'été enveloppés dans des tranches de pain blanc qui absorbent les jus colorés et pleins de saveurs.

VALEURS NUTRITIONNELLES

Calories ....250 Glucides ......94 g
Protéines ....4 g Lipides ....4 g
Acides gras saturés ....2 g

 10 min  10 min

6 personnes

INGRÉDIENTS

- huile ou beurre, pour graisser les moules
- 6 à 8 fines tranches de pain de mie, sans la croûte
- 175 g de sucre en poudre
- 300 ml d'eau
- 225 g de fraises
- 500 g de framboises
- 175 g de cassis et/ou de groseilles
- 175 g de mûres
- brins de menthe, pour décorer
- crème liquide, en accompagnement

2

5

7

1 Graisser six moules profonds d'une contenance de 150 ml avec du beurre ou de l'huile.

2 Chemiser les moules avec du pain, en découpant les tranches pour les ajuster à la forme et à la taille du moule.

3 Mettre le sucre dans une casserole avec l'eau, faire chauffer à feu doux en remuant souvent pour faire fondre le sucre. Porter à ébullition et laisser bouillir pendant 2 minutes.

4 Mettre 6 grosses fraises de côté pour décorer, puis mettre la moitié des framboises et le reste des fruits dans la casserole, après avoir coupé les très grosses fraises en deux. Laisser mijoter à feu doux quelques minutes (les fruits doivent être ramollis mais garder leur forme).

5 Garnir les moules avec les fruits et un peu de sirop. Recouvrir avec d'autres tranches de pain et les imbiber de jus. Couvrir les moules d'une soucoupe à moka et placer un poids par-dessus, laisser refroidir puis mettre au réfrigérateur, de préférence toute une nuit.

6 Passer le reste des framboises au mixeur ou les écraser dans une passoire non métallique. Ajouter suffisamment du sirop des fruits cuits pour que le mélange nappe la cuillère.

7 Démouler les puddings dans des assiettes et arroser de coulis de framboises. Décorer avec des brins de menthe et les fraises restantes. Servir avec un peu de crème.

Crème brûlée aux fruits

Une crème brûlée pas tout à fait dans les règles, car c'est du yaourt qui recouvre le fond de fruits et qui est ensuite saupoudré de sucre et caramélisé.

VALEURS NUTRITIONNELLES

Calories	311	Glucides	96 g
Protéines	7 g	Lipides	11 g
Acides gras saturés	7 g		

1 h 15 — 15 min

4 personnes

INGRÉDIENTS

- 4 prunes, dénoyautées et coupées en lamelles
- 2 pommes à cuire, épluchées et coupées en lamelles
- 1 cuil. à café de gingembre moulu
- 600 ml de yaourt grec
- 2 cuil. à soupe de sucre glace, tamisé
- 1 cuil. à café d'extrait naturel d'amande
- 75 g de sucre roux

1 Mettre les prunes et les pommes dans une casserole avec 2 cuillerées à soupe d'eau et les faire cuire pendant 7 à 10 minutes, pour les ramollir sans les défaire. Laisser refroidir, puis incorporer le gingembre.

2 À l'aide d'une écumoire, garnir le fond d'un plat peu profond avec les fruits.

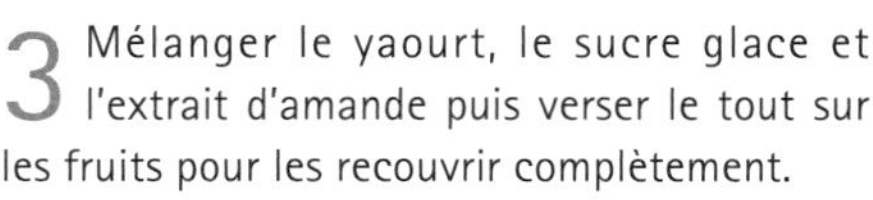

3 Mélanger le yaourt, le sucre glace et l'extrait d'amande puis verser le tout sur les fruits pour les recouvrir complètement.

4 Saupoudrer la couche de yaourt de sucre roux et mettre le plat sous le gril chaud pendant 3 à 4 minutes (le sucre doit être fondu et former une croûte bien solide).

5 Mettre au réfrigérateur pendant 1 heure et servir immédiatement.

CONSEIL

Vous pouvez réaliser ce dessert avec toutes sortes de fruits, par exemple un mélange de baies rouges ou des morceaux de mangue. Dans ce cas, il ne faut pas les faire cuire (sauter l'étape 1).

Brochettes de fruits tropicaux

De beaux morceaux de fruits exotiques piqués sur des brochettes, grillés au barbecue et trempés dans une sauce au chocolat divine.

VALEURS NUTRITIONNELLES

Calories ....435 Glucides .....128 g
Protéines ....6 g Lipides ....11 g
Acides gras saturés ....6 g

 45 min  5 min

4 personnes

INGRÉDIENTS

SAUCE

125 g de chocolat noir, en carrés, cassé en morceaux

2 cuil. à soupe de mélasse raffinée

1 cuil. à soupe de cacao en poudre

1 cuil. à soupe de maïzena

200 ml de lait

BROCHETTES

1 mangue

1 papaye

2 kiwis

½ ananas

1 grosse banane

2 cuil. à soupe de jus de citron

150 ml de rhum blanc

2

2

3

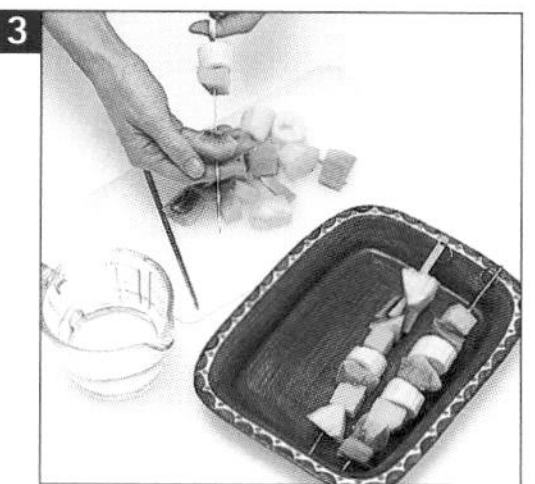

1 Mettre les ingrédients de la sauce dans une casserole à fond épais et faire chauffer au barbecue ou à feu doux sans cesser de remuer. Une fois la sauce épaisse et homogène, la réserver au chaud sur le côté du barbecue.

2 Découper la mangue de chaque côté du noyau puis couper la chair en morceaux, en retirant la peau. Couper la papaye en deux, puis l'épépiner et l'éplucher avant de la couper en gros morceaux. Éplucher les kiwis et les couper en morceaux. Peler l'ananas avant de le couper en morceaux. Peler la banane, la couper en grosses rondelles et tremper ces rondelles dans le jus de citron pour éviter qu'elles ne s'oxydent.

3 Enfiler les morceaux de fruits en alternance sur 4 bâtonnets et mettre les brochettes dans un plat peu profond et les arroser de rhum. Laisser mariner au moins 30 minutes pour que les fruits absorbent le parfum du rhum, jusqu'au moment de les faire cuire au barbecue.

4 Faire cuire les brochettes sur les braises 2 minutes, en les retournant souvent (elles doivent être bien grillées). Servir accompagné de la sauce au chocolat chaude.

Crumble à la rhubarbe et à l'orange

Un mélange de rhubarbe et de pommes parfumé avec du zeste d'orange, du sucre roux et des épices, le tout recouvert d'un crumble croustillant.

VALEURS NUTRITIONNELLES

Calories	516	Glucides	122 g
Protéines	6 g	Lipides	22 g
Acides gras saturés	4 g		

 15 min  45 min

6 personnes

INGRÉDIENTS

- 500 g de rhubarbe
- 500 g de pommes à cuire
- zeste râpé et jus d'une orange
- ½ à 1 cuil. à café de cannelle en poudre
- environ 90 g de sucre roux

CRUMBLE

- 225 g de farine
- 125 g de beurre ou de margarine
- 125 g de sucre roux
- 40 à 60 g de noisettes grillées, concassées
- 2 cuil. à soupe de sucre roux (facultatif)

1 Couper la rhubarbe en morceaux de 2,5 cm de long et les mettre dans une grande casserole.

2 Éplucher, évider et couper les pommes en lamelles. Ajouter à la rhubarbe avec le zeste et le jus d'orange. Porter à ébullition, baisser le feu et laisser mijoter pendant 2 à 3 minutes (les fruits doivent commencer à réduire).

3

3 Ajouter ensuite la cannelle et le sucre (rectifier la quantité au besoin), puis garnir le fond d'un plat avec la préparation obtenue de façon à ce qu'elle n'excède pas les deux tiers de la hauteur du plat.

4 Pour le crumble, tamiser la farine au-dessus d'une jatte et incorporer le beurre avec les doigts ou au robot de cuisine jusqu'à obtention d'une consistance de chapelure fine. Incorporer ensuite le sucre puis les noisettes.

4

5 Disposer le mélange obtenu en couche régulière sur les fruits, lisser la surface et saupoudrer éventuellement de sucre roux.

5

6 Faire cuire au four préchauffé, à 210 °C (th. 7), pendant 30 à 40 minutes (le dessus doit être bien doré). Servir chaud ou froid.

VARIANTE

D'autres épices, comme 60 g de gingembre confit en morceaux, peuvent s'ajouter aux fruits ou au crumble, de même que vous pouvez faire un crumble avec toutes sortes de fruits ou de mélanges de fruits.

Muffins aux pommes de terre

Des muffins à la consistance légère, qui lèvent à la cuisson comme de petits soufflés. À servir de préférence chauds, agrémentés des fruits secs de son choix.

VALEURS NUTRITIONNELLES

Calories ....98 Glucides ......29 g
Protéines ....3 g Lipides ....2 g
Acides gras saturés ......0,5 g

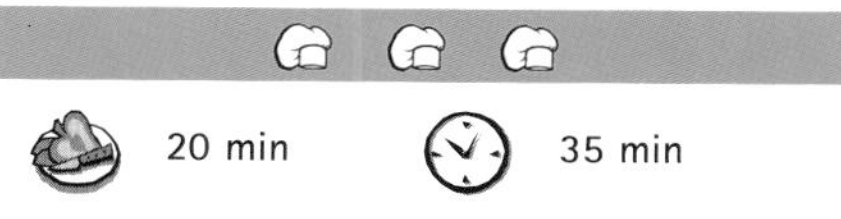

20 min 35 min

12 muffins

INGRÉDIENTS

175 g de pommes de terre farineuses, coupées en cubes

75 g de farine levante

2 cuil. à soupe de sucre roux

1 cuil. à café de levure chimique

125 g de raisins secs

4 œufs, blancs et jaunes séparés

1 Graisser légèrement et fariner 12 moules à muffin.

2 Faire cuire les pommes de terre dans une casserole d'eau bouillante pendant 10 minutes jusqu'à ce qu'elles soient bien cuites. Bien égoutter et réduire en purée homogène.

3 Transvaser dans une jatte et ajouter la farine, le sucre, la levure, les raisins secs et les jaunes d'œufs. Bien mélanger.

4 Dans une jatte, battre les blancs en neige ferme. À l'aide d'une cuillère métallique, incorporer délicatement les blancs dans le mélange. Verser la préparation dans les 12 moules.

5 Cuire dans un four préchauffé à 210 °C (th. 7) pendant 10 minutes. Baisser ensuite la température à 150 °C (th. 5) et laisser cuire pendant 7 à 10 minutes jusqu'à ce que les muffins aient gonflé. Démouler les muffins et les servir chauds.

CONSEIL

Au lieu de tartiner les muffins de beurre classique, vous pouvez les tartiner de beurre à la cannelle, que vous préparez en mélangeant 60 g de beurre avec une bonne pincée de cannelle en poudre.

Marshmallows fondants

Un délicieux dessert anglo-saxon qui fera le régal des enfants de tous âges, la banane et la guimauve s'accordant particulièrement bien avec la sauce au caramel.

VALEURS NUTRITIONNELLES

Calories ....385 Glucides .....137 g
Protéines ....2 g Lipides ....13 g
Acides gras saturés ....8 g

 5 min  5 min

4 personnes

INGRÉDIENTS

- 4 bananes
- 4 cuil. à soupe de jus de citron
- 225 g de marshmallows

SAUCE AU CARAMEL

- 125 g de beurre
- 125 g de sucre de canne brun
- 125 g de mélasse raffinée
- 4 cuil. à soupe d'eau chaude

1 Couper les bananes en grosses rondelles et les faire tremper dans le jus de citron pour éviter qu'elles ne s'oxydent.

2 Sur des brochettes en bois ou en bambou, enfiler deux marshmallows en intercalant entre eux une rondelle de banane.

CONSEIL

La sauce au caramel chaude est délicieuse avec de la glace à la vanille. Doublez les quantités si vous comptez servir de la glace à la fin d'un barbecue, l'idéal étant de préparer les brochettes juste avant de les faire cuire pour éviter que les bananes ne s'oxydent.

3 Pour faire la sauce, faire fondre le beurre, le sucre et la mélasse dans une casserole, puis ajouter l'eau et bien remuer jusqu'à incorporation et homogénéisation. Ne pas porter à ébullition sinon le mélange ferait du caramel trop épais. Garder au chaud sur le côté du barbecue, en remuant de temps en temps.

4 Faire griller les brochettes au barbecue pendant 30 à 40 secondes, sans cesser de les retourner, de façon à ce que les marshmallows commencent tout juste à brunir et à fondre.

5 Servir les brochettes arrosées d'un peu de sauce au caramel (utiliser la moitié de la sauce pour 4 personnes, le reste pourra resservir plus tard).

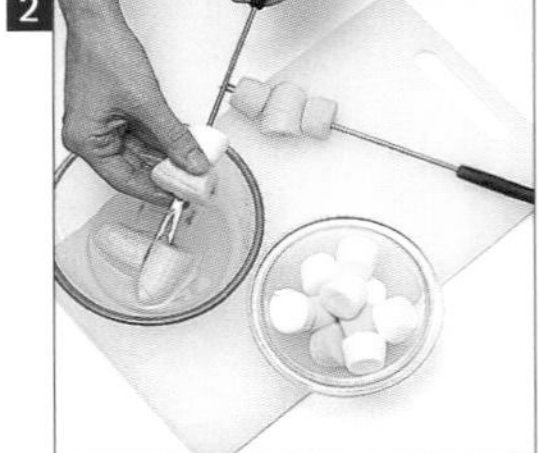
2

3

4

Tiramisu traditionnel

Le plus connu des desserts italiens, parfumé au café et à l'amaretto (que l'on peut remplacer à défaut par du cognac ou du marsala).

VALEURS NUTRITIONNELLES

Calories ....569 Glucides ......62 g
Protéines ......12 g Lipides ....43 g
Acides gras saturés ......22 g

2 h 15 — 5 min

6 personnes

INGRÉDIENTS

- 20 à 24 boudoirs, pour un total d'environ 150 g
- 2 cuil. à soupe de café noir froid
- 2 cuil. à soupe d'extrait naturel de café
- 2 cuil. à soupe d'amaretto
- 4 jaunes d'œufs
- 90 g de sucre en poudre
- quelques gouttes d'extrait naturel de vanille
- zeste râpé d'un demi-citron
- 350 g de mascarpone
- 2 cuil. à café de jus de citron
- 250 ml de crème épaisse
- 1 cuil. à soupe de lait
- 25 g d'amandes effilées, légèrement grillées
- 2 cuil. à soupe de cacao en poudre
- 1 cuil. à soupe de sucre glace

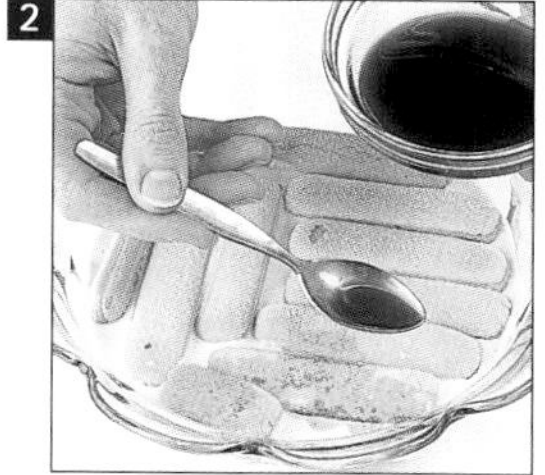
2

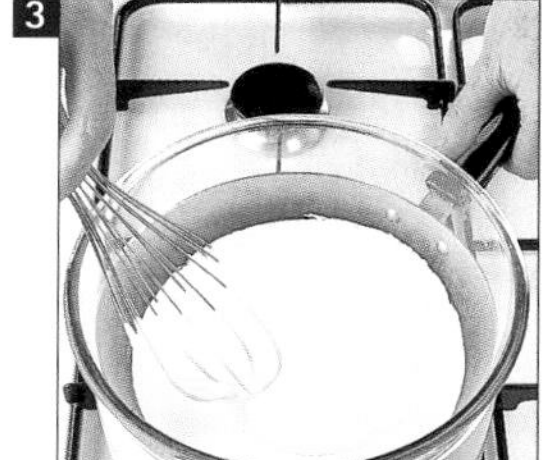
3

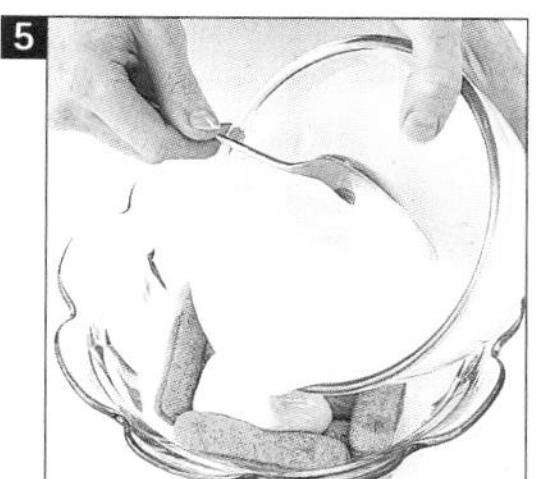
5

1 Disposer un peu moins de la moitié des boudoirs au fond d'une jatte en verre ou d'un plat creux.

2 Mélanger le café noir avec l'extrait de café et l'amaretto et verser un peu plus de la moitié du mélange sur les boudoirs.

3 Mettre les jaunes d'œufs dans une jatte résistant à la chaleur avec le sucre, l'extrait de vanille et le zeste de citron. Disposer la jatte sur une casserole d'eau frémissante et fouetter le mélange pour le faire épaissir et mousser. Le fouet doit laisser une longue traînée quand on le soulève.

4 Mettre le mascarpone dans une jatte avec le jus de citron. Battre pour homogénéiser.

5 Mélanger les deux préparations ensemble. Une fois qu'elles sont bien amalgamées, verser la moitié du mélange obtenu sur les boudoirs et bien l'étaler en couche régulière

6 Ajouter une deuxième couche de boudoirs, verser le reste de mélange de café sur le dessus et recouvrir le tout avec le reste de la préparation à base de mascarpone. Mettre au frais pendant au moins 2 heures et de préférence plus, voire une nuit.

7 Pour servir le tiramisu, fouetter la crème avec le lait jusqu'à obtention d'une consistance ferme puis étaler la préparation sur le dessus de la jatte ou du plat. Parsemer d'amandes effilées, puis saupoudrer de cacao en poudre, en le répartissant en couche régulière de façon à recouvrir complètement le tiramisu. Enfin, tamiser un peu de sucre glace sur le cacao.

Sabayons roses

Un dessert dont la jolie couleur rose s'obtient en ajoutant de la crème de cassis au vin et à la crème avant de fouetter le tout.

VALEURS NUTRITIONNELLES

Calories ....536 Glucides ......34 g
Protéines ....2 g Lipides ....48 g
Acides gras saturés ......30 g

 45 min  0 min

2 personnes

INGRÉDIENTS

- 5 cuil. à soupe de vin blanc
- 2 à 3 cuil. à café de crème de cassis
- zeste finement râpé d'un demi-citron ou d'une demi-orange
- 1 cuil. à soupe de sucre en poudre
- 200 ml de crème épaisse
- 4 boudoirs (facultatif)

GARNITURE

- fruits frais, par exemple des fraises, des framboises ou des groseilles, ou encore des cerneaux de noix ou de noix de pécan
- brins de menthe

1 Dans une jatte, mélanger le vin blanc avec la crème de cassis, le zeste de citron ou d'orange râpée et le sucre en poudre, puis réserver pendant au moins 30 minutes.

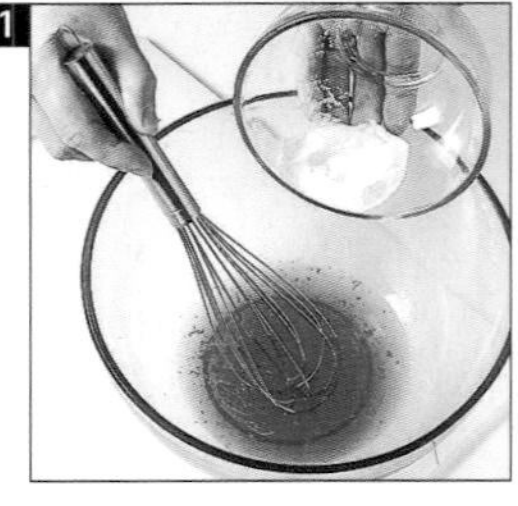

1

2

4

2 Ajouter la crème et bien fouetter jusqu'à obtention d'une consistance bien épaisse et ferme.

3 Si l'on utilise des boudoirs, les couper en gros morceaux et les répartir dans deux coupes.

4 Mettre la préparation à base de crème dans une poche à douille insérée dans une douille normale ou en forme d'étoile et recouvrir, le cas échéant, les boudoirs avec la préparation. À défaut, on peut simplement verser la crème sur les boudoirs. Mettre au frais jusqu'au moment de servir.

5 Avant de servir, décorer chaque sabayon avec des tranches ou de petits morceaux de fruits frais mûrs ou avec des noix, puis avec des brins de menthe.

CONSEIL

Ces sabayons se conservent au réfrigérateur jusqu'à 48 heures ; il est donc conseillé d'en préparer plus que nécessaire, de façon à en garder pour un autre jour.

Délice aux fruits rouges

Un gâteau vraiment fruité, à préparer avec un assortiment de baies rouges, par exemple des myrtilles, des mûres, des framboises et des fraises.

VALEURS NUTRITIONNELLES

Calories ....478 Glucides ......68 g
Protéines ......10 g Lipides ....32 g
Acides gras saturés ......15 g

 2 h 15  5 min

8 personnes

INGRÉDIENTS

FOND

- 75 g de margarine
- 175 g de biscuits sablés
- 50 g de noix de coco déshydratée

GARNITURE

- 1 cuil. à café ½ de gélatine (végétale)
- 9 cuil. à soupe d'eau froide
- 125 ml de lait en poudre
- 1 œuf
- 6 cuil. à soupe de sucre roux
- 450 g de fromage frais
- 350 g de baies rouges diverses
- 2 cuil. à soupe de miel liquide

3

4

5

1 Mettre la margarine dans une casserole et la faire fondre. Mettre les biscuits dans un robot de cuisine et les mixer jusqu'à ce qu'ils soient complètement broyés, ou bien les broyer soigneusement à l'aide d'un rouleau à pâtisserie. Verser les miettes de biscuits et la noix de coco dans la margarine et bien mélanger.

2 Bien tasser la préparation obtenue dans le fond d'un moule à manqué de 20 cm de diamètre préalablement chemisé avec du papier sulfurisé, puis mettre au réfrigérateur pendant la préparation de la garniture.

3 Pour préparer la garniture, verser la gélatine dans l'eau, remuer jusqu'à dissolution et porter à ébullition. Laisser bouillir pendant 2 minutes puis laisser refroidir quelques instants.

4 Mettre le lait, l'œuf, le sucre et le fromage frais dans une jatte et battre jusqu'à obtention d'une consistance homogène. Incorporer ensuite 50 g des fruits au mélange puis ajouter la gélatine fondue sans cesser de remuer, en formant un tourbillon.

5 Recouvrir le fond sablé avec la préparation puis remettre au réfrigérateur pendant 2 heures. La garniture doit être prise.

6 Transférer le gâteau dans un plat. Disposer le reste des fruits par-dessus et arroser de miel avant de servir.

Glace à la mangue

Une délicieuse crème glacée bien rafraîchissante grâce au mélange pétillant de mangue et de citron vert : l'épilogue idéal à un repas épicé et pimenté.

VALEURS NUTRITIONNELLES

Calories ....275 Glucides ......51 g
Protéines ....2 g Lipides ....19 g
Acides gras saturés ......11 g

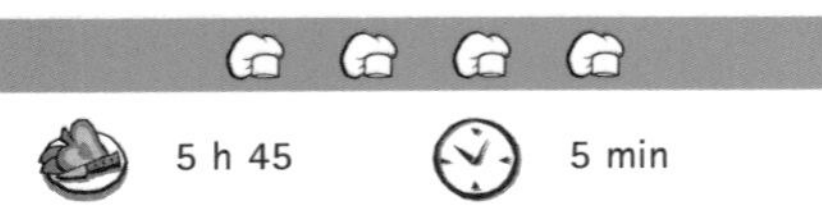

5 h 45 5 min

6 personnes

INGRÉDIENTS

- 150 ml de crème liquide
- 2 jaunes d'œufs
- ½ cuil. à café de maïzena
- 1 cuil. à café d'eau
- 800 g de tranches de mangue au sirop en boîte, égouttées
- 1 cuil. à soupe de jus de citron ou de citron vert
- 150 ml de crème épaisse
- brins de menthe, pour décorer

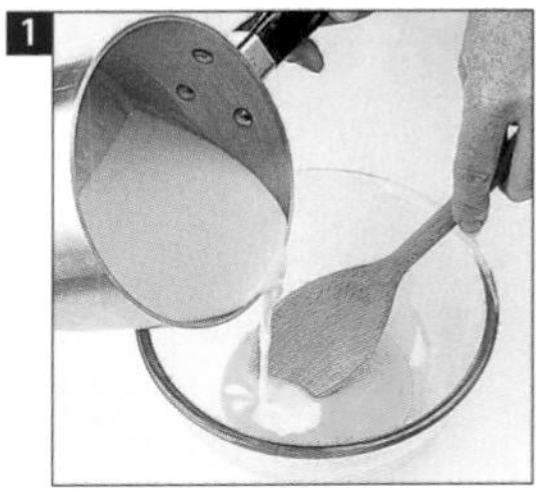

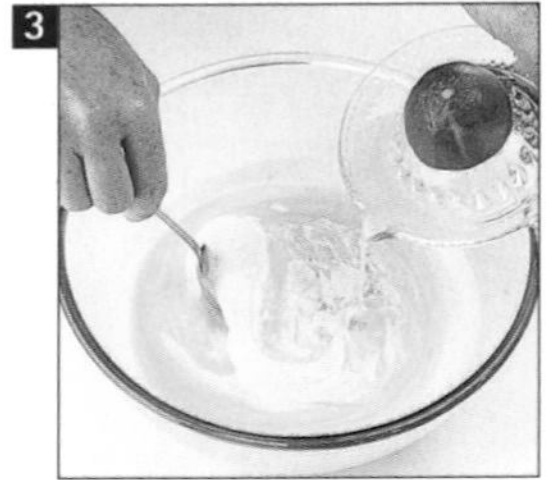

1 Faire chauffer la crème liquide dans une casserole sans la faire bouillir. Mettre les jaunes d'œufs dans une jatte avec la maïzena et l'eau et mélanger jusqu'à obtention d'une consistance homogène. Verser la crème chaude dans la préparation obtenue, sans cesser de remuer.

2 Reverser la préparation dans la casserole et la faire chauffer à feu très doux, sans cesser de fouetter pour la faire épaissir, jusqu'à obtention d'une consistance qui nappe la cuillère. Verser la préparation dans une jatte.

3 Mixer les tranches de mangue jusqu'à obtention d'une consistance homogène, puis mélanger cette préparation à la préparation précédente et incorporer le jus de citron vert. Fouetter la crème épaisse jusqu'à ce qu'elle devienne ferme et l'incorporer délicatement au mélange.

4 Mettre la préparation obtenue dans un moule à cake ou dans un récipient peu profond allant au congélateur. Couvrir et congeler 2 à 3 heures (la glace doit être toujours molle au milieu). Verser la glace dans une jatte et bien l'écraser à l'aide d'une fourchette pour l'homogénéiser, puis la reverser dans le récipient, couvrir à nouveau et remettre à congeler jusqu'à ce que la glace soit bien ferme.

5 Environ 30 minutes avant de servir, mettre le récipient au réfrigérateur pour que la glace ramollisse. Servir dans des coupes et décorer avec des brins de menthe.

CONSEIL

Gardez le sirop des mangues pour le mettre dans des salades de fruits ou pour faire des cocktails.

Meringues fourrées

Un mélange de pommes et d'abricots pochés dans du jus d'orange et enrobé d'une meringue.

VALEURS NUTRITIONNELLES

Calories	442	Glucides	160 g
Protéines	7 g	Lipides	9 g

Acides gras saturés .... 3 g

15 min · 10 min

2 personnes

INGRÉDIENTS

- 2 tranches d'environ 2 cm d'épaisseur de pain d'épices bien dense
- 1 à 2 cuil. à soupe de vin épicé ou de rhum
- 1 pomme à couteau
- 6 abricots secs, coupés en morceaux
- 4 cuil. à soupe de jus d'orange ou d'eau
- 15 g d'amandes effilées
- blancs de 2 petits œufs
- 100 g de sucre en poudre

1 Mettre chaque tranche de pain d'épices dans un plat résistant à la chaleur et l'arroser de vin épicé ou de rhum.

2 Couper la pomme en quatre, l'évider et la couper en lamelles au-dessus d'une grande casserole. Ajouter les abricots secs et le jus d'orange ou l'eau. Laisser mijoter à feu doux pendant environ 5 minutes (les fruits doivent être tendres).

3 Ajouter les amandes effilées au mélange en remuant, puis répartir la préparation obtenue entre les tranches de pain d'épices marinées, en la disposant en dôme au milieu.

4 Battre les blancs d'œufs en neige ferme puis y incorporer progressivement le sucre, en veillant à ce que la meringue soit bien ferme à nouveau entre chaque ajout de sucre.

5 Recouvrir complètement les fruits et les tranches de pain d'épices avec la meringue, éventuellement à l'aide d'une douille.

6 Faire cuire au four préchauffé, à 210 °C (th. 7), pendant 4 à 5 minutes. Les meringues doivent être bien dorées. Servir chaud.

VARIANTE

Vous pouvez mettre une tranche de glace à la vanille, au café ou au chocolat sur les fruits avant d'ajouter la meringue, à condition de le faire à la toute dernière minute et de manger le dessert dès la sortie du four.

Fourrés à l'abricot

De petits fourrés végétaliens, pleins de goût et de bons ingrédients, parfaits pour le goûter ou le dessert des enfants.

VALEURS NUTRITIONNELLES

Calories ....198 Glucides ......38 g
Protéines ....4 g Lipides ....9 g
Acides gras saturés ....2 g

 50 min 1 heure

12 fourrés

INGRÉDIENTS

PÂTE

- 225 g de farine complète
- 50 g de mélange de fruits à écale, moulus
- 100 g de margarine, coupée en petits dés
- 4 cuil. à soupe d'eau
- lait de soja, pour dorer

GARNITURE

- 225 g d'abricots secs
- zeste râpé d'une orange
- 300 ml de jus de pomme
- 1 cuil. à café de cannelle en poudre
- 50 g de raisins secs

1 Graisser légèrement un moule à gâteau carré de 23 cm de côté. Pour faire la pâte, mettre la farine et le mélange de fruits à écale dans une jatte et y incorporer la margarine avec les doigts jusqu'à obtention d'une consistance de chapelure. Ajouter l'eau et mélanger pour obtenir une pâte. L'envelopper et la mettre au réfrigérateur pendant 30 minutes.

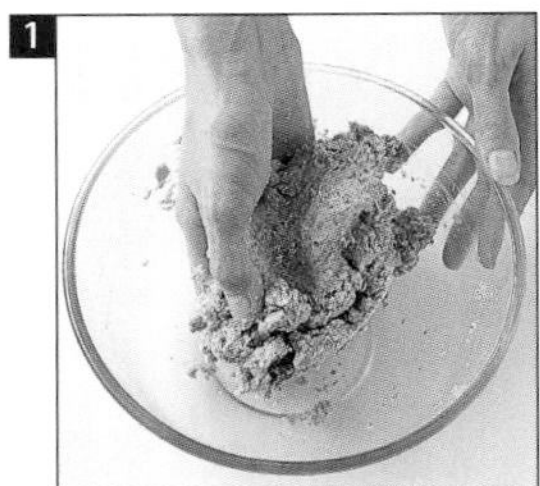

2 Pour faire la garniture, mettre les abricots, le jus de pomme et le zeste d'orange dans une casserole et porter à ébullition. Laisser réduire pendant 30 minutes : les abricots doivent être réduits en bouillie. Laisser refroidir et passer au mixeur. Incorporer les raisins secs et la cannelle.

3 Diviser la pâte en deux, abaisser une part et foncer le moule. Répartir la purée d'abricots dessus et badigeonner les bords de la pâte avec de l'eau. Étaler le reste de la pâte de façon à recouvrir entièrement la garniture. Appuyer pour assembler les bords.

4 Piquer le dessus de la pâte à l'aide d'une fourchette et badigeonner de lait de soja. Cuire au four préchauffé, à 210 °C (th. 7), pendant 20 à 25 minutes. La pâte doit être bien dorée. Laisser refroidir quelques instants avant de couper en 12 parts rectangulaires. Servir chaud.

CONSEIL

Les fourrés se conservent dans un récipient hermétique pendant 3 à 4 jours.

Tarte à la crème et au chocolat

Une version plus légère de la tarte à la crème traditionnelle, à base de crème fraîche et de yaourt.

VALEURS NUTRITIONNELLES

Calories ....795 Glucides .....172 g
Protéines ......13 g Lipides ....40 g
Acides gras saturés ......21 g

25 min 35 min

6 personnes

INGRÉDIENTS

225 g de pâte brisée (*voir* page 354)

COPEAUX DE CHOCOLAT

225 g de chocolat noir

GARNITURE

3 œufs

125 g de sucre en poudre

60 g de farine, un peu plus pour saupoudrer

1 cuil. à soupe de sucre glace

1 pincée de sel

1 cuil. à café d'extrait naturel de vanille

400 ml de lait

150 ml de yaourt nature

150 g de chocolat noir, cassé en morceaux

2 cuil. à soupe de kirsch

COUCHE SUPÉRIEURE

150 ml de crème fraîche

1 Étaler la pâte pour foncer un moule à tarte à fond amovible de 23 cm de diamètre. Piquer la pâte à l'aide d'une fourchette, puis la chemiser avec du papier sulfurisé, la recouvrir avec des haricots secs et la faire cuire à blanc pendant 20 minutes. Retirer les haricots et le papier sulfurisé et remettre le fond de tarte au four pendant 5 minutes. Le sortir du four et le laisser refroidir sur une grille.

2 Pour les copeaux de chocolat, faire fondre le chocolat au bain-marie, puis étaler le chocolat fondu sur une surface plane à l'aide d'une spatule. Racler la couche de chocolat refroidie à l'aide d'un couteau tranchant, de façon à obtenir de fins rubans.

3 Pour la garniture, battre les œufs et le sucre jusqu'à ce que le mélange blanchisse. Incorporer la farine, le sucre glace et le sel à la préparation, puis l'extrait de vanille.

4 Porter le lait et le yaourt à ébullition dans une casserole et tamiser au-dessus de la préparation aux œufs. Verser la préparation dans une casserole à double fond, ou la faire chauffer au bain-marie sans cesser de remuer jusqu'à ce qu'elle nappe la cuillère.

5 Faire fondre le chocolat avec le kirsch dans une casserole à feu doux. Incorporer à la préparation précédente, retirer du feu et immerger le fond de la casserole ou la jatte dans l'eau froide. Laisser refroidir.

6 Verser la préparation au chocolat sur le fond de tarte et étaler la crème fraîche par-dessus. Disposer les copeaux de chocolat.

2

4

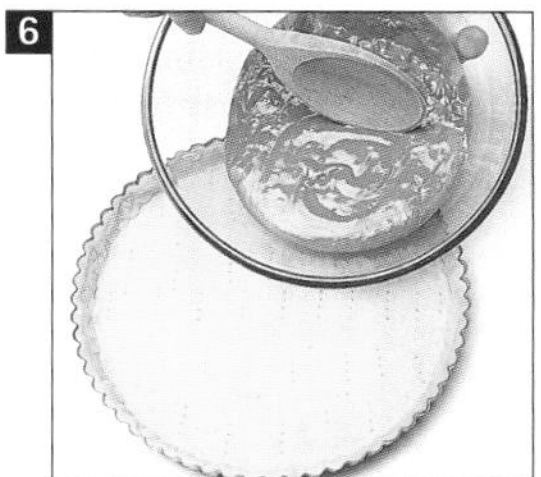

6

Moelleux à la noix de coco

Facile et rapide à faire, ce dessert ressemble beaucoup à la noix de coco glacée. On peut, si l'on veut, y ajouter du colorant alimentaire rose vers la fin de la préparation.

VALEURS NUTRITIONNELLES

Calories	338	Glucides	10 g
Protéines	4 g	Lipides	34 g
Acides gras saturés	26 g		

 1 h 15  15 min

6 personnes

INGRÉDIENTS

- 75 g de beurre
- 200 g de noix de coco déshydratée
- 175 ml de lait concentré
- colorant alimentaire rose (facultatif)

1 Mettre le beurre dans une casserole à fond épais et le faire fondre à feu doux sans cesser de remuer, de façon à ce qu'il n'attache pas au fond de la casserole.

2 Ajouter la noix de coco déshydratée au beurre fondu en remuant bien pour amalgamer.

3 Incorporer le lait concentré et le colorant rose et remuer sans arrêt au-dessus du feu pendant 7 à 10 minutes.

2

3

3

4 Retirer du feu et laisser refroidir quelques instants. Une fois que le mélange est assez refroidi pour être manipulé, le modeler en longs blocs et découper ces blocs en rectangles de taille égale. Laisser prendre pendant 1 heure avant de servir.

VARIANTE

Vous pouvez également diviser en deux le mélange à base de noix de coco à l'étape 2 et mettre du colorant seulement dans la moitié du mélange. Vous aurez ainsi un joli assortiment de tranches de moelleux roses et blanches.

Compote de fruits frais

On utilise de la liqueur de fleur de sureau dans le sirop de cette compote, lui donnant ainsi une saveur délicieusement estivale.

VALEURS NUTRITIONNELLES

Calories ....255 Glucides .....122 g
Protéines ....4 g Lipides ....1 g
Acides gras saturés ......0,2 g

20 min 15 min

4 personnes

INGRÉDIENTS

- 1 citron
- 60 g de sucre en poudre
- 4 cuil. à soupe de liqueur de fleur de sureau
- 300 ml d'eau
- 4 pommes à couteau
- 225 g de mûres
- 2 figues fraîches

CRÈME

- 150 g de yaourt bulgare nature
- 2 cuil. à soupe de miel liquide

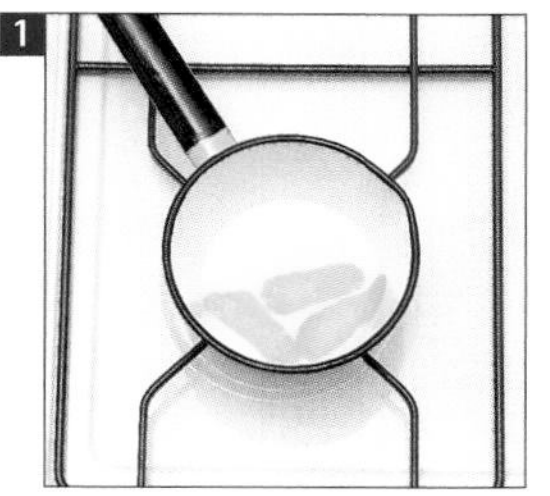
1

2

3

1 Râper finement le zeste du citron à l'aide d'un économe à tête pivotante, puis presser le jus du citron. Mettre ensuite le zeste et le jus dans une casserole avec le sucre, la liqueur de fleur de sureau et l'eau et faire mijoter à feu doux pendant 10 minutes, sans couvrir.

2 Éplucher, évider et couper les pommes en lamelles puis les mettre dans la casserole et laisser mijoter pendant 4 à 5 minutes (les pommes doivent être juste tendres). Retirer la casserole du feu et laisser refroidir.

3 Une fois que la préparation est froide, mettre les pommes et le sirop dans un plat, ajouter les mûres puis couper les figues en tranches et les ajouter. Mélanger délicatement le tout, puis couvrir et mettre au réfrigérateur jusqu'au moment de servir.

4 Verser le yaourt dans un petit bol et l'arroser de miel. Couvrir et mettre au frais avant de servir.

CONSEIL

Le yaourt à la grecque peut être fait à partir de lait de vache ou de brebis. On filtre parfois le premier pour le rendre plus concentré ; il a en effet une plus forte teneur en matières grasses, ce qui corrige à merveille l'acidité et l'âpreté des fruits.

Pudding aux fruits d'automne

La version d'arrière-saison du pudding d'été, à base de fruits qui arrivent plus tard dans l'année. Ce dessert doit être mis au frais toute une nuit, il faut donc le préparer à l'avance.

VALEURS NUTRITIONNELLES

Calories	177	Glucides	71 g
Protéines	3 g	Lipides	1 g

Acides gras saturés ...... 0,1 g

 10 min 15 min

8 personnes

INGRÉDIENTS

- 900 g de fruits divers (mûres, morceaux de pomme, morceaux de poire, etc.)
- 150 g de sucre roux
- 1 cuil. à café de cannelle
- 225 g de pain blanc en tranches fines, sans la croûte (environ 12 tranches)

1 Mettre les fruits dans une grande casserole avec le sucre, la cannelle et 7 cuillerées à soupe d'eau. Bien remuer, porter à ébullition puis baisser le feu et laisser mijoter pendant 5 à 10 minutes, de façon à ce que les fruits soient tendres mais ne perdent pas leur forme.

2 Pendant ce temps, chemiser le fond et les bords d'une jatte ronde d'une contenance de 900 ml avec les tranches de pain, en s'assurant bien qu'il n'y ait pas de trous entre les tranches.

3 Mettre les fruits au milieu de la jatte chemisée de pain, puis les recouvrir avec le reste de pain.

4 Poser une soucoupe par-dessus le pain et appuyer pour tasser. Mettre le pudding au frais pendant une nuit.

5 Démouler le pudding dans un plat et servir immédiatement.

2

3

4

CONSEIL

Ce pudding est particulièrement fameux si on l'accompagne de glace à la vanille qui atténue l'aigreur des mûres. Mettez une assiette sous le pudding dans le réfrigérateur pour retenir le jus qui pourrait couler sur les parois de la jatte.

Pavlova aux mandarines

Un dessert plein d'allure qui conclut en beauté un repas de fête (on peut préparer la base de meringue à l'avance).

VALEURS NUTRITIONNELLES

Calories ....339 Glucides ......73 g
Protéines ....3 g Lipides ....21 g
Acides gras saturés ......10 g

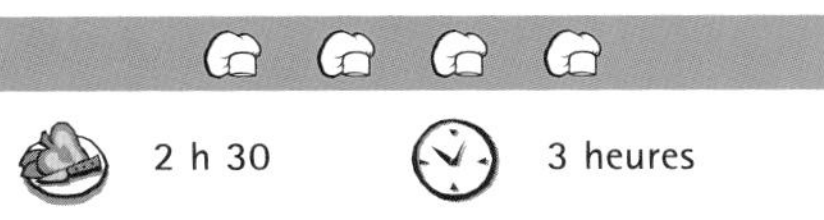

2 h 30 — 3 heures

8 personnes

INGRÉDIENTS

- 4 blancs d'œufs
- 225 g de sucre de canne non raffiné
- 300 ml de crème épaisse ou de crème fraîche à fouetter
- 60 g de noix de pécan
- 4 mandarines satsuma, épluchées
- 1 fruit de la passion ou 1 grenade

1 Chemiser 2 plaques de four avec du papier sulfurisé et dessiner un cercle de 23 cm sur l'un d'eux.

2 Battre les blancs d'œufs en neige dans une grande jatte, puis incorporer progressivement le sucre sans cesser de battre jusqu'à obtention d'un mélange nacré.

3 Éventuellement à l'aide d'une douille, étaler une couche de blancs en neige dans le cercle dessiné sur le papier sulfurisé, puis disposer de petites rosettes ou des cuillerées de blancs en neige sur le pourtour du cercle. Répartir le reste de blancs en neige en rosettes ou en cuillerées sur la seconde plaque.

4 Faire cuire au four préchauffé, à 140 °C (th. 4-5), 2 à 3 heures, en laissant la porte du four légèrement entrouverte à l'aide d'un torchon plié, pour que le four soit bien ventilé. Sortir les plaques du four et laisser refroidir.

2

3

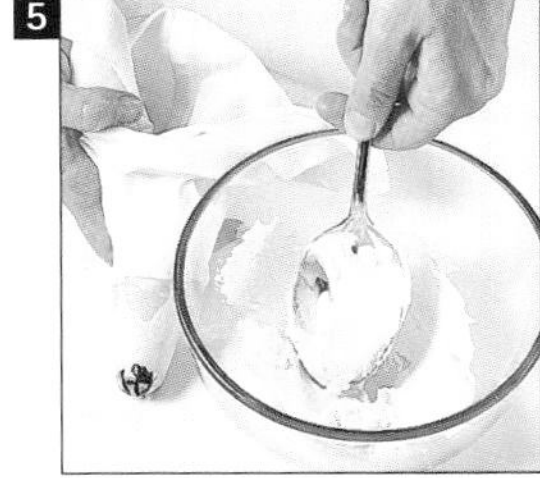
5

Une fois les meringues froides, les détacher délicatement du papier sulfurisé.

5 Fouetter la crème dans une jatte froide jusqu'à obtention d'une consistance bien épaisse et mettre un tiers de la préparation dans une poche à douille munie d'une douille en forme d'étoile. Réserver quelques noix de pécan et une mandarine satsuma pour décorer. Couper le reste en morceaux et l'incorporer au reste de crème.

6 Disposer la préparation sur la base de meringue et décorer avec les rosettes de meringue, de la crème déposée à la douille, des tranches de mandarine satsuma et des noix de pécan. Évider le fruit de la passion ou la grenade. Parsemer le dessert des graines.

Gâteau moelleux au tofu

Voici un gâteau onctueux sans produits laitiers, mais à base de biscuits diététiques émiettés et de tofu.

VALEURS NUTRITIONNELLES

Calories ....282 Glucides ......46 g
Protéines ....9 g Lipides ....15 g
Acides gras saturés ....4 g

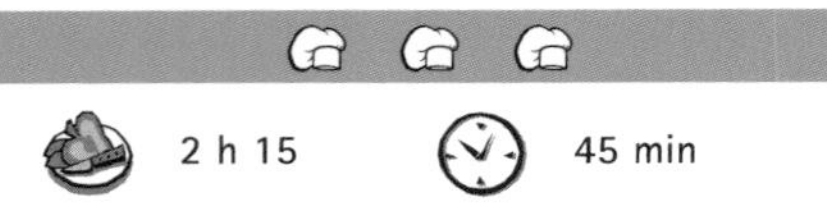

2 h 15 — 45 min

6 personnes

INGRÉDIENTS

- 125 g de sablés diététiques, écrasés
- 50 g de margarine, fondue
- 50 g de dattes, dénoyautées et coupées en morceaux
- 4 cuil. à soupe de jus de citron
- zeste d'un citron
- 3 cuil. à soupe d'eau
- 350 g de tofu ferme
- 150 ml de jus de pomme
- 1 banane, écrasée
- 1 cuil. à café d'extrait naturel de vanille
- 1 mangue, épluchée et coupée en morceaux

1 Beurrer légèrement un moule à tarte à fond amovible de 18 cm de diamètre.

2 Dans une jatte, mélanger les miettes de biscuits avec la margarine fondue. Étaler sur le fond du moule en tassant bien.

2

3 Mettre les dattes coupées, le jus et le zeste de citron et l'eau dans une casserole. Porter à ébullition et laisser mijoter pendant 5 minutes pour ramollir les dattes. Écraser grossièrement les dattes avec une fourchette.

3

4 Mettre la préparation dans un mixeur avec le tofu, le jus de pomme, la banane écrasée et l'extrait naturel de vanille, et mixer le tout jusqu'à obtention d'une purée homogène et épaisse.

4

5 Verser la préparation obtenue sur la base sablée. Cuire au four préchauffé, à 180 °C (th. 6), pendant 30 à 40 minutes. Le dessus doit être doré. Laisser refroidir dans le moule, puis réfrigérer longuement avant de servir.

6 Passer les morceaux de mangue au mixeur pour obtenir un coulis et servir en accompagnement du gâteau bien frais.

VARIANTE

Pour une consistance plus crémeuse, vous pouvez remplacer le tofu ferme par du tofu mou ; le gâteau mettra 40 à 50 minutes pour prendre.

Pancakes à la cerise

Un dessert que l'on peut préparer soit avec des cerises fraîches dénoyautées soit, si le temps manque, avec des cerises en boîte, ce qui rend ce plat très rapide à faire.

VALEURS NUTRITIONNELLES

Calories ....345 Glucides ......81 g
Protéines ....8 g Lipides ....11 g
Acides gras saturés ....2 g

10 min 15 min

4 personnes

INGRÉDIENTS

GARNITURE

- 400 g de cerises dénoyautées en boîte
- ½ cuil. à café d'extrait naturel d'amande
- ½ cuil. à café de mélange d'épices en poudre
- 2 cuil. à soupe de maïzena

PANCAKES

- 100 g de farine
- 1 pincée de sel
- 2 cuil. à soupe de menthe hachée
- 1 œuf
- 300 ml de lait
- huile, pour faire cuire les pancakes
- sucre glace et amandes effilées, grillées, pour décorer

1 Mettre les cerises avec 300 ml du jus de la boîte, l'extrait naturel d'amande et le mélange d'épices dans une casserole. Incorporer la maïzena et porter à ébullition, sans cesser de remuer pour faire épaissir et clarifier. Réserver.

2 Pour faire les pancakes, tamiser la farine avec le sel au-dessus d'une jatte puis incorporer la menthe hachée et creuser un puits au centre du mélange. Incorporer progressivement l'œuf et le lait en battant, de façon à obtenir une pâte à crêpes homogène.

3 Faire chauffer 1 cuillerée à soupe d'huile dans une poêle de 18 cm de diamètre puis, une fois l'huile chaude, l'enlever de la poêle et ajouter juste assez de pâte pour recouvrir le fond. Faire cuire le pancake pendant 1 à 2 minutes (le dessous doit être cuit), puis le retourner et faire cuire encore 1 minute avant de l'enlever de la poêle. Garder au chaud, puis remettre 1 cuillerée à soupe d'huile à chauffer et répéter l'opération jusqu'à ce qu'il n'y ait plus de pâte.

4 Mettre un quart de la garniture sur un quart de chaque pancake, puis replier en quatre en forme de cône, saupoudrer de sucre glace et parsemer d'amandes effilées avant de servir.

Index

H

I-J-K

L

M

N